Karl-Heinz Janßen
Haug von Kuenheim
Theo Sommer

DIE ZEIT

Geschichte einer Wochenzeitung 1946 bis heute

Siedler

Dieses Buch ist die überarbeitete und erweiterte Ausgabe
der 1996 bei Siedler erschienenen Darstellung
Die Zeit in der ZEIT. 50 Jahre einer Wochenzeitung
von Karl-Heinz Janßen.

FSC
Mix
Produktgruppe aus vorbildlich
bewirtschafteten Wäldern und
anderen kontrollierten Herkünften

Zert.-Nr. SGS-COC-1940
www.fsc.org
© 1996 Forest Stewardship Council

Verlagsgruppe Random House FSC-DEU-0100
Das für dieses Buch verwendete FSC-zertifizierte
Papier *EOS* liefert Salzer, St. Pölten.

Erste Auflage

Schutzumschlag: Rothfos + Gabler, Hamburg
Satz: Bongé + Partner, Berlin/Ditta Ahmadi, Berlin
Reproduktionen: Mega Satz Service, Berlin
Druck und Bindung: GGP Media GmbH, Pößneck
Printed in Germany 2006
ISBN-10: 3-88680-847-5
ISBN-13: 978-3-88680-847-2

In memoriam
Gerd Bucerius
1906-1995

Inhalt

Vorwort

Die erste Ausgabe der ZEIT erschien am 21. Februar 1946. In einem ungeheizten Zimmer beim dünnen Schein selbstgebastelter Petroleumlampen wurde sie damals zusammengeschrieben, inmitten von Trümmern, Düsternis auch in den Herzen. Längst hat sich das Dunkel gelichtet. Aus der einen ungeheizten Redaktionsstube sind fünf Etagen im Hamburger Pressehaus am Speersort geworden, aus einer Handvoll Redakteure eine starke Hundertschaft, aus einer Auflage von 25 000 fast eine halbe Million. Zur Rechten und zur Linken sind die Konkurrenten von ehedem auf der Strecke geblieben. Neuere Wochenzeitungen liegen in weitem Auflagenabstand hinter der ZEIT zurück.

Sechzig Jahre lang waren ZEIT-Geschichte und Zeitgeschichte ineinander verwoben. Die Nöte und Dringlichkeiten, die Denkfiguren und Argumentationsmuster aufeinanderfolgender Generationen sprechen aus den vergilbten Zeitungsbänden und den CD-Roms der neueren Jahrgänge.

Zur Fünfzigjahrfeier der ZEIT im Februar 1996 hat Karl-Heinz Janßen in diesem Buch die alten Zeiten – und die alten ZEITen – wieder lebendig werden lassen. Der studierte Historiker war 1963 von dpa zur ZEIT gekommen, wo er nacheinander die Nachrichtenseite der POLITIK, das POLITISCHE BUCH, das DOSSIER (1982-87) und schließlich die ZEITLÄUFTE verantwortete. Er schied 1998 altershalber aus. Nach einem schweren Unfall war er nicht mehr in der Lage, die Geschichte der ZEIT selber für die Jahre 1996-2006 fortzuführen. An seiner Stelle haben Theo Sommer und Haug von Kuenheim – seit 1958 bei der ZEIT der erstere, seit 1962 der letztere – es unternommen, die Geschichte des Blattes während der vergangenen zehn Jahre nachzuzeichnen.

Es waren bewegte zehn Jahre. An dem Tag, an dem Janßen sein Buchmanuskript in Satz gab, starb Gerd Bucerius, der Gründer und Inhaber der ZEIT. Damit ging eine Ära zu Ende. Die ZEIT wurde – ganz im Sinne des Verstorbenen – 1996 an die Stuttgarter Verlagsgruppe Holtzbrinck verkauft.

Der neue Verleger musste vieles anpacken, wozu der greise Bucerius nicht mehr die Kraft gehabt hatte. Es kam in rascher Folge zu mehreren Personalwechseln an der Spitze der Redaktion und in der Geschäftsführung der ZEIT. Zugleich musste sich die Hamburger Wochenzeitung einer Reihe von Häutungen unterziehen. In einem nicht immer einfachen Wandlungsprozess erhielt sie ein neues Gesicht, und neue Gesichter drängten in der Redaktion wie im Verlag nach vorn.

Zugleich rückten auf der Bühne der Weltpolitik neue Probleme in den Vordergrund: die Globalisierung, der internationale Terrorismus, die drohende Klimakatastrophe, die Alterung unserer Gesellschaft und der daraus resultierende Zwang zur Reform unserer Sozialsysteme. Die ZEIT stellte sich den Herausforderungen der neuen Epoche. Sie ging mit der Zeit, ohne ihre Tradition, ihr Wesen, den Kern ihres von zwei Journalistengenerationen geprägten Selbstverständnisses zu verraten. Der Gründer wäre gewiss einverstanden mit dem, was unter dem neuen Verleger Holtzbrinck aus dem Blatt geworden ist, und auch die unvergessene Marion Gräfin Dönhoff, die 2002 gestorben ist, würde, abgesehen vielleicht von einigen wenigen, bei ihr obligaten leisen Tönen der Kritik, der Leistung der Redaktion Lob zollen. In ihrem Geist, liberal, offen und aufrecht wird die ZEIT weiter in Richtung Zukunft schreiten. Sie bleibt sich treu, so viele Wandlungen sie auch durchmacht.

Gerd Bucerius war vierzig Jahre älter als sein Blatt; im Mai 2006 würde er hundert Jahre alt. Einmal hat er ironisch bemerkt: »Wir setzen uns ein für manches Unvernünftige, und wir verachten viel Vernünftiges. So sind wir halt. Nur so kann man wohl Zeitung machen.« Ein halbes Jahrhundert lang ist er die Unruh im Uhrwerk der ZEIT gewesen. Die Fünfzig-Jahr-Feier des Blattes hat er nicht mehr erlebt: Er starb am 29. September 1995. Aber seine Botschaft wird weiterwirken. Sie ist identisch mit der des neuen Eigentümers: Wir dürfen nicht nachlassen.

Haug von Kuenheim *Theo Sommer*
Hamburg, im Januar 2006

1. Kapitel

Ein Geschenk der Alliierten: Die Lizenzträger

Die Anfänge der ZEIT verschwimmen hinter Mythen und Legenden. Nach fünfzig Jahren läßt sich nicht mehr ausmachen, wer von den vier Gründern damals, als das Ende des Krieges und die Befreiung von der Diktatur absehbar wurden, als erster den Einfall hatte, ein freies, unabhängiges, überregionales und politisches Blatt herauszugeben.

Dem Korvettenkapitän und Flottillenkommandanten Ewald Schmidt, von Beruf Verlagskaufmann, kam die Idee auf der Kommandobrücke eines Minenräumbootes in der Deutschen Bucht. Selbst den Namen der Zeitung kannte er schon: Sie sollte – nach den großen westlichen Vorbildern »The Times« und »Le Temps« – »Die Zeit« heißen.

Richard Tüngel, Stadtbaurat a. D. und Bohemien, der sich aus Angst vor den Russen aus Berlin in seine Heimatstadt Hamburg abgesetzt hatte, wußte später ebenfalls noch genau, wo der Geistesblitz ihn getroffen hatte: »Am Harvestehuder Weg, am Eichenpark«, also in der vornehmsten Gegend an der Alster. An einem schönen Tag im Mai oder Juni 1945 überzeugte ihn dort sein Freund Lovis H. Lorenz, ehedem Chef einer Berliner Illustrierten, sie müßten sofort eine Zeitung gründen. Andernfalls drohe ihnen das Geschick, als zugezogene Berliner aus der überfüllten Stadt in den Osten zurückgeschickt zu werden.

Der vierte im Bunde, der Rechtsanwalt Gerd Bucerius aus Altona, erinnert sich, wie Tüngel, den er aus Berlin kannte, ihn schon ein paar Wochen früher aufgesucht habe: »Der Krieg ist im Mai zu Ende. Dann müssen wir eine Zeitung machen.« Das leuchtete ihm sofort ein: »Vor 1933 hatten wir nur an Geschäft und Beruf gedacht und die Politik und das Zeitungmachen bequem anderen überlassen. So kam Hitler. Und so etwas sollte uns, dachten wir, nicht noch einmal passieren.«

Diese vier Männer, die eher zufällig zusammenfanden und nun die britische Besatzungsmacht um eine Lizenz ersuchten, taten es nicht des Geldes wegen. Wer hätte in dieser Stunde Null, als rundum alles daniederlag und die noch vereinten Siegermächte das deutsche Volk auf lange Zeit für die nationalsozialistischen Verbrechen büßen lassen wollten, überhaupt von dem Wirtschaftswunder, das bereits wenige Jahre danach einsetzen sollte, auch nur träumen können? Nein, es war ein intellektueller Entschluß zum politischen und moralischen Engagement. Sie fühlten sich mitverantwortlich für die Not des Vaterlandes, und sie wollten die unverhoffte Chance zu einem Neubeginn nutzen. Auch die ZEIT entstand aus jener Aufbruchstimmung, die allenthalben in den vier Besatzungszonen Kulturzeitschriften blühen ließ mit so poetischen Titeln wie »Aufbau« und »Wandlung«, »Gegenwart« und »Ausblick«, »Ruf« und »Besinnung«.

Nach dem Willen der Alliierten sollte eine neue Presse dazu dienen, die Deutschen zur Demokratie zu erziehen. Anders als bei den Amerikanern ging es damit in der Britischen Zone nur langsam voran. Gerade in Nordwestdeutschland waren viele Druckereien zerstört worden. Es fehlte an Papier, selbst England litt unter diesem Mangel. Zudem verzögerte der politische Wechsel in London, wo die Labour Party die Tories abgelöst hatte, den Prozeß. Die Presseoffiziere taten sich ohnehin schwer, »Lizenzträger« für unabhängige Zeitungen zu finden, denn sie durften weder der Nazipartei noch deren Gliederungen angehört haben. Jeder Bewerber mußte sich erst der peinigenden Prozedur unterziehen, einen Fragebogen auszufüllen. Außerdem sollten die Bewerber vertrauenswürdig, fachlich qualifiziert und lupenreine Demokraten sein.

Was die Vergangenheit anging, so hatten die künftigen ZEIT-Herausgeber eine reine Weste. Ewald Schmidt, der sich nach dem Krieg Schmidt di Simoni nennt, Arztsohn aus Berlin, war nach Lehrjahren bei den Verlagshäusern Mosse und Ullstein Hauptvertriebsleiter bei liberalen Blättern gewesen, erst bei der »Frankfurter Zeitung«, dann beim »Kölner Stadt-Anzeiger«, bis er wegen der jüdischen Herkunft seiner Frau von den Nazis mit einem Berufsverbot belegt wurde. Bei Kriegsbeginn ging er freiwillig zur Kriegsmarine. Es gelang ihm, mit Hilfe seiner Crew-Kameraden von anno 15, die inzwischen Admiräle geworden waren, die Mutter seiner Frau vor dem Konzentrationslager zu bewahren und seine Familie unversehrt durchzubringen. Der britische Presseoffizier Ormond, gebürtiger Deutscher und Anwalt – er hat dem »stern« mit auf den Weg geholfen –, ließ den Lizenzbewerber eigens nach Hannover kommen, um endlich einen Deutschen kennenzulernen, der wirklich »dagegen« gewesen war. In einem Brief an eine Kölner Parteistelle hatte Schmidt erklärt, er wolle niemals mit der NSDAP etwas zu tun haben. Auch die Unterschrift war ein Affront: nicht »Heil Hitler«, sondern »Mit freundlichem Gruß«.

Tüngel, den die Nationalsozialisten 1933 bei der Gleichschaltung des Beamtentums zum Frühpensionär machten, hatte sich im Berliner Künstlermilieu als Schriftsteller durchgeschlagen. Bucerius bezog von ihm im »Dritten Reich« geheime Informationen, die Tüngel »aus dem feinen Netz [erfuhr], das die Gegner des Systems in ganz Deutschland miteinander verband«.

Lorenz, promovierter Kunsthistoriker, war ebenfalls nie Parteigenosse gewesen. Freilich hatte er von 1933 bis 1944 als Chefredakteur die »Woche« geleitet, damals die wichtigste der aktuellen deutschen Illustrierten. Natürlich war sie, wie alle anderen Presseorgane auch, gleichgeschaltet und an die Sprachregelung des Propagandaministeriums gebunden gewesen. Gegen Ende des Krieges wurde Lorenz noch als Kriegsberichterstatter zur Marine eingezogen. Als die Briten ihn zum Verleger für ihre Tageszeitung »Die Welt« machen wollten, erhob die Hamburger SPD Bedenken. Das hinderte die britischen Militärs jedoch nicht, ihn zum Hauptlizenzträger (»Principal Licensee«) der unabhängigen ZEIT zu ernennen. Schließlich war Lorenz der einzige unter den vier Bewerbern, der langjährige journalistische Praxis nachweisen konnte.

Bucerius besaß einen »blütenweißen Fragebogen«. Der promovierte Jurist hatte als Anwalt während der Nazizeit auch jüdische Angeklagte verteidigt und war deswegen vom Hetzblatt »Der Stürmer« öffentlich angeprangert worden. Da er eine jüdische Kaufmannstochter geheiratet hatte – er brachte sie noch vor dem Krieg nach England in Sicherheit – und sich nicht von ihr scheiden ließ, wurde er als wehrunwürdig eingestuft. Ende 1944 hat man ihn gleichwohl in die Wirtschaft dienstverpflichtet. Wagemutig schmuggelte er eines Tages eine Pistole ins Berliner Gestapogefängnis, um seinen Freund Erik Blumenfeld herauszuholen (der lehnte jedoch diesen Coup ab, weil er viel zu gefährlich sei). Da Bucerius' politische Einstellung stadtbekannt war, wurde er 1945 sogleich in einen Entnazifizierungsausschuß berufen.

Kaum hatten ihn die Berliner Freunde Tüngel und Lorenz in ihre Zeitungspläne eingeweiht, wurde Bucerius bereits aktiv. Im Juni 1945 war er von den Engländern zum Treuhänder für das Pressehaus am

Speersort bestimmt worden, wo bis zur Übergabe Hamburgs im Mai die NS-Zeitung »Hamburger Tageblatt« mitsamt Verlag und Herstellung ihren Sitz hatte. Bucerius gelang es nun, Lorenz den gleichen Posten im Haus der beschlagnahmten Verlagsdruckerei Broschek zu besorgen: Dort, an den Großen Bleichen, war bis zur Einstellung 1943 das »Hamburger Fremdenblatt« erschienen. Die künftigen Redaktionsräume der ZEIT und auch ihre Druckerei- und Setzereikapazitäten waren somit im voraus gesichert. Freilich wurde die erhoffte Lizenz für die drei Bewerber erst greifbar, als der für Hamburg zuständige britische Pressekontrolloffizier, Colonel Henry B. Garland, sie mit Schmidt di Simoni zusammenführte, der bereits eine Lizenz für eine Tageszeitung in der Tasche hatte.

Der britische Oberst hatte die Manieren eines Gentleman, doch wunderten sich die Gesprächspartner über sein sonderbares Deutsch, das etwa so ging: »Wollen wir nicht ein gutes Weilchen Angesicht zu Angesicht bleiben und in behutsamer Offenheit die Gegenstände bewegen, die uns am Herzen liegen?« Bis sie dann erfuhren, Garland sei im Zivilberuf Professor für Germanistik in Exeter. Als dieser hochgebildete und herzensgute Mann, der sich in der Welt Goethes und Jean Pauls heimisch fühlte, seinen Uniformrock wieder auszog, schieden er und die Deutschen als Freunde.

Aber zunächst einmal verpflichtete Garland das Hamburger Triumvirat zu einer Sonderarbeit. Die drei Bewerber sollten eine repräsentative Tageszeitung für die Britische Zone entwerfen und vorbereiten. Tüngel mußte in einem Memorandum darlegen, welchen Nutzen so ein Blatt für England und für die Erziehung der Deutschen haben könnte und wie er sich Inhalt und Aufteilung vorstellte. Er gab der Zeitung den Namen: »Der Tag«. Das Triumvirat und auch sein Partner Schmidt di Simoni hielten es für selbstverständlich, daß sie die Tageszeitung, für die sie einen Probeentwurf machten, auch bekämen.

Hier nun begann ein Mißverständnis, das den Lizenzbewerbern schwer zu schaffen machte und erst vor zehn Jahren von der Publizistikstudentin Regina Urban anhand der britischen Akten aufgeklärt werden konnte. Seit Kriegsende hatten die Briten Pläne für eine Zeitung der Militärregierung ausgearbeitet, die für alle anderen Blätter als Modell zu gelten hatte. Zwar sollte sie von Deutschen gemacht werden, aber den Engländern gehören. Der letzte Entwurf stammte vom Starreporter Sefton Delmer, der im Sommer 1945 in Hamburg den »German News Service« eingerichtet hatte, aus dem später die

»Deutsche Presse-Agentur« hervorging. Oberst Garland ließ im Spätherbst das Ganze lediglich noch durch Anregungen vertrauenswürdiger Deutscher anreichern.

Zuvor hatten seine vier Berater die Vorarbeiten für die eigene Zeitung untereinander aufgeteilt. Bucerius, weil in Hamburg hoch angesehen, stellte die Verbindung zu den Banken her; Tüngel formulierte das Memorandum; Schmidt di Simoni und Lorenz gingen auf die Suche nach Redakteuren und Reportern.

Gerade in Norddeutschland war eine Reihe von Berliner Journalisten untergetaucht, die es in den letzten Kriegswochen dahin verschlagen hatte oder die nach Hamburg geflüchtet waren. Sie aufzufinden war für Schmidt di Simoni ein leichtes, weil er als Mitglied der Marine-Waffenstillstandskommission noch monatelang über einen Dienst-Mercedes und Benzin verfügte. Irgendwo in Holstein hatte er bereits Professor Ernst Samhaber aufgetan. Der besaß nicht einmal mehr einen Anzug und trug eine abgerissene Kombination mit grüner Jacke. Dieser Deutschchilene war ein weltläufiger und erfahrener Journalist. Er hatte zeitweise als Kaufmann gearbeitet, Philosophie, Geschichte und Jura studiert und zuletzt von 1941 bis 1944 für die »Deutsche Allgemeine Zeitung« und das von den Nationalsozialisten erfundene gehobene Wochenblatt »Das Reich« aus Südamerika berichtet.

Binnen einer Woche waren alle in Hamburg beieinander. Aus Kampen auf Sylt kam der Berliner Publizist Hans Zehrer, der dort das »Dritte Reich« überlebt hatte, nachdem er mit seinen publizistischen Mitteln die Machtübernahme Hitlers nicht hatte verhindern können. Aus einem Gefangenenlager bei Eutin hatte man Oberst Erwin Topf herausgelotst, einen bekannten Wirtschaftsjournalisten aus der Endphase der Weimarer Republik. Und aus dem Chor-Probesaal des Lübecker Stadttheaters holte Lorenz seinen Freund und Kollegen aus Berliner Zeitungstagen: den Reporter Josef Müller-Marein. Der war nach dem Krieg in seinen ersten Beruf (Cembalist) zurückgekehrt und Generalkapellmeister geworden. Einer seiner Vorgänger in Lübeck: Wilhelm Furtwängler. Einige Wochen später begegnete ein Bekannter Schmidt di Simonis zufällig Marion Gräfin Dönhoff. Sie saß damals, als Flüchtling, auf dem Hof eines Freundes in Alfeld zwischen Göttingen und Hannover. Da sie, wie es damals hieß, einen »clear record« hatte, also politisch nicht belastet war, beschäftigte sie sich damit, ein Memorandum für die Engländer zu schreiben, die, wie Besatzungsmächte nun einmal sind, allerlei vermeidbare Fehler machten. Dieses Memorandum hat den Wing Commander, für den es bestimmt war, wahrscheinlich nie erreicht. Aber der Besucher las es und schickte es den Lizenzbewerbern. Nach einiger Zeit kam ein Telegramm an Marion Dönhoff: »Bitte baldmöglichst nach Hamburg kommen.«

Im Dezember 1945 zog der zum Controller ernannte Colonel Garland mit seinem deutschen Arbeitsstab in das von Bomben halb zerstörte Broschek-Haus an den Großen Bleichen. Alle meinten, sie arbeiteten an einer Probenummer für den »Tag«. Tüngel hatte Hans Zehrer als Chefredakteur der neuen Tageszeitung vorgeschlagen; er stellte bereits eine Redaktion zusammen, in der Samhaber und Topf das Wirtschaftsressort übernehmen sollten; er selber hatte das Feuilleton für sich reserviert und sammelte eifrig Mitarbeiter.

Einer von ihnen war Kurt W. Marek, der hernach als Bestsellerautor unter dem Namen Ceram berühmt wurde. Er wohnte sogar im Broschek-Haus. Sein Zimmer war eine doppelte Telephonzelle, aus der jemand die Zwischenwand entfernt hatte; so hatte gerade ein Feldbett Platz. Ein Stockwerk tiefer hockte der designierte Chefredakteur Zehrer in einem Zimmerchen. Und dann saßen da tagsüber in primitiven Räumen noch einige Deutsche. Das seien alles freundliche Leute, erfuhr Marek von Zehrer, die schon einige Vorarbeiten für den »Tag« geleistet hätten. »Aber die werden uns bald verlassen – die planen eine eigene Zeitung, eine Wochenzeitschrift.« Da ahnten in dieser journalistischen Arbeitsgemeinschaft anscheinend die einen nicht immer, was die anderen im Sinn hatten: Offensichtlich haben die vier Lizenzbewerber gehofft, zugleich mit der Wochenzeitung auch die von ihnen entworfene Tageszeitung in die Hand zu bekommen.

Wie verworren die Zustände im Broschek-Haus waren, erlebte Marion Dönhoff bei ihrem Antrittsbesuch. Tüngel, Lorenz und Samhaber, sehr angetan von ihrem Memorandum, schickten sie gleich ein Stockwerk tiefer, wo sie ihren Anstellungsvertrag unterschreiben sollte. Aber sie verirrte sich in dem verwüsteten Flurlabyrinth und landete bei Hans Zehrer, den sie für den zuständigen Geschäftsführer der ZEIT hielt. Zehrer bat sie nach flüchtiger Lektüre, ihm das Memorandum zu überlassen, und da es ihm offensichtlich gefiel, am Nachmittag zur Unterschrift wiederzukommen. Als sie aus dem Zimmer trat und zufällig auf Tüngel stieß, war der hell entsetzt: »Sie waren eben bei der Konkurrenz, aber Sie sollten doch mit uns den Vertrag machen!« So blieb sie denn bei der ZEIT – ohne Vertrag.

Es waren die Engländer, die den Schwebezustand im Broschek-Haus beendeten. Da sie bereits vier parteigebundene Tageszeitungen für Hamburg vergeben hatten und hier auch täglich ihre eigene überparteiliche Modellzeitung erscheinen sollte, mußten Lorenz, Tüngel, Schmidt di Simoni und Bucerius mit der Wochenzeitung vorliebnehmen, worüber sie, da sie die Hintergründe nicht kannten, nicht eben frohgestimmt waren. Die offizielle Übergabe der Lizenz für DIE ZEIT (Zulassung Nr. 6 der Militärregierung) wurde auf den 15. Februar 1946 festgelegt. Man ließ die Deutschen wissen, bei solchen Gelegenheiten sei eine kleine Feier mit französischem Champagner üblich. Auch diese Klippe wurde gemeistert: Der Pächter der Bahnhofsgaststätten, ein Crew-Kamerad Schmidt di Simonis, fand noch einen Vorrat im Weinkeller, der dem Bombenkrieg getrotzt hatte.

Inzwischen standen die Namen der beiden neuen überregionalen Zeitungen fest. Statt »Tag« bevorzugte man »Welt«. »Warum nicht gleich ›Kosmos‹?« spottete Tüngel. Einer hübschen Legende zufolge sollen Hans Zehrer und Josef Müller-Marein mit einer Münze ausgeworfen haben, wessen Blatt »Welt« oder »Zeit« heißen solle. Zehrer gewann, durfte sich aber nur kurze Zeit über seine »Welt« freuen: Anfang März wurde er von den Engländern abgesetzt, nachdem Hamburger Sozialdemokraten den einstigen Gefolgsmann des Reichskanzlers und Generals von Schleicher als »Steigbügelhalter des Nationalsozialismus« denunziert hatten.

Der Militärgouverneur der Hansestadt, Brigadegeneral Armytage, ließ es sich nicht nehmen, die Lizenzpapiere für die ZEIT persönlich im Pressehaus feierlich zu überreichen. Er wünschte den Herausgebern, ihre Zeitung möge ebenso bedeutend werden wie die englische Namensschwester »The Times«. Die gehobene Stimmung der britischen Offiziere schlug jedoch in Fassungslosigkeit um, als sie von Tüngel erfuhren, die erste Nummer der ZEIT werde bereits am nächsten Mittwoch gedruckt. Sie hatten erwartet, die Wochenzeitung würde erst in drei Monaten fertig sein, lange nach der »Welt«. Erst rund sechs Wochen später ist dann die »Welt« auf den Markt gekommen.

Die frischgebackenen Zeitungsverleger begriffen noch überhaupt nicht, welches Geschenk ihnen die Engländer da soeben in den Schoß gelegt hatten. Als kurz darauf ein britischer Offizier freudestrahlend Gerd Bucerius, den Hausherrn im Pressehaus, aufsuchte und ihm Lizenzformulare für eine Zeitschrift nach Wunsch anbot, zeigte sich dieser gar nicht interessiert. Nicht einmal die Aussicht auf eine Rundfunkzeitung, die angeblich Zukunft habe, konnte ihn verlocken. Bucerius später: »Das Geschäft hat dann Axel Springer gemacht. Mit ›Hör zu‹. Was wir da ausgeschlagen hatten, bemerkten wir bis zur Währungsreform nicht.«

Anderseits merkten die Teilhaber rasch, daß, mit den Worten Bucerius', auch die Lizenz für die ZEIT »in der Tat fast einer Erlaubnis gleich[kam], Geld zu drucken. Denn die Lizenz bedeutete: Papier, Büroräume im ausgebombten Hamburg, eine Druckerei und Mitarbeiter. Allerdings: Gedruckt wurde Reichsmark. Aber immerhin, Geld war es doch.«

Das Hamburger Pressehaus nach einem britischen Luftangriff am 8. März 1945. Damals erschien dort die nationalsozialistische Zeitung »Hamburger Tageblatt«. Ein knappes Jahr später wird die ZEIT in dem schwer beschädigten Gebäude ihr Quartier aufschlagen.

Der ZEIT-Mitbegründer Gerd Bucerius wurde 1946 Hamburger Bausenator (hier, im weißen Hemd, beim Stapeln von Trümmersteinen), im Vordergrund Bürgermeister Petersen. Der zunächst parteilose Bucerius wurde Mitglied der CDU. Als Senator hat er den Plan durchgesetzt, quer durch die Trümmerfelder von Hamburg eine Ost-West-Achse zu ziehen.

Die feierliche Übergabe der Lizenzpapiere an die vier Herausgeber der ZEIT am 15. Februar 1946 im Pressehaus durch Brigadegeneral Armytage (Mitte), den britischen Militärgouverneur von Hamburg. Daneben, l., der Pressekontrolloffizier, Colonel Henry B. Garland. Gegenüber die Lizenzträger (v.r.) Ewald Schmidt di Simoni, Gerd Bucerius, Richard Tüngel und Lovis H. Lorenz.

Oben:
Von Anfang an dabei: Ebelin Bucerius (links). Als der »Laden« noch klein war, bekam jeder ZEIT-Mitarbeiter von ihr das Weihnachtsgeld persönlich überreicht.

Unten:
Der britische Verleger und Schriftsteller Victor Gollancz läßt sich von ZEIT-Teilhaber Gerd Bucerius die Zerstörungen und die Not der Bevölkerung in Hamburg zeigen.

Der jüdische Menschenfreund aus England hatte schon bald nach dem Krieg die Praxis der Entnazifizierung kritisiert (»posthume Kapitulation vor Hitler«).

DIE ZEIT

WOCHENZEITUNG FÜR POLITIK · WIRTSCHAFT · HANDEL UND KULTUR

Veröffentlicht unter Zulassung Nr. 6 der Militärregierung

DIE ZEIT 1. Jg. (1946), Nr. 1 vom 21.2.1946

DIE ZEIT

WOCHENZEITUNG FÜR POLITIK · WIRTSCHAFT · HANDEL UND KULTUR

Veröffentlicht unter Zulassung Nr 6 der Militärregierung

DIE ZEIT 1. Jg. (1946), Nr.13 vom 16.5.1946

DIE ZEIT

WOCHENZEITUNG FÜR POLITIK · WIRTSCHAFT · HANDEL UND KULTUR

Veröffentlicht unter Zulassung Nr. 6 der Militärregierung

DIE ZEIT 1. Jg. (1946), Nr.19 vom 27.6.1946

In den ersten vier Monaten mußte die ZEIT zweimal ihren Titelkopf verändern. Ursprünglich erschien sie mit dem Hamburger Stadtwappen.

Der Hamburger Senat beanstandete die Verwendung des Symbols. Daraufhin erschien das Emblem einige Wochen lang mit geöffnetem Stadttor. Damit war die Obrigkeit erst recht nicht einverstanden.

Auf Bitten der Redaktion erlaubte der Bremer Bürgermeister Wilhelm Kaisen die Verwendungdes Schlüssels aus dem Wappen seiner Hansestadt.

Als die ZEIT noch eine kleine Familie war – Kaffeepause zwischen Baugerüsten im Pressehaus: Verlagsleiter Ewald Schmidt di Simoni (r.) mit dem Reporter Jan Molitor alias Josef Müller-Marein und der Redakteurin Erika Müller (der späteren Eka Gräfin Merveldt).

Aus Feinden wurden Freunde: Die ZEIT-Herausgeber bei einem Empfang im Kasino der britischen Besatzungsmacht (v.l.): Chefredakteur Richard Tüngel, Lovis H. Lorenz, Colonel Henry B. Garland, Gerd Bucerius, Verlagsleiter Ewald Schmidt di Simoni, Presseoffizier.

DIE ZEIT

WOCHENZEITUNG FÜR POLITIK · WIRTSCHAFT · HANDEL UND KULTUR

Preis 40 Pf. / Nr. 1 / 1. Jahrgang — Veröffentlicht unter Zulassung Nr. 6 der Militärregierung — Donnerstag, 21. Februar 1946

Die erste Probe

Die Vereinten Nationen haben ihre erste Tagung beendet.

Aus den Trümmern einer Welt, die nur der Zerstörung und der Vernichtung, dem Kriege und dem Hasse gelebt, erhebt sich das Traumbild einer besseren, einer schöneren Zukunft.

Ein Gebilde ist entstanden, das die Gerechtigkeit auf Erden verwirklichen, das eine Welt der Freiheit aufbauen will, eine Welt frei von Furcht, frei von Mangel, eine Welt der Freiheit des Wortes und – künstlichem Gott überlassen – Freiheit des Denkens, ein Gebilde, das den wirtschaftlichen und sozialen Fortschritt aller Völker fördern will.

[illegible]

Unsere Aufgabe

[illegible]

TREIBEIS

[illegible]

Parteien

Von GERD BUCERIUS

[illegible]

2. Kapitel

Ein Licht in der Finsternis: Die Nummer eins

In der ZEIT Nr. 1 vom Donnerstag, dem 21. Februar 1946, haben die vier Herausgeber auf der ersten Seite in wenigen Worten »unsere Aufgabe« umrissen, mit einem Pathos, das dem Elend jener Tage und den Erwartungen der Menschen angemessen war: »Es gilt heute, Trümmer nicht nur in den Straßen der zerbombten Städte wegzuräumen, sondern auch geistige Belastungen einer untergegangenen Epoche, und das kann nur geschehen, wenn wir den Mut haben, ungeschminkt die Wahrheit zu sagen, selbst wenn sie schmerzlich ist, und das wird sie leider häufig sein. Nur in der Atmosphäre unbestechlicher Wahrheit kann Vertrauen erwachsen.«

Kein Wort von Hitler, vom Nationalsozialismus, von Verbrechen. Und weiter geht es in pastoralem Ton: »Wie eine Mauer von Finsternis und Verzweiflung steht die Zukunft vor uns. Wir können nur hoffen, ein kleines Licht anzuzünden, um die Pfade zu beleuchten, auf die wir in den nächsten Wochen und Monaten tastend unseren Fuß setzen müssen. Wir sprechen zu einem deutschen Leserkreis, der in dieser Zeitung seine Sorgen, Wünsche und Hoffnungen wiedererkennen und sie geklärt sehen soll. Wir werden niemandem nach dem Munde reden, und daß es nicht allen recht zu machen ist, ist eine alte Weisheit. Aber auch eine uns fremde Ansicht mag die Gewißheit haben, daß sie von uns geachtet wird.«

Das war ein Versprechen, welches den Lesern den Atem stocken lassen konnte. Solche Worte waren ihnen fremd nach neun Monaten zeitungsloser, schrecklicher Zeit. Da für die ganze Britische Zone nur 25.000 Exemplare des acht Seiten dünnen Wochenblattes gedruckt wurden, wanderten die Exemplare bald von Hand zu Hand. Das Eigentliche, den Herausgebern Wichtigste, war eher beiläufig angedeutet; noch unterlag die Zeitung der Vorzensur des Militärs. Die Leser würden ohnehin bald heraushören, wo die ZEIT stand. Fünf Jahre später, als die Bundesrepublik für souverän erklärt worden war, gab es die Redaktion offen zu: »Wir beschlossen, als wir die ZEIT gründeten, deutsch zu sein.«

Ein Wagemut sondergleichen, denn der Name »deutsch« galt damals wenig in der Welt, und die Bekundungen der Sieger verhießen wenig Hoffnung: Für mindestens fünfzig Jahre sollte dieses unheimliche Volk, das soviel Unheil über die Menschheit gebracht hatte, unter Kuratel gestellt werden. Dennoch huldigten die ZEIT-Leute der ersten Stunde einem althergebrachten Patriotismus. Ihre Grundposition war national und liberal im guten, alten Sinne der Demokraten von 1848.

Fern von parteipolitischen Einordnungen träfe auch das Wort liberalkonservativ zu. (Der Begriff wertkonservativ war noch nicht gebräuchlich.) Von Anbeginn ist die ZEIT dem Recht und der Wahrheit verpflichtet. Sie setzt neue (alte) Werte. Nichts konnte dies besser verdeutlichen als die nachgerade berühmt gewordene plakative Zeichnung des Wiener Karikaturisten Mirko Szewczuk, eines Gulbransson-Schülers: Drei vom Sturm gepeitschte Flüchtlinge treiben auf einer Eisscholle, stellvertretend für fünfzehn Millionen, die in jenen Tagen heimatlos durch Deutschland irrten oder in dürftigen Notquartieren hausten. Dazu der Bildtext, der auf denselben Ton wie das Editorial gestimmt ist: »Inmitten von Not, Hunger und Kälte schauen wir uns um nach einem geistigen Halt, nach einem sicheren Grunde, auf dem wir stehen, auf dem wir wieder festen Fuß fassen können.«

Der erste Leitartikel des Chefredakteurs Samhaber unter der doppelsinnigen Überschrift »Die erste Probe« variiert dieses Motiv: »Wir vertrauen auf den Grundgedanken der Uno, auf das Recht, denn ohne Recht gibt es keine Völkergemeinschaft, und das Recht kennt keine Grenzen.« Listigerweise schiebt er ein Wort des einstigen sowjetischen Außenministers Litwinow nach – noch ist es ja verboten, die Sowjetunion zu kritisieren –, daß der Frieden unteilbar sei. Denn er, so ergänzt Samhaber, besteht darin, »daß die Herrschaft des Rechts wieder eingesetzt wird auf Erden«. Man spürt, dieser Mann wird das Recht einfordern – für die Deutschen, und er wird das Recht abfordern – von der Besatzungsmacht. Als Argentinien 1944 seine diplomatischen Beziehungen zu Deutschland abbrach, da war Samhaber aus Buenos Aires, wo er als Korrespondent saß, mit dem letzten Schiff noch nach Europa gefahren: »Wenn mein Vaterland in Gefahr ist, habe ich dort zu sein.« Nun war er zur Stelle.

Und noch eine Stimme meldet sich schon in der ersten Nummer zu Wort, die in den nächsten Jahren den Standort der ZEIT mitbestimmt und ihren Ruhm als nationales Kampfblatt gegen neues Unrecht mitbegründen wird: Richard Tüngel. Als Feuilletonchef hält er sich zwar noch zurück, begibt sich nicht gleich in die vorderste Kampflinie. Aber er hat sich ein großes politisches Programm vorgenommen. Sein Thema ist die Auseinandersetzung mit der jüngsten Vergangenheit und, davon untrennbar, der rechte Umgang mit den Millionen ehemaliger Nationalsozialisten. Zuvörderst will er bei seinen Lesern »den Hexenwahn kollektiver Urteile« bekämpfen. Zur Verblüffung der militärischen Zensoren schreibt er einen Artikel über den »Arier«. Er leitet die »ungeheuerlichsten Frevel« und die selbstmörderischen Taten des deutschen »Herrenvolks« von dem Mißbrauch ab, »den Worte durch ihre Macht mit uns treiben«. Natürlich war ihm »Arier« ein Synonym für »Nazi« – nur mußte man ja nicht gleich mit der Tür ins Haus fallen.

Tüngel ist nicht der einzige Herausgeber, der von Anbeginn in der ZEIT seine Handschrift hinterläßt: Gerd Bucerius schreibt unter dem schlichten Titel »Parteien« einen langen Aufsatz, der die rechte Spalte der Aufschlagseite ausfüllt und auf die zweite Seite überläuft. Es ist von allen der nüchternste und sachlichste Artikel. Bucerius hat ein Problem erkannt – die Abneigung vieler Menschen, vor allem junger, gegen die neuen Parteien; er kennt sich aus, will ja selber parteipolitisch tätig werden, und es drängt ihn, sein Wissen an die Leser weiterzugeben. Er will informieren, nicht brillieren. Sein Resümee: Die Anziehungskraft der Parteien reicht noch nicht aus, »um die im Strom Treibenden zu sammeln« – ein starker Anklang an Szewczuks Karikatur.

Erst am Ende erlaubt sich Bucerius ein maßvolles nationales Pathos: Er weist den Parteien die Aufgabe zu, »aus der Gemeinsamkeit der Not den deutschen Gedanken zu erhalten«. Josef Müller-Marein wunderte sich damals, wie der von Natur aus unruhige Geist Bucerius ganz ruhig an einem Schreibtisch im Pressehaus saß und sein erstes Manuskript für seine Zeitung noch einmal überflog. »Ich weiß noch, daß ich dachte: Dieser Mann tut, wenn's wirklich ans Zeitungmachen gehen soll, etwas Vernünftiges. Er schreibt.«

Eigens zum Schreiben ins Haus geholt hatten sich die Herausgeber diesen Müller-Marein, den Starreporter aus dem Berlin der dreißiger Jahre. Er wird sie nicht enttäuschen. Unter dem Pseudonym Jan Molitor, das in jenen düsteren Nachkriegsjahren zu einem Markenzeichen der ZEIT werden sollte, erscheint an diesem 21. Februar 1946 sein Artikel »Bunkermenschen«, die erste von fast hundert Reportagen aus der Stunde Null, die zu unentbehrlichen Quellen für jede Alltags- und Sozialgeschichte geworden sind. Er hat die Heimat- und Obdachlosen aufgesucht, die in ehemaligen Flaktürmen und Hochbunkern überwintern.

Auf eine unnachahmliche Art bringt er die Menschen zum Reden und läßt sie einfach erzählen. Aber er zitiert und beschreibt nicht nur, er versetzt sich auch in ihre Empfindungen und ihre Träume hinein: »Manchmal«, so hebt diese durchkomponierte Reportage an, »beim Vorübergehen blicken sie in erleuchtete Fenster. Sie sehen vielleicht einen runden Tisch, ein Stück Bücherregal, ein Stück Tapete. Sie sehen ein paar Quadratmeter eines freien Raumes, auf dem sich keine Menschen drängen. Sie spüren die Atmosphäre von Freiheit innerhalb vier behüteter Wände. Und sie haben dabei das würgende Gefühl von Hungernden, die an einem gefüllten Bäckerladen vorüberkommen. Dann gehen sie ›heim‹ in den Bunker.«

Man hat sich in den folgenden Jahrzehnten oft gefragt, warum Jan Molitors Reportagen eine so tiefe Wirkung bei seinen Lesern hinterließen. Waren sie doch ganz unpolitisch, frei von sozialkritischer Schärfe, weder reißerisch noch von atemloser Spannung. Im April 1948 hat Müller-Marein, in einem einfühlsamen Nachruf auf Egon Erwin Kisch, den weltberühmten Reporter – er hatte ihn einmal in Berlin interviewt –, unbewußt etwas von sich selber preisgegeben: »Er liebte das Leben, das mit ihm spielte.« Und: »Er war ein guter Mensch, ein Mensch guten Willens.« Heinrich Leippe, einer der frühen Mitarbeiter der ZEIT, hat hinter den Geschichten Müller-Mareins nicht von ungefähr den »Wesenszug einer tiefverwurzelten, schwer faßbaren Religiosität« vermutet: »M-M blätterte im großen Bilderbuch Gottes, das – unergründbar, warum – auch Schreckensbilder umfaßt.«

In einer Niederschrift über die Anfänge der ZEIT »in jenen mythischen Jahren« hat der Zeitgenosse Heinrich Leippe versucht, den Nachfahren zu erklären, worauf der durchschlagende Erfolg schon der ersten Ausgabe dieser neuen Wochenzeitung beruhte. Dazu bedürfe es der Vorstellung, »man lebe in den damaligen Verhältnissen: in einem ungeheizten Zimmer, draußen beißende Kälte, den Magen gefüllt mit irgendeinem Kohl- oder Steckrübengericht und trotzdem hungrig, und beuge sich nun über dieses mühsam ergatterte Exemplar … Dann lese man intensiv die ganze Ausgabe von der ersten bis zur letzten Zeile, so wie es damals wohl jeder Leser getan hat.« Die Menschen hungerten nach geistiger Kost, suchten Orientierungen und Ortsbestimmungen. Und dieses Bedürfnis, so der Zeitgenosse, »übertraf noch bei weitem den Wunsch nach Information«. So war denn die ZEIT auf lange Jahre hauptsächlich ein Meinungsblatt, in dem Nachrichten hintanstanden; immerhin brachte jedes Ressort, weil die Engländer es verlangten, seine eigenen Wochenübersichten und Kurzmeldungen.

Der Inhalt allein garantierte noch keinen Erfolg der neuen Zeitung. Sie mußte durch Form und Technik anziehend gemacht werden. Augenfällig waren das ungewöhnlich große »nordische« Format, die Kopfleiste mit dem Schriftzug DIE ZEIT, den der Jugendstil-Künstler Carl-Otto Czeschka zeichnete, und das Hamburger Stadtwappen. Irgendwie schien dieser Anblick vertraut. Ganz recht: Ähnlich hatte das »Reich«, die renommierte Wochenzeitung aus den Kriegszeiten, ausgesehen. Nur stand dort die Vignette, die Quadriga vom Brandenburger Tor, links neben dem Titel, während bei der ZEIT das Stadttor mit den beschirmenden Löwen auf Mitte gerückt war. Die Ähnlichkeit war gewollt. Chefredakteur Samhaber, der selber für das »Reich« berichtet hatte, ließ sich bei der Blattgestaltung von dem Berliner Vorbild inspirieren. Auch die ZEIT gefiel nun durch den ruhigen, fünfspaltigen Umbruch und ihre optimal lesefreundliche Zeilenbreite. Nachempfunden waren das große Bild auf der ersten Seite, die Reihenfolge der Ressorts, das umfangreiche Feuilleton, gleich hinter der Politik, mit viel Platz für erlesene Graphiken und Photos.

Nach den Vorgaben Samhabers hat der Hamburger Künstler Alfred Mahlau die ganze erste Ausgabe gestaltet. Er verlieh dem Blatt den Charakter klassischer Strenge und Sachlichkeit. Der Stil ist nüchtern und gelassen. Das Weltblattformat hat sich unverändert über die Jahrzehnte gehalten, obschon die Klagen nie abrissen, weil das Umblättern in vollbesetzten Bahnabteilen, Bussen und Flugzeugen und im eigenen Bett etliche Mühe bereitet. Aber alle Überlegungen im Verlag führten immer wieder zu der Einsicht, daß ein Abweichen von der traditionellen Erscheinungsform die Bindung an viele treue Leser zerstören würde.

Mehrmals geändert wurde jedoch in den ersten Wochen das Ornament im Titelkopf. Daran war eine Lokalposse schuld. Den seriösen Herren im Hamburger Rathaus paßte es nicht, daß sich ein neues Blatt, ehe es sich überhaupt bewährt hatte, mit dem ehrwürdigen Stadtwappen schmückte. Der Künstler Mahlau wußte Abhilfe, und so erschien die ZEIT einige Ausgaben lang mit einem geöffneten Stadttor, das wohl die Weltoffenheit der Hansestadt und der Zeitung symbolisieren sollte. Solche Manipulationen verbat sich der Senat erst recht. Darauf machte sich der Reporter Müller-Marein gen Bremen auf, eingedenk der jahrhundertealten Rivalität und Animosität zwischen den Hafenstädten. Er trug die Sorgen der Redaktion Bürgermeister Wilhelm Kaisen vor: »Da es uns Hamburgern in Hamburg so ergangen ist, gebt ihr uns den Schlüssel aus eurem Schild?« Und ob die wollten! Mit Vergnügen erlaubte der Bremer Senat die Verwendung des Stadtwappens, das seit der Ausgabe vom 27. Juni 1946 von zwei grimmigen Hamburger Löwen gehalten wird: der Schlüssel zur Welt.

Ein Glücksfall für die ZEIT war die Verbindung mit der Druckerei Broschek. Sie hatte eine für damalige Verhältnisse einzigartige Rotationsmaschine über den Krieg hinweggerettet. Auf ihr konnte man bei einem Umfang von acht Seiten – mehr waren der ZEIT bis 1948 nicht erlaubt – zwei Innenseiten im Kupfertiefdruck herstellen. Bereits in der Startnummer glänzte das Feuilleton mit erstklassig präsentierten Bildern. Ressortleiter Tüngel, ein Kunstkenner von hohen Graden, freute sich darüber besonders. Er hatte kurz zuvor auf geheimen Wegen aus der Sowjetischen Zone eine sensationelle Nachricht erhalten: Die Russen hatten alle Meisterwerke der Dresdner Nationalgalerie als Beutegut in die Sowjetunion abtransportiert. Illustrieren wollte er diese Information mit einem Photo der Sixtinischen Madonna. »Aber es gab keine Bibliothek, die geöffnet gewesen wäre, kein Photoarchiv, und nur mit Mühe erhielt ich eine alte, völlig vergilbte Darstellung aus Privatbesitz.« Ihm schien es unwahrscheinlich, daß diese Abbildung im Rotationsdruck noch vorzeigbar sein würde. Doch der Leiter des Tiefdrucks bei Broschek beruhigte ihn. Seine Belegschaft brannte geradezu darauf, nach monatelanger erzwungener Untätigkeit zeigen zu können, zu welchen Leistungen sie noch immer fähig war. Die Bilder kamen »mit einer geradezu samtartigen Tiefe« heraus.

Zu Recht war die kleine Redaktion stolz auf ihr erstes Produkt, um so mehr, wenn man bedenkt, unter welchen Umständen es entstanden war: bei leerem Magen, in ungeheizten Räumen, in drangvoller Enge und im trüben Licht selbstgebastelter Petroleumfunzeln. Kurz vor Andruck mußte noch die halbe Seite drei leergeräumt werden. Der britische Zensor hatte einen längeren Aufsatz beanstandet, in dem Samhaber berichtete, wie die Berliner beim Fackelzug der SA am 30. Januar 1933 schweigend und ohne Begeisterung das Schauspiel verfolgt hätten. In aller Eile schrieben die Redakteure neue Artikel zusammen, damit nicht die erste Ausgabe der ZEIT mit einem weißen Fleck erscheinen mußte.

Die neue Zeitung konnte am Montag nach Erscheinen abonniert werden. Ein Hochgefühl der Freude breitete sich bei der Redaktion im Pressehaus aus, als die Kunde kam, unabsehbare Menschenmassen bewegten sich in Viererreihen zum Vertriebsbüro im Broschek-Haus: »Das müssen wir sehen!« Doch der Anblick der Käuferschlange war ernüchternd. Es drängten sich da fast nur Fisch- und Gemüsehändler, die Einwickelpapier brauchten. Tüngel stoppte sofort das Abonnement. Er ließ ein Schild aushängen, auf dem zu lesen stand, das Büro könne nur noch schriftlich geäußerte Wünsche berücksichtigen. Die Massen zerstreuten sich, und 25.000 ZEIT-Exemplare fanden künftig doch noch zu ihren Lesern.

3. Kapitel

Die ZEIT-Familie im Pressehaus: Mehr Amateure als Profis

»Das Pressehaus brennt!« Als diese Schreckensbotschaft im März 1945 nach einem britischen Luftangriff einige junge Hamburger Journalisten an der Ostfront erreichte, wo sie in derselben Kompanie dienten, brach Jubel aus. An den Sieg glaubte niemand mehr, da schien es nur recht und billig, wenn die Nazizeitung, die vom erzwungenen Tod aller anderen Zeitungen in der Hansestadt profitiert hatte, vernichtet wurde. Die oberen Stockwerke waren ausgebrannt, und eine Sprengbombe hatte Teile des Gebäudes zerstört.

War es da nicht ein verheißungsvolles Zeichen, als ein knappes Jahr später gerade an dieser Stelle die erste große Zeitung in Nordwestdeutschland erschien, deren Herausgeber und Redakteure sich den Idealen der Demokratie verschrieben hatten? Das Haus, Backsteinmoderne mit traditionellen Elementen, liegt auf historischem Boden. Ganz in der Nähe fand man bei Aufräumarbeiten nach dem Krieg Überreste der mittelalterlichen Hammaburg; auch stand dort einmal der schöne Backsteindom, den die Hamburger zu Beginn des 19. Jahrhunderts verkauft und zum Abriß freigegeben hatten. Als die kleine ZEIT-Mannschaft einzog, mußte sie anfangs täglichen Lärm aushalten: Nebenan wurden die Ruinen des ehemaligen Johanneums gesprengt. Der Blick aus den oberen Fenstern schweifte über ausgebrannte Kirchtürme und lauter Trümmerberge.

Der Zeitverlag E. Schmidt & Co. verteilte sich auf mehrere Stockwerke. In einem Laden rechts neben dem Eingang wurde der Vertrieb organisiert, gaben die Leute Bestellungen auf und Leserbriefe ab, und dort wurden auch die Anzeigen aufgenommen. Da die Militärregierung der ZEIT nur ein Achtel des Umfangs für Anzeigen reserviert hatte, mußte den Inserenten der Platz zugeteilt werden. Im Format waren die Inserate kleiner als herkömmliche Visitenkarten. Winzige Fließbandtexte reihten sich aneinander; daneben gab es reine Namenswerbung. Die Redaktionsräume lagen im dritten und vierten Stock, in die man noch gemütlich mit dem Paternoster fuhr. Hier und da ragten Ofenrohre aus den Fenstern. Wo früher der fünfte Stock gewesen, breitete sich ein Gewirr von Stahlträgern, Betonbrocken und Trümmerschutt aus; nur ein kleiner Flügel stand noch. Als erster hatte sich dort der Nachrichtenreporter Hans-Rudolf Berndorff niedergelassen, der ursprünglich zum Kreis der Lizenzbewerber gehörte. Bald folgten Teilhaber Richard Tüngel, die Assistentin Erika Müller, Verleger Schmidt di Simoni mit Familie und Müller-Marein. Sie fanden für ein paar Jahre Unterschlupf, bis die Wohnungsnot in der Stadt nachließ. Durch die Decken tropfte der Regen in die Zimmer; das Peddigrohr hing bis auf den Boden, und aus den Ritzen baumelten morgens Rattenschwänze. Von den Ratten erzählte man sich noch lange wundersame Geschichten. Die größte wurde Amanda getauft. Wenn sich Richard Tüngel ins Bad begab, schritt sie jedesmal gravitätisch vor ihm her.

Das Wohnzimmer der Familie Schmidt di Simoni diente tagsüber als Verlagszimmer. Die ersten Ausgaben der ZEIT wurden noch auf einem großen Eßtisch entworfen und eingespiegelt. Kollegen und Besucher drängten sich auf dem außergewöhnlich großen, etwas zerfledderten Ledersofa, das jemand von einem Trümmerhaufen angeschleppt hatte. Es gelangte später ins Ressort »Modernes Leben«. Als es verschwinden sollte, hat ein Redakteur das Sofa für den symbolischen Preis von einer Mark dem Verlag abgekauft. Zuletzt wurde es, neu bezogen, im Betriebsratsbüro des »stern« gesichtet.

Ein anderes Erbstück, das letzte Relikt aus der braunen Zeit des Pressehauses, ist in einem Zimmer des Wirtschaftsressorts gelandet: der Stuhl, auf dem die ZEIT-Chefredakteure Samhaber und Tüngel gesessen haben, ein typisches Erzeugnis der NS-»Volkskunst«: In das Polster der Rückenlehne ist das Bild einer Hansekogge eingelassen. An ihrem Segel hat jemand heftig gekratzt. Aber immer noch erkennt man die Konturen eines Hakenkreuzes.

Die strenge presserechtliche Trennung von Verlag und Redaktion, die von den alliierten Presseoffizieren gepredigte Gewaltenteilung, ist in der ZEIT intern – die Verhältnisse brachten es so mit sich – von Anfang an übersprungen worden. Teilhaber, Redakteure, Sekretärinnen und die paar übrigen Verlagsangestellten lebten wie eine große Familie zusammen. Die Redaktion war zunächst so klein, daß einige Mitglieder jahrelang als Autoren Doppelrollen übernehmen mußten, um nicht die Leser zu verwirren. Richard Tüngel, politischer Leitartikler, schrieb als Martin Rabe im Feuilleton, der Leiter des Wirtschaftsressorts, Erwin Topf, auf derselben Seite gleichzeitig unter dem Pseudonym Georg Kessel. Müller-Marein wurden in Briefen Grüße an Jan Molitor aufgetragen, an dem er sich doch ein Beispiel nehmen möge.

Die ZEIT wurde in ihrer ersten Phase von Amateuren gemacht, denen nur ein paar Professionelle zur Hand gingen. Aber gerade dieser unbekümmerte Dilettantismus sollte sich als äußerst fruchtbar erweisen. Unter den vier Teilhabern verstand nur einer etwas vom Verlagsgeschäft: Ewald Schmidt di Simoni; da war es nur folgerichtig, wenn der Zeitverlag elf Jahre lang seinen Namen trug.

Der große, stattliche, silbergraue Verlagsleiter, Typ des gutsituierten hanseatischen Großkaufmanns, konzentrierte sich ganz auf seine verlegerische Tätigkeit. Dazu gehörte laut Gesellschaftervertrag das Recht, noch andere Verlags- und Zeitungsgeschäfte aller Art zu betreiben, um die finanzielle Basis des Unternehmens zu verbreitern. Er verfiel auf die glänzende Idee, den Engländern den Vertrieb britischer Zeitungen in Deutschland anzubieten. In kurzer Zeit brachte er die deutsche Auflage des »Manchester Guardian Weekly« auf 150.000 Stück; beim »Daily Telegraph« waren es fast 50.000. Außerdem lieferte der Zeitverlag noch zwölf andere britische Blätter aus, darunter die »Times« und den »Observer«. An jedem Exemplar verdiente die ZEIT. Schmidt di Simoni schleppte noch viel mehr zum Vertrieb: die amerikanische Illustrierte »See«, die »Hamburger Hafen Nachrichten«, mehrere Vertriebenenblätter. Zeitweilig übernahm der Zeitverlag auch Vertrieb und Anzeigenabteilung des evangelischen »Sonntagsblatts«, das in Hannover von Landesbischof Hanns Lilje herausgegeben wurde. Dort tauchte Hans Zehrer wieder auf – als Chefredakteur.

Als ersten Personalchef der ZEIT holte sich der Verlagsleiter Gottfried (»Friedel«) Hanschke ins Haus, den er noch aus Chemnitz als erfolgreichen Marketing-Mann von Auto-Union kannte. Hanschke, ein Grandseigneur, ungemein gebildet, Kunstliebhaber und weit in der Welt herumgekommen, war zugleich Prokurist beim Jade-Druck, einer Wilhelmshavener Firma, an der sich der Zeitverlag beteiligte. Sie übernahm die Druckerei-Werkstätten im vierten Stock des Pressehauses, dort, wo Hanschke sein Büro hatte. Hier wurde schließlich auch die ZEIT gesetzt. Sicherlich war Hanschke der gemütlichste Personalchef, den die ZEIT je hatte. Als sich ein junger Mann um eine Lehrstelle im Verlag bewarb und bei der Vorstellung zugeben mußte, er habe in Mathematik eine fünf gehabt, schlug ihm Hanschke freudig auf die Schulter: »Das hatte ich auch, Junge, Sie sind eingestellt.«

Vom zweiten Teilhaber, Lovis H. Lorenz, Endvierziger wie Schmidt di Simoni, hatten seine Mitgesellschafter erwartet, er werde sich journalistisch stark engagieren, hatten doch die Engländer gerade ihn wegen seiner Erfahrungen als Chefredakteur einer großen Illustrierten vorgezogen. Merkwürdigerweise hat er sich aber nur einmal in den politischen Teil vorgewagt. Im Feuilleton veröffentlichte er hin und wieder schöngeistige Betrachtungen oder auch eigene Erzählungen. Im Verlag machte er von sich reden, als er eine kurzlebige Illustrierte (»Das Leben«) gründete.

Gerd Bucerius, mit 39 Jahren der jüngste Teilhaber, war ein unruhiger und sprunghafter Geist. Ins Zeitungsgeschäft kam der Rechtsanwalt sozusagen als Seiteneinsteiger (seine Partner waren im Handelsregister als Verleger und Kaufmann verzeichnet). Zeitungmachen – das war für Bucerius Politik, die er aktiv auch betrieb als hamburgischer Bausenator, Vertreter des Landes Hamburg im Frankfurter Wirtschaftsrat für die Bizone und schließlich als Abgeordneter der CDU im deutschen Bundestag. Mittelpunkt seines Wirkens aber blieb immer die ZEIT. Es machte ihm Spaß, für das Blatt zu schreiben. Gleich in den ersten beiden Jahren auf sehr originelle Weise. Im Frühjahr 1946, als die Engländer die Hungerrationen in ihrer Besatzungszone noch weiter gesenkt hatten, schrieb Bucerius auf Seite eins der ZEIT eine bittere Satire: »Plan Murmeltier«. »Wie das Murmeltier sich im Winter, der Zeit seiner Nahrungskrise, in den Schlaf begibt, muß auch das deutsche Volk einen Winterschlaf beziehen.« Zu diesem Zweck verlangte er »mindestens einen arbeitsfreien Tag, mit völliger Verkehrsruhe, z. B. von Sonnabend mittag bis Dienstag früh«. Dann könnten die erschöpften Körper auch ohne zusätzliche Nahrung Kraft für die neue Woche gewinnen. Dieser ironisch verkapselten Anklage gegen die Besatzungsmacht setzte er die Spitze auf, indem er an die heilsame Wirkung des englischen Sonntags erinnerte.

Im Herbst 1947, als überall das Hohelied des Bergmanns gesungen wurde, dem es zu verdanken sei, daß die Kohlenproduktion erheblich gesteigert werden konnte, begab sich Bucerius auf eine Ruhrzeche und fuhr vier Wochen lang als anonymer Kumpel unter Tage. Nirgendwo sonst als in der ZEIT erfuhr die Außenwelt, wie es wirklich vor Ort zuging. Bucerius schilderte die Arbeitsbedingungen, die Wünsche und Entbehrungen der Bergleute, ihre Angst vor der Staublunge. Der seitenlange Bericht klang aus mit einem Resümee, das weder die Gewerkschaften noch die Arbeitgeber erfreut haben wird:

»Der freie Bergmann und der freie Arbeitgeber, hoher Lohn und freie Unternehmer-Chance werden das Beste vollenden.« Diese analytische Reportage zeigt die journalistische Begabung des Autors Bucerius, der hier all die Eigenschaften versammelt, die er in kommenden Jahrzehnten von seinen ZEIT-Redakteuren erwarten wird: Neugierde, Spontaneität, genaue Beobachtung, Mut zum eigenen Urteil.

Als einziger Teilhaber hat sich Richard Tüngel ganz und gar der Redaktion verschrieben, auch er, gemessen an Chefredakteur Samhaber, ein blutiger Amateur. Tüngel, Architekt, Schüler und Freund des großen Hamburger Stadtbaumeisters Fritz Schumacher, wäre sicherlich ein guter Feuilletonchef geworden, ein Förderer der modernen Kunst; aber politische Leidenschaft drängte ihn, schreibend die Geschicke des Vaterlandes mitzugestalten. Dieser 52jährige Herr, cholerisch und hektisch, aber zugleich ein witziger Unterhalter, der alles und jedes veralberte, ist aus der kleinen ZEIT-Familie, die da im kalten, ungemütlichen Pressehaus den Elementen und der Besatzungsmacht trotzte, nicht wegzudenken.

Müller-Marein hat dreißig Jahre danach vom zweiten Chefredakteur der ZEIT ein treffliches, liebevolles Kurzporträt skizziert, das um so überzeugender wirkt, als es Tüngel war, der ihn wegen eines politischen Streits gefeuert hatte: »Die leibhaftige Unruhe. Zierlich. Rührend großäugig, wenn er die starken Gläser des Kurzsichtigen ablegte. Hilfsbereit und unbequem. Genialisch und der personifizierte Widerspruch. Künstlernatur.« Tüngel ist mit seinem Amte gewachsen. Aber ohne die Profis in seiner Umgebung hätte er diese Statur nie gewinnen können.

Da ist zuvörderst Müller-Marein zu nennen, der aus der Wärme des Lübecker Stadttheaters in das klamme Pressehaus gezogen war, wo er neben seinem Schreibtisch ein Notbett aufgeschlagen hatte und sich nachts die Ratten über sein Brot hermachten. Eigentlich wollte er nur das sein, was er, neben seiner Leidenschaft für die Musik, am liebsten war: Reporter. In seinen Berliner Jahren, als er mit einem feuerroten Sportwagen durch die Reichshauptstadt flitzte, hatte er manchmal jeden Tag hundert Mark für eine gute Geschichte verdient. Er wollte in der ZEIT von Redaktionsarbeit freigestellt sein, und Bucerius hatte es ihm auch zugesagt.

Die Wirklichkeit sah anders aus. Nur zu bald mußte Müller-Marein zwischen Redaktion und Setzerei hin- und herlaufen, Manuskripte einsammeln oder sanft anmahnen, wenn der Redaktionsschluß nahte, fremde Artikel, Meldungen, Kommentare bestellen, lesen und redigieren. Seine berühmten Reportagen konnte er nur noch nebenher schreiben.

Aber selbst Müller-Marein wäre mitsamt der ZEIT-Mannschaft verloren gewesen, hätte er nicht beizeiten eine »fachmännische Hilfe« nach Hamburg geholt: Erika Müller, die spätere Eka von Merveldt. Sie war die einzige in der ZEIT, die etwas vom Umbruch verstand. Als junge Frau war sie, ein Kind des Ostens, geboren in der Provinz Posen und von den Polen vertrieben, nach Berlin gekommen und hatte bei Scherl alle Felder des Zeitungswesens und auch der Filmproduktion kennengelernt. Aus jenen Tagen datierte ihre Freundschaft mit Müller-Marein. Im April 1945 flüchtete sie mit dem letzten Zug aus Berlin und fand zunächst in der Lüneburger Heide eine Bleibe. Tüngel, Bucerius und die anderen ZEIT-Gründer waren froh, als in der Vorbereitungsphase jemand da war, der einmal die Woche zu Broschek an den Umbruchtisch ging. Mit berechtigtem Stolz sagte sie später: »Ich war schon vor der ZEIT da.« Die unentbehrliche Meisterin des Umbruchs wurde bald auch als Ressortleiterin gebraucht.

Ihre etwa gleichaltrige Kollegin Gräfin Dönhoff hatte es anfangs schwerer – als Amateurin mußte sie erst einmal eine Art Volontariat absolvieren. Schreiben hatte die ostpreußische Gräfin immer schon wollen. Nur fand sie wegen des langen Studiums und der vielen Arbeit auf den Familiengütern keine Muße dazu. Durch glückliche Fügung, wenn auch leicht verspätet, war sie nun zur ZEIT gestoßen, wo sie von Tüngel in die Lehre genommen wurde. Trotz ihrer mangelnden journalistischen Erfahrung hatte die promovierte Volkswirtin Beachtliches einzubringen: Sie war schon vor dem Kriege durch Amerika und Schwarzafrika gereist, sie beherrschte die westlichen Sprachen (Tüngel war entzückt von ihrem Französisch), sie bewegte sich wie selbstverständlich in einem internationalen Netz von Beziehungen zu wichtigen Leuten aus Diplomatie und Presse, Universität und Kirche, auch zu Bankiers, Kaufleuten, Militärs, Künstlern. Beziehungen, die sich für die ZEIT würden nutzen lassen. Sich ihres Wertes voll bewußt, wahrte sie Distanz zu ihrem neuen Umfeld, ließ sich nur allmählich integrieren. Noch längere Zeit wird sie ihre Kollegen als »ihr Journalisten« anreden. Bis zuletzt aber blieb sie für die Redaktion »die Gräfin«. Die Anrede »Marion«, verbunden mit dem ZEIT-typischen »Sie«, nahm sich selbst unter den Älteren kaum einer heraus.

Den ZEIT-Lesern stellt sie sich zum erstenmal in der Nr. 5 vor, und gleich mit zwei Beiträgen. Sie haben bereits den unverwechselbaren Klang, der fortan die ZEIT begleiten wird. Auf Seite eins gibt »M.D.« ihr Debüt mit einer Betrachtung über das »Totengedenken«. Gewagt schon der Einfall, an den mit Schweigen übergangenen »Heldengedenktag« zu erinnern, mit dem die Nationalsozialisten den Volkstrauertag ins Gegenteil verkehrt und für ihre sinistren Pläne schamlos mißbraucht hatten, weshalb die Engländer jede Erwähnung dieses Tages verboten. Die Autorin hält es für wichtig, in einem Moment, da alle Werte, die den Deutschen bis 1945 noch etwas bedeuteten, verschlissen und fragwürdig geworden sind, an dem gemeinsamen Gedenken für die Gefallenen des Krieges festzuhalten, »in vollem Bewußtsein der Verantwortung, die dieser Krieg, der alle gleichermaßen betroffen hat, uns Überlebenden auferlegt«. Daraus, so hofft sie, werde die Kraft erwachsen, Haß in Liebe zu verwandeln und eine neue Ordnung im Geiste der Brüderlichkeit zu errichten.

Unbekümmert, wie sie war, hatte sie beim Schreiben gar nicht an die Vorzensur gedacht. Als man dem britischen Presseoffizier den Seitenabzug vorlegte, fand er sofort, in dieser Form dürfe der Artikel nicht erscheinen. Tüngel rettete die Situation mit der Ausrede, das Ganze sei bereits gedruckt. Der Zensor gab nach, verbat sich aber empört, ihm weismachen zu wollen, »daß dieses junge Mädchen da einen solchen Artikel geschrieben haben soll«. Die Autorin nahm es als Lob für ihr Erstlingswerk.

Von langanhaltender Wirkung der andere Beitrag, der im Feuilleton erschien: »Ritt gen Westen«, unterschrieben mit vollem Namen. Eine Erinnerung an den Katastrophenwinter 1945, als Gräfin Dönhoff auf ihrem Lieblingspferd, dem zwölfjährigen Fuchs Alarich, von Ostpreußen bis Westfalen reitet. Eine Reportage, bewußt unterkühlt, ohne Selbstmitleid, über den Exodus der Ostdeutschen und ihren Abschied von 700 Jahren deutscher Geschichte. Dieser Aufsatz, Grundstock für den Bestseller »Namen, die keiner mehr nennt«, den sie Anfang der sechziger Jahre schreiben wird, ist zunächst nicht mehr als ein Sich-selbst-Vergewissern, ein Stück Seelentherapie nach ungeheuerlichem Geschehen. Ungezählte Vertriebene, denen sie weder Trost noch Hoffnung schenken kann, fühlen sich dennoch angesprochen und in ihrer Not angenommen. Unvergeßlich die Schlußszene: Auf einem Hügel in Westfalen kommen der Reiterin elende, abgehärmte, zerlumpte Gestalten entgegen. Ost und West begegnen sich auf der Flucht. Sie fragt sich bitter, ob das alles sei, was von einem Volk übrigblieb, »das auszog, die Fleischtöpfe Europas zu erobern«. Als Antwort fällt ihr ein Bibelvers ein: »Denn wir haben hier keine bleibende Statt, aber die zukünftige suchen wir.« Es ist das Motto für die nächsten drei Jahre. Stunde Null.

Zu den wenigen Profis der ersten Stunde zählte der Leiter des Wirtschaftsressorts, Erwin Topf. Seine Autorität als Landwirtschaftsexperte war unbestritten, seit 1932 sein Buch über »Die grüne Front«, die erfolgreiche Bauernlobby, Furore gemacht hatte. Topf schrieb für manche Zeitung, sogar für die »Weltbühne«. Als er nach 1933 am »Deutschen Tageblatt« nur noch die Wahl hatte, Journalist oder ehrlich zu bleiben, retirierte er in die Reichswehr. Der Umgang mit ihm war für die älteren Kollegen nicht immer leicht. Er war kantig und widerspenstig, gelegentlich grobianisch, aber auch kauzig und witzig. Zum Beispiel beherrschte er die Kunst, wie eine Möwe zu kichern und wie ein Hund zu bellen, so täuschend echt, daß er alle Möwen und Hunde in der Umgebung in Aufruhr brachte. Trotz seiner manchmal rauhbeinigen Art hatte er ein Herz für die jungen Volontäre. Die später dazukommenden Redakteure seines Ressorts nannten ihn den »umgekehrten Radfahrer«: Er trat nur nach oben.

Im Herbst 1946 tritt noch ein Amateur in die ZEIT-Redaktion ein, der sich jedoch auf dem ihm ungewohnten Felde rasch eine große Lesergemeinde erschreiben wird: Ernst Friedlaender, der neben Samhaber und Tüngel angesehenste Leitartikler des Blattes. Auch er hat einen ungewöhnlichen Lebenslauf: Sohn eines jüdischen Arztes und einer ostpreußischen Mutter von altem Adel, Kriegsfreiwilliger 1914, nach vier Jahren Westfront heimgekehrt als Leutnant mit dem Eisernen Kreuz Erster Klasse, wird er nach einem Studium der Philosophie Bankkaufmann und Volkswirt und 1929 als Direktor der IG-Farben-Tochter Agfa nach Amerika geschickt. Wegen des Naziterrors kehrt er nicht mehr in die Heimat zurück, sondern läßt sich mit seiner Familie in Liechtenstein nieder. Dort hat er viel Zeit, über die Zukunft Deutschlands nachzudenken und ein philosophisches Werk über »Das Wesen des Friedens« zu schreiben.

Er ist einer der ersten, der zurückkehrt, mitten hinein in die Trümmerlandschaft. In Hamburg will er beim Verlag Claassen und Goverts mehrere Manuskripte in Druck geben. Zufällig, über eine Empfehlung an Gräfin Dönhoff, kommt er ins Pressehaus, wo ihn die ZEIT-Verleger gern in ihre Runde aufnehmen, bald auch als fünften Teilhaber. Also zieht er um von Vaduz nach Hamburg. Seine Tochter Elsbeth – 25 Jahre danach als Katharina Focke Staatssekretärin und Ministerin unter Willy Brandt – assistiert ihm im Pressehaus.

Sein Debüt gibt Friedlaender am 28. November 1946 mit einer ganzseitigen Rede »an junge Deutsche, die auch heute immer noch abseits stehen« (»An die Trotzenden«), dem Vorabdruck aus einem Buch, das unter dem Pseudonym Ernst Ferger erscheint und in dem noch vier weitere Reden an junge Deutsche enthalten sind: an die Skrupellosen, an die Müden, an die Traditionsgebundenen, an die Suchenden. Er gemahnt die Überlebenden der Schlachten an die Pflicht, für sich und für ihr Volk zu leben: »Macht euch bereit für dies Zukünftige! Ihr könnt es nur, wenn ihr dem Trotz entsagt. Ihr entsagt ihm nur, wenn ihr das Neue sucht. Also werdet ihr suchen müssen.«

Und so machten sich viele Leser denn auf ins Pressehaus. »Immer, wenn man die schlecht schließende Tür zu seinem winzigen Zimmer öffnete«, erinnert sich Gräfin Dönhoff, »saß da irgend jemand – ein junger Mensch, ein enttäuschter Offizier, ein aus der Bahn geworfener Beamter. Viele waren von weit her in die Redaktion gekommen.«

Auch die Jungen in der Redaktion gewöhnten sich rasch an den schlanken 52jährigen Herrn mit den durchgeistigten Zügen, der sich durch natürliche Würde, Herzenshöflichkeit und Bescheidenheit auszeichnete. Sie spürten seine Zuwendung und hatten großen Respekt vor seiner Welterfahrung und seiner geistigen Überlegenheit, und sie raunten sich wundersame Dinge zu: Er habe Bilanzen schon im voraus in allen Einzelheiten im Kopf gespeichert, und sein Finanzgenie habe die IG-Farben über die Inflation hinweggerettet ...

Die kleine ZEIT-Familie kümmerte sich bereits sehr früh um ihren Nachwuchs. Ihre ersten Volontäre waren junge Frontkämpfer, die allesamt Todesangst, Verwundung und Gefangenschaft hinter sich hatten. Aus dem Südwesten kam Bernd Weinstein, welcher, obschon Amateur, für die Franzosen eine Besatzungszeitung hatte machen müssen. Ihn zog es ins Wirtschaftsressort. Mit ihm hat die ZEIT zum erstenmal eine Praxis ausprobiert, die damals in der deutschen Presselandschaft ihresgleichen suchte: Sie bezahlte ihm ein Studium an der Hamburger Universität; dafür mußte er in seiner Freizeit in der Redaktion arbeiten. Hielte er nicht bis zum Examen durch, wäre der Vertrag hinfällig. Weinstein bestand die Prüfung so rasch und glänzend, daß ihm Erwin Topf eine Beilage anvertraute, die als »Informationen für die Wirtschaft« bald sehr gefragt war.

Der nächste, der im Pressehaus vorsprach, war der ehemalige Marinekadett Claus Jacobi, der sich schon bei anderen Hamburger Zeitungen umgesehen hatte. Tüngel fand Gefallen an dem gutaussehenden, gewandten Hamburger Kaufmannssohn, wurde aber ungehalten, als dieser sich auf eine Kombination von Studium und Volontariat nicht einlassen wollte. Doch seine Begründung wurde akzeptiert – er mußte in jenen kargen Zeiten Großmutter, Mutter und Bruder unterstützen.

Volontäre hatten es auch ohne Studium nicht leicht bei der ZEIT. Sie durften sich fürs Kaffeekochen nicht zu schade sein. Jacobi hatte sich erst einmal bei der Zusammenstellung der politischen Wochenübersichten zu bewähren. Er lernte schnell, fiel bald als ein flotter Schreiber auf, der nie um Einfälle oder Formulierungen verlegen und zudem äußerst kontaktfreudig war. Der »Spiegel« hat ihn nach ein paar Jahren abgeworben – eine große Karriere wartete auf ihn.

Eines Tages bot jemand der Redaktion eine Novelle an, eine Nachkriegsgeschichte, die den Feuilletonisten Müller-Marein und Tüngel auffiel: Sie war zwar in der Form noch unvollkommen, doch genialisch in den Einzelheiten. Da der Autor eine postlagernde Adresse angegeben hatte, vermuteten sie, hinter dem Absender »Paul Hühnerfeld« verberge sich ein Nazischriftsteller mit Schreibverbot. Doch der Absender hieß wirklich so, war Anfang zwanzig, ehemaliger Fähnrich zur See, Sohn eines Professors für Psychiatrie in Münster, und studierte Medizin. Da er aber viel lieber philosophische Vorlesungen besuchte, bot ihm Tüngel einen Handel an: Er solle Philosophie zu Ende studieren und sich zugleich als Journalist ausbilden lassen. Bräche er vor dem Examen ab, sei er fristlos entlassen.

Den widrigen Zeitumständen zum Trotz – als Student schlief Hühnerfeld auf Klappbetten in Schulzimmern oder hauste mit katholischen Studenten, die sich zuweilen ein Carepaket teilten, in einer Baracke – hielt er der Doppelbelastung stand, promovierte summa cum laude über die Philosophie Martin Heideggers und bestand ebenso glänzend seine Probezeit im Feuilleton. Wegen seines fröhlichen Wesens hatten alle im Hause »Paulchen« lieb. Er wird bald der erste Literaturchef der ZEIT sein.

Die Volontäre kamen zunächst in die »Kinderstube« zu Athanas Bobew, dem Nachrichtenredakteur. Dort lernten die Anfänger, wie man eine Meldung macht und Wesentliches vom Unwesentlichen unterscheidet. Bobew war Bulgare, der letzte Presseattaché der königlichen Botschaft seines Landes in Berlin. Nach Sofia zurück konnte er nicht, wollte er nicht das Schicksal seiner monarchistischen und bürgerlichen Freunde teilen, die nach dem Einmarsch der Russen von den Schergen Dimitrows ermordet worden waren. Dank seiner

Beziehungen verfügte die ZEIT von Anfang an über hervorragende Berichte aus dem Balkan. Tüngel schätzte an dem bulgarischen Freund die politische Leidenschaft und den sarkastischen Witz.

Man vergißt bei allen Rückblenden in die Jahre zwischen dem 8. Mai 1945 und dem 20. Juni 1948, dem Tag der Währungsreform, unter welch widrigen Umständen damals die journalistischen Leistungen zustande kamen. Noch bis ins Frühjahr 1948 wurde in Deutschland gehungert. Gräfin Dönhoff, die nicht in den fünften Stock des Pressehauses zu ziehen brauchte, da sie im Haus von Erik Blumenfeld ein Zimmer bekommen hatte, ernährte sich zeitweilig von einem Sack Grütze und von Mohrrüben. Als Tüngel erfuhr, daß sie nachts wegen Unterernährung Halluzinationen bekam, verordnete er ihr sofort eine Woche Aufenthalt in frischer Landluft. Ohnehin taten alle gut daran, sich an Tüngel zu halten, denn er hatte Zugang zu den begehrten Carepaketen aus Amerika.

Gemeinsamkeit war das Lebensgefühl, das allen noch jahrzehntelang in schöner Erinnerung blieb. Zur regelmäßigen Mittagsrunde traf man sich in den Bahnhofsgaststätten, wo es »gestofte« Erbsen und Karotten gab: Der Koch zog das Gemüse vor dem Servieren noch rasch durch eine Buttersoße, damit ein paar Tropfen hängen blieben. Beisammen saßen da Schmidt di Simoni, Tüngel, Topf und natürlich Müller-Marein und Erika Müller. Zuweilen war auch Pastor Lilje mit von der Partie. Da geschah es dann wohl, als er sich einmal zu hastig aus einer Terrine Erbsensuppe bedienen wollte, daß ihm die lebensfrohe Hanne Goebel, die Sekretärin von Bucerius, in den Arm fiel und an seine Pflicht des Tischgebets erinnerte.

Man suchte Wärme und Nähe. Jedesmal wenn bei Broschek die neue Ausgabe der ZEIT über die Rotation lief, traf sich eine kleine Gruppe der Redaktion nebenan in der Kneipe von Gerull, einem Ostpreußen, der immer einen Schnaps bereithielt. Dort saß man oft stundenlang vergnüglich beisammen, freute sich der vollbrachten Arbeit und träumte sich in eine neue, bessere Welt hinein.

Romantisch verklärt wurden später auch die Freizeitpausen im Pressehaus. Da griff dann Müller-Marein zum Akkordeon, das immer irgendwo in der Redaktion herumlag, und spielte auf. Eines Tages aber stellte ihm der Weltfahrer und Photograph Ulrich Mohr ein richtiges Klavier, bei Licht besehen: einen argen Klimperkasten, ins Redaktionszimmer: »Hauptsächlich für Mozart.« Doch dabei blieb es nicht, wie sich Müller-Marein nach dreißig Jahren erinnerte: »Abends sangen wir das Volkslied ›Joli Tambour revenant de guerre‹, aber auch ›Sah ein Knab' ein Röslein stehn‹, und war Publikum zugegen, ließ sich Tüngel zum zwerchfellerschütternden Solo hinreißen, das er als junger Mann bei einem Besuch in Paris aufgeschnappt hatte: ›Connaissez-vous Marguerite?‹«

In jenen finsteren Zeiten entstanden einige Freundschaften, die fürs Leben hielten. Andere sollten nach einem Jahrzehnt zerbrechen, weil wirtschaftliche und technische Zwänge die kleine Familie sprengten, eine andere Zeitung erforderten. Doch in den Jahren 1946 bis 1948 wurde alles noch gemeinsam gemacht. Man vertraute sich gegenseitig. Wollte man einen Besucher ausführen, so durfte man den »Negerkopf« leeren, einen Spartopf, in den jeder vom kargen Lohn seinen Obolus zu entrichten hatte. Einer las die Artikel des anderen, und wenn das Stück gut war, so gab es Lob, und war es schlecht geraten, wurde kritisiert. Jeder stand für alles ein. Immer nach der frischfröhlichen Devise Richard Tüngels: »Laßt uns eine Zeitung machen, die uns selber gefällt.« Die alliierten Kontrolleure waren die ersten, denen das mißfiel.

4. Kapitel

Ein Chefredakteur gegen die Besatzungsmacht

Berühmt wird die ZEIT von Anfang an durch ihre mutige Kritik an den Besatzungsmächten. Von diesem Ruhm wird sie noch lange zehren. Er ist untrennbar verbunden mit der Person ihres ersten Chefredakteurs Ernst Samhaber. »Kein Journalist und kein Politiker hat so viel riskiert wie Samhaber. Seine Artikel in der ZEIT waren lange die einzige Stimme des Protestes in den vier Besatzungszonen«, hat Gerd Bucerius ihm ehrend nachgerufen.

In den launigen Anekdoten aus dem Jahre 1946 kommt sein Name kaum vor. Er ist lebendig nur in seinen Leitartikeln geblieben. Ihn umgab die Aura des »Professors«, die noch durch seine zurückhaltende, bedächtige Art verstärkt wurde. Er war eben der Allroundman, an den keiner heranreichte, der Mann mit dem sechsten Sinn, gleichwohl ein umgänglicher, sympathischer Kollege, auf dessen kluges Urteil man hörte. Liest man seine Leitartikel aus dem Abstand von fünfzig Jahren, will einem nicht auf Anhieb einleuchten, was daran so anstößig gewesen sein soll. Sie sind weder frech-ironisch noch wild empört. Vielmehr schreibt Samhaber in den ersten Wochen, als die Briten ihre Vorzensur noch nicht aufgehoben haben, äußerst behutsam. Seinen Lesern war es schon eine Wohltat, daß da überhaupt ein Deutscher die Situation offen und genau beschrieb.

»Wir starren auf die Trümmer unserer Städte, auf die kalten Schornsteine der zerbombten ausgeschalteten Fabriken, wir sahen die Züge mit ausgebauten Maschinen über unsere Grenzen rollen, und wir fühlen doppelt die Qual, warten zu müssen«, schreibt er am 21. Juni 1946, als in Paris wieder einmal die Außenminister der längst schon zerstrittenen vier Siegermächte über die Zukunft Europas und vor allem Deutschlands beraten. Er sieht, wie unter dem Druck der großen Hungersnot (1000 Kalorien täglich pro Kopf!) auch die letzte Hoffnung auf ein Startsignal zum Wiederaufbau dahinschwindet, wie die unbeschäftigten Flüchtlinge ihre letzte Habe verzehren und wie kaum noch ein Unternehmer den Neuanfang wagt.

Was er betreibt, ist zunächst nichts weiter als Gesundbeterei. Was soll er seinen Lesern schon anbieten! Wer mag denn noch an die Versprechungen des amerikanischen Präsidenten Truman glauben, der für Deutschland einen Platz in Ehren im Kreise der friedliebenden Völker vorsieht, wer noch auf die Menschenrechte, auf eine Friedenskonferenz oder auf die Uno hoffen, wenn die materiellen Bedingungen für einen Neubeginn fehlen?

Mit den Wochen wird er deutlicher, nennt die Verantwortlichen beim Namen, besonders die vier Siegermächte und da wieder zuerst die britische Besatzungsmacht. Samhaber setzt sich über das Gebot hinweg, den vom Alliierten Kontrollrat beschlossenen Industrieplan zwar zu kommentieren, aber nicht zu kritisieren. Unter der Überschrift »Unser Atemraum« geißelte er am 4. April 1946 das Dokument als ein Instrument, das Deutschland an der Rückkehr zu normalen und friedlichen Lebensbedingungen hindere, nur darauf angelegt, »Maschinen zu zerstören, die darauf warten, das friedliche Leben erträglicher zu gestalten; Räder stillzulegen, deren Drehen Arbeit und Brot gewähren könnte; Türen zu schließen, die nicht nur zu täglicher harter Arbeit, sondern zu Hoffnung, Vertrauen, Lebensmut und Arbeitsfreude führen könnten«.

Drei Wochen danach bringt er den volkswirtschaftlichen Unsinn der deutschen und alliierten Misere auf den »Kostenpunkt«: »Nur eine blühende deutsche Volkswirtschaft kann den unhaltbaren Zustand beseitigen, daß das siegreiche Großbritannien jährlich 80 Millionen Pfund Sterling ›Reparationen‹ zahlt.« Er bedient sich hier eines Tricks, den seine Kollegen in den kommenden Jahren noch oft anwenden werden: Man legt die Kritik an den Handlungen der Besatzungsmacht britischen Persönlichkeiten, wie dem Bischof von Chichester, dem Schriftsteller Victor Gollancz oder dem Labour-Politiker Pakenham, in den Mund. In diesem Falle ist es Schatzkanzler Hugh Dalton, der die gewaltigen Besatzungskosten mit Reparationen an Deutschland gleichgesetzt hatte.

Offensichtlich von Samhaber stammt auch ein ungezeichneter zweiter Leiter am 6. Juni 1946, dessen Überschrift »Geist der Vernichtung« die Engländer auf die Anklagebank setzt: Im Hamburger Hafen waren gerade unter großem Getöse die Helligen der Werft Blohm + Voss gesprengt worden. Das Krachen zerreiße »den Frieden des Herzens«. Da sei ja die russische Praxis der Demontagen (Abtransport ganzer Industrieanlagen) noch vernünftiger. Kurz darauf – Samhaber ist in jenen Wochen unheimlich aktiv, schreibt nebenher noch besinnliche Aufsätze im Feuilleton und historische Erzählungen – legt er abermals den Finger auf eine Wunde: Als »verantwortungslos« kritisiert er die Fehlgriffe der deutschen Entnazifizierungsbehörden. Jedermann weiß, daß sie im Auftrage einer Besatzungsmacht handeln.

Am 18. Juli 1946 schließlich folgt jener Leitartikel, von dem manche meinen, er sei von allen sein bester gewesen: »Das Gesetz des Dschungels«. Anlaß war eine Hungerrevolte von Arbeitslosen in Hamburg, die sich an mehreren Ecken zusammengerottet und den Unwillen der Besatzungsmacht auf sich gezogen hatten. Der Artikel steht als historisches Dokument ebenbürtig neben den Reportagen Jan Molitors (»Cavalcade 46«). Samhaber schildert die zwei Welten der deutschen Gesellschaft: hier die Redlichen, Darbenden, Gesetzestreuen, die sich für ihre wertlose Reichsmark nichts kaufen können, auf der anderen Seite die wohlgenährten, vergnügten Herren aus der Tauschwelt (dem schwarzen Markt), die kapiert haben, »daß wir von reißenden Tieren umgeben sind und daß, wer sich im Dschungel halten will, selbst zum Raubtier werden muß«.

Der Chefredakteur beschwört das Ende der bürgerlichen Ordnung, die zu schützen doch die Aufgabe der Militärregierung sein sollte. Das schreibt er zwar nicht, statt dessen mahnt er: »Und doch müssen wir der Jugend und den Menschen überhaupt den Glauben an die Zukunft zurückgeben«, um dann zu folgern – und nun ist die Besatzungsmacht direkt angesprochen – : »Solange wir nur Abbau und Zerstörung von Produktionsstätten sehen oder von solchen hören, die ausschließlich für die Besatzungsbehörden arbeiten, so lange werden wir die Irregeleiteten nicht zu uns zurückführen können.«

Kaum war dieser Aufschrei ins Land gegangen, da legte die ZEIT-Redaktion noch nach. Drei Wochen später erschien, auf Anregung des Feuilletonchefs Tüngel, im Tiefdruckteil eine von Ulrich Mohr meisterhaft photographierte Bildreportage aus einem Elendsviertel in St. Pauli; Jan Molitor schrieb dazu einen ergreifenden Text. Ein Bild, das um die Welt ging: Ein Kind in Lumpen durchwühlt vor Hunger einen Müllkasten. Die Wirkung war durchschlagend; eine Reihe englischer Hilfsorganisationen wollten sofort helfen, und mitleidige Frauen englischer Besatzungsmitglieder belagerten tagelang das ZEIT-Telephon. Doch dieser unerwartete journalistische Erfolg war der Tropfen, der das Faß gesammelten britischen Zorns überlaufen ließ.

Schon längere Zeit hatten Geheimdienst und Pressekontrollkommission der Briten den Chefredakteur der ZEIT im Visier. Natürlich mußten die Redakteure jede Woche damit rechnen, daß die Besatzungsmacht ihnen wegen Unbotmäßigkeit die Papierzuteilung kürzte, vielleicht auch mal die eine oder andere Ausgabe der Zeitung beschlagnahmte. Nur mit einem hatten sie nicht gerechnet: daß man ihren Chefredakteur absetzte. Samhaber selber fühlte sich sicher im Schutze seines chilenischen Passes. Den Staatsbürger eines Uno-Mitgliedslandes würden die Engländer nicht anzutasten wagen. Doch sie bedienten sich eines *deutschen* Entnazifizierungsausschusses, der am 8. August 1946 den *deutschen* Staatsbürger Ernst Samhaber zum Nazi erklärte (in der Stufe »Betroffener«) und gegen ihn ein Berufsverbot verhängte. Zugleich wurde ihm befohlen, sich auf einer Baustelle zu melden.

Die ZEIT verlor über Nacht ihren Chefredakteur. Im Pressehaus kannte die Empörung keine Grenzen. Auf Vorschlag Müller-Mareins beriefen die Teilhaber ihren Kollegen Richard Tüngel zum Nachfolger. Damit kamen die Briten vom Regen in die Traufe. Mit einem Mut sondergleichen warf sich der neue Chefredakteur in die Bresche und attackierte die Besatzungsmacht mit offenem Visier.

Die lapidare Überschrift des Leitartikels vom 15. August 1946 ist eine Provokation: »Ohne Recht«. »Ein böses, ein schreckliches Wort« schlägt er den Engländern und ihren deutschen Untergebenen, dramaturgisch geschickt, gleich im ersten Satz um die Ohren. Aus der Sicht eines Nazigegners schildert er den Zustand der Rechtlosigkeit im »Dritten Reich«. Er wiederholt das Grundgesetz, nach dem die ZEIT vor einem halben Jahr angetreten ist: »Ohne Recht – wir haben es uns in der Stunde der Befreiung geschworen, dieses Wort darf bei uns niemals wieder gelten.«

Mit glänzender Rhetorik nimmt er seinen Vorgänger in Schutz: Dieser Ernst Samhaber sei niemals ein Nazi gewesen. »War er etwa ein SA-Mann, ein SS-Mann, ein Denunziant, ein Antisemit? Nein, es ist allgemein bekannt, daß er all dies nicht war und auch nichts, was dem gleichkommt.«

Die ZEIT bestärkt dieses Argument noch in derselben Nummer durch den Nachdruck eines Aufsatzes, den Samhaber im April 1941 in Rudolf Pechels »Deutscher Rundschau« publiziert hatte: das Porträt des paraguayischen Diktators Francisco Solano López, eines wahnsinnigen Tyrannen aus dem 19. Jahrhundert, der in seiner Verblendung irrwitzigen Großmachtträumen nachjagte und dafür sein eigenes Volk ausbluten ließ, das seinen Leidensweg bis zum bitteren

Ende gehen mußte. Heute liest sich das Porträt wie ein genaues Abbild Hitlers, als prophetische Vorwegnahme dessen, was dem deutschen Volk noch bevorstand. Der Essay erschien, als Hitler den Höhepunkt seiner Macht erklommen hatte und sich in seiner Hybris gerade anschickte, Rußland zu erobern. Die Leser der »Deutschen Rundschau« waren es gewohnt, zwischen den Zeilen zu lesen. Wollte Samhaber ihnen wirklich eine Botschaft zukommen lassen? Gehörte er zu den Deutschen, denen es, wie damals auch Marion Dönhoff, eine schreckliche Vorstellung war, Hitler könnte die ganze Welt regieren? Samhaber als Kassandra? Dann war es eine Tollkühnheit sondergleichen; sie würde in das Charakterbild Samhabers passen.

Die Lektüre des Leitartikels und des Diktatorenporträts konnte bei den Lesern nur den Eindruck hinterlassen: Dem Mann ist Unrecht geschehen. Ohne Zweifel war dies auch Tüngels Überzeugung. Sonst hätte er sich nicht auch noch den Entnazifizierungsausschuß vorgeknöpft, von dem er wußte, daß dort wirklich seriöse Leute saßen: »Aus welchen trüben Kanälen aber, aus welchen schmutzigen Kloaken fließen diesen ehrenwerten Männern Informationen zu, die sie ... aus irgendeinem Grunde für einwandfrei zu halten sich verpflichtet fühlen?«

Es muß Tüngel und seinen Herausgeberkollegen klar gewesen sein, daß weder die Besatzungsbehörden noch die deutschen Entnazifizierer solche Anwürfe einfach wegsteckten. Alle vier Lizenzträger wurden ins Hamburger Press Office beordert. »Hinter dem Schreibtisch«, so wird sich Tüngel später erinnern, »thronte ein riesiger Schlagetot, ein britischer Major, seinem Namen nach offenbar ein ungarischer Emigrant.« Der Major brüllte die vier Herren zusammen und befahl ihnen, in der nächsten Ausgabe eine Widerlegung des Leitartikels abzudrucken. Tüngel: »Ich weigerte mich, und Bucerius unterstützte mich energisch und lebhaft. Er sprach in fließendem Englisch auf den Ungarn ein – ich bin nicht sicher, ob dieser englische Major ihn verstanden hat.« Als der Chefredakteur anbot, die Gegendarstellung als Auflage der englischen Militärregierung zu kennzeichnen, drohte der wütende Major mit dem Verbot der ZEIT. Tüngels voreiliges »Bitte sehr« trieb die Dinge auf Messers Schneide; seine Kollegen retteten die Situation, und Bucerius flüsterte ihm zu: »Rache wird kalt genossen.«

Wohl oder übel mußte die ZEIT dort, wo sonst der Leitartikel stand, eine lange Entgegnung des Entnazifizierungsausschusses abdrucken. In einer Fußnote versicherten »die Herausgeber« scheinheilig, daß sie »selbstverständlich« die Stellungnahme ihren Lesern zur Kenntnis brächten; geklärt werde der Fall Samhaber nunmehr vor dem Berufungsausschuß. Einigermaßen peinlich war es dennoch, wie jetzt den Behauptungen Tüngels jene Tatsachen gegenübergestellt wurden, die dem Ausschuß vorgelegen hatten: der von Samhaber ausgefüllte Fragebogen, sein selbstverfaßter Lebenslauf und sein 1941 erschienenes Buch »Spanisch-Südamerika«, worin er den deutschen Sieg über Frankreich pries und folgerte, der Nationalsozialismus habe »eine Richtung gewiesen, wie die kommende Welt sich aufbauen wird«. Anscheinend hatte der Ausschuß in Samhabers Schrifttum lange suchen müssen, bis er dieses eher harmlose Zitat überhaupt fand. Man hätte ja auch folgern können, Samhaber habe hier sein gewagtes Porträt des Tyrannen Solano absichern wollen.

Maßgebend für den Rausschmiß war die Aussage Samhabers, er habe von Ende 1933 bis Ende April 1937 dem »Reichsministerium für Volksaufklärung und Propaganda (drahtloser Dienst)« angehört. Da blieb dem Ausschuß keine Wahl – laut Verordnung 24 des Alliierten Kontrollrats mußten alle Angestellten des Goebbels-Ministeriums entfernt und ausgeschaltet werden. Ungewollt verstärkte er damit aber den Verdacht, daß hinter dem Schreibverbot eine Intrige steckte. Denn diese Fakten waren den Briten alle schon bekannt gewesen, als sie Samhaber vor einem halben Jahr als Chefredakteur einsetzten. Nur hatte es sie damals noch nicht gestört. Als nach vielen Jahren die britischen Akten zugänglich wurden, konnte einer der Urheber dieser Kabale namhaft gemacht werden: Es war der zweithöchste britische Presseoffizier, Peter de Mendelssohn, deutscher Emigrant, später ein bekannter Schriftsteller und Übersetzer. Vermutlich war Samhaber am meisten damit angeeckt, daß er seine Abneigung gegen linke Besatzungsoffiziere, die der regierenden Labour Party zuneigten, nie verhehlte.

Mit seiner Berufung hat Samhaber im April 1947 nur einen halben Erfolg. Er muß zwar keine Steine schleppen und kann auch wieder an sein Vermögen heran, aber in der ZEIT-Redaktion darf er nicht mehr arbeiten und für längere Zeit auch nicht als politischer Journalist bei anderen Zeitungen. Es vergeht aber nur ein Jahr, bis er von einer Berufungskammer als »nicht betroffen« eingestuft wird. Bei den ZEIT-Lesern meldet er sich 1949 zurück: als Sonderberichterstatter aus Südamerika.

Selbst da hat es Richard Tüngel noch nicht verwunden, daß ihn die

Militärregierung gezwungen hatte, gegen seine Überzeugung und nur unter erpresserischem Druck zu handeln. Seit jenem 15. August 1946 war er entschlossen, den Kampf der ZEIT gegen die Besatzungsmächte noch zu verschärfen. Er machte sich einen Spruch des Königs Rehabeam zu eigen: »Mein Vater hat euch mit Peitschen gezüchtigt; ich aber will euch mit Skorpionen züchtigen« (2. Chronik 10,11). Seine Pfeile richtete er in erster Linie gegen die Zivilverwaltung der britischen Militärregierung. Wegen unübersehbarer bürokratischer Mängel hielt er sie für unfähig, die großen Probleme zu lösen, als da waren: die Knappheit an Lebensmitteln und Brennstoffen, der Kahlschlag in den Wäldern, der Rohstoffmangel, die Ankurbelung der Industrieproduktion, die Wohnungsnot, die Eingliederung von Millionen Flüchtlingen und immer wieder die Belastung durch Demontagen.

Ihre Informationen mußte sich die ZEIT zumeist auf privaten Wegen besorgen, also hinter dem Rücken der Besatzungsmächte. Mehrmals, wenn sich der Ärger der Militärs angestaut hatte, wurde ernsthaft erwogen, die ZEIT für ihre Aufsässigkeit zu strafen. Auch Vorurteile spielten herein. Der zweite Mann in der britischen Kontrollkommission für die Medien hielt die ZEIT für stockreaktionär, allein schon deswegen, weil eine ostpreußische Gräfin in der Redaktion saß. Doch der britische Major Michael Thomas, ein gebürtiger Berliner, hat dank seines Einflusses beim ranghöchsten Verwaltungsbeamten erreichen können, daß die ZEIT selbst nach den schlimmsten Ausfällen Tüngels geschont wurde.

Als Thomas 1947 die ZEIT-Leute kennenlernte, hatte er einen schweren Stand. Um die Atmosphäre aufzulockern, wurde die widerspenstige Redaktion zu Getränken und belegten Broten – ein unwiderstehlicher Anreiz in jenen Zeiten – in ein britisches Kasino eingeladen. Thomas mußte den Gästen klarmachen, daß einige Artikel zur Ernährungslage und zur Demontagepolitik schlecht recherchiert waren und zum Teil auf falschen Behauptungen beruhten. Sogleich hatte er sich feindlicher Zwischenfragen zu erwehren, ob hier vielleicht schon wieder Zensur stattfinde.

Die Runde sparte nicht mit Vorwürfen gegen die britische Militärregierung. Am aggressivsten zeigte sich Wirtschaftschef Topf, während Tüngel den Besucher in leidenschaftlichen, wohlgesetzten Worten anging. Am unbehaglichsten empfand Michael Thomas die leisen, bissigen Fragen der Gräfin Dönhoff. Zu den vielen späteren Treffen kam Thomas, allmählich ein gerngesehener Besucher, in die

Redaktionsräume. In der Regel brachte er eine Flasche Kognak mit. Er hat manches Mißverständnis zwischen Deutschen und Briten auflösen können.

Tüngel kämpfte keineswegs allein an der Front gegen die Besatzer. Erwin Topf und Marion Dönhoff brachten ihren wirtschaftlichen Sachverstand ein, Müller-Mareins Reportagen leuchteten den Hintergrund aus, und bald, im Wechsel mit Tüngel, beteiligte sich auch der stellvertretende Chefredakteur Ernst Friedlaender an der Auseinandersetzung. Nur bot er in seiner Sachlichkeit weniger Angriffsflächen als der cholerische Tüngel. Sein vornehmer Stil täuschte über die Schärfe seiner Argumente hinweg.

Nach der Gründung der Bizone gerieten auch die Amerikaner ins Schußfeld der ZEIT. Doch Tüngels Erb- und Hausfeind, den er bis tief in die fünfziger Jahre verfolgte, war – Frankreich. Sowohl die Obstruktion der Franzosen im Alliierten Kontrollrat als auch ihre Versuche, die deutsche Schwerindustrie niederzuhalten, ihre Ansprüche auf das Saargebiet und das Ruhrrevier und die Drangsalierungen der Menschen in der Französischen Zone – all das lud ihn geradezu ein, sie unentwegt anzugreifen. Tüngel scheute sich dabei nicht, tief in die Mottenkiste nationaler Ressentiments zu greifen. Im Westfälischen Frieden von 1648 wollte er die Hauptursache jahrhundertelanger Erbfeindschaft sehen.

Als der Chefredakteur eines Tages die aufregende Information auf den Tisch bekam, die Franzosen hätten, nach dem Vorbild der Demontagen in der Sowjetzone, auf der Strecke Basel–Offenburg das zweite Gleis abbauen wollen, um den Nord-Süd-Verkehr über das Elsaß umzuleiten, nutzte er diesen Vorfall, um die gesamte französische Nachkriegspolitik anzuprangern. Sein Artikel gipfelte in dem Vorwurf, Frankreich wolle mit erborgter Macht die Vorherrschaft in Europa erstreiten. Darauf handelte er sich eine scharfe Rüge des Hamburger Gouverneurs Berry ein, der alle vier Herausgeber zu sich bat: »Das geht so nicht weiter. Sie sind zu aggressiv.«

Allerdings beschwerte er sich dabei nur über die ja oft sehr frechen Karikaturen von Szewczuk und Hicks. Den wahren Grund verschwieg er: Der französische Militärgouverneur in Deutschland, General Kœnig, hatte drakonische Schritte gegen die lästige ZEIT verlangt. Angeblich hatte sein britischer Partner, General Robertson, sogar schon die Einstellung der Wochenzeitung und die Inhaftierung Tüngels befohlen. Doch Berry soll ihn eines Besseren belehrt haben.

Der gute Ruf, den sich die ZEIT während der Besatzungszeit im

Volk erwarb, wirkte noch nach, als die Bundesrepublik bereits ein gutes Jahr alt war und Bundeskanzler Adenauer die größten Probleme zwischen den Alliierten und den Deutschen schon ausgeräumt hatte. Es war kein Zufall, daß die ZEIT auf originelle Weise an der Befreiung Helgolands mitwirkte. Das Schicksal der Felseninsel belastete mehr und mehr das deutsch-englische Verhältnis. »Von jedem menschlichen, von jedem politischen Standpunkt her hätte man den Helgoländern längst ihre Heimat wiedergeben müssen«, hielt Friedlaender am 13. April 1950 den Engländern vor. Die Einwohner der Felseninsel waren nach dem unnötigen britischen 1000-Bomber-Angriff im April 1945 aufs Festland evakuiert worden. Zwei Jahre nach dem Angriff hatten die Engländer sogar versucht, die Insel für immer im Meer verschwinden zu lassen, mittels der größten konventionellen Sprengung aller Zeiten (6700 Tonnen Sprengstoff!). ZEIT-Verleger Lovis Lorenz schrieb der Insel schon im voraus einen wehmütigen Nachruf.

ZEIT-Reporter Jan Molitor hat als Zuschauer auf hoher See miterlebt, wie nach der Explosion aus dem Dunst die vertrauten Konturen der Insel wieder auftauchten. Er war es zufrieden: »Standhafter Fels in der See!« Als er zwei Tage später den Schaden auf der Insel betrachtet, fängt er schon an zu träumen, er kann gar nicht anders: »Vielleicht – es wird lange, lange dauern, zumindest so lange, wie unser aller Armut währt – werden wieder Menschen auf Helgoland wohnen, Eingesessene und Heuschnupfengäste, Hummerfreunde und Besucher des Vogelparadieses, Freunde von Fels und Meer.«

Doch die Hoffnung schien vergebens, denn die Royal Air Force hatte völkerrechtswidrig die Felseninsel zum Übungsplatz für Bombenabwürfe bestimmt. Anfang Dezember 1949 ersuchte der Bundestag die Hohen Kommissare, den Helgoländern ihre Heimat wiederzugeben. Claus Jacobi schlägt in der ZEIT den Akkord dazu: »Helgoland ist für Deutschland eine Frage des Herzens.« Doch ein ganzes Jahr lang tut sich nichts. Aber in der letzten Adventswoche 1950 bekommt der Chef vom Dienst, Josef Müller-Marein (alias Jan Molitor), spät abends einen Telephonanruf: »Wir versprechen Ihnen eine Sensation aus einer Sache, die uns eine Herzensangelegenheit ist.«

Andern Morgens stehen sie vor ihm, zwei Heidelberger Kommilitonen, Georg von Hatzfeld, Sohn eines rheinischen Dichters, Jurastudent, und der Ostpreuße René Leudesdorff, der Theologie studiert: »Wir werden nach Helgoland gehen und dort so lange bleiben, bis alle Welt weiß, daß das Unrecht an der Insel wiedergutgemacht werden muß.« Sie hatten vorher schon an viele Türen geklopft, weil sie ihr Unternehmen ja finanzieren mußten. Doch immer hörten sie nur ein Nein. Der erste, der ja sagte, war Müller-Marein. Erst 25 Jahre danach hat es Georg von Hatzfeld dem ZEIT-Redakteur Gerhard Seehase (für eine »Magazin«-Reportage) erzählt: »Er spendete 250 Mark, das war damals viel Geld, aus seinem eigenen Portemonnaie und schickte uns damit ins Abenteuer. 200 Mark benötigten wir für die Überfahrt.« Ein Stück nationaler Solidarität.

Die beiden Landratten mieteten sich in Cuxhaven einen Kutter und ließen sich bei stürmischer See zur Insel übersetzen, wo sie die Europafahne hißten, eine Art Feigenblatt, damit ihre nationale Aktion nicht in nationalistisches schwarzweißrotes Fahrwasser geriet. Vierzehn Tage hielten sie im unzerstörten Flakturm aus, erst zu zweit, dann zu zwanzig, bis britische Offiziere und deutsche Polizei die Invasion beendeten. Am 11. Januar durfte der Historiker und Journalist Prinz Hubertus zu Löwenstein – auch er war dabeigewesen – in der ZEIT einen Leitartikel schreiben, um der Weltöffentlichkeit zu erklären, was die »Aktion Helgoland« bezweckte. Für ihn war es die Übertragung von Gandhis Lehre der Gewaltlosigkeit auf Europa.

In derselben Nummer veröffentlichte die ZEIT exklusiv Auszüge aus dem Helgoländer Tagebuch des Studenten Georg von Hatzfeld: »Was wir wollen, ist doch klar: Aufhören der Bombardements, Rückgabe der Insel an die Helgoländer.« (Beides haben sie erreicht – das erste sofort, das zweite geschah am 1. März 1952.) Und: »Wir wollen einen Meilenstein setzen auf dem Weg nach Europa, weiter nichts!« Letzteres war nur die halbe Wahrheit. Sie wollten nämlich auch ein Zeichen gegen die schon einsetzende Wiederaufrüstung setzen – eine Haltung, mit der die ZEIT-Redaktion keineswegs einverstanden sein konnte –, und sie bekannten sich zur deutschen Schuld, die sie »im Vertrauen auf den europäischen Geist des Rechts und der Vergebung« zu überwinden hofften. Doch mit dieser Schuld tat sich die ZEIT noch immer schwer.

5. Kapitel

Nürnberg. Von der Schuld der Deutschen

Gräfin Dönhoff hat die Anekdote öfter erzählt: Begleitet von zwei Freunden – der eine war Axel von dem Bussche, jener Offizier, der sich mit Hitler in die Luft hatte sprengen wollen, der andere sein Kriegskamerad Richard von Weizsäcker –, war sie auf dem Weg zum Nürnberger Justizpalast. Dort lief noch der Prozeß gegen die Hauptkriegsverbrecher vor dem Internationalen Militärtribunal. Angesichts der beiden Panzer vor dem Palais und ihrer Besatzung sagte einer der Männer zum anderen: »Die Kerle raus und wir rein!« Gräfin Dönhoff entsetzt: »Ihr wollt doch nicht im Ernst ...?« »Nein, aber wir wollen mit zu Gericht sitzen – diese Angeklagten haben sich auch gegen uns versündigt.«

Diese Stimmung war seinerzeit weit verbreitet in Deutschland: Die Abrechnung mit den ehemaligen Größen des »Dritten Reiches« durfte man nicht den Siegern überlassen. Zudem schien die Rechtsgrundlage des Prozesses höchst fragwürdig. Statt die Angeklagten nach dem deutschen Strafgesetzbuch abzuurteilen, hatten die Alliierten im Kontrollratsgesetz Nr. 10 für die Deutschen ein Sonderrecht erfunden, das den altbewährten Grundsatz »nulla poena sine lege« außer Kraft setzte. Ihm zufolge durfte niemand wegen Handlungen belangt werden, die zur Zeit der Tat noch nicht gesetzlich mit Strafe bedroht wurden. Die ZEIT stand an der Spitze derer, die immer wieder gegen die Nürnberger Rechtsprechung Sturm liefen. Besonders ärgerlich empfanden es die Redakteure, daß in Nürnberg nicht jene Verbrechen abgeurteilt wurden, welche die Naziführer an ihrem eigenen Volk begangen hatten.

Nicht einen einzigen Gedanken hat die Redaktion seinerzeit auf die Tatsache verschwendet, daß in Nürnberg neues Recht geschöpft wurde, Recht mit rückwirkender Kraft. Einzigartig wie das von Staats wegen befohlene Verbrechen des Völkermords an Juden, Slawen, Zigeunern. Dieser Zusammenhang ist damals in der ZEIT nicht problematisiert worden. Immerhin hat sich bereits 1945 der Rechtsphilosoph Karl Jaspers zu den Nürnberger Richtern bekannt und ihr Statut bejaht.

Die Leitartikler der ZEIT wurden von der Angst umgetrieben, das Nürnberger Hohe Gericht könnte die Kollektivschuld des deutschen Volkes festschreiben. Dieses heimliche Unbehagen wird schon früh in einem redaktionellen Text zu einer Szewczuk-Karikatur angedeutet: »Das Volk sitzt mit auf der Anklagebank. Was wir zwölf Jahre in innerer Ablehnung abzuwenden versuchten, ist eingetreten.« – »Wir«, das sind die Meinungsmacher der ZEIT: Gerd Bucerius, der im Krieg die Bombergeschwader der Alliierten herbeigesehnt hat, Gräfin Dönhoff, deren Freunde nach dem 20. Juli 1944 hingerichtet worden sind, Richard Tüngel, der sich nicht genug aufregen kann über jene Verbrecher und mehr noch über die »entsetzlichen Dummköpfe, die hinter ihnen herliefen« – sie fühlten sich am 8. Mai 1945 wirklich befreit. Sie wollten nicht, wie der Bildtext verrät, in eine Schicksalsgemeinschaft gepreßt werden mit »Menschen, die wir verachteten oder ablehnten«.

Als Hermann Göring, der ehedem zweitmächtigste Mann im Nazireich, beim Kreuzverhör in Nürnberg seine Mitwisserschaft am Massenmord leugnete, schrieb Gerd Bucerius einen zornigen Artikel. Ein Geständnis Görings hätte die Masse des deutschen Volkes entlasten können. Dann wäre klar gewesen: »Die wenigen, die es gewußt haben, konnten es nicht ändern, die Masse hat es nicht gewußt.«

Was Bucerius hat anklingen lassen, wiederholt und vertieft dann Richard Tüngel. Auf einer ganzen Kupfertiefdruckseite im Feuilleton zelebriert er am 2. Mai 1946 den ersten Jahrestag der deutschen Kapitulation – ein ungewöhnliches ZEIT-Dokument: »Über das Schuldbekenntnis des deutschen Volkes«, eingerahmt von einer trostspendenden Kantate, die der Lyriker Horst Lange in Verse gesetzt hat (»Das Bleibende«) und mit Aufnahmen vom »Jüngsten Gericht« des Lüneburger Bildschnitzers Albert von Soest. Fast ein Jahr muß Tüngel auf diesen Augenblick gewartet haben. Ohne daß es der Leser merkt, zitiert er aus einer Ausgabe der englischen »Picture Post«, die er im Juni 1945 beim Friseur fand, wo ein britischer Sergeant sie hatte liegenlassen. Die Zeitung hatte berichtet, die Deutschen empfänden nicht die geringste Spur eines Gefühls der Reue und des Abscheus angesichts der fürchterlichen Verbrechen. Das will Tüngel nicht auf dem deutschen Namen sitzen lassen. Vielmehr habe das Volk »fast ausnahmslos« mit Abscheu und Entsetzen reagiert.

Doch dann legt Tüngel los: »Mit der Reue steht es anders.« Denn sie setze ein Schuldgefühl voraus, »ja geradezu ein Bekenntnis, daß jeder einzelne Deutsche teilhabe an den Verbrechen«. Der Forderung nach einem uneingeschränkten Schuldbekenntnis setzt er ein klares Nein entgegen. Wie immer in seinem Kampf gegen die Besatzungsmacht sucht Tüngel Schützenhilfe bei Engländern, diesmal beim Philosophen Bertrand Russell. Der hatte in einem Kommentar zu Bildern aus den Konzentrationslagern kühl diagnostiziert, die Entwicklung, die zu solchen Grausamkeiten geführt habe, sei keineswegs ein rein deutsches Muster. Das gibt Tüngel die Gelegenheit, einen ganz neuen Begriff von Schuld einzuführen, in die er sich selber einbezieht – er nennt sie sogar das einzige einigende Band für alle Deutschen in der Welt –, »die Schuld, daß wir unsere Freiheit nicht genug verteidigt haben ... zu einer Zeit, als dies noch möglich war«. Vor der Jugend bekennt er »brennende Scham«, womit er vorwegnimmt, was etliche Jahre später der seit alten Berliner Zeiten mit Tüngel befreundete erste Bundespräsident Theodor Heuss als Kollektivscham in die deutsche Sprache einführen wird.

Differenzierter geht Ernst Friedlaender das Thema Schuld an. Er sieht im Volke neben den wenigen Nazis die Opportunisten, »die weder betrogen noch betrogen wurden«, die »ewig Gedankenlosen«, »Wissende, die schweigend oder widerwillig mitmachten oder sich einfach abseits hielten«, und die Wissenden vom Widerstand. Die Mehrheit aber macht er bei den »Massendeutschen« aus, die man überhaupt erst desillusionieren müsse. In seiner unaufdringlichen Art wird er noch viel Aufklärungsarbeit leisten. Ihn interessiert weniger, ob der einzelne Deutsche von Auschwitz gewußt hat oder nicht. Genug anderes sei bekannt gewesen: »Schließlich hat Hitler das Ende des Judentums in öffentlicher Rede als Kriegsziel verkündet. Jeder hatte Gelegenheit, die Judensterne zu sehen, jeder konnte feststellen, wie die Juden aus Deutschland verschwanden.«

Beide Leitartikler haben das Urteil im ersten Nürnberger Prozeß als fair empfunden. Tüngel nimmt die Freisprüche für drei Angeklagte als Freispruch für das ganze Volk. Der wahre Kampf der ZEIT gegen Nürnberg setzt erst mit den elf Folgeprozessen ein. Aus dem Justizpalast berichtet der Journalist Hans Georg von Studtnitz. Der Monarchist aus Überzeugung war 1933 in die Nazipartei eingetreten; im Krieg arbeitete er im Pressebüro des Reichsaußenministers von Ribbentrop. Aus seiner preußisch-konservativen Sicht verurteilt er die unverkennbare Absicht der amerikanischen Anklagebehörde, ganze gesellschaftliche Gruppen wegen ihrer Verflechtung mit dem totalitären Regime zu diskreditieren, als da sind: Industrie (symbolisiert durch Krupp und Flick), die Banken, das Militär, das Auswärtige Amt (Symbolfigur Weizsäcker). Wie objektiv seine Berichte waren, läßt sich nicht mehr beurteilen, denn Tüngel hat die Manuskripte nach eigenem Bekunden noch verschärft, indem er vertrauliche Informationen einarbeitete.

Die Kritik verstellte freilich den Blick auf den idealistischen Antrieb, der die liberaldemokratisch geprägten Männer der Anklagebehörde beseelte. Amerika war für eine bessere Weltordnung in den Krieg gezogen. Das Bild der deutschen Gesellschaft in der ersten Hälfte des Jahrhunderts, das sich ihnen aus einer Flut erbeuteter Dokumente erschloß, war eher abstoßend. Wollte man die Deutschen umerziehen, mußte man mit dem Anschauungsunterricht in Nürnberg beginnen. Aber die meisten Deutschen interessierten sich gar nicht mehr für die Folgeprozesse – der Kampf ums tägliche Überleben hatte Vorrang. Es werden noch zwanzig Jahre ins Land gehen, bis eine jüngere Generation von Historikern die Teilidentität in den Zielen der deutschen Eliten und der Nationalsozialisten enthüllt und Gesellschaftswissenschaftler den »Sonderweg« nachzeichnen, der Deutschland dem Westen entfremdet hatte.

Es wäre zuviel verlangt, von der damaligen ZEIT-Redaktion, die sich mit Recht als Sprachrohr der großen Mehrheit des Volkes verstand, auch noch Verständnis für die amerikanischen Anklagen zu erwarten. Ihre Perspektive war eine andere: Abwehr aller ungerechten oder unsinnigen Handlungen, die sich gegen die deutschen Interessen richteten. Studtnitz' Bericht über das Urteil in den Prozessen gegen die IG-Farben und gegen Krupp ist überschrieben: »Rehabilitierung und Rache. Nürnberg richtet die Industrie.« Zwar wird den Gerichten hoch angerechnet, daß sie die deutschen Industriellen von der Mitverantwortung für den Angriffskrieg freigesprochen haben, zugleich wird aber gerügt, daß man einige Angeklagte wegen Plünderung und Sklavenarbeit ins Gefängnis stecken will.

Ein halbes Jahrhundert sollte vergehen, ehe die ZEIT ihren Lesern berichten kann, wie einige große Industrieunternehmen endlich ihre braune Vergangenheit aufarbeiten und das schlimme Los ihrer Zwangsarbeiter nicht länger verschweigen. Damals, im Zeichen des Kalten Krieges, erschien dem ZEIT-Korrespondenten von Studtnitz ein Verfahren als unweise, »bei dem – vielleicht am Vorabend eines dritten Weltkrieges – Kapitalisten über Kapitalisten und Antikommunisten über Antikommunisten zu Gericht saßen«. Als ginge es nur darum – schließlich waren doch Verbrechen zu sühnen! Und konnte der Berichterstatter sie gar nicht mehr ignorieren, wurde eben aufgerechnet: Nach den Nürnberger Grundsätzen sei dann auch »vieles von dem, was in Deutschland seit der Kapitulation geschah, illegal und völkerrechtswidrig gewesen«.

Noch entlarvender für die Betrachtungsweise der ZEIT in jenen Tagen ist der Abschlußbericht zum sogenannten OKW-Prozeß 1948, in dem höchste deutsche Offiziere zur Verantwortung gezogen wurden. Die ZEIT verschweigt keineswegs die verbrecherischen Befehle Hitlers im Krieg gegen Rußland, die von seinen Generälen ausgeführt wurden. Doch sie stellt sich ganz auf die Seite der Verteidigung. Die Anwälte hatten auf 231 Seiten Greuel der Roten Armee dokumentiert, um nachzuweisen, daß die Härte des russischen Krieges »beileibe nicht nur von den Deutschen provoziert war«. Das Gericht aber hatte mögliche Verstöße des Gegners gegen das Völkerrecht nicht als Entschuldigung gelten lassen. In seinen Erinnerungen hebt Richard Tüngel hervor, »wie schwierig es war, diesen Spruch den unendlich vielen Soldaten, die in Rußland gekämpft hatten, als ein verständliches Urteil zu schildern! Wir konnten dies nicht tun, ohne – und das entsprach unserer Auffassung von Gerechtigkeit – neben Hitlers Verbrechen die sowjetrussischen Greuel anklagend aufzuzeigen.«

Ohnehin hatte sich die ZEIT von Anfang an entschlossen, die Anwälte in Nürnberg zu unterstützen, deren Stellung äußerst schwierig und oft gefährdet war. Deshalb hat sie immer wieder unerschrocken die Unzulänglichkeiten und Verfahrensverstöße der amerikanischen Gerichtsbarkeit angeprangert. Gleichwohl beteuert Tüngel, man habe die große Gefahr gesehen, es könnten nationalistische Kreise und Nazis diese Art der Berichterstattung mißverstehen, glaubt aber, Studtnitz sei es gelungen, »den schmalen Weg der Mitte zu finden und einzuhalten«. Studtnitz hat sich zum Beispiel nicht gescheut, die »nicht zu überbietende Amoralität« des OKW-Verfahrens anzuprangern, nachdem dort der bereits zum Tode verurteilte Leiter einer SD-Einsatzgruppe, der SS-Offizier Otto Ohlendorf, dessen Einsatzgruppe im Osten 90.000 Menschen umgebracht hatte, als Kronzeuge gegen die Militärs aussagen durfte (Ohlendorf wurde erst 1951 hingerichtet).

Besonders stark engagiert hat sich die ZEIT beim letzten Nürnberger Prozeß, dem sogenannten Wilhelmstraßen-Prozeß. Prominentester Angeklagter war Ernst von Weizsäcker, der ehemalige Staatssekretär des Auswärtigen Amts. Mittels enger Kontakte zu seinem

Verteidiger Hellmut Becker (in späteren Jahren einer der Bildungsexperten, die in der ZEIT schreiben), dem Weizsäckers Sohn Richard assistierte, war die Hamburger Redaktion immer bestens informiert; sie hatte sogar Einblick in die Verhörprotokolle der Anklage. Weizsäcker hatte sich in den Jahren 1938/39 gegen den Kriegskurs gestemmt – die friedensrettende Münchner Konferenz war sein Werk –, und er hatte 1941 vom Krieg gegen Rußland abgeraten. Von der Anklage des Verbrechens gegen den Frieden hat man ihn denn auch Anfang der fünfziger Jahre (in einer Revision des Urteils) freigesprochen. Er blieb aus Pflichtgefühl im Amt, »um Schlimmeres zu verhüten« – so eine damals geläufige Formulierung der Nürnberger Verteidiger. Zum Verhängnis wurde dem Angeklagten, daß er Dokumente, die im Geschäftsgang seinen Schreibtisch passierten und in denen die Deportation von Juden und die sogenannte Endlösung der Judenfrage erwähnt wurden, abgezeichnet hatte. Die Einlassung Weizsäckers, er habe unter »Endlösung« die Ansiedlung der Juden in Polen verstanden, nahm ihm das Gericht nicht ab, wohl aber Chefredakteur Tüngel. Es verstand sich von selbst, daß Weizsäckers Memoiren, die er im Gefängnis geschrieben hatte, in der ZEIT vorabgedruckt wurden. Nach seiner vorzeitigen Freilassung durch die Amerikaner durfte er im Juni 1951, wenige Monate vor seinem Tod, in der ZEIT zum 250. Jubiläum der vatikanischen Diplomatenschule einen Aufsatz über den Beruf des Diplomaten schreiben.

Die Kritik an der Verurteilung Weizsäckers, von der sich sogar einer der drei amerikanischen Richter distanziert hatte, zielte gegen Robert Kempner, den stellvertretenden amerikanischen Hauptankläger, der 1933 aus Deutschland hatte emigrieren müssen. Ernst Friedlaender in seiner vornehmen Art wollte ihm sein Ressentiment nicht verübeln, wohl aber hielt er ihm vor, daß er sich berufen gefühlt habe, als amerikanischer Ankläger zurückzukehren. Wer frühzeitig emigriert sei, so fügte er erklärend hinzu, sei versucht, alle zu verdammen, die zurückblieben und nicht zu Helden wurden.

Was Friedlaender nur andeutete, hat Richard Tüngel, der seine Verachtung für Kempner nicht verhehlte, unverblümt ausgesprochen. Seine lange Kampagne gegen Kempner grenzt schon an Haß. Am 27. September 1951, als er Kempner verdächtigte, er habe einen Pressefeldzug gegen ehemalige Nazis im neuen Bonner Auswärtigen Amt angezettelt, überschreibt er seinen Artikel auf Seite eins: »Einem Schädling muß das Handwerk gelegt werden«. Er fordert den amerikanischen Hohen Kommissar McCloy auf, diesen Mann des Landes zu verweisen. Am gravierendsten sein Vorwurf, Kempner habe Weizsäcker »ins Gefängnis und in den Tod gehetzt«. Schon vorher hatte er sich hinreißen lassen, die vom Hauptankläger benutzten deutschen Originaldokumente als Fälschungen zu bezeichnen.

Ein andermal hat Tüngel, in einer Glosse auf Seite eins, Kempner vorgehalten, daß er mit grausamer Härte in Berlin-Lichterfelde die Rückerstattung seines Vaterhauses betreibe. Es ist schon erstaunlich, mit welcher Ruhe Kempner gerade in diesem Fall antwortete: »Aber könnt ihr es denn nicht verstehen, daß ein Berliner Junge sein Vaterhaus, in dem er 25 Jahre gelebt hat, aus dem heraus er schließlich von den Unmenschen in Gestapohaft geschleppt wurde und das er zwangsweise unter Wegnahme des Kaufpreises verkaufen mußte, endlich zurückhaben will?« Robert Kempner hat der ZEIT diese Auseinandersetzungen nicht nachgetragen. Gräfin Dönhoff, die ihn im Auftrage Tüngels während des Weizsäcker-Prozesses in Nürnberg besucht hatte, ließ er über die Jahre Grüße übermitteln, er schickte Leserbriefe, und er hat mit jüngeren Redakteuren der ZEIT, die sich mit der NS-Vergangenheit auseinandersetzten, zusammengearbeitet.

Nach dem Ende der Nürnberger Prozesse im Frühjahr 1949, kurz vor der Verkündung des Bonner Grundgesetzes, meinte die ZEIT-Redaktion, es müsse nun etwas geschehen, nachdem alle Kritik und alle Angriffe nichts bewirkt hatten. Chefredakteur und Stellvertreter teilten sich die Aufgabe. Friedlaenders Beitrag »Und jetzt: Revision!« liest sich nach 50 Jahren noch so frisch wie am ersten Tag. Wie bereits 1945 Karl Jaspers scheidet auch er sorgsam zwischen moralischer und krimineller Schuld: »Es gibt nur wenige, die höchsten Ansprüchen genügten und die vor ihrem eigenen Gewissen die Frage nach dem *mea culpa* verneinen können. Auch der totalitäre Staat kennt nur eine kleine Zahl wirklicher Verbrecher und wirklicher Helden. Er kennt, am höchsten Maßstab des Helden gemessen, viele moralisch Schuldige.«

Dieses abgewogene Urteil könnte auch erklären helfen, was in späteren Jahren ZEIT-Redakteuren aus der jüngeren Generation zu schaffen machte: Wieso konnten bei der ZEIT Journalisten mitarbeiten, die Nazis gewesen waren oder zumindest Artikel geschrieben hatten, die mit nationalsozialistischen Sentenzen durchsetzt waren? Galt einer als »anständig« und hatte er sich nicht im Sinne des Strafgesetzbuches schuldig gemacht, so konnte er bei den vier Herausgebern auf Verständnis zählen. Von denen hatten zwei, die Nazigegner Bucerius und Tüngel, die ganzen zwölf Jahre des »Dritten Reiches«

im Lande gelebt. Bucerius hat einmal in einer Fernsehsendung offen bekannt: »Wir waren nicht mit der Fahne durchs Land gezogen, sondern haben uns ganz schön gebückt, um durch das Gewitter zu kommen.«

In klassischen Worten umreißt Friedlaender das ganze Elend der Nürnberger Prozesse und auch der Entnazifizierung: »Zuviel Anklage bewirkt zuviel Verteidigung. Bei zuviel Anklage wird der allenfalls moralisch Schuldige zum Verbrecher gestempelt. Bei zuviel Verteidigung wird dann mit der kriminellen Schuld auch die moralische abgestritten.« Friedlaender konstatiert – vier Jahre nach dem Krieg! – eine fast allgemeine Flucht in die völlige Unschuld, sogar in die Kollektivunschuld. Um dem allgemeinen Übel abzuhelfen, schlägt er eine Revision der Nürnberger Prozesse vor, am besten durch ein internationales Gericht, dem je ein Amerikaner, ein Neutraler, ein Deutscher angehören sollten.

Richard Tüngel ergänzt diese Revisionsforderung durch ein Gnadengesuch an die Amerikaner (»Wenn Gnade bei dem Recht steht«). Der Leitartikel bekam seinen Glanz durch Zitate aus Shakespeares »Der Kaufmann von Venedig«, ein ziemlich durchtriebener Einfall. Denn in dem Drama, das nach dem Krieg zunächst niemand aufzuführen wagte, ist es ja der Jude, der unerbittlich auf seinem Recht besteht und um Gnade angefleht wird.

Natürlich dachten die Amerikaner nicht daran, aufgrund von zwei Leitartikeln einer deutschen Wochenzeitung ihre Sühnepolitik umzustellen. Ein halbes Jahr danach plädierte Friedlaender noch einmal für eine Amnestie, die sowohl die alliierten Urteile als auch die Entscheide der deutschen Entnazifizierungskammern umfassen sollte. Die Gelegenheit schien günstig, da soeben in Bonn der neue deutsche Rechtsstaat ins Leben getreten war. Friedlaenders Appell richtete sich an die alliierten Hohen Kommissare und an die Bundesregierung: »Der Rechtsfriede der Gnade mit den Deutschen und zwischen den Deutschen läßt sich heute schon vollenden. Und auch das wäre ein Friedensvertrag.«

Die ZEIT mußte aber ihren Kampf für Gerechtigkeit in den ersten Jahren der Bundesrepublik noch fortsetzen. In einer großen Recherche hatte Gräfin Dönhoff in Gefängnissen und Lagern Kriegsverbrecher entdeckt, die gar keine waren, aber durch bösen Zufall in das Räderwerk der Prozesse gerieten. Der bizarrste Fall war die Geschichte des ehemaligen Reichswehroffiziers Arthur Dietzsch, der als 23jähriger im Jahre 1923 wegen kommunistischer Umtriebe zu zehn Jahren Festungshaft verurteilt wurde. Als die 1933 um waren und die Nazis erfuhren, weswegen er einsaß, steckten sie ihn gleich ins Konzentrationslager Buchenwald. Dort arbeitete er als »Kalfaktor«, Grund genug für die Alliierten, ihn 1945 nicht zu befreien. Vielmehr wurde er verurteilt, im KZ zu bleiben. Im Jahre 1949 gelang es Gräfin Dönhoff, ihn nach 26 Jahren Haft in die Freiheit zurückzuholen. Ernst von Salomon hat dann die unglaubliche Geschichte als Serie für die Kupfertiefdruckbeilage niedergeschrieben. Gräfin Dönhoff – ihr Name hatte inzwischen auch im Ausland einen guten Klang, man hörte auf diese Stimme – wiederholte ebenfalls den Wunsch nach einer Amnestie. Freikommen sollten alle als Kriegsverbrecher von alliierten Gerichten Verurteilten, sofern sie sich nicht zugleich nach deutschem Strafrecht schuldig gemacht hätten.

Weit mehr Emotionen im Volk als die Nürnberger Prozesse riefen die Dachauer Prozesse hervor, in denen 139 Deutsche während der Jahre 1946/47 zum Tode verurteilt worden waren, erst recht, als im Grundgesetz die Todesstrafe abgeschafft worden war. Unter den Todeskandidaten befanden sich Offiziere und Soldaten einer Einheit der Waffen-SS, die angeblich bei der Ardennenoffensive 1944 amerikanische Gefangene massakriert hatten. Es gab Hinweise, daß man diese Angeklagten im sogenannten Malmedy-Prozeß durch Folter und Scheinhinrichtungen zu Geständnissen zwingen wollte. Ein Landsberg-Komitee unter Prinzessin Ysenburg bestürmte die US-Militärbehörden, die Bundesregierung, die Kirchen und die Presse, um einen Hinrichtungsstopp zu erreichen. Es verlangte außerdem eine Amnestie auch für andere Verurteilte, die im Landsberger Gefängnis auf den Henker warteten; sogar für den 90.000fachen Mörder Ohlendorf.

Die ZEIT hat sich, im Unterschied zur großen Mehrheit der deutschen Presse, in dieser Sache auffallend zurückgehalten. Amerikaner und Briten hatten Chefredakteur Tüngel gebeten, stillzuhalten, um nicht die eingeleitete Überprüfung der Todesurteile zu stören. Die Redaktion beschloß deshalb, ihre Kritik nicht mehr gegen die Militärregierung in Frankfurt zu richten, sondern die amerikanischen Justizvertreter in Dachau aufs Korn zu nehmen. Claus Jacobi machte sich an Ort und Stelle kundig, durfte dann aber nur einen kurzen Zweispalter auf der ersten Seite schreiben (»Tod in Raten«). Auch bei ihm schlug das Vorurteil gegen jene Emigranten durch, die in alliierter Uniform nach Deutschland zurückgekehrt waren. Die Mehrzahl der Dachauer Untersuchungsbeamten seien »frischgebackene US-Staatsbürger« gewesen, »die bis 1939 aus Deutschland emigrierten und nach Kriegsende als ›Racheengel‹ wiederkehrten«.

Es dauerte nicht mehr allzu lange, bis die Alliierten in der Erkenntnis, daß man die Integration der Bundesrepublik in die westliche Gemeinschaft nicht weiter belasten dürfe, die meisten der »Kriegsverurteilten« (wie sie nun von den Deutschen offiziell genannt wurden) begnadigten und auf freien Fuß setzten – allerdings nicht ganz so, wie es sich die ZEIT-Redaktion vorgestellt hatte. Nach den deutsch-alliierten Verträgen durften die Amnestierten von der deutschen Justiz nicht noch einmal belangt werden, selbst wenn neues belastendes Material anfiele.

Im Nachbarland Frankreich huben einige Kriegsverbrecherprozesse überhaupt erst sieben Jahre nach Kriegsende an. Zum Beispiel der Oradour-Prozeß in Bordeaux. Gräfin Dönhoff saß tagelang im Gerichtssaal, bedrückt von den grauenvollen Zeugenaussagen und betroffen von der Tragik eines Kriegsverbrechens, bei dem achtzehnjährige SS-Soldaten auf Befehl zu Massenmördern wurden. Sie töteten ohne erkennbare menschliche Regung. Die Schlußfolgerung der Reporterin: »Das Verbrechen von Oradour geht über jedes mögliche Verstehen hinaus und entzieht sich daher der Gerechtigkeit.« Deshalb plädierte sie am Ende ihrer großen Reportage für Gnade, die dann tatsächlich den Angeklagten widerfuhr: Die Todesstrafen wurden umgewandelt.

Oradour bleibt ein Symbol wie Auschwitz oder Lidice und hat zu wiederholten Malen Autoren zu Darstellungen in der ZEIT bewogen. Freilich verrät die erste Reportage auch eine bestürzende Einseitigkeit. Der Blick ist nach Westen gerichtet. Der ganze Osten Europas scheint wie ausgeblendet, ja, es existierte damals in der Bundesrepublik so gut wie keine Kenntnis von den deutschen Massakern in Polen, Serbien, in Weißrußland, in der Ukraine. In der Sowjetunion hatte es Hunderte von Oradours gegeben …

Neben den Kriegsverbrecherprozessen war von Anbeginn die Entnazifizierung ein Dauerthema der ZEIT. Die Skepsis war groß, ob das – von Zone zu Zone verschiedene – schematisch-autonome Fragebogen- und Spruchkammerwesen ausreichte, Millionen Menschen – ein Drittel der Bevölkerung –, die braun gewesen waren, zur Buße und Besinnung zu bringen. Vom Teilhaber Bucerius, der selber in einem Entnazifizierungsausschuß saß, wußte man, daß es den meisten ehemaligen Parteigenossen (»Pgs«) nur darum ging, den Mitläuferstatus, also einen Persilschein, zu bekommen.

Richard Tüngel riß bereits am 30. Mai 1946 mit seinem Artikel »Abseits« das Thema an sich. Er begann mit einer Provokation: »Nazis sind auch Deutsche« und setzte noch eins drauf: »Dies ist ein heißes Eisen, und eben deswegen fassen wir es an.« Da durfte er sich des Beifalls vieler Leser sicher sein. Er bezweifelte mit Recht, ob es der Demokratie wirklich zum Schutz gereiche, wenn man einen großen Teil des Volkes politisch entmündige und aus dem wirtschaftlichen Leben für lange Zeit ausschließe.

Anderthalb Jahre danach hat Ernst Friedlaender, in seiner unaufgeregten Art, eine vernichtende Bilanz der bisherigen Spruchkammerpraxis vorgelegt. Die Aussichten seien bedrohlich, es könne noch im Jahre 1957 Verfahren geben. Aus der Sackgasse sah er nur einen befreienden Ausweg: die Generalamnestie. Außerhalb des deutschen Strafrechts sollte es in Deutschland keine Bürger minderen Rechts mehr geben. Doch drei Jahre gingen noch ins Land, ehe die Alliierten Ende Dezember 1949 die Verfahren stoppten. An jene Tradition der ZEIT wird eine jüngere Redaktion in den siebziger Jahren anknüpfen, als sie die unerträglichen Folgen des Radikalenerlasses, also des Berufsverbots für Linksradikale, bloßlegt und dessen Aufhebung fordert. Und Gräfin Dönhoff kommt nach der Wiedervereinigung noch einmal darauf zurück, als sie dafür plädiert, die Mitläufer des SED-Regimes zu amnestieren.

So wie Friedlaender aus dem Fiasko der Entnazifizierung gelernt hatte, daß man den Nazismus weder durch irdische Gerichte und erst recht nicht durch Laienausschüsse hinreichend sühnen könne, so warnte er 1949 vor serienweisen Strafverfahren gegen »Propagandaverbrecher«. In Hamburg hatte man nämlich den Filmregisseur Veit Harlan wegen seines berüchtigten Filmes »Jud Süß« des Verbrechens gegen die Menschheit angeklagt. Friedlaender war überzeugt, man könne Harlan ganz ohne Schwurgericht und Entnazifizierung daran hindern, in Deutschland jemals wieder hinter der Kamera zu stehen. Die öffentliche Meinung könne genauso tödlich sein wie das Henkersbeil.

Doch seine Hoffnung trog: Harlan wurde freigesprochen, und die öffentliche Meinung hat Harlan nicht daran gehindert, wieder Filme zu machen. Mit einer Ausnahme: Die Studenten in Freiburg und in Göttingen gingen 1952 auf die Straße, um gegen die Aufführung seines neuen Films »Anna Hamon« zu protestieren. Dafür mußten sie sich zusammenschlagen lassen – in Freiburg von der Polizei, in Göttingen vom Mob. Der ZEIT-Bericht über die Vorfälle in der niedersächsischen Universitätsstadt ist eines der ganz frühen historischen Dokumente, das die Renaissance des Antisemitismus in der deutschen Provinz belegt: »Der Nazi-Ungeist triumphiert. … Das ganze Vokabular des ›Schwarzen Korps‹ ist zu hören.«

Zum zehnten Jubiläum der ZEIT (1956) konnte Politikchefin Dönhoff, nicht ohne Stolz, schreiben: »Wir haben uns in jenen ersten Jahren (in denen das im Gegensatz zu späteren Zeiten noch gefährlich war) nicht gescheut, die Besatzungsmächte anzugreifen, als sie für die Deutschen ein Sonderrecht erfanden. Und wir haben gleichzeitig *mit* den Besatzungsmächten *gegen* unverbesserliche Nazis gekämpft.« Noch später erinnert sie sich: »Zeitweise hatten die Redakteure das Gefühl, das Unrecht der Alliierten sei größer als das, was die Nazis verübt hatten. Ein Übermaß an Anklagen durch die Alliierten führte dazu, daß uns die Nazis schon gar nicht mehr interessierten.«

Doch das änderte sich Anfang der fünfziger Jahre, als sich im Schatten der bürgerlichen Restauration Alt- und Neonazis ans Licht und in die Parteipolitik wagten. Es spricht für die ZEIT, daß sie es damals nicht einen Augenblick an Trennschärfe vermissen ließ. Als im Frühjahr 1951 überraschend die rechtsradikale SRP, die Sozialistische Reichspartei, bei der niedersächsischen Landtagswahl elf Prozent der Stimmen gewonnen hatte, suchte Marion Dönhoff eine der Ursachen in Bonn. Dem Kabinett Adenauer warf sie vor, es habe bei all seinen außenpolitischen Erfolgen die Innenpolitik vernachlässigt. Die neue Leiterin des Politikressorts vermutete bei den Wählern dieser neonazistischen Partei eine tiefe Sehnsucht nach Stabilität und nach einer gerechten Ordnung, die man sich »nebelhaft sozialistisch« vorstelle. Die Parteien, so ihr Befund, seien keine politische Heimat mehr, weder für die Jugend noch für die Kriegsgeneration.

Als die Demagogen, Ritterkreuzträger vorneweg, unter den Klängen des Badenweiler Marsches, der Hitlers Lieblingsmarsch gewesen war, weiter übers Land zogen, mußte Jan Molitor, der ehemalige Kriegsberichter, an die Front. Er beobachtete in Braunschweig den Prozeß gegen Otto Ernst Remer, einen der SRP-Führer, der es gewagt hatte, die Widerstandskämpfer des 20. Juli als Landesverräter zu verleumden. Remer war jener Major, der damals auf persönlichen Befehl Hitlers den Putsch in Berlin niedergeworfen hatte, eine Tat, auf die er immer noch stolz war. Jan Molitors Urteil über Remer: »Ein dumpfer, subalterner Mensch, der viele Vorurteile und wenig Denkvermögen hat.« (Wer hätte damals geahnt, daß dieser Remer noch in den neunziger Jahren sein Unwesen treiben würde.)

Am Ende des Jahres 1952 – die SRP war inzwischen vom Bundesverfassungsgericht als verfassungsfeindlich verboten worden – machte die ZEIT eine viel größere Gefahr aus: Konservative und liberale Parteien und die Flüchtlingspartei BHE (Bund der Heimatvertriebenen und Entrechteten) buhlten um die ehemaligen SRP-Wähler und nahmen unverfroren frühere nationalsozialistische Funktionäre in ihre Reihen auf. ZEIT-Redakteur Paul Bourdin, Adenauers ehemaliger Pressechef, analysierte und zerlegte mit feiner Ironie das Vorhaben des FDP-Politikers Middelhauve, der mit einer deutschnationalen Sammlungsbewegung und der Hilfe ehemaliger Goebbels-Mitarbeiter die Nazis umerziehen wollte.

Aber natürlich hat auch die ZEIT, ebensowenig wie die Volksparteien CDU und SPD, nicht ein Viertel des Volkes vom politischen Leben ausschließen wollen, schon gar nicht, nachdem sie mit eben diesem Argument jahrelang gegen die Entnazifizierungspraxis eingetreten war. Sie erwartete lediglich, daß sich die alten Parteigenossen aus dem öffentlichen Leben heraushielten.

Im Sommer 1953 schrieb Müller-Marein einen seiner wenigen Leitartikel, von denen dieser wohl sein bedeutendster war. Er hatte ihn im Auftrag ehemaliger Kameraden seines Stuka-Geschwaders »Immelmann« verfaßt. Dessen Kommodore, Oberst a. D. Hans-Ulrich Rudel, warb neuerdings in der Bundesrepublik um die Stimmen ehemaliger Soldaten für die rechtsradikale Deutsche Reichspartei (DRP) des Adolf von Thadden (aus der später die NPD hervorgehen wird). Rudel, höchstdekorierter Offizier des Zweiten Weltkriegs, den sich Hitler als seinen Nachfolger vorgestellt hatte, spielte nun seinen soldatischen Ruhm politisch aus, indem er zum Beispiel schon wieder »Lebensraum im Osten« verlangte. Damit alle, die ihm glauben könnten, vor Schaden bewahrt wurden, veröffentlichte Müller-Marein über drei Spalten ein Psychogramm seines einst guten Kameraden. Fazit: »Rudel hat kein Geschwader mehr!«

Die ZEIT – das wird in diesen Anfangsjahren der Bundesrepublik sehr deutlich – ist auch deswegen gegen nationalsozialistische Versuchung gefeit, weil sie in Deutschland *die* Zeitung ist, die das Vermächtnis des 20. Juli 1944 bewahrt, – in der Person der Zeitzeugin Gräfin Dönhoff. Dieser Gedenktag wird zum jährlichen Pflichtstück der ZEIT. Marion Dönhoff hatte bereits vor ihrem Eintritt in die Redaktion im Sommer 1945 beim Dulk-Verlag in Hamburg 300 Exemplare einer Broschüre drucken lassen, aus der die Deutschen zum erstenmal erfuhren, daß die Widerstandsbewegung viel mehr gewesen war als eine konservative Offiziersverschwörung.

Nach dem Urteil des Widerstandsforschers Hans Mommsen hat Gräfin Dönhoff, schon zehn oder zwanzig Jahre, bevor die Schlüsselwerke der Historiker Hans Rothfels und Gerhard Ritter hierzulande erschienen, klug und wegweisend das innerste Wesen des deutschen Widerstandes erfaßt. Was sie fortan in der ZEIT immer aufs neue bekräftigen wird: Männer aller Parteien und aller sozialen Schichten hatten sich zu einer bislang nie erreichten Einheit zusammengefunden. In diesem Bemühen sekundierte ihr früh der Kollege Oberst a. D. Erwin Topf vom Wirtschaftsressort. Er steuerte im Sommer 1946 ein Porträt des Grafen Stauffenberg bei, den er während des Frankreich-Feldzuges kennengelernt hatte.

Bereits im Januar 1947 trug Gräfin Dönhoff eine hitzige Kontroverse mit Erik Reger vom Berliner »Tagesspiegel« aus. Reger hatte behauptet, der »improvisierte Offiziersputsch« sei eine Opposition gegen Hitlers Kriegführung gewesen und erst hernach als Widerstand gegen die unsittlichen Grundlagen des NS-Regimes ausgegeben worden. Gräfin Dönhoff fühlte sich aufgerufen, das Andenken jener Männer gegen jegliche Kritik, die sie für unangemessen oder ungerecht hielt, in Schutz zu nehmen. Und wie diesmal wird sie noch oft darauf reagieren – mit einem energischen »Hände weg!«.

6. Kapitel

Hohe Schule der Demokratie

Wenn einer den internationalen Ruf der ZEIT begründet hat, dann war es Ernst Friedlaender, ihr erster stellvertretender Chefredakteur. Er war der seltene Typ des intellektuellen Industriemanagers, gleichermaßen zu Hause in der Welt der Philosophie und des Big Business. Seine journalistische Aufgabe sah er darin, als politischer Essayist »Verworrenes zu entwirren, das Wesentliche herauszuarbeiten, neue Grundlagen zu finden« in einem zerstörten Land, wo den Menschen alle Werte und Traditionen fraglich geworden waren. Wie ein weiser, gütiger Lehrer nahm er seine Leser alle vierzehn Tage an die Hand, um sie in die Klärung der Begriffe einzuführen: Was ist Nation? Was ist Demokratie? Was ist Militarismus? Und was heißt Verfassung? In den dreieinhalb Jahren seines Wirkens bei der ZEIT wuchs er von selbst in die Rolle eines Praeceptor Germaniae hinein. »Er war ein Leuchtturm«, sagt Gräfin Dönhoff.

Seine Leitartikel waren jedesmal feinziselierte Kabinettstücke in klarem, schnörkellosem Deutsch, in streng logischer Folge der Sätze und Gedanken; bei aller Gelassenheit und Fairneß doch entschieden im Urteil. Das war jene Zeit, da Deutschlehrer an Gymnasien und Oberschulen ihren Schülern die ZEIT als Pflichtlektüre verschrieben, als Beispiel für gutes Deutsch und vernünftiges Denken.

Manches klingt nach einem halben Jahrhundert noch ebenso aktuell wie damals: »Wir haben allen Grund, mit den Begriffen ›Nationalist‹, ›Nationalismus‹, ›nationalistisch‹ ins reine zu kommen.« Er verdammt den Nationalismus als skrupellosen nationalen Egoismus, der »zu unerhörten Verbrechen, zur Weltbrandstiftung führen kann«. Aber er sieht keinerlei Anlaß, das »Nationale« über Bord zu werfen. »Wir haben keinen Grund, einer von nationaler Selbstangst und nationalem Selbsthaß gepeinigten Minderheit unter uns zuzustimmen, die am liebsten Deutschland verschwinden lassen möchte.« Ebensowenig hält er von jenem Weltbürgertum, welches »das Volk einfach überspringen und nicht wahrhaben will, obwohl es sehr wirklich und sehr sichtbar vorhanden ist«. Und jeden, der unter der Besatzungsherrschaft ohne Rücksicht dem Recht und der Wahrheit diente, sprach er frei von dem Vorwurf, ein Nationalist zu sein.

Unbefangen gebrauchten die Leitartikler der ZEIT damals das Wort »wir«, das in der Regel alle Leser, alle Deutschen einschloß. Doch bei Friedlaender ist es nie vereinnahmend oder bevormundend, sondern therapeutisch gemeint. Der schuldlose Heimkehrer aus Liechtenstein solidarisiert sich mit seinem schuldbeladenen Volk in der Selbsterziehung: »Wir sollten die Gerechtigkeit, die Freiheit, die Zivilcourage, die Menschlichkeit jeden Tag und jede Stunde um ein kleines Stück Weges vorwärts und aufwärts zu bringen suchen.« Wann wäre je wieder in der ZEIT so gesprochen worden?

Ehe von Wiederaufrüstung überhaupt die Rede ist, klärt er auf verblüffende Weise den Begriff »Militarismus«: »In Deutschland ist ganz außerhalb des militärischen Bereichs allzuviel technisch-militärisch gehorcht worden, und gerade das ist Militarismus in seiner gefährlichsten Form.« Sogar den Fraktionszwang politischer Parteien ordnet er hier unter.

Mit unvergleichlichem Takt behandelt Friedlaender das heikle Thema Antisemitismus. Noch vor der Gründung des Staates Israel, zu dem die Bundesrepublik in eine besondere Beziehung treten wird, empfiehlt er »ein neues Maß und eine neue Würde«. Die Deutschen seien weder dazu berufen, andere Länder wegen ihres Antisemitismus zu kritisieren, noch dazu, ungefragt Juden nach Deutschland einzuladen, die es gar nicht danach verlange. Beugt er einerseits dem Philosemitismus vor, der später in der Bundesrepublik noch seltsame Blüten treiben sollte, vermißt er anderseits schon 1947 ein deutsches Gesetz, das den Gerichten ermöglicht, Radau-Antisemiten – sie wagten sich bereits wieder hervor! – abzuurteilen. Er rührt auch an ein Tabu – und nur er darf es –, das selbst nach einem halben Jahrhundert noch immer besteht: »Sind wir heute soweit, daß man bei uns ruhig und herzhaft seine Antipathie gegen einen einzelnen Juden, seine Sympathie für einen einzelnen ehemaligen SS-Mann bekunden kann? Nein, wir sind noch lange nicht soweit.«

Ein Dauerthema bleibt für Friedlaender die Erziehung zur Demokratie. Er hat in Amerika ihren Wert schätzen und ihre Spielregeln kennengelernt. So wie Willy Brandt einmal das Wort »Mehr Demokratie wagen!« an die Spitze der gesellschaftlichen Reformen setzen wird, so greift Friedlaender, als 1948 eine Reform der alliierten Besatzungspolitik ansteht, zu dem Zauberwort »Mehr Freiheit!« Denn

»was in wahrer Freiheit zustande gekommen ist, das ist demokratisch«.

Als Friedlaender 1946 nach Deutschland kommt, gibt es schon wieder politische Parteien. Dessenungeachtet verkündet er seine Vorstellung von einer »Keinparteiendemokratie«. Er trifft auf viel Zustimmung, besonders bei heimkehrenden Kriegsgefangenen und heranwachsenden Jugendlichen. Sein Ideal einer Parteiendemokratie ist das amerikanische Zweiparteiensystem mit Republikanern und Demokraten, also mit »Ablösungsmannschaften«, deren Amtszeit vom Votum der Wechselwähler abhängt, die mal dieser, mal jener Partei ihre Gunst schenken. In Deutschland aber findet er 1946 nur Weltanschauungsparteien vor, die »ihrem Wesen nach unduldsam, total und ausschließlich« sind. Er hat wenig Hoffnung, daß sie sich nach amerikanischem Vorbild umerziehen lassen, denn es fehle den Deutschen die Tradition und der Common sense.

Friedlaender weiß einen Ausweg, der auch Chefredakteur Tüngel einleuchtet. Er will in die neue Verfassung ein Element einfügen, das den Parteien entzogen bleibt, eine zweite Kammer, ähnlich zusammengesetzt wie der außer- und überparteiliche Senat in Bayern. Alle Berufsstände sollen ihre Delegierten wählen: Gewerkschaften, Handwerk, Handel, Industrie, Landwirtschaft, freie Berufe, dazu Kirchen und Hochschulen. Anders als in Bayern sollen sie jedoch nicht bloß beratende Funktion haben, sondern mit der ersten Kammer, dem Abgeordnetenhaus, gleichberechtigt konkurrieren. Aus dem Zusammenwirken von politischer Leidenschaft und beruflichem Sachverstand würde sich der harmonische Staat entwickeln. Die Entscheidung über diesen Vorschlag will Friedlaender dem Wähler, dem Volke überlassen.

Wie wir wissen, haben die Männer und Frauen des Parlamentarischen Rates nicht auf die Leitartikler der ZEIT gehört. Der Bonner Staat bekam zwar auch zwei Kammern, doch im Bundestag wie im Bundesrat geben jeweils die Parteien den Ausschlag. Richard Tüngel moniert in seiner Kritik am neuen Grundgesetz zu Recht, in welchem Maße das Volk unmittelbar von der Staatsgewalt ausgeschlossen bleibe. »Es darf Abgeordnete wählen, von denen sich die Hälfte gar nicht vorzustellen braucht, und danach scheidet es aus.« Das Volk darf auch nicht den Bundespräsidenten wählen, ja nicht einmal über die Verfassung abstimmen – das besorgen die Landtage. Tüngels Fazit: »So bleibt nur ein Trost: Diese Verfassung ist provisorisch. Daß die nächste besser werde, dafür laßt uns alle sorgen.«

Ernst Friedlaender hat im Mai 1950, kurz vor seinem Ausscheiden aus der Redaktion, sein Lieblingsthema noch einmal aufgegriffen. Die Gelegenheit dazu gab ihm eine Debatte im Düsseldorfer Landtag über die Frage, ob man auch in Nordrhein-Westfalen eine zweite Kammer schaffen solle. Endlich räumt er auch die Mißverständnisse aus, die er früher mit seinen Ideen provoziert hatte: »Man darf hier nicht Begriffe aus historischen Schubladen hervorholen wollen, etwa: Ständestaat, also Dollfuß, Korporationenstaat, also Mussolini. So versperrt man sich den Blick in die Zukunft.« Ihm ist bang, weil der Bundesrepublik noch die Anteilnahme der jungen Bürger fehlt. Er wünscht sich eine Reform, damit die Bundesrepublik nicht länger eine »Demokratie ohne Volk« bleibt.

Dem Ergebnis der ersten Bundestagswahl im Spätsommer 1949 gewinnt er Positives ab: Die Wähler hätten die Probe besser bestanden als die Gewählten. In der hohen Wahlbeteiligung erblickt er keine Sympathiekundgebung für die Parteien, sondern eine Entscheidung für das kleinere Übel. Allerdings muß die ZEIT-Redaktion eine Enttäuschung hinnehmen: Sie hat sich für eine große Koalition ausgesprochen, nachdem die beiden großen Parteien, CDU und SPD, fast gleich stark aus der Wahl hervorgegangen sind. Es gibt zudem in beiden Parteien Befürworter, deren Bilder die ZEIT auf ihrer letzten Seite groß herausstellt. Aber Konrad Adenauer setzt sich durch und bildet eine kleine, rechtsbürgerliche Koalition. Ohnehin hat sich die SPD unter Kurt Schumacher zuvor wenig kompromißbereit gezeigt.

Der größten Regierungspartei gehört auch einer der fünf Teilhaber der ZEIT an: der Hamburger CDU-Bundestagsabgeordnete Dr. Gerd Bucerius. Er ist eher zufällig zur neuen christlich gewandeten Volkspartei gestoßen. Zunächst hatte er sich nach 1945 von den Sozialdemokraten angezogen gefühlt. Der junge Bausenator aus Hamburg machte sich eigens nach Hannover auf, um die Ansichten des SPD-Vorsitzenden Schumacher kennenzulernen. Aber dessen betont nationale Haltung, die sarkastisch-abfällige Art, in welcher er sich über Engländer, Franzosen und Amerikaner sowie über die parteipolitischen Gegner ausließ, stießen ihn ab. Als Bucerius kurz darauf Konrad Adenauer begegnete, stand sein Entschluß fest. Eben weil sich der CDU-Vorsitzende, anders als Schumacher, so gar nicht als ein »nationaler Mann« aufspielte, wollte sich Bucerius ihm anvertrauen. In den kommenden Jahren hat der Verleger jedoch stets darauf geachtet, seine politische Tätigkeit nicht mit der verlegerischen in der ZEIT zu vermengen.

Dennoch hat man der ZEIT öfter eine zu große Nähe zur Macht nachgesagt, der Macht, die doch eigentlich von ihr kontrolliert werden soll. Dieser Vorwurf, soweit er denn belegbar ist, erklärt sich aus der Entstehungsgeschichte. Die ZEIT verstand sich als nationale Speerspitze gegen die Besatzungsmacht. Ihre natürlichen Bundesgenossen im Kampf gegen Hunger, Kälte und Arbeitslosigkeit waren die Ministerpräsidenten der Britischen Besatzungszone: Kaisen (Bremen), Kopf (Hannover), Tantzen (Oldenburg), Arnold (Düsseldorf), Steltzer (Kiel).

Zu allen, gleich welcher Parteizugehörigkeit, pflegte das Blatt enge Beziehungen. Dem Bremer Bürgermeister Kaisen war die ZEIT schon über das Wappen verbunden. Der Regierungschef von Schleswig-Holstein, Theodor Steltzer, als ehemaliger Widerständler vom Kreisauer Kreis – die Nazis hatten ihn zum Tode verurteilt – im Pressehaus gern gesehen, gewährte Bucerius im Dezember 1946 ein vielbeachtetes ganzseitiges Interview, mit einer solch scharfen Kritik an der Besatzungsmacht, daß man eine Strafaktion der Briten gegen beide befürchten mußte. Die ZEIT-Redaktion betrachtete es in den frühen Jahren als eine Informationspflicht, prominenten Zeitgenossen in ihrem Blatt ein Forum einzuräumen. Selbst Kurt Schumacher und ein kommunistischer Senator aus Hamburg haben auf der ersten Seite der ZEIT geschrieben. Diese Übung – Staatsmännern und Parteipolitikern ihre Spalten zu öffnen – wird sie in der Bundesrepublik beibehalten.

Im Herbst 1949 machte sich noch ein anderes ZEIT-typisches Moment bemerkbar: Einige Redakteure wollten im direkten Kontakt mit dem Bundeskanzler selber etwas in der Politik bewegen. So kam, auf äußerst kuriose Weise, ein Interview zustande, das Geschichte machen sollte. Ernst Friedlaender, Europäer der ersten Stunde, hatte Ende Oktober um ein Gespräch mit Adenauer gebeten. Der Deutsche Rat der Europäischen Bewegung, dessen Exekutivkomitee Friedlaender angehörte, wünschte sich ein klärendes Wort zur europäischen Frage. Noch war die Bundesrepublik nicht in den Straßburger Europarat eingeladen worden. Ein Interview in der ZEIT schien zweckdienlich.

Adenauer residierte damals noch im Bonner Zoologischen Museum König. Wer zu ihm wollte, mußte erst an einer ausgestopften Giraffe und anderem Getier vorbei. Der Kanzler war aber gar nicht zu einem Gespräch aufgelegt. Ihn trieb anderes um: Ob Bundespräsident Heuss zu Lande oder zu Luft nach Berlin reisen solle, und dann mußte er plötzlich zum Petersberg, wo ihn die drei alliierten Hohen Kommissare erwarteten. »Aber bleiben Sie ruhig hier«, sagte er zu seinem Gast. »Setzen Sie sich an meinen Schreibtisch und schreiben Sie hin, wie Sie sich das denken. Ich komme dann wieder hierher.«

So geschah es. Friedlaender saß hinter einer Schreibmaschine am Kanzlertisch und entwarf ein Interview mit elf Fragen und elf Antworten, eine unerhört reizvolle Aufgabe, zumal er nun alle Wünsche der Europäischen Bewegung unterbringen konnte. Das war mehr, als er je erhofft hatte, aber auch ein schwieriges Unterfangen, mußte er sich doch in die Rolle des Staatsmannes und in das Wesen Adenauers hineinversetzen. Nicht nur der Inhalt – alles drehte sich um die deutsch-französische Verständigung –, ebenso der Ton mußte stimmen: ohne nationale Empfindlichkeit und voller Gespür für die Angst der Franzosen vor dem Furor teutonicus.

Den Entwurf zeigte Friedlaender dem Kanzler-Assistenten Blankenhorn, der ihn sehr schön gelungen fand, aber voraussah, daß der Kanzler alles wieder umwerfen würde. Was nach der Rückkehr Adenauers geschah, schildert Friedlaender in einer Aufzeichnung: »Er las meinen Text durch, sehr aufmerksam, sehr gründlich, nickte mehrfach zustimmend, änderte zwei Kleinigkeiten, sagte im übrigen wenig und unterzeichnete das Interview.«

Und so konnte denn am 3. November 1949 eine staunende Weltöffentlichkeit in dem großaufgemachten ZEIT-Interview wohlformulierte Sätze lesen, die den Weg der Bundesrepublik in die Souveränität ebnen sollten. Der Kanzler führte sich als Rheinländer ein und zeigte sich entschlossen, die deutsch-französischen Beziehungen zu einem Angelpunkt seiner Politik zu machen. »Ein Bundeskanzler muß zugleich guter Deutscher und guter Europäer sein.« Anders als die Opposition im Bundestag, war er zu Vorleistungen bereit, um seinen guten Willen zu zeigen: Er wollte sowohl einen Vertreter in die neugeschaffene internationale Ruhrbehörde entsenden als auch eine Mitgliedschaft Deutschlands als vorerst assoziiertes Mitglied im Europarat annehmen, selbst wenn darin Vertreter des Saargebiets saßen, das seit einigen Jahren wirtschaftlich an Frankreich angegliedert war. Das überzogene französische Sicherheitsverlangen, nur psychologisch verständlich, setzte er als politische Tatsache, mit der man rechnen müsse. »Wir sind nicht gefährlich. Warum sollen wir, um der lieben Eitelkeit willen, so tun, als ob wir es wären?«

Wohlgemerkt: Dies war alles Wort für Wort auch die Meinung und Strategie Friedlaenders. Das geschlagene Deutschland sollte mit

Geduld, Gelassenheit und Fingerspitzengefühl erst einmal Vertrauen gewinnen, vertrauenswürdig sein, ehe es auf Entgegenkommen der Sieger hoffen durfte. Chefredakteur Tüngel sah das ganz anders. Er wollte erst ein Angebot des Europarats abwarten, um bessere Bedingungen, etwa für die Saar, herauszuschlagen. Aber er ließ seinem Stellvertreter freie Hand und räumte später ein, daß Friedlaender recht gehabt habe.

Einen Monat danach hat Friedlaender, nach zehn Tagen geduldigen Wartens am Quai d'Orsay, auch noch ein versöhnlich gehaltenes Interview vom französischen Außenminister Robert Schuman gewährt bekommen. Die ZEIT war damals federführend in der Europafrage. Nach Friedlaenders Weggang hat sie in dieser Sache nie wieder so viel Initiative gezeigt; andere Themen drängten sich vor.

Nach Erscheinen des ZEIT-Interviews mit Adenauer spuckte die sozialdemokratische Opposition im Bundestag Gift und Galle: Der Kanzler habe die deutschen Trümpfe vorzeitig aus der Hand gegeben. Wenige Tage nach der Debatte wurde Chefredakteur Tüngel dringend nach Bonn gebeten; der Kanzler habe eine wichtige Information für ihn. Tüngel erwischte noch einen Schlafwagen und gelangte rechtzeitig ins Museum König. Dort zeigte ihm Blankenhorn eine Abschrift des Petersberger Abkommens, das Adenauer gerade mit den Hohen Kommissaren abgesprochen hatte. Deutschland durfte nun wieder Konsuln ins Ausland schicken, eine Handelsflotte aufbauen; außerdem wurden viele Industriewerke vor der Demontage bewahrt. Da die Bundesrepublik jedoch auch der Ruhrbehörde beitreten mußte, wünschte sich der Kanzler in dem absehbaren Kampf mit der Opposition die Sekundanz der ZEIT. Tüngel erklärte sich dazu bereit. Er, der furiose Kritiker der Besatzungsmächte, hatte gleich die Zäsur erkannt. Hier wurde nicht mehr befohlen, sondern verhandelt. Ein Gespräch mit Adenauer lehnte er jedoch ab: Die ZEIT sei kein Regierungsblatt. Tüngel ließ dem Kanzler sagen, er werde ihn immer unterstützen, wenn er der gleichen Meinung sei.

Unmittelbar nach Unterrichtung der Opposition über das neue Abkommen sollte die ZEIT mit Tüngels begleitendem Leitartikel in Bonn verteilt werden. Noch vor Redaktionsschluß erfuhr der Chefredakteur, die Termine in Bonn hätten sich verschoben. Darum ließ er rasch noch ein »wie ich höre« in seinen Artikel einfügen. Abends rief ein aufgeregter Blankenhorn im Pressehaus an. Da Tüngel nicht erreichbar war, bat er Verlagsleiter Schmidt di Simoni, die Rotation anzuhalten. Erst nach zwei Stunden erfuhr der Chefredakteur von dem Vorfall und ließ die Maschinen wieder anlaufen. Wegen der Verzögerung erreichte die ZEIT Bonn einen halben Tag später als vorgesehen, aber ein paar Stunden vor Beginn der Bundestagsdebatte.

Die Sensation war perfekt. Fast alle Abgeordneten hatten den Leitartikel gelesen, in dem die SPD vorgeführt wurde, weil sie prophezeit hatte, der Kanzler werde mit leeren Händen vor das Kabinett treten. Die Stimmung im Bundestag war bis zum Zerreißen gespannt. Es wurde die härteste und tumultuarischste Sitzung des Parlaments, jene, in der Oppositionsführer Schumacher sich hinreißen ließ, Adenauer als »Kanzler der Alliierten« zu beschimpfen. Das hatte mit ihrem Leiter die ZEIT getan ...

In die Verhandlungen über den nun verkündeten Demontagestopp hatte die ZEIT bereits einige Wochen vorher entscheidend eingegriffen. Gräfin Dönhoff erfuhr aus sicherer Quelle, die Amerikaner wären von sich aus bereit, den Wahnsinn der Demontagen ganz einzustellen, wenn die deutsche Regierung ihrerseits noch sieben oder acht Werke zum Abbruch anböte. Dazu muß man die Vorgeschichte wissen: Der noch in Amerika lebende Bankier Eric M. Warburg hatte während einer Geschäftsreise nach Europa im August seinen Freund, den amerikanischen Hohen Kommissar McCloy, in dessen Villa in Homburg aufgesucht. Die beiden waren wegen der Demontagepolitik heftig aneinandergeraten. Während McCloy noch ganz im Sinne des Morgenthauplanes die Vernichtung der Industrie für notwendig hielt, um einen künftigen Krieg zu verhindern, plädierte Warburg für die Erhaltung eines Friedenspotentials, ohne das die Deutschen nicht leben und arbeiten könnten und dem Kommunismus anheimfallen würden. Darauf erbat sich McCloy eine Liste mit den Namen der wichtigsten Konzerne, die er von der Liste streichen sollte.

Warburg traf sich regelmäßig auch mit Gräfin Dönhoff, die er schon vor 1933 kennengelernt hatte. Sie war in diesem Sommer ebenfalls Gast bei den McCloys gewesen, von denen sie sich ungemein herzlich aufgenommen fühlte. Sie konnte also die Stimmung einschätzen, als Warburg ihr die Information überbrachte. Es schien ihr unerläßlich, den Bundeskanzler davon in Kenntnis zu setzen.

Es war ihre erste und einzige Begegnung mit Konrad Adenauer. Er wollte jedoch ihren Rat, sich mit McCloy in Verbindung zu setzen, nicht annehmen. Seine Begründung war merkwürdig: Er habe den Hohen Kommissar noch nicht kennengelernt (der schon fünf Monate im Amt war!), und da dessen deutsche Frau eine Cousine seiner

Frau sei, auch den gleichen Geburtsnamen trage, möchte er ihn nicht von sich aus ansprechen. Mit verhaltenem Ärger schob Marion Dönhoff ihre Unterlagen zusammen und bemerkte beiläufig, sie werde auch Oppositionsführer Schumacher unterrichten. Da erst merkte Adenauer auf und ließ sofort durch Blankenhorn den Sachverhalt aufnehmen.

Gräfin Dönhoff, die nach dem Weggang Friedlaenders von Tüngel zur Leiterin des politischen Ressorts berufen wurde und sich nun auch als Leitartiklerin einen Namen machte, hat die Westpolitik der Bundesregierung aus Überzeugung unterstützt. Kurz vor der dritten Lesung des Deutschlandvertrages, der das Besatzungsstatut ablösen sollte, und des Vertrages über die Europäische Verteidigungsgemeinschaft, an der sich Westdeutschland mit eigenen Truppen beteiligen sollte, wäre die Annahme der Verträge durch den Bundestag jedoch beinahe noch durch den Leitartikel eines neuen ZEIT-Kollegen gefährdet worden. Er führte zu einem schweren Zusammenstoß zwischen Bundeskanzler Adenauer und der Wochenzeitung.

Unter der Überschrift »Auf krummen Wegen. Geheimabmachung über die endgültige Spaltung Deutschlands« enthüllte der politische Redakteur Paul Bourdin am 19. März 1953 angebliche Hintergedanken der künftigen Verbündeten Frankreich und England. Der französische Ministerpräsident René Mayer und Außenminister Bidault sollten sich hinter dem Rücken ihrer amerikanischen und deutschen Vertragspartner mit dem britischen Außenminister Eden verständigt haben, die Wiedervereinigung Deutschlands zu verhindern, und zwar im Einverständnis mit der Sowjetunion. In Artikel 7, Absatz 2 des Deutschlandvertrages hatten sich aber die drei Westmächte verpflichtet, für die friedliche Wiedervereinigung Deutschlands einzutreten. Bourdin verlangte nun, der Bundestag solle nach der Ratifizierung der Verträge feierlich erklären, daß Geheimabmachungen über die »Interpretation« der Verträge für ihn nicht bindend seien.

Pikant an dem Artikel, der auf schon nicht mehr ganz frischen Informationen des amerikanischen Agenturjournalisten Kingsbury Smith beruhte, war vor allem der Name des Verfassers. Paul Bourdin, von 1925 bis 1943 Korrespondent der »Frankfurter Zeitung« in Paris und London, nach 1945 Chefredakteur des angesehenen Berliner »Kuriers«, ein intelligenter und welterfahrener Journalist mit politischen Gaben, war 1949/50 zwei Monate lang Adenauers Pressechef gewesen. Er war zurückgetreten, weil der Kanzler ihn öffentlich desavouiert hatte. Nach einem Zwischenspiel als Chefredakteur bei der

»Welt« – dort wurde Bourdin seinen Posten los, weil er auf einen windigen Nachrichtenhändler hereingefallen war – stieß er zur ZEIT-Redaktion. Jüngeren Kollegen blieb er durch seine Extravaganzen im Gedächtnis: Er ließ sich Fahnenabzüge und Manuskripte durch einen Volontär mit der Straßenbahnlinie 18 in seine Wohnung nach Eppendorf bringen. Für Chefredakteur Tüngel, der noch immer die Franzosen mit großem Mißtrauen verfolgte, war der Frankreichkenner Bourdin eine willkommene Unterstützung.

Der Bericht Kingsbury Smiths' von der weltbekannten Nachrichtenagentur »INS« war zuvor schon in allen größeren deutschen Zeitungen veröffentlicht und kommentiert worden. Tüngel und Bourdin hatten sich ihn also bewußt bis zum Tag der Ratifizierungsdebatte aufgehoben. Der Leitartikel, da hatte Adenauer recht, war raffiniert abgefaßt. Was in der ZEIT stand, die eine relativ hohe Auslandsauflage hatte, wurde auch in Paris und London beachtet. Jetzt mußte die Regierung reagieren, was sie bisher nicht getan hatte, obwohl die Informationen bereits in der Tagespresse gestanden hatten. Freilich hielten es einige Journalisten in Bonn auch für möglich, Adenauer selber habe die ZEIT vorgeschickt.

Der Kanzler pflegte das Blatt immer erst am Tage seines Erscheinungsdatums zu lesen, wenn es ihm von der Post zugestellt wurde. Da es aber schon am Vortage an den Kiosken auslag, hatte der Abgeordnete von Brentano den Artikel bereits entdeckt und rechtzeitig den Kanzler alarmieren können. Der schickte sofort einen Oberregierungsrat los, die ZEIT zu kaufen. So konnte er beizeiten Dementis in London und Paris einholen. Die Antwort des französischen Regierungschefs erreichte ihn unmittelbar vor seiner Rede im Bundestag.

Zornig las Adenauer der ZEIT die Leviten. Er habe selten »einen so perfiden Artikel wie diesen« gelesen, »eine Brunnenvergiftung übelster Art«. ZEIT-Reporter Jan Molitor hat die Szene im Bundestag miterlebt und konnte seinen Lesern Tröstliches mitteilen. Hinterher habe Adenauer gesagt: »Die ZEIT ist doch sonst ein ganz nettes Blatt.« Seine Bewunderer sprachen von einem staatsmännischen Meisterstück. Der Kanzler hatte aus einem unangenehmen Zwischenfall das Beste gemacht: sich in Windeseile glasklare Dementis besorgt, auf die er die Westmächte immer wieder festnageln konnte.

Der dramatischen, aber wirkungsvollen Einlage – die Verträge wurden mit großer Mehrheit angenommen – folgte am selben Tag das Satyrspiel. Manche Abgeordneten riefen Adenauer zu: »Wo bleibt Bucerius?« Adenauer, auf gut rheinisch: »Ich sehe ihn nicht; sonst würde ich's ihm schon sagen.« Nun, Bucerius lag mit einer Grippe im Bett, machte sich aber am Abend auf den Weg zum Bundeshaus, weil er bei der Abstimmung unbedingt dabeisein wollte. Er eilte ans Rednerpult, als der Kanzler bereits unten bei seinen Parteifreunden saß. Ein Auftritt Auge in Auge. Die Szene soll hier so, wie sie Jan Molitor überliefert hat, wiedergegeben werden, weil sie den paradoxen Zustand spiegelt, daß ein CDU-Abgeordneter, Mitglied des Fraktionsvorstands, zugleich Verleger eines unabhängigen Wochenblattes war.

Bucerius sagte: »Mit Erstaunen habe ich vom Tonband gehört, daß ich persönlich für den Artikel in der ZEIT verantwortlich gehalten werde. Herr Bundeskanzler, Sie sind zwar für jedes Wort Ihres Pressechefs verantwortlich ...« – »Das lehne ich ab«, meldete sich heiter der Zwischenrufer Adenauer. – »... weil Ihr Pressechef Ihnen Gehorsam schuldet. Ich bin Verleger der ZEIT. Redakteure nämlich, Herr Bundeskanzler, sind nach der guten Sitte freier Länder vom Verleger unabhängig, was nicht ausschließt, daß Zeitungen wie manche Fraktionen von ihren Parteileitungen gesteuert werden – nicht freilich die ZEIT! Als Verleger bin ich für die Grundrichtung des Blattes verantwortlich. Die Grundrichtung des Blattes allerdings vertrete ich! Daß sich freilich Herr Bourdin nicht leicht steuern läßt, das wird Ihnen bekannt sein ...!« Heiterkeit im ganzen Hause. »...Wir haben es eben beide nicht ganz leicht mit der Presse, Herr Bundeskanzler!«

Was so heiter endete, griff Bucerius in einem »Wort des Verlegers« auf der Titelseite der ZEIT noch einmal auf. Er beleuchtete die unsichere internationale Lage in puncto Wiedervereinigung Deutschlands: Er gab dem Leitartikler Bourdin halb recht, halb unrecht, er bemängelte, daß sich die Regierung nicht schon längst die Dementis besorgt hatte, und er verwahrte sich gegen die Verbalinjurien des Kanzlers: »Auch ein Bundeskanzler darf nicht vergessen, daß er Freunde hat, denen er weh tun kann, denn so war es nun einfach nicht gemeint.« Fürwahr zwei einzigartige Lektionen über liberalen Journalismus.

Im Herbst 1946 trat noch ein Amateur in die ZEIT-Redaktion ein, der sich rasch eine große Lesergemeinde erwarb: Ernst Friedlaender. Ihm assistierte seine Tochter, die später als Katharina Focke Ministerin bei Willy Brandt wurde.

DIE ZEIT

WOCHENZEITUNG FÜR POLITIK · WIRTSCHAFT · HANDEL UND KULTUR

Ein Regisseur beeinflußt die Welt

Nr. 26 / 8. Jahrgang — Hamburg, den 25. Juni 1953 — Preis 50 Pfennig

Die Flammenzeichen rauchen

IN DIESER AUSGABE:

Das eigene Ideal überrollt

Halbstarker Mann gesucht

Im letzten Moment

In Tyrannos

Europa und die Demokratie

Titelseite anläßlich der Berliner Ereignisse vom 17. Juni 1953.

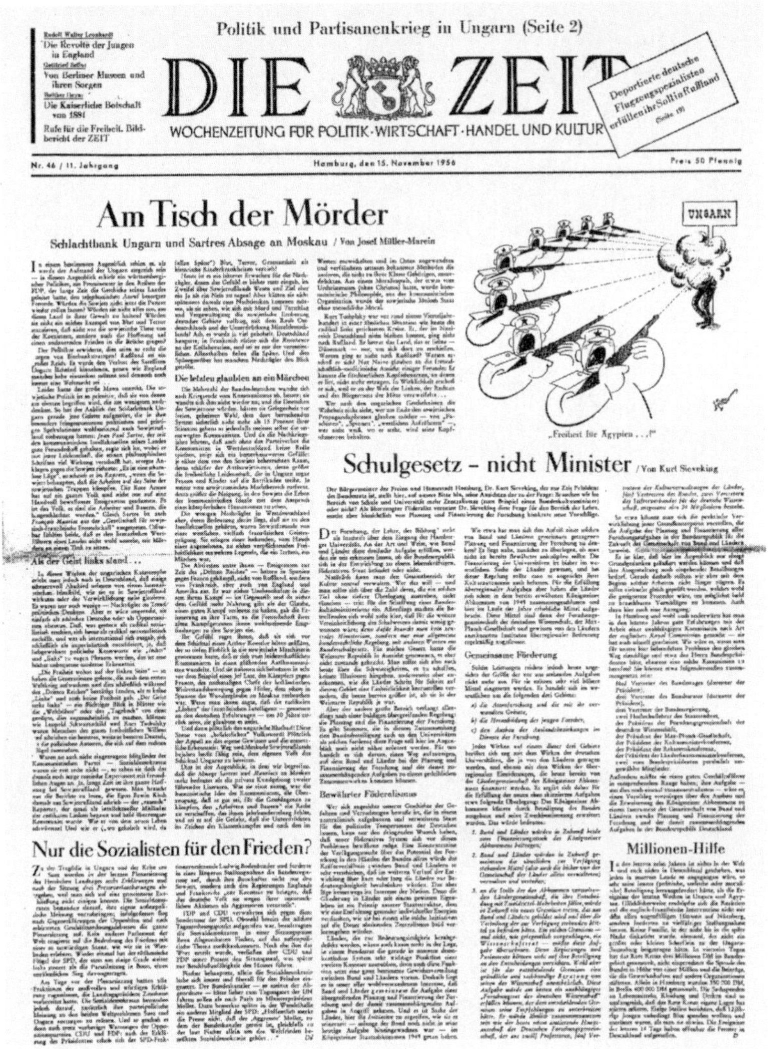

Rudolf Walter Leonhardt: Die Revolte der Jungen in England
Gottfried Sello: Von Berliner Museen und ihren Sorgen
Walther Jantzen: Die Kaiserliche Botschaft von 1881
Rufe für die Freiheit. Bildbericht der ZEIT

Politik und Partisanenkrieg in Ungarn (Seite 2)

DIE ZEIT

WOCHENZEITUNG FÜR POLITIK · WIRTSCHAFT · HANDEL UND KULTUR

Deportierte deutsche Flugzeugspezialisten erfüllen ihr Soll in Rußland (Seite 19)

Nr. 46 / 11. Jahrgang — Hamburg, den 15. November 1956 — Preis 50 Pfennig

Am Tisch der Mörder

Schlachtbank Ungarn und Sartres Absage an Moskau / Von Josef Müller-Marein

Die letzten glaubten an ein Märchen

Als der Geist links stand …

Schulgesetz – nicht Minister / Von Kurt Sieveking

Gemeinsame Förderung

Bewährter Föderalismus

Nur die Sozialisten für den Frieden?

Millionen-Hilfe

Von der »Schlachtbank Ungarn« sprach Josef Müller-Marein angesichts der Tragödie von 1956.

Spieglein, Spieglein . . . ?

Zeichnung Szewczuk

Stilprägend für die ersten Jahre der ZEIT wurde der österreichische Karikaturist Mirko Szewczuk, ein Schüler Olaf Gulbranssons.

Er hat auf seine Weise die politische und gesellschaftliche Entwicklung der Nachkriegsjahre mit seiner Feder kommentiert. Hier eine Bespiegelung zweier totalitärer Diktatoren zu Beginn des Kalten Krieges (28. März 1948).

7. Kapitel

Kalter Krieg: Russenfurcht und Politik der Stärke

Eines der Ziele, das die ZEIT vom ersten Tage an unablässig propagierte, war ein dauerhafter und unteilbarer Frieden. Hoffnung schöpfte die kleine Hamburger Redaktion Anfang September 1946 aus der verheißungsvollen Stuttgarter Rede des amerikanischen Außenministers James Byrnes, einen Tag nach dem Beschluß, die Britische und die Amerikanische Zone zur Bizone zu vereinigen. Obwohl sich der Zerfall der Kriegskoalition und die Spaltung Europas schon abzeichneten, beschwor Byrnes noch einmal die Prinzipien des Potsdamer Abkommens: gesamtdeutsche Regierung, wirtschaftliche Einheit und – die vorläufige Festlegung auf die Grenzen von 1937. Im März 1947 wollten sich in Moskau die Außenminister der vier Siegermächte zur alles entscheidenden Deutschlandkonferenz versammeln.

Da die neue deutsche Zweizonenverwaltung noch keine Befugnisse für eine eigene Außenpolitik bekommen hatte, übernahm es die ZEIT, diese Lücke zu füllen. Chefredakteur Tüngel: »Wir konstituierten uns gewissermaßen als die Abteilung eines nicht vorhandenen deutschen Auswärtigen Amtes, die verpflichtet war, die Moskauer Konferenz vorzubereiten.« Eine Arbeitsgemeinschaft wurde gegründet, die anhand einwandfreier Unterlagen beweisen sollte, daß Deutschland schon aus wirtschaftlichen Gründen nicht auf die von Polen und Rußland beanspruchten Gebiete östlich von Oder und Neiße verzichten könne. Das umfangreiche Material – wissenschaftlich abgestützte Denkschriften, Statistiken und farbige Landkarten – wurde den westlichen Delegationen in Moskau mit Hilfe des amerikanischen Botschafters Robert Murphy zugeleitet.

Natürlich hätten die paar Mitglieder des politischen Ressorts und der Wirtschaftsredaktion diese Arbeit nicht allein aus eigener Kraft leisten können. Es fanden sich sachkundige Mitarbeiter von außen: ehemalige ostelbische Gutsbesitzer, ein Nenndorfer Kreis unter Professor Obst, einem Nationalökonomen aus Breslau, ein Göttinger

Arbeitskreis unter dem einstigen ostpreußischen Landrat von Wrangel, außerdem Fürst zu Dohna und ein bremischer Senator.

Die Arbeit war unvorstellbar mühsam und zeitaufwendig. Die Hamburger Universitätsbibliothek war im Kriege ausgebrannt, das Weltwirtschafts-Archiv von den Engländern besetzt, und jede Reise zu den nötigen Konferenzen grenzte an ein Abenteuer. Für ein Drittel der Kosten kam der Zeitverlag auf, den Rest machte der niedersächsische Ministerpräsident Hinrich Kopf flüssig – Tüngel kannte ihn noch als Landrat aus der Zeit vor 1933. Kopf verschaffte den ZEIT-Leuten auch Zugang zur Druckerei des Westermann-Verlages in Braunschweig, entgegen einem Verbot der Besatzungsmacht.

Die Leser der ZEIT wurden mitinformiert. Am 10. April 1947, die Moskauer Konferenz schleppte sich dahin, erschien eine Sonderausgabe, in der auf vier ganzen Seiten ein Teil der Unterlagen veröffentlicht wurde. Die Überschriften sprechen für sich: »Volksvermögen der Ostgebiete« (es wurde vorsichtig mit 13,5 Prozent des gesamten deutschen Volksvermögens errechnet), »Das pommersche Monopol« (auf Kartoffeln und Saatgut), »Die Wälder des Ostens« (ihre Bedeutung für die Holzversorgung Deutschlands), »Schlesiens Kohle«, »Heimat der Zuckerrübe«, »Pferdezucht in Ostpreußen«, »Landwirtschaftliche Fabrik« (gemeint war die intensive Bewirtschaftung ostelbischer Güter).

Ein Vergleich deutscher und polnischer Erträge sollte zeigen, daß Polen die deutschen Ostgebiete gar nicht ordnungsgemäß bewirtschaften könne; es fehlte auch nicht der demagogische Hinweis, daß »Polen das deutsche Land im Osten quadratkilometerweit brachliegen und versteppen läßt«, während die ganze Welt hungere. In der Sonderausgabe stellte sich das Feuilleton ebenfalls in den Dienst der Sache, mit dem Schwergewicht auf Schlesien. Der Rheinländer Jan Molitor steuerte eigene Erinnerungen an das verlorene Land bei. Die ZEIT-Redaktion versuchte, ihre Kampagne »zum Friedensvertrag« in eine nationale Willensäußerung zu erweitern. Jede Zeitung in Westdeutschland erhielt eine Broschüre zugeschickt, aber außer dem Berliner »Kurier« wagte niemand, mit am selben Strang zu ziehen.

Nach anderthalb Monaten scheiterte die Moskauer Konferenz; die letzte Gelegenheit, die deutsche Teilung aufzuhalten, wurde von allen Seiten vertan. Inzwischen hatte der amerikanische Diplomat und Historiker George Kennan – er wird über die Jahrzehnte hinweg ein freundlicher Begleiter der ZEIT werden – das State Department auf das Containment, die Eindämmung des Weltkommunismus und des sowjetischen Imperialismus, festgelegt. Von nun an schwenkt die ZEIT ins Fahrwasser des Kalten Krieges über und begibt sich an die vorderste Front des unerbittlichen Antikommunismus. Sie verläßt sich dabei auf die Kraft der Argumente; ein Verbot der KPD hält sie deshalb für überflüssig.

Nicht geringachten darf man den Einfluß des politischen Redakteurs Athanas Bobew, der sich als Bulgare zum Fürsprecher der vom Stalinismus unterjochten Völker Ost,- Mittel- und Südosteuropas aufschwingt. Er warnt die bürgerlichen Politiker immer wieder vor Kompromissen mit den Kommunisten, dabei nie frei von der Angst, die Westmächte könnten eines Tages die Deutschen ebenso im Stich lassen wie im und nach dem Kriege die Polen. Gösta von Uexküll in Stockholm und der Balte Erik Verg in Hamburg richten den Blick auch auf die vergessenen Völker im Baltikum, in das, nachdem es durch Flucht und Deportation entvölkert wurde, nun Tausende russischer Beamter und Siedler strömen. Als 1949 in Ungarn Kardinal Mindszenty von den Kommunisten vor Gericht gezerrt wird, veröffentlicht die ZEIT anstelle des Leitartikels seinen »Hirtenbrief gegen die Tyrannei«.

In der neuen Frontstellung versäumte es die ZEIT im Juni 1947, die Münchner Konferenz der siebzehn deutschen Länderchefs als letzte Chance für ein gesamtdeutsches Gespräch herauszustellen. Die Schuld am Scheitern der Konferenz gab ihr Münchner Korrespondent einseitig den fünf Ministerpräsidenten der Ostzone, ohne das leiseste Verständnis für deren schwierige Situation (vier von ihnen waren keine Kommunisten). Mit keinem Wort erwähnte er jene drei Regierungschefs aus den Westzonen, die das Gespräch außerhalb der engen westdeutschen Tagesordnung hatten weiterführen wollen.

Nie in jenen Jahren schwankt die ZEIT in ihrer Treue zur alten Reichshauptstadt, was nicht verwundert, denn etliche ihrer Verleger und Redakteure kamen aus Berlin. Richard Tüngel, der im Sommer 1946 für ein paar Wochen die Viersektorenstadt besuchen durfte, schrieb einen großen Leitartikel (»Die fünfte Zone«), der mit den Worten endete: »Die Stadt ist wieder zum Mittelpunkt deutschen Geistes und deutschen Fühlens geworden.« Da kann er bei Jahresende nur noch tief bestürzt reagieren, als Konrad Adenauer vorschlägt, die neue Hauptstadt Deutschlands solle, schon um das Mißtrauen der Franzosen zu zerstreuen, »in der Gegend des Mains« liegen. Die Begründung des CDU-Vorsitzenden: »Wer Berlin zur neuen Hauptstadt macht, schafft geistig ein neues Preußen.« Aber auch zwei südwestdeutsche Sozialdemokraten, der Frankfurter Oberbürgermeister Walter Kolb und der Schwabe Carlo Schmid, ließen verlauten, die deutsche Hauptstadt müsse zwischen Rebenhängen liegen und nicht zwischen Kartoffeläckern. Tüngels bissiger Kommentar: »Diese Hauptstadt heißt Schilda.«

Als Stalin im Sommer 1948 über West-Berlin eine Blockade verhängt, findet man die ZEIT, getreu ihrer nationalen Mission, auf dem Posten. Jan Molitor darf schon bald mit einem britischen »Rosinenbomber« einen Versorgungsflug nach Berlin mitmachen, auf dem Rückflug sogar in der Pilotenkanzel. Männer, die sich vor drei Jahren noch über Berlin als Feinde hätten begegnen können – der Deutsche als Kampfflieger, die anderen als Bombenflieger –, sind auf einmal Kameraden. Der Reporter besingt das Wunderwerk der alliierten Luftbrücke: »Sie ist aus Stahl und Eisen, aus Tragflächen, Luftschrauben, Laderäumen gebaut«, und er sieht keine Gefahr, daß sie zusammenbrechen könnte. »Alle drei Minuten landet ein schwerbeladenes Flugzeug. Alle drei Minuten startet eine leere Maschine.«

Als im August 1948 die Alliierten mit Stalin verhandeln, obschon die Blockade noch nicht einmal gelockert ist, fühlt sich Tüngel herausgefordert, die Westmächte vor einer faulen Übereinkunft auf dem Rücken der Deutschen zu warnen: Nachdem bereits die »Times« erwogen hat, lieber Berlin preiszugeben als die wirtschaftliche Erholung Westdeutschlands zu gefährden, mischt sich gleichfalls Redakteur Bobew ein: »Mit Berlin würde unaufhaltsam auch ganz Deutschland für die Demokratie verlorengehen.«

Zum Glück ändert sich die Lage zum Guten: Im Mai 1949 hebt Stalin die Blockade auf. Aber im Spätsommer droht schon wieder Gefahr, diesmal von den eigenen Landsleuten: »Westdeutschland hat Berlin verraten«, titelt die ZEIT. Tüngel gibt den Eindruck vieler Berliner wieder, daß die inzwischen installierte Bundesrepublik ihr Interesse an der Stadt verloren habe, da deren Bevölkerung auf Geheiß der Alliierten den neuen Bundestag nicht mitwählen durfte.

Ein paar Wochen danach wiederholt der Chefredakteur das Wort vom Verrat – inzwischen ist in der Ostzone der zweite deutsche Staat ausgerufen worden. »Nicht Berlin muß nach Bonn kommen, sondern Bonn nach Berlin.« Tüngel hat einen originellen Vorschlag: Jedes Bonner Ministerium solle durch einen Staatssekretär mit Kabinettsrang in Berlin vertreten sein, mit einem Vizekanzler an der Spitze. Dieses Kabinett sei für alle Fragen des deutschen Ostens zuständig und werde die Stellung West-Berlins stärken. »Und von dieser starken Position aus könnte auch der deutsche Osten für Europa zurückerobert werden.«

Vierzehn Tage später kann Marion Dönhoff freudig Entwarnung geben: »Das gute alte Berlin« habe seine Eigenschaft, »echte Hauptstadt zu sein«, bewiesen: Alle Parteien des Bundestags haben ein Soforthilfeprogramm für Berlin beschlossen. Die Stadt hat wieder Boden unter den Füßen. Im Advent tut die ZEIT ein übriges: Mitten in ein großes Interview mit Oberbürgermeister Professor Ernst Reuter stellt sie, mit Kontonummer, den Aufruf des Hilfswerks Berlin, für die Opfer der Berliner Blockade zu spenden. Zwei Jahre danach mahnt Friedrich Sieburg in der ZEIT: »Immer an Berlin denken ... Dieser Schmerz muß wach bleiben.«

Am 18. Mai 1950 hatte die ZEIT sogar eine Sondernummer Berlin herausgebracht, mit dem bezeichnenden Geleitwort: »Bollwerk gegen den Bolschewismus«. Ungehemmt huldigten die Karikaturisten der ZEIT damals dem Antikommunismus. Allzu großer Mühe bedurfte es dazu nicht: Es war das alte Feindbild. Millionen Deutsche sind vor den Russen in die Westzonen geflüchtet, Millionen befinden sich in der Ostzone als Geiseln in ihrer Hand, Zehntausende von Kriegsgefangenen und Zivilverschleppten schmachten noch im Gulag. Wenn die Panzer Stalins anrollten, so sagen die Militärs, würde man sie erst an den Pyrenäen stoppen können. Dem ZEIT-Redakteur Bobew wird der Boden in Europa zu heiß, er wandert nach Australien aus.

Die Russenfurcht, bei manchen Deutschen unbewußt gepaart mit schlechtem Gewissen wegen des Überfalls auf die Sowjetunion, greift erst recht um sich, als im Juni 1950 die nordkoreanische Armee die Demarkationslinie am 38. Breitengrad überschreitet und in Südkorea einfällt. Richard Tüngel, der seit zwei Jahren vor der Volkspolizei, »der zukünftigen kommunistischen deutschen Bürgerkriegsarmee«, gewarnt hat, fühlt sich als Prophet bestätigt: »Deutschland und Japan sind die nächsten Bürgerkriegsziele des Kreml.«

Seit der Gründung des Atlantikpaktes 1949 wurde im Ausland bereits lebhaft über eine Aufrüstung der Bundesrepublik diskutiert. Damals hatte Tüngel diese Pläne noch aus Friedenssehnsucht und aus Gründen der Vernunft verworfen: »Die USA werden nicht an Elbe und Rhein verteidigt, sondern Elbe und Rhein werden in den USA verteidigt.« Davon ist nun keine Rede mehr. Am 3. August 1950 schreibt die ZEIT: »Wir wollen keine nationale deutsche Armee, aber wir wollen uns verteidigen können« – als gleichberechtigte Partner einer europäischen Streitmacht, mit deutschen Generalstäblern im Hauptquartier.

Im Herbst 1950 nimmt sich auch Gräfin Dönhoff des Themas Wiederaufrüstung an. Am Rande war sie damit schon seit dem Frühjahr befaßt. Als ZEIT-Freund Michael A. Thomas im Auftrage der Briten einen deutschen Militärsachverständigen suchte, der auch für die Alliierten akzeptabel war, hatte sie ihn auf den ehemaligen hochdekorierten Panzergeneral Gerhard Graf Schwerin hingewiesen; er galt bei den Männern des Widerstands als besonders vertrauenswürdig. Auch Adenauer war von Schwerin sehr angetan und ernannte ihn zu seinem Sicherheitsbeauftragten, freilich in aller Heimlichkeit, denn noch war die Bundesregierung vertraglich auf die Entmilitarisierung festgelegt. Vielleicht, so meinte Gräfin Dönhoff, könnten besonnene, moderne und ehrenhafte Männer wie Schwerin es schaffen, trotz enormer Schwierigkeiten, eine neue Verteidigungsarmee aufzubauen. An die Jugend werde man aber nur im Namen eines neuen Europa appellieren können.

Nach den amerikanischen Erfolgen in Korea ebbte die Diskussion bald wieder ab. Um so höher schlugen die Wellen, als plötzlich chinesische Heere über den Yalu-Fluß rückten und die Amerikaner aus Nordkorea zurücktrieben. In Europa ging die Sorge um, Amerika könnte Atombomben einsetzen.

Nun reichte es Gräfin Dönhoff: »Wir müssen wissen, was wir wollen!« rieb sie den Politikern in Bonn unter die Nase. Sie stellte, offen und direkt, wie sie es liebt, die Kernfrage: »Wollen wir uns angesichts der drohenden Kriegsgefahr kampflos dem Schicksal ergeben, das die Ostzone 1945 fand: Verschleppungen, Vergewaltigungen, Zwangsorganisationen und Konzentrationslager, oder sind wir bereit, wenn es nötig wird, mit der Waffe in der Hand für unsere Freiheit zu kämpfen?«

Die ZEIT öffnete ihre Spalten für Diskussionen mit jungen Leuten, die zwar Soldat werden wollten, aber nur in einer reformierten, demokratischen Armee. Auch Oberst a. D. Erwin Topf vom Wirtschaftsressort mischte sich ein, erstaunlich liberal: »... nie wieder Kommiß!« Gräfin Dönhoff dachte über die geistigen Grundlagen deutschen Soldatentums nach und holte ihre Vorbilder aus der alten preußischen Armee. Der Pädagoge Werner Picht jedoch wandte sich gegen die Utopie vom Staatsbürger in Uniform, das kämpferische Soldatentum dürfe nicht verneint werden. Es blieb noch genügend Zeit zum Nachdenken, denn wegen der französischen Obstruktion geriet die geplante Europäische Verteidigungsgemeinschaft auf die lange Bank.

Stalin reißt den Horizont wieder auf. Seine berühmte Note vom März 1952, worin er den Abzug aller Besatzungstruppen und die Wiedervereinigung auf der Basis bewaffneter Neutralität anbot, machte auch die ZEIT verlegen. Richard Tüngel fand immerhin, der Westen müsse das Angebot in Verhandlungen prüfen, und sei es nur, um die russische Verschlagenheit zu entlarven. Freilich war er nicht bereit, deutsche Ostgebiete als Preis für die Wiedervereinigung den Polen zu überlassen. Sein Freund und ZEIT-Kollege Paul Bourdin hingegen kritisierte scharf die Ostpolitik des Kanzlers, der sich nicht auf Verhandlungen einlassen, sondern erst die Westbindung der Bundesrepublik vollenden wolle. Offensichtlich, so die Information Bourdins, wollte er die Politik der Stärke so lange fortsetzen, bis man gleichzeitig mit der Wiedervereinigung auch das Problem der Oder-Neiße-Gebiete und die Befreiung Polens wie der Tschechoslowakei mit den Russen regeln könne.

Eine der möglichen Positionen im Streit der Argumente sucht man damals in der ZEIT vergebens: die pazifistisch-neutralistische. Männer wie Kirchenpräsident Martin Niemöller, Adenauers ehemaliger Innenminister Gustav Heinemann mit seiner Gesamtdeutschen Volkspartei oder Professor Ulrich Noack mit dem Nauheimer Kreis, die den Ausgleich mit dem Osten suchten und für eine Wiederaufrüstung nicht die deutsche Einheit aufs Spiel setzen wollten, werden in der ZEIT als Handlanger der Kommunisten hingestellt, in die Nähe von Nazis gerückt oder schlichtweg als Dummköpfe und Rattenfänger karikiert. Die Zehntausende junger Deutscher, die der Parole »Ohne mich« folgten, fanden in der ZEIT weder Forum noch Verständnis.

Als die SED 1952/53 auf brutale Weise ihr stalinistisches Konzept in der DDR durchsetzt und täglich Flüchtlinge nach West-Berlin strömen, verlangt Chefredakteur Tüngel von der Bundesregierung, sie solle »die Verbrecherregierung in Pankow« für illegal erklären. Die Ordnungsgewalt auch in der Sowjetzone liege bei Bonn, und man werde »alle zur Verantwortung ziehen, die gegen die deutschen Gesetze verstoßen«. Doch dann erfaßt das Tauwetter, das nach Stalins Tod eingesetzt hatte, auch die DDR. Auf Befehl Moskaus muß die SED Arbeitern, Bauern, Handwerkern, kirchlichen Gruppen welterregende Konzessionen machen. »Jetzt ist der Moment, wo vielleicht wieder einmal wirkliche Politik gemacht werden kann«, schreibt Marion Dönhoff. Bislang wollte die Bonner Außenpolitik auch gegenüber Stalins Nachfolgern nach der Faustregel des Kalten Krieges verfahren: Erst rüsten, dann reden! Die Leitartiklerin meint, jetzt sollte man die beiden Taktiken gemeinsam anwenden, also: rüsten *und* reden. Es war wohl das erste Mal, daß diese Meinung in der ZEIT vertreten wurde.

Nach dem unerwarteten Volksaufstand am 17. Juni 1953 in der DDR kommt die ZEIT mit der Schlagzeile heraus: »Die Flammenzeichen rauchen«. Das ist das Pathos der Freiheitskriege von 1813. In den Leitartikel ist eine große Todesanzeige placiert, mit den Namen von acht Berlinern, die beim Aufstand »für die Freiheit« starben (»In Tyrannos«). Noch ehe der Bundestag das entsprechende Gesetz beschlossen hat, schlägt Gräfin Dönhoff vor, diesen großen symbolischen Tag »zum Nationaltag des wiedervereinigten Deutschland« zu proklamieren. Zuversichtlich schreibt sie: »Wir wissen jetzt, daß der Tag kommen wird, an dem Berlin wieder die deutsche Hauptstadt ist. Die ostdeutschen Arbeiter haben uns diesen Glauben wiedergegeben, und Glauben ist der höchste Grad der Gewißheit.«

Konkreter, segensreicher und durchaus dem Stil der ZEIT angemessen war da schon die Gründung einer Flüchtlingsstarthilfe in Hamburg, die unter dem Namen »Barbara bittet« seit August 1953 jede Woche in der ZEIT für besonders hilfsbedürftige Flüchtlinge aus der DDR um Geldspenden oder Geschenke ersuchte. Barbara wollte anonym bleiben, weil sie die Tochter von General Hans Oster war, den die Nazis nach dem 20. Juli 1944 hingerichtet hatten. Sie lud ein Dutzend Hamburger Frauen ein, in den Lagern Einzelschicksale aufzuspüren, und Gräfin Dönhoff überredete die ZEIT-Redaktion zum Mitmachen. In den 36 Jahren, die noch bis zur Wiedervereinigung verstreichen sollten, kamen zwölf Millionen Mark in Barspenden und Sachspenden von nochmals dem gleichen Wert zusammen.

Die Sowjetunion hat den Eintritt der Bundesrepublik in die Nato nach dem Abschluß der Pariser Verträge 1954 nicht aufhalten können, aber die deutsche Einheit blieb auf der Strecke. Richard Tüngel feierte am 12. Mai 1955 die neugeborene Souveränität der Bundesrepublik. Von der künftigen Außenpolitik erwartete er die Vorlage eines Planes, wie am Tag X die Übernahme der DDR erfolgen solle. »In dieser Hinsicht muß aber noch viel geschehen.« – Fußnote der Geschichte: Als die Wirtschaftsredaktion der ZEIT nach der Wende 1989 von ihrem Korrespondenten in Bonn wissen wollte, was in den Ministerien an Plänen für diesen Tag in den Schubladen bereitlag, war seine Antwort: »Nichts!«

8. Kapitel

Visitenkarte Feuilleton

Von Anbeginn zählte das Feuilleton zu den Visitenkarten der ZEIT. Zweifelsohne verdankt es sein Ansehen den hohen künstlerischen Ansprüchen seines ersten Leiters, Richard Tüngel. Er hatte gleich nach dem Krieg die Hamburger Landeskunstschule am Lerchenfeld wiederaufgebaut und dabei schon Beziehungen geknüpft, die ihm im neuen Amte von Nutzen waren. Als er nach einem halben Jahr das Ressort an Josef Müller-Marein abgab, unternahm er auch als Chefredakteur immer wieder einmal Ausflüge ins Feuilleton, sei es als Theater- und Kunstkritiker oder als Erzähler. Er war es, so sein Nachfolger Müller-Marein, »der am meisten dafür getan hat, daß sich die ZEIT von Anfang an thematisch und sprachlich nicht auf der billigsten Stufe ansiedelte«.

Der Kölner Josef Müller-Marein hat das Feuilleton auf andere Weise befruchtet: Als Musiker und als Sprachkünstler brachte er Stilgefühl, Geschmack und einen Instinkt für talentierte Autoren mit. Dank seiner rheinisch-französischen Herkunft eignete ihm eine Leichtigkeit des Seins, wie sie im deutschen Feuilleton selten anzutreffen ist. Eines Tages sah er in einem Konzertsaal zufällig einen Berliner Scherl-Kollegen wieder, den es bei Kriegsende aus dem zerstörten Dresden nach Holstein verschlagen hatte: den Musikkritiker, Schriftsteller und Komponisten Walter Abendroth. Müller-Marein schlug ihm vor, in die ZEIT-Redaktion einzutreten: »Wir brauchten ihn, den hochgebildeten, den in allen kulturellen Dingen anregenden, immer wieder auch antipodisch denkenden Mann.« Nach längerer Bedenkzeit nahm Abendroth im Januar 1948 die Einladung an: Der »unkonventionelle Liberalismus« Müller-Mareins und »die tolerante Superiorität« Richard Tüngels genügten ihm als Bürgschaften für ersprießliche Zusammenarbeit. Im Sommer 1948 wurde er Feuilletonchef und blieb es ungefähr sieben Jahre lang.

Abendroth, eine Erscheinung von romantischer Schönheit, äußerst sensibel und grüblerisch, hatte es wegen seiner Eigenwilligkeit schwer gehabt, sich als Komponist durchzusetzen. Erst nach 1945 erlebte er viele Aufführungen seiner Werke (Lieder, Kammermusik und fünf Symphonien) in Konzertsälen und im Rundfunk. Als Schriftsteller erwarb er sich erste Meriten mit einer Biographie des mit ihm befreundeten Komponisten Hans Pfitzner.

Bei den jüngeren Redakteuren des Feuilletons stand Abendroth später im Geruch, ein Nazi zu sein. Tatsächlich fanden sich in den Artikeln, die er für den Hugenbergschen »Berliner Lokalanzeiger« und die Zeitschrift »Deutsches Volkstum« geschrieben hatte, nationalsozialistische und antisemitische Sentenzen. Ein Spruchkammerverfahren in Hamburg hat er jedoch als Unbelasteter überstanden. Er war nie in der Partei, verabscheute Uniformen und war – was Müller-Marein 1935 so frappierte – voller Verachtung für Hitler. In seinen Memoiren (»Ich warne Neugierige«) entschuldigt er sich auf zweifache Weise: Seine Manuskripte habe ein politisch feiger Feuilletonchef verpfuscht; anderseits will er durch schriftliche Kompromisse häufig Wagnisse verschleiert haben.

In einem Punkte werden ihm seine Kollegen in der ZEIT gewiß zugestimmt haben: Man könne, so seine Erfahrung, totalitäre Regime nicht ohne Kompromisse überstehen. Darum verwahrt er sich, ähnlich wie Tüngel, gegen jene Emigranten, die, obwohl sie nicht durch unmittelbare Gefährdung zum Auswandern gezwungen gewesen seien, dem deutschen Volke moralisches Versagen vorwarfen. Aus dieser ungerechtfertigten Voreingenommenheit gegen die von den Nazis aus dem Land gejagten Deutschen erklären sich dann auch die aufsehenerregenden Attacken des ZEIT-Feuilletons gegen Thomas Mann.

»Widerwärtiges aus Deutschland« notierte der Dichter am 12. August 1949 in sein Tagebuch. Was war geschehen? Thomas Mann rüstete sich in seinem kalifornischen Domizil für eine Reise nach Deutschland, wo er in Frankfurt und anschließend in Weimar den Goethe-Preis entgegennehmen sollte. Dieses Vorhaben inspirierte Müller-Marein zu einer ironischen Betrachtung, die am 23. Juni im Feuilleton erschien. Schon der Anfang war eine gezielte Unverschämtheit: »Ein Amerikaner erhält den doppelten Goethe-Preis!« Sollte man vergessen haben, daß der Dichter von den Nazis ausgebürgert worden war? Als Form wählte Müller-Marein die »Nachrede einer Nachrede«, eine Rezension des bei Suhrkamp erschienenen Buches »Die Entstehung des Doktor Faustus«. Mit sicherem Gespür für das, was seine Leser von ihm erwarten, griff der Autor zwei Zitate heraus. Einmal die Passage, wo Thomas Mann berichtet, daß ihm die »Free Germany«-Bewegung nahelegte, er solle nach dem Ende Hitlers an die Spitze Deutschlands treten. Der Gedanke, eines Tages in das verfremdete Deutschland zurückzukehren, sei ihm, so berichtete Thomas Mann, »in der Seele fremd« gewesen (wobei er die ihm zugedachte Rolle mitbedenkt). Die andere Stelle ist jene, wo der Dichter beschreibt, wie die seitenlange, eindringliche Darstellung der Hölle in seinem »Faustus«-Roman entstanden sei: »nicht denkbar ohne die innere Erfahrung des Gestapokellers«.

Für Müller-Marein ist es ein hintergründiger Zufall, daß nach dem Krieg der Schriftsteller Frank Thieß in seiner Auseinandersetzung mit dem Emigranten Thomas Mann von seiner eigenen »inneren Emigration« sprechen sollte. Er unterstellt dem Dichter in Amerika (den er einen »Schriftsteller von hohen Graden« nennt), er habe »für das, was die Menschen in Deutschland ertragen mußten, und für das, was sie noch immer ertragen, wenig Verständnis und könne es vielleicht nicht haben«. Da wird auf einmal das Leid der Zurückgebliebenen viel größer als das der heimatlos gemachten Antinazis. Es ist die gleiche selbstgerechte Überheblichkeit, wie sie in den sechziger Jahren Willy Brandt entgegenschlagen wird.

Aufgebracht zeigt sich Thomas Mann aber viel mehr über den Aufsatz, den Walter Abendroth auf derselben Seite placiert hat. In einer Kritik an der Figur des Tonsetzers Leverkühn, dem »Helden« im »Faustus«-Roman, wirft er Thomas Mann vor, daß er Musik als menschliche Erbsünde schlechthin dargestellt habe, die dem deutschen Volke als Verführung zu Wahnwitz und Teufelei verhängnisvoll werden müßte, während er die sehr gesunde, starke und geistig-nüchterne Musik (wohl wie Abendroth sie sieht) als Heuchelei und Betrug entlarve. Fazit: Dies beweise »Thomas Manns Ahnungslosigkeit in Musik«. Der Dichter mokierte sich: »Und welch gehässiger Esel muß einer sein, um aus dem Buch Feindschaft gegen die Musik herauszulesen.«

Am 17. August 1949 hatte Thomas Mann abermals Anlaß, sich zu ärgern: »Gestern Nachricht aus Hamburg über einen neuen, äußerst gemeinen Angriff der ›Zeit‹.« Das Blatt hatte inzwischen auf »zahllose Zuschriften« reagiert, in denen sich die Leser über die Verleihung an den Goethe-Preisträger wunderten, weil ihnen dessen Verhältnis zu Goethe fragwürdig erschien. Deshalb ließ man Georg Hermanowski »das Goethebild bei Thomas Mann« untersuchen. Das Urteil wurde der Leserschaft bereits im Vorspann aufgenötigt, wohl von

Abendroth, mit der Frage, ob »echte Liebe, wahrer Respekt und aufrichtige Verehrung nicht genug andere Formulierungen« gefunden hätten als jene, aus denen die ZEIT den »Tonfall teils gönnerhafter, teils anmaßender Überlegenheit« herausgehört haben will.

Die ZEIT legte im Oktober 1949 noch einmal nach, als sie einen Brief nachdruckte, in dem Thomas Mann seine eher positiven Eindrücke von der Triumphfahrt durch Thüringen wiedergibt. Überschrift der ZEIT: »Alter schützt vor Torheit nicht«. Im nächsten Jahr, zum 75. Geburtstag des Dichters, schlug das Feuilleton abermals zu (»Der getrübte Ruhm«). Der Redakteur Christian E. Lewalter warf ihm Überheblichkeit vor, weil er das gesamte deutsche Volk mit dem Nationalsozialismus gleichgesetzt habe, und verübelt ihm mehr noch, daß er »zum Fürsprecher der kommunistischen Heilsverkündung« geworden sei. Der Kalte Krieg hat nun auch das ZEIT-Feuilleton erreicht.

Im Oktober 1954 rückt dann Friedrich Sieburg mit einer großartigen Rezension des Hochstapler-Romans »Felix Krull« die Dinge wieder ins Lot: Er findet darin »das feste geheimnisvolle Kunstprinzip« wieder, das Thomas Mann »zu einer der größten Figuren der Weltliteratur« mache.

Der Schriftsteller und Journalist Friedrich Sieburg – die Franzosen hatten ihm bis 1948 das Schreiben verboten – stellt seine glänzende Feder erst Anfang der fünfziger Jahre in den Dienst der ZEIT –, in dem Monat, da Gerd Bucerius Mehrheitseigner des Zeitverlages geworden ist. Es wird berichtet, er habe oft stundenlang mit Bucerius telephoniert, so daß er sich wohl einen »journalistischen Berater« des Verlegers nennen darf; er wird auch als Blattkritiker in die Redaktion geladen. Mit Müller-Marein verbindet ihn eine herzliche Freundschaft. Seine Plaudereien erscheinen noch im kleinen Feuilleton unter dem Strich auf Seite drei; im eigentlichen Feuilleton, wo sie hingehören, aber nie. Offensichtlich hat die Redaktion für Sieburg immer die prominente Aufschlagseite reserviert, zuweilen sogar auf Kosten des Politikressorts. Das Thema, das ihn umtreibt, lautet: »Was ist aus den Deutschen geworden?« Er variiert es in vielen Artikeln mit so scheinbar harmlosen Titeln wie »Das Bett hüten«, »Wir sind tugendhaft«, »Sehnsucht nach Unordnung«. Auch der berühmte Aufsatz »Die Lust am Untergang« (die Überschrift nimmt er als Buchtitel für die gesammelten Essays) erschien zuerst in der ZEIT; dreißig Jahre später hat ihn Werner Ross als Sieburgs »bedeutendste diagnostische Leistung« gerühmt.

Überhaupt kann das Feuilleton in den frühen Jahren mit einer nach Rang und Namen glanzvollen Reihe freier Mitarbeiter aufwarten. In den Worten von Bucerius: »Die Intelligenz drängte sich, in der ZEIT zu schreiben.« Dazu gehörten: der Altphilologe Bruno Snell, der Historiker Johann Albrecht Graf von Rantzau, der Essayist Friedrich Rasche, die Kunstwissenschaftler Carl-Georg Heise und Werner Haftmann, der Maler Ivo Hauptmann (ein Sohn des großen Dichters). Walter Henkels schreibt launige Geschichten aus dem Rheinland, Vilma Sturm erlesene Leitglossen. Beide Namen wird man später in der neuen »Frankfurter Allgemeinen Zeitung« wiederlesen, dem einzigen Blatt, das von der ZEIT als ebenbürtige Konkurrenz ernst genommen wird. Andere Mitarbeiter gehen hernach zum Rundfunk, wie Ernst Schnabel, Mitbegründer der Gruppe 47, oder Jürgen Schüddekopf (NDR-Nachtprogramm). Einige Schriftsteller werden zu treuen Begleitern der ZEIT-Leser: der quirlige Arzt Peter Bamm alias Curt Emmerich, der noch andere Pseudonyme benutzt, und der eben aus England nach Hamburg heimgekehrte Martin Beheim-Schwarzbach.

Nie wieder hat das Feuilleton so viele Gedichte abgedruckt wie in jenen Jahren des geistigen Hungers. Heraus ragen die Lyriker Wilhelm Lehmann, Karl Krolow, Friedrich-Georg Jünger, Georg von der Vring, gelegentlich Günter Eich und immer wieder Manfred Hausmann. Peu à peu melden sich auch jüngere Literaten zu Wort, die ihre große Zeit noch vor sich haben: Es erscheinen erste Erzählungen von Siegfried Lenz, Heinrich Böll und Arno Schmidt, auch schon Beiträge eines gewissen Walter Jens.

Noch aus dem Londoner Exil schreibt der ebenso geistreiche wie schimpfgewaltige Kurt Hiller – ihm verdanken wir eine noch heute aktuelle, vernichtende und zugleich amüsante Sprachkritik an der Prosa des Bonner Grundgesetzes. Ins Herz schließen die ZEIT-Leser rasch einen Italiener, der voller Hintersinn über seine Landsleute zu plaudern versteht: Indro Montanelli, einen der bedeutendsten italienischen Journalisten des zwanzigsten Jahrhunderts.

Und nicht zu vergessen ein alter, uriger, genialischer Zeichner und Texter, der in Bayern lebende Norweger Olaf Gulbransson. Seine Freundschaft zum Feuilleton der ZEIT ist über Gräfin Dönhoff entstanden, die ihn vor dem Krieg einmal besucht hatte. Ihm überträgt die ZEIT die heikle Aufgabe, eine Betrachtung zum 90. Geburtstag seines Landsmannes Knut Hamsun zu schreiben, der wegen seiner Beziehung zu den Nazis ins Altersheim verbannt worden war.

Dauerfreundschaft mit der ZEIT schließt auch ein – damals noch schmächtiger – hochbegabter Kunststudent, der wenig zu beißen hat: Horst Janssen. Richard Tüngel, der Graphiken sammelt, kauft ihm, mit Kennerblick, ein Blatt für 50 Mark ab. Mit dem Geld erfüllt sich Horst Janssen einen Traum: Er läßt sich mit einem Taxi rund um die Alster fahren. Auch Müller-Marein steckt ihm etwas zu, bittet sich jedoch aus, daß er ihm einen Esel zeichne. Und dann taucht da sehr früh ein Erzähler auf, der sein satirisches Talent über die Jahrzehnte verfeinern und der ZEIT treu verbunden bleiben wird: Wolfgang Ebert.

Seit sich die ZEIT von Ende der vierziger Jahre an eine vierseitige Kupfertiefdruckbeilage leistet, hat auch das Feuilleton mehr Auslauf. Müller-Marein, zeitweilig verantwortlich für Kultur und Allgemeines, also den Ressorts Feuilleton und Unterhaltung übergeordnet, nutzt seine Chance: Er schreibt eine wegweisende Serie über Glanz und Elend des deutschen Films. Mit zunehmendem Wohlstand geraten auch die übrigen Medien mehr und mehr ins Blickfeld der Redaktion. »Funk für Anspruchsvolle« nennt sich eine neue Rubrik für die wöchentliche Programmvorschau. Wolfgang Ebert beobachtet eine Woche lang die ersten Gehversuche des Fernsehens (»Acht Tage vor der Sonnenblume«).

Innerhalb des Feuilletons gewinnt die Literatur langsam an Raum – im gleichen Maße, wie sich der Büchermarkt in der Republik entwickelt. So entsteht die »Literarische ZEIT«, der alsbald der junge Hühnerfeld seine Handschrift aufprägt. Sie ermuntert junge wie alte Autoren, sich an der viele Monate durchgezogenen Serie »Gegenwärtige Erzählungen« zu beteiligen. Im Jahre 1954 setzt der Zeitverlag einen Preis für »Die beste Kurzgeschichte« aus, eine literarische Gattung, die sich in Deutschland noch nicht durchgesetzt hat. Selber ein literarisches Talent, er schrieb viele Kinderbücher, setzte Hühnerfeld als junger Kritiker neue Maßstäbe. Was ihn auszeichnete, waren – so Rudolf Walter Leonhardt – »unerschütterliche persönliche Anständigkeit, streitbares Temperament, nicht unterentwickeltes Selbstbewußtsein und – viel Humor«. Als Abendroth 1955 auf eigenen Wunsch als Kulturkorrespondent nach München zog, wurde Paul Hühnerfeld wie selbstverständlich sein Nachfolger als Feuilletonchef.

Fürs moderne Theater fühlen sich gleich mehrere Redakteure im Hause zuständig. Außerdem hat die ZEIT ein Netz von auswärtigen Rezensenten, unter denen Johannes Jacobi der beständigste wird. Auch im Ausland heuert die ZEIT kluge Theaterkenner an wie Julius

Bab in New York und Alex Natan in London. In der Musikszene liegen Josef Müller-Marein und Walter Abendroth im edlen Wettstreit.

Der Komponist Abendroth sucht die grundsätzliche Auseinandersetzung mit der »neuen« Zwölftonmusik, die ja erst wieder in Deutschland bekanntgemacht werden muß, und auch der »neuesten« Musik. Er bleibt tief skeptisch gegenüber den Werken der Arnold Schönberg, Alban Berg und Anton Webern und ihrer Epigonen. Da ist ihm zuviel Mode im Spiel, und er wehrt sich gegen einen Ausschließlichkeitsterror, der, wie er meint, jeden Vergleich mit der Kunstdiktatur totalitärer Regime aushalte. Nach der gewagten posthumen Uraufführung von Schönbergs Oper »Moses und Aron« in der Hamburger Musikhalle wird ihm klar, dies sei der Schlußpunkt des Systems der Zwölftonmusik und einer Entwicklung, die mit Richard Wagner angefangen habe.

Stemmt er sich hier noch gegen den Zeitgeist, so fühlt sich Abendroth anderseits aufgerufen, Paul Hindemith zu widersprechen, der den nahezu hoffnungslosen Rückstand des deutschen Musiklebens beklagt hat. Er legt ein Wort für Komponisten wie Blacher, Orff, Egk, Reutter und selbst den jungen Henze ein, die keineswegs hinter denen der übrigen Welt zurückstünden.

Bis ans Ende seiner Amtszeit achtet Chefredakteur Tüngel darauf, daß die Architektur und die schönen Künste in der ZEIT nicht zu kurz kommen. Zwar hat er sich als Konservativer in der Politik von der liberalen Mitte zum rechten Flügel bewegt. Doch ginge es nach den Schlagworten, meinte sein Nachfolger Müller-Marein, »so hätte er, der Schutzpatron der Modernen, ein ›Linker‹ sein müssen«. Jedenfalls hat sich das ZEIT-Feuilleton für die kommenden geistigen Umbrüche ein solides Fundament zugelegt.

9. Kapitel

Der Tag X. Die guten Prognosen der Wirtschaft

Vertrauliche Beziehungen zu den Menschen in den Vorhöfen der Macht sind eine der Wurzeln journalistischen Erfolgs. Anfang Juni 1948 kam ein Mann in die ZEIT-Redaktion, der das brisanteste alliierte Staatsgeheimnis kannte. Als einziger Deutscher – er war der Verbindungsmann zum Frankfurter Verwaltungsrat der Bizone, also quasi zur ersten deutschen Regierung – hatte er Zugang zu einem amerikanischen Flughafen bei Kassel, wo seit Tagen eine deutsche Arbeitsgruppe im Konklave saß. Sie ließ sich von dem 25jährigen amerikanischen Finanzfachmann Edward Tenenbaum, einem Wunderkind aus der Business School an der Harvard University, die Einzelheiten der geplanten Währungsreform in den drei Westzonen erklären.

»Der Tag X liegt fest«, verkündete der Informant, »aber ich darf den Termin nicht nennen.« Es würde ein Sonntag sein, das war allgemein bekannt. Der 6. Juni sei noch zu früh, und am 13. werde schon aus Aberglauben nichts passieren.

Mehr brauchte Dr. Erwin Topf, der Chef des Wirtschaftsressorts, nicht zu wissen. Rechtzeitig vor dem 20. Juni 1948, an dem eine neue Zeitrechnung begann, konnte er seinen Leitartikel schreiben: »Radikal und sozial«. So stellte er sich die Währungsreform vor. Seit dem Sommer 1946 hatte er seine Gedanken zur Geldreform in der ZEIT ausgebreitet. Es sollte ein »scharfer Schnitt« werden. Genau wie Mr. Tenenbaum wollte er den Bürgern nur eine kleine Kopfquote neuen Geldes aushändigen, zugleich aber alle Konten sperren. Im Gegensatz zu den Alliierten hätte er jedoch, wie es auch dem noch wenig bekannten Wirtschaftsdirektor Professor Ludwig Erhard vorschwebte, die Währungsreform sofort mit einem Lastenausgleich für die Heimatvertriebenen, Bombenopfer und Spargeschädigten verbunden. Auf diese Weise hätte sich verhindern lassen, daß die Sachwertbesitzer einseitig begünstigt wurden. Ebenso verlangte Topf, alle vermeidbaren sozialen Härten zu umgehen.

Der Ressortchef beherrschte dieses Feld souverän und machte sich ein Vergnügen daraus, die vielen Pläne der verschiedenen Interessengruppen erst einmal ernst zu nehmen, um sie dann genüßlich zu widerlegen. Topf stand immer quer zu den jeweils vorherrschenden Meinungen. Jener Informant aus Frankfurt fragte ihn am Vorabend der Währungsreform auf Ehre und Gewissen, ob seine Erfolgsprognosen stimmten oder ob die Deutschen den Alliierten nicht doch in letzter Minute die Währungsreform ausreden sollten.

Doch Topf ließ sich nicht beirren. Er hielt nichts davon, die deutsche Misere weiterhin unter dem Schleier der Inflation zu verbergen; er glaubte nicht an die finsteren Prophezeiungen, es werde nach der Reform fünf bis sieben Millionen Arbeitslose geben. Schon gar nichts hielt er von der »milden Lösung«, zwanzig Prozent der Reichsmarkwerte in die neue Währung hinüberzuretten. Nach einem Jahr, als niemand mehr den Erfolg der Währungsreform bezweifeln konnte, rühmte sich Topf mit Recht, daß auf die Prognosen der ZEIT Verlaß war. Und gar nicht zimperlich ging er mit jenen Leuten um, die jetzt das Nachsehen hatten. Er charakterisierte sie als »harmlose Ignoranten«, gefährlich nur durch angemaßte Autorität, »wirkliche Scharlatane« oder, schlimmer noch, als »Falschmünzer«, die bewußt auf eine Inflation hinarbeiteten.

Es kam zunächst alles so, wie Erwin Topf es gefordert hatte: Jeder Einwohner erhielt sechzig D-Mark im Umtausch gegen alte Reichsmark auf der Basis eins zu eins; zwanzig D-Mark davon wurden erst einmal gesperrt. Ein Jahr danach stellte Topf fest, daß der Start der Deutschen Mark denkbar glücklich gewesen sei, obwohl »keine einzige gute Fee an dieser Wiege« stand.

Als Chefredakteur Tüngel nach dem Tag X seinem Kollegen gratulierte, hatte Topf eine verblüffende Antwort parat: »Der Blumenkohl hat die Währungsreform bei uns gerettet.« Wegen des warmen Wetters gab es in Schleswig-Holstein eine ungewöhnlich reichhaltige Blumenkohlernte. Die Bauern brachten die Kohlköpfe in die Städte, und die Leute rissen ihnen das erste freiverkaufte Gemüse aus den Händen. Das neue Geld kam ins Rollen. Ansonsten vertraute Erwin Topf auf die deutschen Hausfrauen, die mit dem neuen Geld nicht blindlings kaufen, sondern eher ein zu teures Lebensmittel durch ein billigeres ersetzen würden, »wie anderseits Strümpfe durch Braunolin (damit tuschten sich die Damen damals die Beine an) und Hüte durch besonders kunstvolle Frisuren«.

Freilich wurden in den ersten Monaten bei der Fortführung der

Währungsreform gravierende Fehler begangen (vor denen Topf jeweils gewarnt hatte), teils weil die deutschen Politiker die Geduld verloren, teils weil die britische Besatzungsmacht nach sozialistischen Prinzipien verfahren war. Die Preise stiegen an, die Arbeitslosigkeit nahm zu. Und der Deutsche Gewerkschaftsbund rief einen 24stündigen Generalstreik aus, zum großen Mißvergnügen der ZEIT, die bereits den totalitären Gewerkschaftsstaat am Horizont aufsteigen sah. Erst nach klugem Gegensteuern der Bank Deutscher Länder, der Vorläuferin der Bundesbank, gingen die Preise zurück.

In dieser Phase kam es einzig auf den Mut und die Zuversicht eines Mannes an, des Frankfurter Wirtschaftsdirektors Ludwig Erhard. Er hatte, ohne die Alliierten zu fragen und gegen den Rat seiner Mitarbeiter und der Sozialdemokraten, gleichzeitig mit der Geldreform die Bewirtschaftung der Konsumgüter weitgehend aufgehoben. Niemand hatte sich das vorstellen können. Gräfin Dönhoff kehrte nach einer Pressekonferenz mit Erhard im Frühjahr 1948 ziemlich deprimiert in die Redaktion zurück: »Gott schütze uns davor, daß der einmal Wirtschaftsminister wird. Das wäre nach Hitler und der Zerstückelung Deutschlands die dritte Katastrophe.« Wie die meisten Deutschen wurde sie rasch eines Besseren belehrt.

Noch im Jahre 1950 fragte sich Ernst Friedlaender besorgt, was gegen die Arbeitslosigkeit geschehen könne. Paradoxerweise stiegen die Arbeitslosenziffern, obwohl gleichzeitig das Sozialprodukt mächtig anwuchs. Er diagnostizierte eine strukturelle Erwerbslosigkeit, die mit dem Zustrom von neun Millionen Vertriebenen zusammenhing.

Als erstes empfahl Friedlaender dem Staat, den Arbeitgebern für jede neue Lehrlingsstelle eine Prämie zu zahlen. Gräfin Dönhoff sah die einzige Rettung in einem freiwilligen Arbeitsdienst für unbeschäftigte Jugendliche. Doch binnen kurzem war die Vollbeschäftigung erreicht. Ludwig Erhards Politik der sozialen Marktwirtschaft hatte sich bewährt und trieb Adenauer die Wähler zu. Das Wirtschaftswunder brachte Deutschland in wenigen Jahren in den Kreis der ersten Industrienationen zurück. Einen guten Teil verdankte diese Erfolgskurve der liberalen Konjunkturpolitik Ludwig Erhards, der wie ein Seelenmasseur durch die Lande zog. Die ZEIT hat ihm immer wieder bereitwillig ihre Spalten geöffnet, zumal der Abgeordnete Gerd Bucerius seit den Tagen des Frankfurter Wirtschaftsrates zu seinen Anhängern zählte.

Erwin Topf und seine kleine Redaktion begleiteten diesen Aufschwung mit aufbauender, sachkundiger Kritik. Der Wirtschaftsteil der ZEIT war damals ein Serviceunternehmen hauptsächlich für Unternehmer und ein Forum für Fachleute aus Wirtschaft und Handel, aus den Behörden und Universitäten. Auch in diesem Ressort der ZEIT wurde nicht gefragt, was die Leser wollten. Erwin Topf schrieb unbekümmert endlose Artikel, in denen er seine verschlungenen, mit Fachwissen und Einfällen überladenen Sätze wie Quader vor sich herschob. Selten ließ er einen prächtigen Kasinowitz aufblitzen. Gefürchtet waren seine Jahresbilanzen zu Silvester, wenn er Politikern, Professoren und Kollegen anderer Blätter unerbittlich ihre Fehlurteile und Fehlprognosen vorhielt und sich mit gespielter Naivität wunderte, warum er auf seinem kleinen ZEIT-Schiff beizeiten gesehen hatte, was den Industriekapitänen auf der Kommandobrücke riesiger Unternehmen verborgen blieb.

Wer sich auch über die Schattenseiten des Wirtschaftswunders und über den gesellschaftlichen Wandel informieren wollte, der hielt sich besser an die Beilage, die mit einem vielseitigen, unterhaltend-belehrenden Programm das Blatt abrundete. Verantwortliche Redakteurin war Erika Müller. Seit 1949 war sie verheiratet mit dem Maler Hanns Hubertus Graf von Merveldt, den die Nazis als »entarteten Künstler« verfemt hatten. Seit Kriegsende lebte er in Hamburg. Auch er zählte zur ZEIT-Familie. Er schloß Freundschaften mit den Sammlern Gerd Bucerius und Ernst Gadermann, dem Medizinprofessor und einstigen Staffelkameraden Müller-Mareins. Die Laudatio zum 50. Geburtstag des Malers schrieb 1951 Martin Rabe alias Richard Tüngel, der schon in den zwanziger Jahren auf den Künstler aufmerksam geworden war. Bilder des Malers Merveldt hängen noch heute in den Fluren und Zimmern der ZEIT-Redaktion. Unter dem Namen Lembeck hat Merveldt eine Zeitlang die Porträts auf der zweiten Seite der Politik gezeichnet. Am besten konterfeite er Leute mit Baskenmützen: den zyprischen Partisanenchef Grivas, de Gaulles Widersacher General Massu, den Berliner Bürgermeister Ernst Reuter.

Eka von Merveldt alias Erika Müller hat von Anfang an den Frauen im Blatt zur Stimme verholfen. Internationale Autorinnen schrieben in der Beilage über die Gleichberechtigung der Frau in Familie, Beruf und Politik. Natürlich war auch stets Platz für gute, große Modephotos. Im Februar 1951 erschien als Beilage eine dreiseitige (!) Karnevalszeitung; dort verwandelte sich die Redaktion in einen Narrenstaat, dessen Minister dem Prinzen Karneval in Artikel gefaßte

Ratschläge verpaßten. Nicht von ungefähr hatten die männlichen Kollegen Eka von Merveldt zur Staatspräsidentin erhoben, mit Richard Tüngel als Präsidialküchenchef. Müller-Marein aber, der kölsche Jung, der das Ganze ausgeheckt hatte, firmierte unauffällig als »Staatsbürger«.

Ernster gemeint war da schon Müller-Mareins Jan-Molitor-Aufsatz über »Das deutsche Unbehagen«, eine Klage über die zunehmenden Spannungen in den menschlichen Beziehungen am Arbeitsplatz. In der folgenden Diskussion äußerte sich auch der hannoversche Landesbischof Lilje: Die »Abnutzung des Menschlichen« bei gleichzeitiger wirtschaftlicher Besserung führte er darauf zurück, daß der »Zwang zum Miteinander« aus den ersten Nachkriegsjahren mittlerweile entfallen sei.

Das Unbehagen nistete auch in den Köpfen der ZEIT-Redaktion. Chefredakteur Tüngel wurde schon 1949 von Depressionen heimgesucht, als er im Gespräch mit seinem Freund Berndorff daran dachte, was sie sich 1945 vorgenommen hatten. Das kollektive Denken, das er in der ZEIT stets bekämpft hatte, sei den Deutschen noch keineswegs abhanden gekommen; Hilfsbereitschaft und gegenseitige Achtung hätten nachgelassen. Gräfin Dönhoff überkamen zwei Jahre später bei einer Abendfahrt durch die spätsommerliche Lüneburger Heide melancholische Gedanken: »Ist nicht alles wieder in den alten Trott zurückgefallen? Ist nicht das einzige Ideal, das die meisten Menschen bei uns heute noch kennen: Soviel wie möglich zu restaurieren?«

Mit dem Tag X war der Umschwung gekommen. Von da an begann es auch in der ZEIT zu kriseln.

10. Kapitel

Dicht am Konkurs vorbei

In gewissen Momenten befällt den Menschen eine unbehagliche Ahnung, deren Sinn sich ihm oft erst nach Jahren erschließt. So erging es Gräfin Dönhoff, als sie im Spätjahr 1949 von einer Reise in die Redaktion zurückkam. Sie sah Chefredakteur Tüngel mit einem Fremden zusammensitzen, der ihn offensichtlich faszinierte, weil er hinreißend jüdische Witze erzählen konnte. Während des »Dritten Reiches« hatte sie ein untrügliches Gespür dafür bekommen, wenn in einer Runde ein Nationalsozialist auftauchte. Und so ging sie hinterher sofort zu Tüngel: »Was haben Sie denn da für einen Nazi angeschleppt?«

Es war der Journalist Walter Petwaidic von Fredericia. Den Adelstitel verdankte er seinem Großvater, der ihn vom Kaiser Franz Joseph verliehen bekam, weil er im preußisch-österreichischen Krieg gegen Dänemark 1864 die Festung Fredericia quasi ohne Verluste genommen hatte. Ehe der bulgarische ZEIT-Redakteur Bobew nach Australien ausreiste, hatte er den Österreicher als seinen Nachfolger empfohlen. In der Redaktion wurde der neue Mann bald nur noch »Pet« genannt; er schrieb jedoch unter dem Namen Fredericia. Aus wohlbedachtem Grunde: Als »Walter Petwaidic« hatte er schon vor dem Krieg für mehrere nationalsozialistische Parteizeitungen aus Wien und Belgrad berichtet. Im Kriegsjahr 1943 amtierte er, ausweislich des »Handbuchs der deutschen Presse«, als Hauptschriftleiter der »NSZ Westmark« in Ludwigshafen, eines Naziblatts, das nicht nur in der Rheinpfalz und im Saargebiet, sondern auch im annektierten Lothringen Bezirksausgaben unterhielt.

Hatte Richard Tüngel, der doch in jenen zwölf Jahren selber jeden Nazi sofort riechen konnte, seinen Instinkt verloren? Oder war ihm die Vergangenheit dieses Mitarbeiters nicht mehr so wichtig, seit in der Bundesrepublik Pressefreiheit herrschte und die Entnazifizierung ein Ende nahm? Es scheint ihn gar nicht bekümmert zu haben, weil er, immer auf ein hohes intellektuelles Niveau der ZEIT bedacht, Fredericia als rechtsphilosophischen Denker schätzte. In seiner Wahl fühlte er sich erst recht bestätigt, als ihm Carl Jakob Burckhardt versicherte, »Ihr Fredericia« sei einer der wenigen Menschen unserer Zeit, die noch original denken könnten.

Sein Debüt gab der neue Mitarbeiter am 8. Dezember 1949 in der Beilage mit einer Abhandlung über die »Menschheitsgeißel der Gewalt« in 25 Jahrhunderten. Auf den Einfluß dieses Balkankenners geht wohl die Serie zurück, in der ein serbischer Historiker von den blutrünstigen Verschwörungen seiner Landsleute erzählt. Anfang 1951 hat sich Fredericia schon über das Feuilleton bis in die Politik vorgearbeitet und darf auf Seite eins einen zweiten (kleinen) Leitartikel über das neu installierte Bundesverfassungsgericht schreiben. Da hat anscheinend bereits ein anderer, noch größerer Denker unsichtbar seine Hand im Spiel. Aber wir wollen den Ereignissen nicht vorgreifen.

Die Entzweiung unter den Gründern der ZEIT und die Spannungen in der Redaktion fangen bereits unmittelbar nach der Währungsreform an. Die Ursachen sind zunächst rein wirtschaftlicher Art. Denn einen Monat nach dem Tag X, der Währungsreform, die zur eigentlichen Wendemarke im Leben der Nachkriegsdeutschen werden sollte, wurde die Auflagenbeschränkung der ZEIT aufgehoben und der Vertrieb auch in der amerikanischen und der französischen Besatzungszone völlig freigegeben. Ebenso hörte die Papierbewirtschaftung auf. Die ZEIT konnte also jetzt frei verkaufen und soviel Papier bekommen, wie sie bezahlen konnte. Da war es dringend erforderlich, den Anzeigenraum zu erweitern, um in dem nun ausbrechenden gnadenlosen Wettbewerb auf dem Zeitungsmarkt besser bestehen zu können. Die Militärregierung erfüllte auch diese Forderung. Daraufhin erhöhte die ZEIT ihre gedruckte Auflage von 75.000 auf 95.000 Exemplare; seit Oktober 1948 erschien sie mit zwölf Seiten; die Anzeigen durften bis zu einem Viertel des Platzes einnehmen.

Vorsorglich hatten die Herausgeber das Stammkapital der Gesellschaft auf 40.000 Mark erhöht und den stellvertretenden Chefredakteur Ernst Friedlaender mit zehn Prozent am Stammkapital beteiligt. Bald schon wurde Konkurrenzdruck spürbar, und zwar zuerst von der »Welt«, die sich zu einer vorbildlich redigierten liberalen Zeitung gemausert hatte. Es genügte nun nicht mehr das Erfolgsrezept Richard Tüngels, der seine Zeitung ohne Rücksicht auf die Leser gestaltete. Wegen dieser Prinzipienfrage kam es im September 1948 zum ersten Krach.

Tüngel hielt sich wegen Herzbeschwerden in einem Sanatorium auf. Eines Tages bekam er einen gehörigen Schreck, als er in der ZEIT, die ihm nachgesandt worden war, auf der ersten Seite die groß aufgemachte Ankündigung einer neuen Serie las: »Hjalmar Schacht. Abrechnung mit Hitler«. Eine Leseprobe aus dem Vorabdruck des bei Rowohlt verlegten Werkes war gleich beigefügt, also eine gezielte Werbung, die Kioskkäufer anlocken sollte.

Zu Schacht, dem ehemaligen Reichsbankpräsidenten und Reichswirtschaftsminister, der Hitler die Aufrüstung finanziert hatte, unterhielt die ZEIT eine besondere Beziehung, seit er im Nürnberger Hauptkriegsverbrecherprozeß freigesprochen und hinterher auf Geheiß deutscher Spruchkammern in Württemberg interniert worden war. Tüngel selber hatte sich über die »Schwabenstreiche« mokiert und Müller-Marein an Ort und Stelle nach dem Rechten sehen lassen. Ohne Zweifel wurde Schacht aus rein politischen Gründen zu Unrecht eingesperrt. Die ZEIT ergriff seine Partei. Immerhin hatte Schacht als Einmannwiderstandsgruppe den Kriegsplänen Hitlers zuwidergehandelt und war am Ende noch ins KZ gebracht worden. Allerdings übersahen seine Verteidiger großzügig, daß der Finanzzauberer durch seine Politik vor 1933 den Untergang der Weimarer Demokratie beschleunigt hatte.

Tüngel jedoch wußte auf einmal zu differenzieren. Empört rief er aus dem Sanatorium seinen Stellvertreter Friedlaender an: »Einen Mann wie Schacht verteidigt man, wenn ihm Unrecht geschieht, aber man benutzt nicht seinen Namen, um Geld zu verdienen.« Friedlaender entschuldigte sich: Er habe sich in ganz kurzer Zeit für den Vorabdruck entscheiden müssen, sonst wäre das Manuskript an die »Welt« gegangen. Darum habe er Tüngel nicht vorher fragen können. Der Chefredakteur verlangte, das Erscheinen der Aufzeichnungen zu verhindern: »Wir haben einen Ruf zu verlieren!« Doch mußte er sich belehren lassen, daß seine Mitherausgeber und auch die ganze Redaktion auf dem Vorabdruck bestanden, weil man die Auflage steigern müsse. In der Tat haben sich die drei nächsten Ausgaben der ZEIT gut verkauft.

Tüngel hat zehn Jahre danach – inzwischen war er durch gerichtlichen Schiedsspruch in den Zwangsruhestand versetzt worden – den Auflagenschwund der ZEIT Anfang der fünfziger Jahre, den man auch ihm angelastet hatte, auf jenen Vorfall zurückgeführt. Da die ZEIT das »Prinzip der absoluten Integrität« durchbrochen habe, sei ihr ein Teil ihrer besten Leser verlorengegangen. Tüngel will erst viel zu spät erkannt haben, daß sich die Gesinnung seiner Mitarbeiter gewandelt und gegen ihn gekehrt habe.

Geändert hatte sich indes nur die Stimmung. Die um zwanzig oder dreißig Jahre jüngeren Mitarbeiter waren allmählich der stundenlangen Erzählungen ihres Chefs, seiner Anekdoten und Witze überdrüssig geworden; sie gingen lieber in ihr eigenes Zimmer und machten die Tür zu. Auch im Kreis der Herausgeber fand er sich mit einem Mal im Abseits. Gegen seine innere Überzeugung hatten nämlich die beiden Verlagsleiter Schmidt di Simoni und Lorenz den Plan durchgesetzt, der ZEIT einen soliden Unterbau zu verschaffen. Seit der Einführung der Pressefreiheit durch das Grundgesetz war eine Fülle lizenzfreier Zeitungen auf den Markt gekommen. Überregionale, gutgemachte Tageszeitungen wie die »Welt« oder die »Frankfurter Allgemeine Zeitung«, welche die liberale Tradition der alten »Frankfurter Zeitung« fortsetzte, erschienen jetzt an jedem Wochentag. Im Aufwind befanden sich die kirchlich gestützten Wochenzeitungen »Sonntagsblatt«, »Christ und Welt« und »Rheinischer Merkur«. Da wurde es für die ZEIT zusehends schwerer, sich zu behaupten.

Mit seinen beiden Verlegerkollegen war sich Gerd Bucerius einig, daß – in seinen Worten – »ein so kostbares Blatt wie die ZEIT eine Brot-Zeitung brauche, um seine intellektuellen Vorstellungen ohne Existenzangst verbreiten zu können«. Eine neue Illustrierte mußte her. Da traf es sich gut, daß der junge »stern« in Schwierigkeiten geriet. Herausgeber Henri Nannen war mit der Illustrierten von Hannover nach Duisburg gezogen, wo die Redaktion im Lagerraum eines Elektrogroßhändlers, des neuen Geldgebers, kampierte. Der hatte wegen der enormen Kosten kalte Füße bekommen.

Schmidt di Simoni führte die Verhandlungen mit Nannen, Bucerius besorgte das Geld. Im Mai 1949 erwarben die beiden als Treuhänder für den Zeitverlag fünfzig Prozent Anteile (10.000 Mark) an der Nannen-Verlag GmbH und übernahmen zugleich Vertrieb und Anzeigenwesen des »stern«. Nannen mit seiner noch kleinen Truppe rückte ins Hamburger Pressehaus ein. Der ZEIT-Vertrieb achtete darauf, daß jeder Händler mit der Wochenzeitung gleichzeitig auch die Illustrierte übernahm. Binnen kurzem hat so der »stern« seine Auflage verdoppelt.

Von dessen noch bescheidenen Einkünften konnte die ZEIT natürlich nicht leben. Aus eigener Kraft schaffte sie es nicht mehr, die Auflage zu halten. Die Verkaufszahlen bewegten sich 1949/50 aber noch über 80.000. Sie hatte ein paar weithin sichtbare Markenzeichen gesetzt: im Herbst die Europa-Interviews Adenauers und Schumans und im April/Mai eine aufregende deutsch-englische Kontroverse, nachdem Friedlaender in einem Leitartikel bedauernd feststellen mußte, daß England die unbeliebteste Besatzungsmacht in Westdeutschland geworden sei.

Zwei Wochen später fehlte plötzlich Friedlaenders Name im Impressum. Ohne Mitteilung an die Leser hatte er sich still zurückgezogen, nachdem sich die Gegensätze zwischen ihm und Chefredakteur Tüngel nicht mehr überbrücken ließen. Zuletzt hatte Tüngel ihn nicht einmal mehr gegrüßt. Sie konnten sich nicht darüber einig werden, wie und wo man künftig neue Leserbindungen schaffen solle; seit der Gründung der Bundesrepublik differierten ihre Beurteilungen der politischen Verhältnisse mehr und mehr; ja sogar über Sinn und Form der Leitartikel war man sich uneins. Die Not- und Schicksalsgemeinschaft der ersten Nachkriegszeit, in der noch das aus dem Widerstand gegen Hitler entstandene Bündnis von Konservativen, Liberalen und Sozialisten Bestand hatte, zerbröckelte.

Friedlaender war von vornherein in der schwächeren Position: Tüngel hatte die Weisungsbefugnis des Chefredakteurs; die Mehrheit der Redaktion stand hinter ihm; in der Gesellschaft besaß er die höheren Anteile. Kurz nach Friedlaender verabschiedete sich auch Lovis H. Lorenz von der ZEIT, weil, nach seinen Worten, die schroffen persönlichen und sachlichen Differenzen ihm keine Möglichkeit zu gedeihlicher Arbeit mehr ließen. Beide Teilhaber ließen sich abfinden. Lorenz wandte sich der Rundfunkarbeit zu, während Friedlaender schon im Sommer eine neue glänzende Karriere begann: als Kolumnist in vier großen Tageszeitungen.

Einen Friedlaender, den man den »deutschen Walter Lippmann« genannt hat, läßt man nicht ungestraft ziehen. Mit der ZEIT ging es schon 1952 rapide bergab. Noch zwanzig Jahre später suchten die Erlebnisse jener Jahre Bucerius im Traum heim: »Jede Woche 200 Exemplare weniger verkauft. Es waren nicht einmal 210 und einmal 190 weniger, sondern eben Woche für Woche 200; ein Gefühl wie in der Garrotte.«

Im November 1950 bricht die finanzielle Krise aus: Die Hausbank der Wochenzeitung, die Firma Brinckmann, Wirtz & Co. (die arisierte Warburg-Bank), droht mit der Kündigung ihrer Kredite, falls sich nicht in allerkürzester Frist an der Spitze etwas änderte. Dann fordert die Firma Broschek Sicherheiten für 130.000 Mark nicht bezahlter Druckkosten. Ein Wirtschaftsberater wird für die »Reorganisation«

eingesetzt. Er rechnet bereits mit einem »knalligen Konkurs«. Als erstes läßt er die vom Zeitverlag betriebenen unrentablen Zeitschriften »Straße« und »Europa-Kurier« einstellen. Gläubiger werden zunächst hingehalten.

Doch die Krise verschlimmert sich. Anfang 1951 drohen mehrere Wechsel zu platzen. Und zum erstenmal kann der Verlag seine Gehälter nur noch in Raten zahlen. Zu seiner Rettung wird ernsthaft erwogen, die Anteile am »stern« und eine MAN-Druckmaschine, die Bucerius nach dem Krieg erworben hatte, wieder zu verkaufen, also die hauptsächlichen Vermögenswerte der ZEIT. In diesem Frühjahr geht es wirklich um Sein oder Nichtsein der Wochenzeitung. Beim »stern« wird man nervös, fürchtet, die Illustrierte könne mit ins Verderben gezogen werden. Deshalb verlangt der gemeinsame Betriebsrat von Nannen-Verlag und Zeitverlag ultimativ, das von Bucerius immer noch gehätschelte Wochenblatt DIE ZEIT einzustellen. Auch alle Mitarbeiter des Zeitverlages, allerdings nicht die Redakteure, halten dies für das Beste.

Gerd Bucerius ist der einzige, der sich diesen Plänen widersetzt. Während sich der Bundestagsabgeordnete in Bonn verzweifelt bemüht, die lebensnotwendigen Kredite aufzutreiben, wird er von Woche zu Woche mehr bedrängt. Der von den Banken eingesetzte Wirtschaftsberater verhandelt bereits mit Henri Nannen und Richard Gruner, dem Besitzer einer Großdruckerei in Itzehoe und Teilhaber am »stern«. Nannen und Gruner bieten 600.000 Mark für Anteile und Maschinen. Schmidt di Simoni erklärt Ende März rundheraus, entweder bringe Bucerius Geld, oder es müsse verkauft werden.

Am 4. April kommt Bucerius aus Bonn wieder nach Hamburg, wo er seinen beiden Gesellschaftspartnern eröffnet, bei Annahme des Angebots von Nannen und Gruner verlöre die ZEIT ihre wirtschaftliche Grundlage; da sie dann nicht zu halten sei, würde er sie einstellen und liquidieren. Eine Woche später hat Bucerius auf seinen Namen die erforderlichen 190.000 Mark beschafft – die ZEIT ist wieder liquide. Möglich war dies allerdings erst, nachdem er den Kreditoren Sicherheiten bieten konnte. Zu diesem Zweck hatten ihm Schmidt di Simoni und Tüngel Generalvollmacht gegeben und ihm die Hälfte ihres Stammkapitals sowie die ehemaligen Anteile von Friedlaender und Lorenz übertragen. Bucerius ist nun Mehrheitsgesellschafter. Hier liegt bereits der Keim zu dem bitterbösen Streit, der zwei Jahre später zwischen den Teilhabern ausbrechen wird.

Kaum ist die Sanierung geglückt, da ist es wiederum Bucerius, der sich einen Kredit von 450.000 Mark besorgt, eine für damalige Verhältnisse gewaltige Summe, die er erst in drei Jahren zurückzuzahlen braucht. Verholfen dazu haben ihm zwei Freunde, einmal der Kölner Bankier Robert Pferdmenges, der mit Bucerius seit 1949 sein Arbeitszimmer im Bundestag teilt und dem dreißig Jahre jüngeren Abgeordneten oft väterlich geraten hatte: »Sie müssen sich nicht so aufregen. Man darf sich überhaupt nicht aufregen.« Der andere Freund war der Bankier Hermann Schilling (Brinckmann, Wirtz & Co.); er glaubte an die Sache, aber auch an den Enthusiasmus von Bucerius (der für alles persönlich haftete) und die Begeisterung der ZEIT-Redakteure. Bucerius hatte damals die beiden Häuser seiner Eltern verkauft, und jahrelang gehörte ihm nicht einmal der Stuhl, auf dem er saß.

Mit Hilfe des Riesenkredits vermag Bucerius im Oktober 1951 zu den 50 Prozent »stern«-Anteilen, die er bereits besitzt, noch weitere 37,5 Prozent zu erwerben (die restlichen 12,5 Prozent gehörten dem Druckereibesitzer Gruner). Bucerius hatte dem »stern«-Chefredakteur die Wahl gelassen. Entweder sollte Nannen Bucerius' Anteile (50 Prozent) übernehmen oder seine Anteile (37,5 Prozent) an Bucerius verkaufen. Nannen entschied sich für den Verkauf. In seinem Nachruf auf Bucerius erinnert er sich an »gnadenlose Kämpfe«, fügt aber hinzu: »Ich habe dabei verloren und gewonnen. Und Bucerius war der gewieftere Kaufmann, aber mir ließ er die journalistische Freiheit. Er nannte es die ›innere Freiheit‹, und am Ende haben wir beide davon profitiert.« Jenem einvernehmlichen Verhältnis zwischen Nannen und Bucerius, das trotz mancher unvermeidlicher Auseinandersetzungen die Jahrzehnte überdauerte, ist es zu verdanken, daß auch der »stern« noch existiert und die ZEIT fünfzig Jahre alt werden konnte. Bucerius hat es unumwunden zugegeben: »Ich wurde dank Nannen doch recht wohlhabend und konnte die Defizite der ZEIT bezahlen.« Bis die ZEIT 1975 aus den roten Zahlen war, hat er aus seinen Gewinnen beim »stern« 25 Millionen Mark in die Wochenzeitung gesteckt.

Trotz dieses verlegerischen Coups gab es im Pressehaus keine Ruhe. Schmidt di Simoni verkrachte sich mit seinen Partnern Bucerius und Tüngel, die ihn zunächst beurlaubten und dann im August 1953 als Geschäftsführer abberiefen. Zeitverlag und Nannen-Verlag kündigten seine Anstellungsverträge. Inzwischen ist Schmidt di Simoni bereits für die Firma Broschek tätig geworden. Deswegen wird zum erstenmal ein Schiedsgericht bemüht.

Das gemeinsame Auftreten von Tüngel und Bucerius gegen den langjährigen Verlagsleiter der ZEIT konnte freilich nicht die Differenzen überdecken, die sich mittlerweile auch zwischen ihnen aufgetan hatten. Bucerius fand, Tüngel habe viel zu lange in seinen Leitartikeln gegen die Besatzungsmächte gepoltert, die doch inzwischen Schutzmächte der Bundesrepublik geworden waren. Auch schien ihm die ZEIT im Vergleich zu ihrer Konkurrenz nicht professionell genug gemacht. Deshalb hatte er durchgesetzt, daß Müller-Marein am 1. Januar 1954 als Chef vom Dienst eingesetzt wurde, in der Hoffnung, er könne die Zeitung auch journalistisch wieder attraktiv machen.

Die von Tüngel eingeschlagene politische Linie mißfiel Bucerius ebenfalls. Auch ihm war nicht verborgen geblieben, wie sich der Chefredakteur mehr und mehr in ein rechtes Umfeld ziehen ließ, das sich mit den liberalen Grundsätzen der Gründerzeit nicht mehr vertrug. Zum Beispiel durfte der Konservative Winfried Martini während der Bonner Debatte über das Wahlgesetz 1953 »äußerst unorthodox« (so der Vorspann) aus Mißtrauen gegen die politische Urteilskraft der Wähler das Listen- und Verhältniswahlrecht schmähen. Inzwischen hatte Walter Fredericia Chefredakteur Tüngel mit dem ihm bekannten Staatsrechtler Carl Schmitt zusammengeführt, jenem vielbewunderten brillanten Juristen, der die von Hitler befohlenen Mordtaten am 30. Juni 1934 nachträglich gerechtfertigt hatte (»Der Führer schützt das Recht«). Von Zeit zu Zeit fuhr Tüngel mit Fredericia zum Plettenhof, wo sie mit dem Meister geistvolle Gespräche führten. Dessen Einfluß reichte bald bis in die Leitartikel der ZEIT hinein. Aufsätze Fredericias zu verfassungsrechtlichen Fragen folgten manchmal bis in den Wortlaut der Diktion Carl Schmitts.

Am 4. Dezember 1952 hat Richard Tüngel in einem Leitartikel (»Wir treiben in eine Staatskrise«) zum erstenmal Carl Schmitt beim Namen genannt, wohl um das Echo der Leserschaft zu testen. Er empörte sich darüber, daß sich die Parteien im Bundestag vom Kronjuristen der Sozialdemokraten, Adolf Arndt, davon abhalten ließen, sich in ihren Reden auf Schmitt zu beziehen oder ihn zu zitieren, »obwohl sie wissen sollten, daß Carl Schmitt zur Theorie des Staatsrechts erheblich mehr beigetragen hat als Herr Arndt«. Damit war für Politikchefin Marion Dönhoff die Schmerzgrenze erreicht. Tüngel versuchte, sie zu beschwichtigen: Die Nazizeit sei jetzt überwunden; es sei unmenschlich, Leute wie Schmitt für alle Zeiten zu diskriminieren. Er warf der Ressortleiterin vor, sie sei im Jahre 1948 stehengeblieben, anstatt mit der Zeit zu gehen. Sie blieb hart:

»Wenn Carl Schmitt jemals in der ZEIT schreibt, bin ich nicht länger da.«

Doch als sie, während eines Kurzurlaubs in Irland, die ZEIT vom 29. Juli 1954 aufschlug, leuchtete ihr auf Seite drei ein groß aufgemachter Artikel von Carl Schmitt entgegen: »Im Vorraum der Macht«. Es waren Auszüge aus einem Gespräch über die Macht, das der Hessische Rundfunk kurz zuvor gesendet hatte, eine gut lesbare, mit historischen und literarischen Beispielen gewürzte Abhandlung über den unvermeidlichen indirekten Einfluß, den Menschen jedweder Art auf den Machthaber ausüben können. Im Vorspann schrieb Tüngel, auch Schmitts Gegner sollten zuhören, »wenn er scharfsinnig Durchdachtes und Einmaliges zu sagen hat«.

Gräfin Dönhoff fuhr empört nach Hamburg zurück, ging in die Staatsbibliothek und ließ sich aus der »Giftküche«, dem Bestand verbotener Literatur, Schmitts Schriften vorlegen. Auf zehn Seiten trug sie belastende Zitate zusammen, die sie Tüngel zum Lesen gab, und schrieb dazu: »Wenn ein Mann wie Carl Schmitt, der von 1932 an mit der ganzen Schärfe seines Intellektes gegen die bürgerlich parlamentarische Demokratie und den bürgerlichen Rechtsstaat zu Felde gezogen ist, heute von der ZEIT als Berater in verfassungsrechtlichen Fragen herangezogen und bei uns abgedruckt wird, dann hat's geklingelt. Vergessen Sie nicht: ein Mann, der immer wieder dem ›bürgerlich liberalen rationalen Rechtsstaat‹ die Theorie ›vom Mythos‹ und ›vom unmittelbaren Leben‹ und von der ›arteigenen Einheit des Volkes‹ entgegengestellt hat. Ein Mann, der behauptete, daß die Parteien und der Parlamentarismus ›rechtswidrig‹ und ›verfassungswidrig‹ seien, weil sie jene homogene ›Einheit der substanzhaften Werte‹ des Volkes aufspalten ...«

Sie hatte gehofft, Tüngel zum Nachdenken zu bringen. Doch er sagte nur: »Na, und ...?« Darauf ging sie in ihr Zimmer und räumte wortlos den Schreibtisch. Tüngel kam ihr dann noch nach: »Wie wollen Sie eigentlich leben?« – »Das werde ich sehen, das weiß ich noch nicht.« Zuvor hatte ihr der Chefredakteur, für den Fall des Falles, bereits einen Korrespondentenposten in London angeboten, was sie stolz abgelehnt hatte. Sie reiste erst einmal nach Amerika und berichtete über ihr Wiedersehen mit einem Land, das sich seit dem Krieg gewaltig verändert hatte, in drei langen Reportagen – für die »Welt«. Danach begab sie sich nach London zum »Observer«, dessen Herausgeber David Astor sie kannte. Er verschaffte ihr ein halbjähriges, sehr lehrreiches Praktikum bei der Wochenzeitung; als Entgelt für ihre Arbeit bekam sie nur drei Pfund pro Woche. Ihre Freunde bei der ZEIT ließen ihr deshalb gegen ihren Willen monatlich 600 Mark überweisen.

Bucerius bemühte sich, Tüngel umzustimmen. Aber daran war vorerst nicht zu denken. Im Gegenteil, Fredericia durfte mit seiner Kritik am Bundesverfassungsgericht fortfahren, und die Redaktion hielt zu ihrem Chefredakteur. Mit zwei Ausnahmen: Müller-Marein, der für Bucerius die Stellung halten sollte, und Eka von Merveldt standen zwischen den Fronten und versuchten, unter den Teilhabern Bucerius und Tüngel zu vermitteln. Dies waren jene Wochen, von denen man gesagt hat, damals sei das Impressum der lesenswerteste Teil der ZEIT gewesen. Mehrere Nummern lang wurde Politikchefin Gräfin Dönhoff als »verreist« gemeldet, dann hat man ihren Namen ersatzlos gestrichen. Ein Ressort Politik gab es scheinbar nicht mehr. Für Tüngel war es sehr peinlich, als viele Briefe im Pressehaus ankamen, in denen der Weggang von Marion Dönhoff bedauert wurde.

Mittlerweile hatten sich die Teilhaber Schmidt di Simoni und Tüngel wieder zusammengeschlossen. Sie unterstellten ihrem Partner, er habe 1951 ihre Unerfahrenheit und die finanzielle Zwangslage des Verlages ausgenutzt, um die Mehrheit zu erringen. Die Hälfte ihrer Anteile hätten sie Bucerius ohnehin nur treuhänderisch überlassen, und sie könnten die Rückübertragung zu gleichen Bedingungen verlangen, sobald der Verlag seine Kredite zurückgezahlt habe, wie es angeblich Bucerius selber zugesichert haben sollte. Ihrerseits hatten sie mit dem »Spiegel«-Herausgeber Rudolf Augstein und seinem Mitinhaber John Jahr für alle Fälle ein Gentlemen's Agreement getroffen, um die Zukunft der ZEIT abzusichern. Sie wollten ihnen die Hälfte ihrer ZEIT-Anteile abtreten, wofür die »Spiegel«-Inhaber als Gegenleistung gewisse finanzielle Verpflichtungen übernahmen. Der »Spiegel« war 1951 von Hannover nach Hamburg ins Pressehaus umgezogen.

Mitte November 1954 erhob Bucerius Klage gegen seine beiden Partner, deren Ansprüche er bestritt. Das Recht war auf seiner Seite, denn die Beklagten hatten einen Passus im GmbH-Gesetz übersehen, wonach ein Rückgaberecht schriftlich festgemacht werden muß. Dennoch erhoben die beiden sofort eine Widerklage.

Vor diesem Schlachtgetümmel kam es Ende November zu einem neuen Eklat. Müller-Marein schmuggelte einen ganzseitigen Bericht des Washingtoner NWDR-Korrespondenten Peter von Zahn ins Blatt (»›Ich bin ein Ehrenmann‹, sagt McCarthy«), ein schonungsloses Porträt des Senators von Wisconsin, der bei seiner Hexenjagd auf Kommunisten viele Liberale denunziert hatte. »Er hat es verstanden«, schrieb von Zahn über den Demagogen, »jede Niederlage, die er gegen Liberale oder Konservative erlitt, als einen Sieg der Kommunisten über Amerika hinzustellen.« Im Politikteil hätte diese Abrechnung nie erscheinen können, denn Chefredakteur Tüngel glaubte, wie ein Drittel aller Amerikaner auch, daß McCarthy, den er für einen wirklichen Konservativen hielt, jetzt das Opfer einer kommunistischen Verschwörung zu werden drohte. Deswegen hatte der Chef vom Dienst wohlweislich den Artikel hinten in die Unterhaltungsbeilage gesetzt, für die Eka von Merveldt verantwortlich zeichnete. Tüngel schäumte vor Zorn. Als sein Verlegerkollege Bucerius nicht einschritt, hat er als Chefredakteur seinen Untergebenen Müller-Marein gefeuert. In der Nummer 2/1955 konnten die Leser dem Impressum entnehmen, daß der Chef vom Dienst beurlaubt sei.

Der Rausschmiß Müller-Mareins setzte eine Lawine in Bewegung. Als Verleger und Mehrheitsbesitzer bat Bucerius den Chefredakteur, er möge sein Amt niederlegen. Aber Tüngel sträubte sich. Jetzt, da die Gerichte mit im Spiele sind, fliegen auf beiden Seiten die Fetzen. »Streit unter Teilhabern ist schlimmer als eine Ehescheidung«, bemerkte der Anwalt Bucerius' im nachhinein. Im Juni 1955 setzten sich die drei noch einmal zusammen, allerdings nur, um sich gegenseitig als Gesellschafter auszuschließen. Das Tischtuch war endgültig zerschnitten, und das gerade erst sanierte Unternehmen drohte abermals zerstört zu werden. Zu diesem Zeitpunkt verkaufte der Verlag gerade noch 44.000 Exemplare. Die ZEIT war an ihrem Tiefpunkt angekommen.

In dieser Pattphase sprach der Geschäftsführer Wilhelm Güssefeld ein Machtwort. Der 67jährige Mecklenburger, Leibkürassier im Ersten Weltkrieg, angesehener Jurist und Bankier, zeitweise CDU-Fraktionschef in der Hamburger Bürgerschaft und einer der Vordenker der sozialen Marktwirtschaft, war 1953, eben erst als Vorstand der Hypothekenbank in Hamburg pensioniert, an die Spitze des Zeitverlages berufen worden. Der erste von den Banken eingesetzte Wirtschaftsberater hatte, wie Bucerius es formuliert, »voll panischen Schreckens über die unsolide Finanzierung von Zeitungen sein Amt niedergelegt«. Güssefeld, dessen Redlichkeit und Unparteilichkeit niemand bezweifelte, stellte erst einmal die verfeindeten Teilhaber kalt und erteilte ihnen Hausverbot. Mitte Juli 1955 schickte er Chefredakteur Tüngel zunächst in Urlaub, um ihn nach ein paar Wochen ganz abzuberufen. Im Impressum gab es jetzt auch viele Monate keinen Chefredakteur mehr, da für die Dauer des Prozesses ein neuer nicht ernannt werden durfte.

Bucerius nutzte die unerwartete Wende und holte Gräfin Dönhoff aus London und Müller-Marein aus dem Schwarzwald zurück. Beide wurden sofort zur Gipfelkonferenz der Großen Vier (Eisenhower, Eden, Faure, Chruschtschow) an den Genfer See geschickt. Und im Impressum fand der Leser altvertraute Zeilen wieder: Chef vom Dienst: Josef Müller-Marein. Verantwortlich für Politik: Marion Gräfin Dönhoff.

Fast zwei Jahre währte die schreckliche Übergangszeit. Da die Rechtslage kaum noch zu überblicken war – es liefen vier Schiedsverfahren und zwei Zivilprozesse –, einigten sich die Prozeßgegner im Januar 1957 auf einen Schiedsvertrag: Ein Schiedsgericht hatte zu entscheiden, welche Gesellschafter bleiben und welche die Gesellschaft verlassen sollten. Anfang März rief Müller-Marein die kleine ZEIT-Truppe zusammen, um ihr mitzuteilen, daß am 8. März das Hanseatische Oberlandesgericht in der Sache Zeitverlag seinen Schiedsspruch verkünden werde. Gelassen beendete Müller-Marein die Konferenz: Entweder werde man sich nächste Woche wiedersehen oder auch nicht – für diesen Fall wünsche er schon jetzt allen alles Gute. Bucerius erwartete den Tag zitternd »vor Sorge und Erregung«.

Doch das Gericht fällte ein salomonisches Urteil: »Das Unternehmen selbst kann nur demjenigen Gesellschafter zugesprochen werden, der es unter Einsatz seines persönlichen Vermögens und seiner Fähigkeiten in Zeiten der Not am Leben erhalten hat« – und das war zweifellos Dr. Gerd Bucerius. Er habe es auf eine gesunde Grundlage gestellt, die Anteile seien inzwischen zusammen mehrere Millionen wert. Und: »Seine Mitarbeiter geben heute der ZEIT das Gesicht.«

Die Verdienste der beiden unterlegenen Teilhaber um Verlag und Zeitung wurden vom Gericht durchaus gewürdigt. Aber da sich Tüngel schon immer wenig um die kaufmännische Seite gekümmert und Schmidt di Simoni 1953 seine Entfernung aus dem Verlag hingenommen habe, müßten beide zugestehen, daß sie Bucerius das Feld überlassen hätten. Ihnen wurde der bittere Abschied von der ZEIT durch eine Abfindung von je einer Million Mark versüßt. Mit Tüngel hat sich auch Petwaidic davonbegeben – er wird künftig in der konservativen »Deutschen Zeitung« schreiben.

Am 40. Jahrestag der ZEIT-Gründung erinnerte sich der Alleineigentümer jenes häßlichen Streites. Keiner der einstigen Gefährten lebte mehr. Bucerius: »Oft wünsche ich mir, ich könnte mich noch mit den vor zwanzig oder dreißig Jahren zerstrittenen Teilhabern versöhnen.«

11. Kapitel

M-M und die Gräfin: An der Spitze des Erfolgs

Ein Tag, der Wärme gab und sogar ein bißchen Stolz, war für Gerd Bucerius der 10. April 1957. Das Urteil des Schiedsgerichts war rechtskräftig geworden, und er, jetzt Alleininhaber, konnte seine ZEIT an Müller-Marein und Gräfin Dönhoff zurückgeben. Die Übergabe muß unter einem guten Stern gestanden haben. Denn fortan ging es mit der ZEIT bergauf. In den kommenden elf Jahren, bis zum Abschied Müller-Mareins, stieg die Auflage von knapp 50.000 auf 250.000. Es ist unvorstellbar, daß dieser Aufschwung ohne die geglückte Dreieinigkeit von Verleger und Redaktionsleitern möglich gewesen wäre.

Es mußte in der Redaktion nichts umgestellt werden. Gräfin Dönhoff verwaltete weiterhin das politische Ressort und bestimmte die Linie des Blattes; Müller-Marein hatte seit 1955 schon als Chef vom Dienst die Funktionen eines Chefredakteurs ausgeübt – während des Gerichtsverfahrens durfte die ZEIT keinen Chefredakteur haben. Es geht die Sage, Müller-Marein habe sich an jenem Tag in die Setzerei begeben und dort selber die erste Bleizeile des Impressums umgießen lassen, also von sich aus vollendete Tatsachen geschaffen. Er wäre also Chefredakteur geworden, noch ehe andere es wußten? Das glaubten jene gern, für die Gräfin Dönhoff, nun seine Stellvertreterin, unbestritten nach innen und außen die geistige und moralische Kraft der ZEIT verkörperte. Aber Bucerius hatte sich seine Wahl wohl überlegt.

Mochte Vorgänger Richard Tüngel gelegentlich auch höhnen, wie man bloß die ZEIT, »seine« ZEIT, einem Generalkapellmeister überlassen könne – nur ein Mann von der Art des Rheinländers Müller-Marein, der selber gar nichts hatte werden wollen, war imstande, eine Redaktion von ausgeprägten Individualisten – Bucerius sprach gern von »Halbverrückten« – zusammenzuhalten. Verleger und Chefredakteur blieben in stetem Gespräch miteinander, und »Jupp« und »Buc« trafen sich viel öfter, als die meisten im Hause ahnten.

Bucerius konnte sich auf diesen Freund immer verlassen. »Ihn hat er geliebt«, sagt Gräfin Dönhoff.

Die Funktion dieses dritten Chefredakteurs der ZEIT hat ein österreichischer Kollege treffend beschrieben: »Sie sind in dieser Redaktion notwendig, weil Sie der Quagltreter sind! Ein Quagltreter von Natur!« So nennt man in Österreich das Kind, das in der Mitte eines Schaukelbretts steht, um die Wippe in Bewegung und im Gleichgewicht zu halten – eine Funktion, die der erste Bundespräsident Theodor Heuss schwäbisch-jovial als die des »Waagscheißerle« beschrieb. Müller-Marein hatte ein angeborenes Schwerpunktgefühl, das ihn als Flieger, Skiläufer und Autofahrer und jetzt auch im Chefsessel nie im Stich gelassen hat.

Sein besonderer Führungsstil war angebracht, solange die Redaktion noch klein war – anfangs fünfzehn, um 1970 dreißig Mitglieder – und auf engem Raum zusammenlebte. Die Tür seines Zimmers stand immer offen, man konnte jederzeit zu ihm und sein Beschwer vortragen. Er selber ging von Tür zu Tür, verteilte Lob oder sanften Tadel, ließ sich einen Kognak eingießen und legte seinen Kollegen im Plauderton Themen nahe, über die zu schreiben es sich lohne – aber ohne sie ihnen im Chefton abzufordern. Er vermittelte zwischen den Ressorts und schlichtete jeden Streit mit einem Witz, einer Anekdote und viel Gelassenheit. Und er tröstete, wenn jemanden ein Mißgeschick ereilt hatte. Wie jenen älteren, gebildeten Redakteur, dem es höchst peinlich war, dem Chefredakteur zu gestehen, daß er soeben in einem Gedenkartikel Todesdatum und Geburtsdatum eines berühmten Philosophen verwechselt habe. Statt entsetzt zu sein, antwortete Müller-Marein mit einem herzlichen Gelächter: Da habe man doch gleich für die nächste Nummer schon Stoff für eine hübsche kleine Nacherzählung. Im Gedächtnis blieb auch seine Devise: »Ein Chefredakteur muß wie eine Asbestwand alle Aggressionen in sich aufnehmen und vernichten.«

Jeder im Hause, auch der jüngste, fühlte sich bei soviel menschlicher Wärme geborgen. Und jeder durfte gewiß sein, daß dieser Chef alles las, was im Blatte stand (was damals, bei höchstens vierzig Seiten, noch möglich war). Er war der Wächter gepflegter Sprache und guten Stils. Volontäre und Jungredakteure, die sich festgeschrieben oder ihr Thema verfehlt hatten, half er über manche Klippen hinweg, indem er ihre Manuskripte sacht-entschieden redigierte, wobei sie ihm über die Schulter schauen durften. Sein wirksamstes Erziehungsmittel war es, dem Betroffenen ein paar mißratene Sätze aus seinem

Artikel vorzulesen. Nach ein paar Zitaten sagte er nur: »Weiter muß ich wohl nicht lesen ...«

Einen Filmkritiker, der schon im ersten Absatz sein Wissen ausgebreitet und die Namen von einem Dutzend internationaler Cineasten aufgeführt hatte, fragte er: »Ich kenne keinen davon, und was meinen Sie, wie viele Ihrer Leser Bescheid wissen?« Unvergeßlich war die Lektion für jenen Anfänger, dessen unnötig verletzende, arrogante Glosse unredigiert ins Blatt geraten war. Der Chef führte ihn vor die Rotationsmaschine: »Schauen Sie sich das genau an: 250.000mal immer wieder Ihre Glosse ...«

Müller-Marein ging beim Schreiben von der Form aus, Gräfin Dönhoff vom Inhalt. Doch sie hat bei Müller-Marein viel und rasch gelernt, wie man Artikel schreibt und dramaturgisch aufbaut. So mußte sie dann nur noch ihre Kollegen bitten, beim Redigieren eine Handvoll Kommas darüberzustreuen. Sie stand mit diesem Satzzeichen auf Kriegsfuß, seit sie als Kind in Friedrichstein beim täglichen Tischgebet dem Anfangsvers, wie sie ihn hörte, keinen Sinn entlocken konnte: »Komma, Jesus, sei unser Gast ...« Ebenso hat Müller-Marein seinem Freund Bucerius, einem geborenen Kolumnisten, entscheidende Hinweise gegeben. Er gewöhnte ihm den allzu abstrakten, allzu advokatorischen Stil ab, und er riet ihm, sich selber als Person einzubringen und ruhig in der Ichform zu schreiben.

Ging man bei »Em-Em« in die Sprachschule, so bei der »Gräfin« in die Benimmschule des politischen Journalismus. Die schlimmste Sünde des Journalisten sei es, hat sie einmal gesagt, der Eitelkeit zu frönen. Sie wußte eben, wo die Grenzen des guten Geschmacks und des Anstands lagen. Preußische Tugenden wie Fleiß, Pünktlichkeit, Selbstzucht, Unbestechlichkeit forderte sie nicht ab, sondern lebte sie vor. »Eine ganze Generation von ZEIT-Redakteuren«, schreibt Theo Sommer, »hat sie gelehrt, daß lesen muß, wer schreiben will – Zeitungen, Zeitschriften, Bücher. Wehe, es hatte einer versäumt, sich die englische Sonntagspresse gründlichst vorzunehmen! Vor den Meinungen hatten gefälligst die Fakten zu stehen.«

Mißfallen und Kritik konnte sie, wenn auch leise und lässig, mit schneidender Kälte vorbringen. Selbst dem Jungredakteur Sommer, den so leicht nichts irritieren konnte, verschlug es den Atem, als ihn in Henry Kissingers Sommerseminar an der Harvard University ein Telegramm der Gräfin erreichte: »Sie sind zum Auslandskorrespondenten ganz und gar untauglich.« Er solle auch keine Artikel mehr schicken. Offensichtlich stand die Chefin unter dem Eindruck, der junge Mann habe im Verkehr mit der Zentrale irgendwelche Formalitäten mißachtet. Sein Kollege Hans Gresmann, der seine Ressortchefin schon ein Jahr länger kannte, schickte sofort ein Trosttelegramm hinterher: »Ted« möge den Anraunzer doch nicht so ernst nehmen.

Neulinge im politischen Ressort lernten schnell, daß Lehrjahre keine Herrenjahre sind. Ehe man einen Zweispalter schreiben durfte, mußte man sich erst in der Zeitspiegel-Spalte bewähren. Tatsächlich wurde auf diese unscheinbaren Glossen und Mosaiken viel Mühe verwendet, denn eine Zeitung lebt gerade auch von den kleinen Beigaben. Auf die Ehre, in die Gilde der Leitartikler aufgenommen zu werden, mußten manche Redakteure Jahre warten. Mit Lob geizte die Politikchefin, doch kam es sehr wohl vor, daß sie jemand deswegen in seinem Zimmer aufsuchte oder ihm ein Brieflein zustellte oder zum ersten Leitartikel gratulierte – telegraphisch, wenn sie auf Reisen war, mit einer Flasche Sherry, wenn im Lande.

Die Beziehungen zwischen Verleger und Politikchefin waren von diffiziler Art. Bucerius konnte zunächst mit dem herben Charme der Ostpreußin wenig anfangen. In den gefährlichen Zeiten lernten sie sich respektieren und schätzen. Anders als Müller-Marein, war sie mit Bucerius keineswegs immer derselben politischen Meinung. »Ja, gekracht haben auch wir uns«, schrieb ihr Bucerius, als sie Ende 1972 aus der Chefredaktion ausschied. Zank nicht nur wegen der Politik, sondern auch wegen banaler Vorfälle. Da konnte es dann geschehen, daß Gräfin Dönhoff ihren Rücktritt androhte oder Bucerius ihr die Zeitung vor die Füße werfen wollte. Hernach vertrug und umarmte man sich wieder. »Ich glaube, das war nur möglich, weil wir beide mit ganzem Herzen an dem Gelingen des Unternehmens ZEIT hingen«, meint Gräfin Dönhoff.

Nicht ganz unproblematisch war auch ihr Verhältnis zu Chefredakteur Müller-Marein. Zu groß, nach Wesensart und Temperament, waren die Unterschiede zwischen dem sinnenfrohen rheinischen Katholiken und der intellektuellen preußischen Protestantin. Doch sie fanden einen tragbaren Modus vivendi, so daß Spannungen gar nicht erst aufkamen. In der Regel war entweder der eine oder die andere am Platze. Besonders die Redakteure der Politik profitierten von dieser Arbeitsteilung, auch wenn sie, bei Abwesenheit der Gräfin, gelegentlich über die »Regierungsanfälle« Müller-Mareins stöhnten.

Professor Theodor Eschenburg, der seit 1957 regelmäßig für das

Blatt schrieb und in jenen Jahren öfter als Gast den Redaktionskonferenzen der ZEIT beiwohnte, kam aus dem Staunen nicht heraus: »Da sitzt der Bucerius auf irgendeinem Stuhl irgendwo am Tisch, als sei er selber ein Mitglied der Redaktion, und die Redakteure diskutieren mit ihm, greifen ihn sogar an, und er platzt nicht aus der Haut, erwidert ganz ruhig und formuliert sehr straff.« So etwas war einmalig im deutschen Presseleben.

Noch mehr bewunderte Eschenburg, wie Marion Dönhoff als Chefin der Politik die Gesamtredaktionskonferenz »mit äußerster Eleganz und größtem Takt« leitete, so daß es dem Chefredakteur gar nicht peinlich werden konnte. Müller-Marein ließ sie gewähren, ohne sich dabei irgend etwas zu vergeben. Er kam immer unvorbereitet in die Konferenz, während Gräfin Dönhoff die ganze Thematik der kommenden Ausgabe und die wichtigsten Vorgänge in Politik und Wirtschaft parat hatte.

Für jeden in der Redaktion stand fest, daß Gräfin Dönhoff den politischen Kurs des Blattes bestimmte. Gleichwohl hat Müller-Marein weitaus häufiger als früher sein Recht gebraucht, selber Leitartikel zu schreiben, in der Regel über eher abseitige Themen. In der großen Politik war er allenfalls für Frankreich zuständig, das er als seine zweite Heimat betrachtete. Doch stand die politische Redaktion in scharfem Gegensatz zur Politik des Staatspräsidenten General de Gaulle, weil sie sein Konzept eines europäischen Europas mit eigenen Atomwaffen für verderblich hielt. Müller-Marein, der den Handlungen und Ideen de Gaulles einiges abzugewinnen wußte, hat seine Meinung lieber in Reportagen aus Frankreich untergebracht. Äußerte er sich in der Großen Konferenz zu politischen Fragen, konnte sein Freund Bucerius schon mal sagen: »Jupp, davon verstehst du nichts.«

Der Neuanfang der ZEIT war nicht möglich ohne neue junge Kräfte. Müller-Marein und seine Stellvertreterin Marion Dönhoff gingen beide auf die Suche nach talentierten Leuten, die in das liberale Umfeld der ZEIT hineinpaßten. Die Gräfin hatte eine glückliche Hand, als sie drei Jungredakteure fand, die auf lange Sicht das politische Profil entscheidend mitgestalten sollten.

In Tübingen empfahl ihr Professor Theodor Eschenburg seinen Schüler Theo Sommer. Für ihn sprach besonders, daß er in Amerika studiert und als Lokalredakteur bei der »Remszeitung« in Schwäbisch Gmünd das journalistische Handwerk erlernt hatte. Auf einer Fahrt zum Schloß der Stauffenbergs machte Gräfin Dönhoff im Juli

1957 in Stuttgart halt, um sich mit dem jungen Studenten zu treffen. Drei Wochen später mußte auch der neue Feuilletonchef, Rudolf Walter Leonhardt, anreisen, um ihn in Augenschein zu nehmen. Sommer führte ihn auf den Stuttgarter Fernsehturm, wo der hochdekorierte Jagdflieger des Zweiten Weltkriegs einen Anfall von Höhenangst erlitt, aber sein Urteil fiel dennoch günstig aus. Im August und September volontierte Sommer sechs Wochen in Hamburg. Gern ergriff er die ihm gebotene Chance, mußte sich aber – wie es bei der ZEIT Sitte war – verpflichten, vor Arbeitsantritt erst seine Dissertation zu vollenden (er war Schüler des Historikers Hans Rothfels). Anfang 1958 fing er in der Redaktion an. Zuvor hatte er noch eine halbe ZEIT-Seite mit einer Rezension von Kissingers Werk »Kernwaffen und Außenpolitik« gefüllt. Das Thema ließ ihn dreißig Jahre nicht los.

Ein Jahr zuvor hatte Gräfin Dönhoff in Hamburg einen anderen jungen Mann engagiert, der ebenfalls politische Wissenschaften und Geschichte studierte, Gaststudent in Amerika gewesen war, im Archiv des Zeitverlages jobbte und bereits kleine Stücke fürs Feuilleton geschrieben hatte: Hans Gresmann.

Die beiden Jungredakteure – Bucerius nannte sie »die Buben der Gräfin« – traten immer brüderlich vereint auf, am liebsten in blauen Blazern. Obwohl in Erscheinung und Wesen sehr verschieden, pflegten sie eine distanzierte Freundschaft, auf die feine hanseatische Art, in der man sich zwar siezt, aber mit Vornamen (»Ted« und »Hans«) anredet. Sommer ließ sich in seiner Begeisterung leicht fortreißen, während Gresmann für sich verbuchte, daß er sich weniger in seinen Urteilen irrte. Gemeinsamkeit macht stark. Die beiden waren in ihrer frechen Spottlust, die auch vor anderen Ressorts nicht haltmachte, für sensible Gemüter zuweilen schwer zu ertragen. Wie selbstverständlich dachten sie gleich für das ganze Blatt mit, doch vermochten sie diesen Monopolanspruch gegen die starken Ressortchefs von Feuilleton, Wirtschaft und Modernes Leben nicht durchzusetzen.

In der Politik führten sie den Brauch ein, die Manuskripte auszutauschen und gegenseitig zu redigieren. (Später mußte jedes Manuskript sogar von zwei Redakteuren gegengelesen werden.) Als Sommer einmal einen Text Gresmanns redigierte und sich beide über eine neue Schlußfassung geeinigt hatten, unterschrieb Sommer den Artikel gedankenverloren mit seinem eigenen Namen.

Auch Gräfin Dönhoff gab ihren beiden Mitarbeitern ihre eigenen Manuskripte zum Lesen. Allerdings durften »die Buben« ihre Anmerkungen nur mit Bleistift an den Rand schreiben. Gnadenlos verfuhren sie hingegen mit den Manuskripten freier Mitarbeiter oder neuer Kollegen. In der Regel ist das Streichen oder Umformulieren den Texten und damit auch den ZEIT-Lesern gut bekommen. Selbst ein Theodor Eschenburg, den die Gräfin 1952 bei den Recklinghausener Ruhrfestspielen als (damals noch gelegentlichen) Mitarbeiter angeworben hatte, mußte sich diesem Ritual unterwerfen. Er rächte sich eines Tages, indem er die gesammelten Aufsätze in der Originalfassung veröffentlichte und die griffigen ZEIT-Überschriften gegen seine eigenen trockenen Titel austauschte.

Chefredaktion und Ressortleiter setzten hohes Vertrauen in ihre neuen Mitarbeiter. Diese rechtfertigten es durch aufopferungsvolle Leistung. In der ZEIT und im Schwesterunternehmen »stern« haben die Redakteure oft die Nächte durchgearbeitet – und häufig Frau und Kinder darüber vernachlässigt. Einer, der dabei war, meint in der Rückschau: »In erster Ehe war ich mit dem Blatt verheiratet.« Nicht minder einsatzbereit, selbst in den Nächten und an den Sonntagen, waren die Sekretärinnen. Alle zusammen zeigten sich hoch motiviert, der Pioniergeist der schweren Nachkriegsjahre war auf die nächste Generation übergesprungen.

Erleichtert wurde der Aufschwung durch die enge Zusammenarbeit zwischen Verlag und Redaktion, was damals noch möglich war, weil sich alles auf einem oder auf zwei Fluren abspielte und die Verhältnisse überschaubar blieben. An der Spitze des Verlages waltete von früh bis spät Robert Streitberger. Der im Verlagsgeschäft erfahrene Mann hatte sich 1953, als es der ZEIT sehr schlecht ging, als Verlagsleiter angeboten. Selbstbewußt verlangte er von Bucerius ein Gehalt von 1500 Mark bei wöchentlicher Kündigungsfrist. »In drei Jahren werden Sie mir das Dreifache zahlen!« In seiner ruppigen Art ist es ihm tatsächlich gelungen, binnen kurzer Zeit das Haus auf eine gesunde wirtschaftliche Grundlage zu stellen. Mit seinem Instinkt für das jeweils Wichtige und Richtige war er allen anderen voraus.

Seine Methoden wären heute undenkbar, erinnert sich der ehemalige Anzeigenleiter Wolfgang Stamer: »Man würde sich dauernd vor dem Arbeitsgericht wiederfinden.« Alle im Verlag lebten in der Furcht vor dem Herrn. Von seinen Mitarbeitern verlangte er, daß sie sich, bevor sie gingen, bei ihm abmeldeten. Da Streitberger in der Regel bis abends um acht im Büro saß, trauten sich viele Mitarbeiter nicht, schon vor ihm das Haus zu verlassen.

Sogar der CDU-Bundestagsabgeordnete Gerd Bucerius mußte sich, als er wieder einmal rasch nach dem Rechten sehen wollte, anraunzen lassen: »Scheren Sie sich nach Bonn zurück, und lassen Sie mich im Verlagshaus allein!« Wer als Angestellter etwas verpatzt hatte, mußte einen gewaltigen Anpfiff gewärtigen. Anderseits konnte der Verlagsleiter bei außergewöhnlichen Leistungen voll des Lobes und sehr generös sein. Nach Dienstschluß pflegte er durch die Zimmer zu gehen und noch verwendungsfähiges Blaupapier aus den Papierkörben zu holen. Einer seiner kolportierten Sprüche lautete: »Auch Büroklammern kosten Geld!« Am Ende war der Verlag durchrationalisiert.

Oberste Instanz in allen Rechts- und Organisationsfragen blieb weiterhin der Geschäftsführer Wilhelm Güssefeld. Von 1953 bis 1974, kurz vor seinem Tod im Alter von 88 Jahren, erschien er täglich, immer sorgfältig und altmodisch gekleidet, an seinem Schreibtisch. Die jungen Angestellten nannten den Generalbevollmächtigten, keineswegs respektlos, »Kaiser Wilhelm«. Und dann war seit 1951 als Geschäftsführerin im Verlag auch Frau Ebelin Bucerius tätig. Sie übernahm oft repräsentative Aufgaben, suchte das Gespräch mit den Verlagsangestellten und wollte immer über alles im Bilde sein. Bisweilen schaltete sie sich persönlich ein, wenn es in einzelnen Abteilungen krachte. »Mit ihr konnte niemand streiten«, schrieb Bucerius beim vierzigsten Jubiläum der ZEIT.

Die sauren Tage wurden einmal im Jahr durch frohe Feste überlagert, welche die Belegschaft, gemeinsam mit dem »stern«, in den fünfziger, sechziger Jahren noch groß und gerne feierte – mit Ausflügen von ZEIT und »stern« nach Helgoland und Westerland, nach Berlin und Holland. Freilich waren die Sitten noch streng: Kein Redakteur hätte es gewagt, ohne Jackett und Krawatte oder mit Koteletten, Eintagesbart oder langen Haaren zu erscheinen. Ebenso war es verpönt, daß Frauen im Dienst in Hosenanzügen erschienen. Nur Bucerius lief am liebsten in Polohemd oder Pullover herum.

Auch die Moral hing noch hoch in jenen Tagen. Chefredakteur Müller-Marein erhielt eines Tages in Paris ein Telegramm von Frau Bucerius: »Jupp, du mußt sofort zurückkommen. Hier ist Sodom und Gomorrha!« Mindestens drei Redakteure unterhielten Verhältnisse zu Sekretärinnen. Sogar von Hausfriedensbruch war die Rede. Nach der 68er-Revolte nahm man alles nicht mehr so ernst …

Als der politische Teil der ZEIT von drei auf vier Seiten vergrößert wurde, reichte die Besetzung des Ressorts für den Mehranfall an Arbeit nicht mehr aus. Da war man froh, als sich ein netter, bescheidener, sensibler Redakteur von den »Lübecker Nachrichten«, der auch schon bei der »Welt« gearbeitet hatte, um eine Stelle bewarb: Rolf Zundel. An ihm wurde zum erstenmal der Wohlgefallenstest praktiziert: Man ging gemeinsam essen. Was an dem promovierten Germanisten aus dem Schwabenland am meisten gefiel, war ein eher nebensächliches Detail: Er hielt Vorträge in Gefängnissen. Der Neuling – ihm wurde als erstes die stark erweiterte Länderspiegel-Seite anvertraut – wird sich mit den Jahren zum herausragenden politischen Analytiker entwickeln.

Mit dem Neubeginn verjüngt sich auch das äußere Bild der ZEIT. Die Bleiwüsten der Gründerzeit werden übersichtlicher und gefälliger. Am meisten experimentieren die politischen Redakteure auf der ersten Seite, und das wird künftig so bleiben. Die Titel erhalten eine Unterzeile, und die Texte werden – Müller-Mareins Vorstellung von graphischer Belebung – durch halbfette oder kursiv gesetzte Absätze aufgelockert (davon ist man zum Glück bald wieder abgekommen). Sorgsam studierten die Blattmacher das Layout der englischen Wochen- und Sonntagszeitungen, von denen sie manche Anregung übernahmen.

Von Anfang an haben Karikaturisten das Erkennungsbild der ZEIT mitgestaltet. Der erste, Mirko Szewczuk, ging 1949, noch keine dreißig Jahre alt, zur Tageszeitung »Die Welt«, denn er wollte ständig beschäftigt sein, voller Unruhe, als ahnte er schon sein frühes Ende. Eine Zeitlang schien er unersetzlich; aber dann fand sich Wolfgang Hicks, der schon viele Vignetten gezeichnet hatte, auch bereit, die Aufmacherkarikatur zu übernehmen; sein frech-schwungvoller Strich, verbunden mit witzig-treffsicheren Texten, hat bis 1957 die ZEIT-Leser begleitet. Nachdem auch er zum Hause Springer gewechselt war, füllte Eric Godal, der jüdische Freund des Malers Merveldt, die Lücke aus.

Seit Herbst 1957 gab Paul Flora der ZEIT immer mehr sein Gepräge mit einer modernen Form politischer Karikatur, wie man sie dazumal eher im »New Yorker« als in einer deutschen Wochenzeitung erwartet hätte. Den Künstler hatte Eka von Merveldt bei einer Ausstellung kennengelernt und der ZEIT empfohlen. Beim obligatorischen Mittagessen saß der riesige Flora mit seinen Tiroler Bauernhänden bescheiden und schweigsam in der Runde. Gräfin Dönhoff vermißte seit dem Weggang von Hicks die halbspaltigen, langgezogenen Textvignetten. Da winkte Flora gleich ab: Das sei eigentlich nicht seine Breite. (Er hat sie dann doch gezeichnet.) Sommer fragte vorsichtig, ob er denn auch Köpfe zeichnen könne. Flora: »Je, dös glaub' i schon!« ZEIT-Leser werden es bald mit Vergnügen bestätigen.

Ein anderes Schmuckstück der ZEIT ist die Kupfertiefdruckbeilage. Eka von Merveldt, verantwortlich fürs Allgemeine, hat sie zu einem Reportageteil mit großformatigen, seitenfüllenden Bildern umgewandelt und damit einen neuen Typus des Bildjournalismus in die ZEIT integriert. Das Layout besorgen ihre Redakteure selber. Eine eigene Graphik kann sich die ZEIT noch nicht leisten; immerhin läßt sich Theo Sommer an seinem Bücherregal eine Vorrichtung mit Leuchtglasplatte anbringen, auf der er Bildausschnitte und Bildmaße, die mit rotem Fettstift markiert werden, für den Umbruch ausprobiert, wie ihm dies der ZEIT-Nachbar Henri Nannen vorexerziert hat. Einige Redakteure begeben sich noch immer selber in die Setzerei und streichen, wenn nötig, im Blei.

Das politische Ressort erweitert Mitte der sechziger Jahre sein Auslandsangebot, indem es sich ein kontinuierlich besetztes Korrespondentennetz zulegt. Da es eigene Berichterstatter und Büros noch nicht bezahlen kann, hängt es sich an die Rockschöße von Auslandsvertretern des Norddeutschen und des Westdeutschen Rundfunks: Joachim Schwelien berichtet aus Washington, manchmal im Wechsel mit Thilo Koch, und aus London liefert Karl-Heinz Wocker (seine Frau war Sekretärin bei Bucerius gewesen) flotte, leicht ironische Texte gleich an mehrere Ressorts. Als 1958 in Frankreich der Bürgerkrieg droht und schließlich General de Gaulle eine neue Republik begründet, berichtet aus Paris noch der Schweizer Armin Mohler, Verfasser des vieldiskutierten Werkes über die »Konservative Revolution« in der Weimarer Republik. Dem ZEIT-Feuilleton ist er ein Dorn im Auge, weil er als Rechter besser in die alte ZEIT unter Tüngel gepaßt hätte. Seit Mitte der sechziger Jahre schreibt dann Ernst Weisenfeld aus der französischen Hauptstadt.

Gut bedient wird die ZEIT mit Informationen aus Osteuropa, das im neu aufgeflammten Kalten Krieg für die deutsche Außenpolitik wichtiger denn je wird. Wolfgang Leonhard, der im Mai 1945 mit der Gruppe Ulbricht von Moskau nach Berlin kam und sich später in den Westen absetzte, verfolgt minuziös jede Personalveränderung im Moskauer Politbüro. Nach jedem Stühlerücken im Kreml legt er sein Raster an und zieht seine Schlüsse. Am häuslichen Kamin bringt Gräfin Dönhoff den Ostexperten mit Theo Sommer zusammen. Die beiden erzählen sich ihre Kindheitserlebnisse an sowjetischen beziehungsweise nationalsozialistischen Eliteschulen und sind überrascht von der Gleichheit des Erziehungswesens in den totalitären Staaten.

Anfang 1964 stößt der Journalist und Historiker Hansjakob Stehle hinzu, der von Warschau aus ZEIT-Lesern ihren »Nachbarn Polen« nahezubringen versucht. Gräfin Dönhoff nutzt ihre Beziehungen, um international angesehene politische Kommentatoren zu gewinnen, unter anderen Ralf Dahrendorf, Richard Löwenthal, Zbigniew Brzezinski und den Starprofessor aus Harvard, Henry Kissinger. Ihn hatte sie schon 1957, als er Hamburg besuchte, in ihre Wohnung nach Blankenese eingeladen, wo auch Sommer und Gresmann auf ihn warteten. Er hatte gerade sein vielbeachtetes Erstlingswerk über Atomstrategie geschrieben, während sich die Hamburger noch für George Kennans Plan eines Disengagements der Weltmächte in Mitteleuropa begeisterten. Er drückte es nachher milde aus: »Es gab keine komplette Übereinstimmung.« Doch die Freundschaft zur ZEIT dauerte. Den Nutzen davon hatten auch die Jungredakteure Sommer, Gresmann und Zundel, die nacheinander Kissingers renommiertes International Summer Seminar besuchen durften, wo sie nun eigene Beziehungen anknüpfen konnten. Die Welt der politischen Streitkultur gab sich ein Stelldichein in der ZEIT, und deren Westbindung festigte sich.

Dies alles geschah bereits, als die Redaktionen von ZEIT und »stern« und der winzige Zeitverlag noch im rechten Flügel des fünften Stockes im Pressehaus zusammenhockten. »stern«-Redakteure drängte es, für die ZEIT zu schreiben. Henri Nannen schätzte diese Mitarbeit nicht besonders, mußte aber einsehen, daß deren Auftritt im bürgerlichen Intelligenzblatt auch das Ansehen seiner Zeitschrift hob. Am leichtesten hatten es die sogenannten festen freien Mitarbeiter, Glanzfedern, mit denen man großzügig umging. Sie konnten mehr in der weiten Welt herumreisen als die »ärmeren« Kollegen von der ZEIT. So tauchen denn noch über die Jahre die Namen von Exklusiv-»stern«-Autoren in den Spalten der Wochenzeitung auf: Egon Vacek, Jörg Andrees Elten, Heinrich Jaenecke, Peter Grubbe.

Für ZEIT-Redakteure galten andere Gesetze. Als Sommer und Gresmann zum zwanzigsten Jahrestag des Zweiten Weltkrieges von Nannen aufgefordert wurden, eine Serie über den Kriegsausbruch zu schreiben (»In Europa gehen die Lichter aus«), da brauchten sie die Erlaubnis von Gräfin Dönhoff. Sie wurden »ausgeliehen« und mußten ihre Nebentätigkeit außerhalb ihrer Dienstzeit, also meistens nachts, ausüben. Der Erfolg dieser Serie bedeutete für den »stern« den ersten Durchbruch zum politischen Magazin. Zum Lohne durfte danach Gresmann als verkappter »stern«-Reporter Bundeskanzler Adenauer bei seinem ersten Besuch in Japan begleiten.

ZEIT-Redakteure wurden karg gehalten. Das war nicht immer leicht zu ertragen. Paul Hühnerfeld vom ZEIT-Feuilleton hat sich einmal mit dem »stern«-Redakteur Günther Dahl verabredet, vor der Tür des Verlagsleiters Streitberger auf dem Flur einen Krach zu inszenieren. Als Hühnerfeld Anzügliches über die »Lieschen-Müller«-Illustrierte von sich gab, entgegnete Dahl: »Dafür verdiene ich aber mehr Geld als Sie!« Prompt stürzte der Verlagsleiter heraus, um den Streit zu schlichten. Er appellierte an ihre Einsicht, daß doch beide Redaktionen an einem Strang ziehen müßten. Bald darauf hat Hühnerfeld ein großzügiges Angebot der Illustrierten »Star-Revue« angenommen, jedoch weiterhin Rezensionen und Aufsätze fürs ZEIT-Feuilleton geschrieben.

Auch an Sommer und Gresmann trat die Versuchung heran. Henri Nannen lud beide zum Essen ein und bot ihnen an: »Wenn ihr zu uns kommen wollt, werde ich euch den Arsch innen und außen mehrfach vergolden.« Über dieses Angebot mußten die vielversprechenden Jungredakteure erst mal zwei Tage nachdenken, wählten dann aber doch die Ehre, für »das deutsche Weltblatt« Leitartikel schreiben zu dürfen (diesen Titel hatte Streitberger als Werbegag erfunden, denn mittlerweile wurde die ZEIT in Übersee auf zwei Kontinenten gedruckt: in Toronto, Buenos Aires und Johannesburg).

Das Spesenrittertum, ein Kavaliersdelikt jener Wirtschaftswunderjahre, war bei der ZEIT streng verpönt. Als Jungredakteur Ortwin Fink mit einem Freiticket für den ersten Direktflug der British Airways von Hamburg nach London ausgezeichnet wurde, drückte ihm der Chefredakteur als Verpflegungssatz für zwei Tage zwanzig Mark in die Hand. Müller-Marein vermahnte ihn ausdrücklich, keine Spesen zu machen. So durchlitt der junge Mann auf dem ersten Flug seines Lebens Höllenqualen, weil er die dargereichten köstlichen Speisen und Getränke wegen der möglichen Kosten nicht anzunehmen wagte. Familienväter, die für den Erwerb eines Reihenhauses dringend einen zinsgünstigen Kredit gebraucht hätten, wurden von der Chefredaktion abschlägig beschieden. Vor allem aus prinzipiellen Erwägungen: Journalisten dürften nicht zu früh ansässig werden, sonst verlören sie ihren Elan. Aus ähnlichen Gründen ließ auch Gräfin Dönhoff preußische Sparsamkeit walten, wenn sie mit dem Verlag über die Neueinstellung junger Journalisten und Sekretärinnen verhandelte.

Nichts einzuwenden hatten jedoch Verlag und Redaktion, wenn sich Redakteure durch Auftritte in Fernsehen und Rundfunk oder durch Vorträge in der Provinz ihr schmales Salär aufbesserten. Es war sogar ausdrücklich erwünscht, weil auf diese Weise der Name ZEIT populär wurde. Da konnte dann wohl der bärbeißige Verlagsleiter Streitberger den jungen Gresmann fragen: »Was machen Sie eigentlich so, ich habe Sie schon lange nicht mehr auf dem Bildschirm gesehen?«

Stolz waren die ZEIT-Redakteure allemal auf ihren Verleger, weil der sich seinen Schneid und den seiner Redakteure nicht durch erpresserische Anzeigenkunden abkaufen ließ. Als Bucerius Anfang der fünfziger Jahre bei hundert großen Aktiengesellschaften anfragte, ob sie ihre lukrativen Finanzanzeigen nicht auch im Wirtschaftsteil der ZEIT placieren wollten, bekam er von einer Firma einen Absagebrief, weil die ZEIT einen Versicherungsplan der Gesellschaft kritisiert hatte. Der Verleger reagierte sofort: Er verwies auf die scharfe Trennung zwischen Verlagsgeschäft und Redaktionsarbeit und teilte mit, daß er seine Anzeigenabteilung angewiesen habe, keine Anzeigen dieser Firma mehr entgegenzunehmen. Ein halbes Jahr später inserierte sie wieder in der ZEIT. Der Vorfall sprach sich in der Branche herum, und solche Pressionen hörten bald ganz auf.

Statt dessen konnte es passieren, daß plötzlich alle Anzeigenaufträge eines Unternehmens stillschweigend gestrichen wurden. Nachdem im Jahre 1962 der Wirtschaftsredakteur Willi Bongard die dreißig Leute in der Anzeigenabteilung des Volkswagenwerks in Wolfsburg mit seiner Bemerkung verärgert hatte, es sei hohe Zeit, daß VW die handgestrickte Werbung aufgebe und endlich Fachleute heranziehe, verhängte der Werbechef einen totalen Anzeigenboykott gegen die ZEIT. Nachfragen des Zeitverlages wurden mit Ausflüchten beantwortet. Bucerius: »Bongards Bonmot kostete uns etwa eine Viertel Million Umsatz (100.000 Mark Gewinn) – für die hart kämpfende ZEIT viel Geld.«

Bucerius stachelte seine Redaktion, wenn sie ihm zu lasch erschien, sogar an, ruhig etwas frecher zu sein und mehr zu riskieren. Typisch diese Anekdote: Börsen-Redakteur Kurt Wendt (»Securius« hat ihn der Verleger getauft) erwähnt in einer Redaktionskonferenz einen Bankskandal, von dem er erfahren hat. Bucerius spontan: »Das müßt ihr bringen!« Wendt, in seiner unerschütterlichen Ruhe: »Ja, aber nur, wenn Sie, Herr Bucerius, die Prozeßkosten übernehmen und dafür sorgen, daß hinterher nicht ein Widerruf auf der Leserbriefseite erscheint.« Bucerius, halb enttäuscht: »Warum denn nicht, wir haben schon lange keinen Prozeß mehr gehabt. Ihr werdet richtig langweilig!«

Für das journalistische Ansehen seiner Zeitung war Bucerius stets bereit, wenn es sein mußte, die wirtschaftlichen Interessen hintanzustellen. Fiel in den Diskussionen die Bemerkung, diese oder jene Sache sei doch nicht aktuell und für die Leser gänzlich uninteressant, war es immer Bucerius, der sich mit dem nachgerade sprichwörtlichen Satz einmischte: »Was aktuell ist, das habt ihr zu bestimmen!«

In der Tat erklärt sich der unverhoffte Aufstieg der ZEIT nicht zuletzt aus der Unbekümmertheit ihrer kleinen Redaktion. Selbst als die Auflage jahrelang bei 50.000 Exemplare krebste, kümmerten Leserwünsche sie überhaupt nicht. Die Redakteure machten das, was ihnen selber gefiel, ihnen Spaß und Freude bereitete. Und war es gut, so würde es auch seine Leser finden.

Gräfin Dönhoff fragte einmal den Hamburger Großverleger John Jahr nach seiner Meinung über die ZEIT. Sie bekam ein vernichtendes Urteil zu hören: »Ach, wissen Sie, da sitzt ein Haufen gescheiter Leute zusammen, diskutiert über Gott und die Welt, interessiert sich weder dafür, was die Leser denken, noch dafür, was die Regierung oder die Industrie oder andere Gruppen wollen; nein, sie streiten einfach miteinander, und am Schluß schreiben sie auch noch, was sie denken – manchmal sogar jeder was anderes. Sie haben es nicht mal nötig, sich bei Experten zu erkundigen, wie man eine Zeitung richtig macht. Die ZEIT ist eine Zeitung von Laien für Laien.«

Gräfin Dönhoff fuhr zufrieden in die Redaktion zurück: »Ein größeres Lob hätte man der ZEIT gar nicht machen können.«

12. Kapitel

»Hamburger Kumpanei« und »Lobby der Vernunft«

Das stärkste liberale Potential auf dem deutschen Pressemarkt war an der Schwelle zu den sechziger Jahren im Hamburger Pressehaus zusammengeballt: ZEIT, »stern« und »Spiegel«. Nannens »stern« expandierte in einem fort, da reichte ein halber Flur für die Redaktion nicht mehr aus. Inzwischen war nebenan am Domplatz ein neues Bürogebäude entstanden, in das der »stern« umzog und mit ihm auch das Grossohaus Wegner & Co. (eine angesehene Hamburger Buch- und Zeitschriften-Großhandlung) mitsamt dem von Christian Wegner gegründeten Verlag, in dem die »ZEIT-Bücher« erschienen.

Mittags traf man sich bei Melzer, einer viel zu kleinen Kneipe in der Nähe des Pressehauses. Dort standen vier Tische, an denen einzelne Gruppen zu sitzen pflegten. Am ersten saß in der Regel Rudolf Augstein mit dem Stab des »Spiegel«, am zweiten Henri Nannen mit der »stern«-Crew, am dritten die Redaktionsspitze der ZEIT, und am vierten nahmen die Leute vom Grossohaus Wegner Platz. Die »Redaktionssitzungen« der ZEIT dort dauerten manchmal von zwei Uhr mittags bis sieben Uhr abends. Volontäre brachten zwischendurch die korrigierten Fahnenabzüge zum Abzeichnen. »Fiete« Melzer, der aussah wie Winston Churchill, bot damals ein Steak mit Bratkartoffeln samt einem Bier und einem Schnaps noch für 4,50 Mark an; mit Trinkgeld reichte ein Fünfer.

Politisch war es eine aufregende Zeit. Chruschtschow brach im November 1958 eine neue Berlinkrise vom Zaun; in Amerika schickte sich 1960 Kennedy an, den Russen die Stirn zu bieten; in Frankreich legte sich de Gaulle mit der Nato an; und immer mehr Menschen flohen aus der DDR über Berlin in den Westen. Und der »stern« druckte im voraus Kapitel aus dem Sensationsbuch des fanatischen Antikommunisten William S. Schlamm (»Die Grenzen des Wunders«).

Dieser »Österreicher von Geburt und Amerikaner aus Entscheidung« hatte einen weiten Weg von ganz links nach ganz rechts hinter sich. Jetzt propagierte er den zweiten Kalten Krieg. Monatelang erhitzten sich die Gemüter, erst recht als er im »stern« regelmäßig seine provozierende Kolumne schreiben durfte. Die ZEIT widmete der Auseinandersetzung mit seinen gefährlichen Thesen eine ganze Seite drei. Die Ressortleiter von Politik (Gräfin Dönhoff), Wirtschaft (der Schweizer Jacques Stohler) und Feuilleton (Rudolf Walter Leonhardt) griffen selber zur Feder; Gräfin Dönhoff hatte die spitzeste. Sie pickte eine brisante These des Pamphletisten heraus: Der Westen, wolle er überleben, müsse »glaubhaft entschlossen sein, Krieg zu führen«. Marion Dönhoff wollte klar wissen, wie offensiv der Westen denn sein solle – bis zum Präventivkrieg?

Unversehens wird dieser Demagoge ZEIT- und »stern«-Redakteuren als Berater zur Seite gestellt. Und das kam so: Schlamm hatte mit seinen journalistischen Erfahrungen bei den konservativen amerikanischen Magazinen »Time« und »Life« geprahlt. Da sich Bucerius zufällig mit dem Gedanken trug, einen »Anti-Spiegel« zu konzipieren, lag es nahe, seinen Rat zu erfragen. Das neue Nachrichtenmagazin sollte »Moment« heißen – was es sein konnte und sollte, hatte Schlamm in einem zwanzig Seiten langen Memorandum niedergelegt. Die Absätze fingen jeweils mit Moment an (»Moment macht ...«, »Moment ist ...«).

Ende September 1959 lag ein 82 Seiten starkes »Dummy« fertig auf dem Tisch – eine Probenummer, die sich auch nach fünfzig Jahren sehen lassen darf. Müller-Marein zeichnete als verantwortlich und steuerte nachdenkliche Betrachtungen (»Momente«) bei. Von der Titelseite leuchtete ein rundgesichtiger Mao Tse-tung, ganz in Rot eingefaßt. »Moment« war ein Mittelding zwischen ZEIT und »stern«. Die zum Teil großen Photos hatten lediglich dokumentarischen Charakter. Zum Beispiel die ganzseitige Nahaufnahme von Chruschtschows Gesicht: »Ein Gebirge aus Wülsten, Warzen und Schrunden«. Die Artikel waren mit viel Witz und Schwung geschrieben. Das Ressort Wirtschaft hieß knapp »Geschäfte«. Von Schlamm stammten freilich nur die Anregungen, mitgestalten wollte er jedoch nicht. Ihn störte das Mißverhältnis zwischen ihm und der Redaktion: »Es war, als sollte die Callas mit dem Winterhuder Kirchenchor singen.«

Am Ende brach Bucerius das Experiment ab. Zur selben Zeit hatte sich Rudolf Augstein schon die Mannschaft für ein politisches Wochenblatt mit dem traditionellen Titel »Deutsche Allgemeine Zeitung« zusammengestellt. Chefredakteur sollte Paul Sethe werden, ehemals Herausgeber und Leitartikler der »Frankfurter Allgemeinen Zeitung«. Während der Debatten über die Stalin-Note von 1952 war er der von Adenauer gefürchtetste Kritiker gewesen. Die Mehrheit der »FAZ«-Herausgeber hatte sich, unter dem Druck der Gesellschafter, 1955 von Sethe getrennt. Er war dann als politischer Ressortchef zur »Welt« gegangen. Augsteins Projekt scheiterte am Kölner Landgericht, das dem »Spiegel«-Verlag die Benutzung des alten Zeitungstitels verbot.

Die Auflage der ZEIT war zu jener Zeit noch klein: 66.000 verkaufte Exemplare im Jahre 1960. Deshalb unterstützte Gräfin Dönhoff den Plan, der plötzlich aufkam, nämlich die liberalen Blätter ZEIT, »stern« und »Spiegel« wirtschaftlich zusammenzuschließen. Somit wäre die Wochenzeitung für die Zukunft noch besser abgesichert gewesen. Bucerius befreundete sich nur langsam mit diesem Gedanken. Doch dann wurden am 15. August 1960 Verträge geschlossen, welche tatsächlich jene Medienmacht hätten begründen können, die einige CDU-Politiker schon als »Hamburger Kumpanei« am Horizont erblickten.

Der »Spiegel« gehörte bis dahin je zur Hälfte Rudolf Augstein und dem Verleger John Jahr. Als sich Jahr aus dem »Spiegel« zurückziehen wollte, übernahmen die »stern«-Verleger Bucerius und Richard Gruner jeder einen halben Anteil Jahrs. Im Gegenzug wollte Augstein Gesellschafter des Zeitverlages werden. Das hätte dann so ausgesehen: »Spiegel«: 50 Prozent Augstein, 25 Prozent Gruner, 25 Prozent Bucerius – ZEIT: Augstein 25 Prozent, Bucerius 75 Prozent.

Aber alsbald bekam Bucerius erhebliche Bedenken, die er in Briefen an seinen Kompagnon nicht verhehlte. Von einer Grippe angeschlagen, hatte er sich die Zeit genommen, die vorangegangenen »Spiegel«-Ausgaben gründlich zu lesen, zu analysieren und mit der ZEIT zu vergleichen. Zwar fand er nach wie vor, die ZEIT könne durchaus einiges von der Kritiklust des »Spiegels« übernehmen und auch »etwas weniger respektheischend auftreten«. Dem »Spiegel« attestierte er »großartige journalistische Leistungen«, doch dünkte ihm die Betrachtungsweise des Nachrichtenmagazins zu vordergründig und sensationslustig. In einem Brief vom 9. Februar 1961 monierte er, daß der »Spiegel« mit Axel Springer und Berthold Beitz schlecht umgegangen sei. »Der Glanz der Formulierung rechtfertigt nicht die Wunde, die dem Mitmenschen zugefügt wird.« Am Ende bat er seinen Partner, sich heftig zu revanchieren. Schon am nächsten Tag antwortete Augstein:

»Lieber Herr Dr. Bucerius!

Wenn Sie mir jemals dazu Gelegenheit geben, werde ich Ihnen zeigen, wie man ›Die Zeit‹ mit seriösem Journalismus hochbringen kann. Der SPIEGEL ist und bleibt schillernd und zwiespältig, was zu ändern ich nicht der Mann bin ... bitte, fragen Sie mich nicht, ob Dinge, die im ›Spiegel‹ stehen, wirklich meine Meinung seien. Meine Meinung schreibe ich in namentlich gezeichneten Artikeln. Wollte ich anfangen, den Redakteuren meine Meinung aufzuoktroyieren, so müßte ich einpacken. Erschrecken Sie nicht über die Abgründe, die sich hier vor Ihnen auftun. Wenn Sie sich stark und gesund genug glauben, den ›Spiegel‹ anders zu führen, so sagen Sie es mir. Ich bin selbstverständlich der Gefangene meines Systems, das mich zwingt, das Handwerk über die Politik und über die Meinung zu stellen...«

Augstein fügte ein P.S. hinzu: »Bitte seien Sie nicht allzu oft krank, damit Sie nicht allzu oft Gelegenheit nehmen, den ›Spiegel‹ so ausführlich zu lesen.«

Am 13. Februar 1961 – Bucerius hatte wohl weiter in alten »Spiegeln« geblättert – antwortete der ZEIT-Verleger:

»Dear Partner,

Sie schreiben Briefe wie Artikel – brillant ...

Sie haben – mit Recht und der Ihnen eigenen Sicherheit – die Einzelheiten beiseitegeschoben und die Grundsätze herausgestellt.

1. *Grundsatz*: ›Der Spiegel ist und bleibt schillernd und zwiespältig, was zu ändern ich nicht der Mann bin.‹ Pardon: ich habe die Unterhaltung an jenem Sonnabendabend in meiner Wohnung noch nicht vergessen (als wir die handschriftliche Vereinbarung machten). Sie klagten schon damals: ›Ich bin der Gefangene meines Systems‹ – aber Sie sagten: ›Ich will da heraus.‹ ... Ihnen wurde die (seltene) doppelte Gabe der Analyse und der Aussage gegeben; es gibt in der Bundesrepublik nur wenige Schriftsteller Ihrer Kraft. Das verpflichtet Sie, diese Gabe zum Guten zu verwenden. Sonst werden Sie ›des Teufels Schriftsteller‹. Das leitet gleich zum

2. *Grundsatz:* Sie fühlen sich als ›Gefangener Ihres Systems‹ gezwungen, ›das Handwerk über die Politik und über die Meinung zu stellen‹. Um Gottes willen: *wer* zwingt Sie dazu? Und können Sie das überhaupt ertragen? Die meisten lesen den SPIEGEL doch, weil sie an ihn (und an Sie) glauben (siehe die Leserbriefe). Und diesen Leuten strecken Sie (in Gedanken) die Zunge heraus: was schert mich Politik und Meinung – Handwerk! Der SPIEGEL macht auch Meinung: hundertfach schallt uns in Diskussionen die vom SPIEGEL

geprägte Meinung entgegen. Dieser Einfluß verlangt Verantwortung, nicht Handwerk. Daraus *kann* ich Sie nicht entlassen, Partner.

3. *Grundsatz:* ›Wollte ich anfangen, den Redakteuren meine Meinung aufzuoktroyieren, so müßte ich einpacken.‹ Nun: das gilt sicher für Einzelheiten, nicht aber für die politische Linie (die Sie bestimmen müssen) und schon gar nicht für die ›Grundsätze‹ (insbesondere 1 und 2).

Nicht ich, wohl aber Sie sind ›stark und gesund genug, den SPIEGEL anders zu führen‹. Sie *müssen* aus den Abgründen heraus. Wie können Sie mit Abgründen am SPIEGEL und ohne Abgründe an der ZEIT arbeiten? Diese Bewußtseinsspaltung nimmt uns doch niemand ab. Vergessen Sie nicht: für die (informierte) Öffentlichkeit heißt SPIEGEL = Rudolf Augstein.

Riskieren Sie etwas – so wie Sie es vorhatten, als wir uns fanden. Es wird der Auflage nicht schaden. Und wenn: wir tragen das, wir alle können es uns leisten. Arbeit und Leben werden Ihnen mehr Freude machen.

Herzliche Grüße

Ihr Bucerius«

Augstein nahm den Fehdehandschuh auf und entgegnete dem ZEIT-Verleger am 15. Februar 1961, wobei er sich erlaubte, am Ende den vom CDU-Abgeordneten Bucerius bewunderten Konrad Adenauer gegen ihn auszuspielen:

»Lieber Herr Bucerius!

Dear Partner – die Anfangsbuchstaben klingen nach ›displaced person‹ …

Ich will den SPIEGEL qualitativ besser machen, als er jetzt ist. Dabei sind mir Ihre Anregungen immer erwägenswert und wertvoll. Aber Sie dürfen versichert sein, daß ich all die Jahre hindurch die Verantwortung wohl gefühlt habe, aus der Sie mich nicht entlassen wollen. Daraus kann mich auch niemand entlassen, am wenigsten ich selbst. Noch weniger kann ich mich Ihnen oder Herrn Gruner zuliebe ändern. Sie haben mich so eingekauft, wie ich bin, die Geschäftsgrundlage war nicht etwa, daß ich ein anderer zu werden hätte. Das hat mit der Auflage bislang nie etwas zu tun gehabt. Das Angenehme am SPIEGEL ist, daß wir noch nie auf die Auflage schielen mußten. Freilich verstehe ich nicht, wie leicht Sie die Aufspaltung in verantwortungsloser ›stern‹-Verleger und verantwortungsvoller ›Zeit‹-Verleger bewältigen. Werfen Sie das beides bitte in einen Topf, und dann ahnen Sie, welchen Problemen wir im SPIEGEL gegenüberstehen. Sie machen sich über die Natur unseres Berufes die herrlichsten Illusionen, weil Sie, wenn es um Auflage geht, ›stern‹-Verleger sind, wenn es aber um Verantwortung geht, ›Zeit‹-Verleger. Diese wohltätige Schizophrenie war mir bisher nicht gegönnt, leider noch nicht!

Ich bin nun ernster und ›deutscher‹ geworden als erträglich. Es war wohl nur, weil ich nun auch von Ihnen den wohlfeilen Rat hören mußte, den ich nur dem Außenstehenden nicht verargen kann: wir können es uns leisten, daß die Auflage sinkt. Lieber Herr Bucerius, das können wir uns ganz und gar nicht leisten, nicht aus geldlichen Erwägungen, sondern weil die Luft aus einem Blatt ist, wenn es nicht mehr vorwärts marschiert. Das ist so, als wollten Sie dem Herrn Bundeskanzler empfehlen, er solle im Wahlkampf fair und anständig sein, auch wenn er dann die Wahl vielleicht verlieren würde. Sie alle profitieren seit Jahren davon, daß er nicht so denkt ...

Sehr herzliche Grüße

Ihr Rudolf Augstein«

Die Korrespondenz der beiden Teilhaber, ein glanzvolles Dokument deutscher Briefkultur, ist zu Teilen schon von Claus Jacobi veröffentlicht worden, sicherlich kein Zufall, denn der einstige ZEIT-Jungredakteur hatte sich in jenen Tagen gerade darangemacht, den politisch engagierten »Spiegel« in ein »echtes Nachrichtenmagazin« zu verwandeln. Augstein drängte es, aus diesem »Gefängnis«, wo seine politischen Meinungsartikel Fremdkörper waren, auszubrechen, entweder in die Politik oder in den Meinungsjournalismus.

Aber im Urlaubsort Arosa plagte sich Bucerius weiter mit den Grundsätzen Augsteins: »So darf selbst ein Stümper nicht Zeitung machen, am wenigsten einer unserer besten Journalisten, der die Meinung und – wichtiger noch – die moralische Haltung der Nation beeinflußt«, hielt er dem Noch-Partner am 18. Februar 1961 vor. Man spürt seine Enttäuschung: »Schade: wir beide zusammen, wir könnten ein kleines Stück unserer (deutschen) Welt aus den Angeln heben. Sie wissen, wie sehr ich mich darauf gefreut hatte. Daß wir (über Politisches) oft verschiedene Meinungen haben würden – was hätte es geschadet? Glauben Sie, ich wäre immer mit Marions Politik in der ›Zeit‹ einverstanden? Aber die Maßstäbe stimmen zwischen ihr und mir. Das ›Schillernde‹ und ›Zwiespältige‹ suchen wir klarzustellen, nicht zu pflegen. Die Welt soll (nach unseren bescheidenen Kräften) klarer und eindeutiger werden.«

Nun erst begriff Augstein, daß aus beiläufigem Geplänkel längst grundsätzliche Meinungsverschiedenheit geworden war. Am 24. Februar 1961 fragte er Bucerius zu Recht, warum es ihn denn nicht auch bei gewissen »stern«-Artikeln würge. Und der 37jährige rügt zum erstenmal den Ton des 56jährigen:

»Was würden Sie wohl von mir denken, wenn ich über die ›Zeit‹ so harte Worte schreiben wollte, wie Sie sie mir gegenüber gebraucht haben? ›Stümper‹, ›des Teufels Schriftsteller‹, solche Ausdrücke sollten wir vermeiden. Sie haben mich völlig eindeutig wissen lassen, ein Mann mit meinen Grundsätzen könne niemals mit Ihnen zusammenarbeiten. Dies, obwohl Sie nicht das mindeste von meinen Grundsätzen gewußt haben und obwohl Sie den SPIEGEL von innen her nicht im geringsten kennen.«

Am Ende des zehn Seiten langen Briefes legt Augstein ein Bekenntnis ab: »Sie müssen mir konzedieren, daß ich bei allem, was ich tue, etwas für den SPIEGEL Gutes und etwas für die Allgemeinheit Moralisches erreichen will.«

Es kam, wie es kommen mußte: Bucerius verlangte die Aufhebung der Verträge. Ein Prozeß vor dem Landgericht Hamburg erledigte sich durch einen außergerichtlichen Vergleich am 2. April 1962. Gruner behielt seine 25 Prozent Anteile beim »Spiegel«; Bucerius und Augstein jedoch trennten sich. Die vom ZEIT-Verleger erworbenen »Spiegel«-Anteile wurden an Augstein rückübertragen. Dazu Bucerius: »Ich nahm einen Verlust in Kauf, um die Verbindung mit Augstein und dem ›Spiegel‹ zu lösen.« Man trennte sich mit der Auflage, nichts Nachteiliges übereinander zu sagen.

Wenige Monate darauf war nun wirklich Solidarität vonnöten: Am Abend des 26. Oktober 1962 besetzte ein Polizeikommando die »Spiegel«-Redaktion im Pressehaus. Wegen eines drei Wochen zuvor erschienenen Artikels von Conrad Ahlers über die Bundeswehr (»Bedingt abwehrbereit«) hatte die Bundesanwaltschaft zugeschlagen: Herausgeber Rudolf Augstein, Verlagsdirektor Hans Detlev Becker und ein paar leitende Redakteure, unter ihnen Chefredakteur Claus Jacobi, wurden unter dem Verdacht des Landes- und Geheimnisverrats und der aktiven Bestechung verhaftet, schlafende Kinder eines »Spiegel«-Redakteurs aus dem Bett gerissen, Redaktionsräume, Archiv und Buchhaltung mehrere Wochen besetzt, die Schreibmaschinen beschlagnahmt und die Telephonzentrale geschlossen.

Die Aktion war äußerst fahrlässig vorbereitet worden, als handele es sich, so Hans Gresmann in der ZEIT, »um eine Bäckerei« und nicht um ein kompliziert konstruiertes Zeitungsunternehmen. Der einzige Staatsanwalt war ob der unerwarteten Menge an Material, das er durchsuchen sollte, schier verzweifelt. Da nun tagelang die Redaktion versiegelt blieb, geriet die nächste Nummer des Magazins in Gefahr. Ihr Nichterscheinen hätte einen schweren wirtschaftlichen Schlag bedeutet. Da griff Bucerius rettend ein: ZEIT und »stern« stellten ihre Redaktionsräume den »Spiegel«-Kollegen zur Verfügung. In manchen Zimmern saßen nun zwei Redakteure – der eine bereitete die Sonderausgabe des »Spiegel« vor, der andere schrieb Artikel für die nächste Ausgabe der ZEIT.

In der ganzen Bundesrepublik brach, vor allem unter den jungen Menschen, helle Empörung aus. Da der »Spiegel« seit Monaten gegen Bundesverteidigungsminister Franz Josef Strauß, dem allerlei kleinere oder größere Skandale nachgesagt wurden, eine Kampagne geführt hatte, stand für viele fest, Strauß stecke hinter dieser Aktion; der Minister hatte ja auch über seinen Militärattaché in Madrid den Verfasser des inkriminierten »Spiegel«-Artikels, Conrad Ahlers, in seinem Urlaubsdomizil in Málaga verhaften lassen. Jedenfalls traute man Strauß alles zu. Allein deswegen befand Leitartikler Hans Gresmann, ein solcher Mann könne »doch wohl nicht mit rechten Dingen als ein demokratischer Minister gelten«. Und er sagte richtig voraus: Wie immer die »Spiegel«-Affäre ausgehe: »Der Sieger wird nicht Franz Josef Strauß heißen.«

In der Hansestadt Hamburg gingen die Studenten auf die Straße – erster Vorbote der Revolte, die 1968 folgen sollte. Innensenator Helmut Schmidt mußte sie beruhigen. Bei einer Podiumsdiskussion war das Auditorium maximum bis auf den letzten Platz gefüllt; die ZEIT veröffentlichte über zwei Seiten einen Ausschnitt aus der Diskussion. Gräfin Dönhoff konstatierte in einem großen Leitartikel von ungewöhnlicher Schärfe einen »Verfall der politischen Moral« in Bonn (»Wer denkt noch an den Staat?«). So hat auch die ZEIT das Ihrige zum Sturz eines Ministers beigetragen, der im Kriegsfalle sofort Atomwaffen in Mitteleuropa einsetzen wollte, was Theo Sommer ihm Mal um Mal in scharfen Leitartikeln vorhielt.

Lag die ZEIT in diesen Tagen im Trend, so war sie es vier Jahre später überhaupt nicht. Bis dahin wurde Strauß von der Presse weithin als Unperson behandelt, obwohl er, nach einem volkswirtschaftlichen Studium, mächtig in die Bonner Politik zurückdrängte. Die ZEIT-Redakteure Gresmann und Sommer waren die ersten, die 1966 den Boykott durchbrachen und ein mehrere Seiten füllendes Interview mit dem bayerischen CSU-Vorsitzenden publizierten. Rudolf

Augstein war entsetzt: »Wie konntet ihr das tun? Ihr habt ihn vom Galgen geschnitten!« Acht Monate später, inzwischen war Strauß Bundesfinanzminister, traf sich der »Spiegel«-Chef selber mit dem Erzgegner. Der Inhalt des ZEIT-Interviews zeigte indes, welch gewaltiges politisches Potential Strauß noch immer darstellte. Die ZEIT-Interviewer entlockten ihm ketzerische Gedanken zur deutschen Frage. Ohne Umschweife erklärte er: »Ich glaube nicht an die Wiederherstellung eines deutschen Nationalstaats, auch nicht innerhalb der Grenzen der vier Besatzungszonen.« Eine Wiedervereinigung sei in der voraussehbaren Zukunft um keinen Preis zu haben.

Doch zurück ins Jahr 1962. Im Frühjahr hatte die ZEIT inmitten des Immobilismus der Endphase Adenauer die Meinungsführerschaft an sich gerissen. Anlaß war das sogenannte Memorandum der acht. Führende Männer aus Wissenschaft, Wirtschaft und dem Geistesleben legten, aufgefordert von Militärbischof Kunst, eine kritische Bestandsaufnahme der Innen- und Außenpolitik vor und erörterten das Ergebnis mit Politikern aller drei großen Parteien. Durch eine Indiskretion geriet es an die Öffentlichkeit, und die allgemeine Entrüstung war groß. Sogar von einer Verschwörung war die Rede.

Die Autoren waren Männer, die sich teils seit Jahrzehnten kannten und ein gemeinsames Weltbild hatten: der Physiker und Philosoph Carl-Friedrich von Weizsäcker; Hellmut Becker, Präsident des Volkshochschul-Verbandes; der Pädagoge Werner Picht; Ludwig Raiser, Präsident des Wissenschaftsrates; Präses Joachim Beckmann; Klaus von Bismarck, Intendant des Westdeutschen Rundfunks; Günter Howe, Sekretär der Evangelischen Studiengemeinschaft Heidelberg. Der große Vorzug für die ZEIT: Marion Dönhoff kannte die meisten Unterzeichner, zumal Weizsäcker, der den ZEIT-Lesern kein Unbekannter mehr war, seit er vier Jahre zuvor, nach der »Kampf-dem-Atomtod«-Kampagne in der Bundesrepublik, in vier großen Folgen den Zustand der Menschheit seit Hiroschima analysiert hatte (»Mit der Bombe leben«).

Die Gräfin fand in ihrem Leitartikel vom 2. März 1962 für die acht Herren den schönen Namen »Lobbyisten der Vernunft«. Sie verlangten – nach dem Schock des Mauerbaus in Berlin, von dem sich die Deutschen noch nicht erholt hatten – eine aktive Außenpolitik auch gegenüber den östlichen Nachbarn, außerdem eine behutsame Rüstungspolitik. Straußens Streben nach einer nationalen oder europäischen Atomrüstung, die uns von Amerika unabhängig machen könnte, schien ihnen »militärisch illusorisch und politisch gefährlich«. Angemahnt wurden ein wirksamer Luft- und Atomschutz für die Bevölkerung und durchgreifende Reformen im gesamten Erziehungs- und Bildungswesen und auch bei der Sozialversicherung.

Die Kritik biß sich an dem heikelsten Punkt fest: Die acht sagten frisch heraus, die Deutschen sollten in einem Moment, da die westlichen Alliierten für die Freiheit West-Berlins einen Nuklearkrieg riskierten, die Selbstbestimmung aller Deutschen nicht auch noch mit der Forderung nach den Grenzen von 1937 belasten. Die Anerkennung der Oder-Neiße-Grenze könnte die Beziehungen zu Polen verbessern und den Russen die Möglichkeit nehmen, beide Staaten gegeneinander auszuspielen. Hier wurde gedanklich bereits ein Stück der Ostpolitik vorweggenommen, wie sie dann Willy Brandt am Ende des Jahrzehnts eingeleitet hat.

Marion Dönhoff stellte sich mutig auch diesem Punkt. Bis dahin hatte die Ostpreußin immer bezweifelt, ob ihre Generation das Recht habe, auf Gebiete endgültig zu verzichten, die zum Teil über 700 Jahre deutsch gewesen waren, und ob ein solcher Verzicht wirklich glaubhafter sei als der dauernd beteuerte Gewaltverzicht.

In den folgenden Nummern räumte die Politikchefin den Unterzeichnern, die bereits als »Intellektuelle« und »Verräter« geschmäht wurden – jeder erhielt Dutzende von rechtsradikalen Drohbriefen –, viel Platz in der Zeitung ein, damit sie ihr Programm ausführlich begründen konnten. Am Ende meldete sich Richard von Weizsäcker zu Wort, der jüngere Bruder Carl-Friedrichs, der nicht zu den acht gehörte; er plädierte für eine »Außenpolitik der Anpassung«, das heißt auch für diplomatische Beziehungen zu den von Moskau abhängigen Ostblockstaaten. Bislang waren durch die sogenannte Hallstein-Doktrin Beziehungen zu allen Staaten, welche die DDR anerkannten, verwehrt worden.

Ludwig Raiser stellte klar, daß die meisten der Unterzeichner, denen als Autor der ZEIT noch der Bildungsreformer Hartmut von Hentig an die Seite trat, neben persönlicher Freundschaft auch »die Mitarbeit in Ämtern und an Aufgaben im Raume der evangelischen Kirche« verbinde. Fortan zählen fast alle zum festen Mitarbeiterstamm der ZEIT. Ihre Aufsätze geraten meistens viel zu lang, und kann man sie in der Politik nicht unterbringen, werden sie der Themenseite überlassen, deren Redakteur seine liebe Not hat, den Verfassern Kürzungen plausibel zu machen. Da konnte es passieren, daß ein Autor, unbekümmert um die Erfordernisse modernen Zeitungslayouts, einfach verlangte, man möge das Bild auf der Seite weglassen. Natürlich waren die Redakteure stolz, daß so bedeutende Persönlichkeiten die ZEIT zu ihrem Forum erkoren hatten. Aber das stille Seufzen über die »evangelische Mafia«, wie man die acht oder zehn scherzhaft nannte, hörte nie auf.

Der Leitartikel von Marion Dönhoff hatte unbeabsichtigt noch mehr erreicht: eine »tiefgreifende und wohltuende« Wirkung im Leben Carl-Friedrich von Weizsäckers. Er bat die Gräfin, an einem Abend in ihr Haus einen ganz kleinen Kreis einzuladen, mit dem er die Fragen des Memorandums besprechen könne. Es kamen Otto A. Friedrich von den Phönix-Werken, der schon öfter im Wirtschaftsteil der ZEIT geschrieben hatte, die Bankiers Karl Klasen und Alwin Münchmeyer, Innensenator Helmut Schmidt, Professor Karl Schiller und der Reeder Rolf Stödter. Dies war die Geburt jenes »Blankeneser Kreises«, der sich acht Jahre lang etwa sechsmal jährlich bei der Gräfin traf.

»Ich weiß nicht«, schrieb Weizsäcker, »ob es anderswo in Deutschland einen Kreis gab, der so quer durch Politik, Wirtschaft und Wissenschaft, quer durch die politischen Parteien und in persönlichem Vertrauen Sachfragen besprach, heiter weil sachlich, sachlich weil ohne Intrige, ohne Intrige weil in vollem Ernst.« Hier wurde 1965 auch schon einmal eine Große Koalition durchgespielt, wobei bereits damals Helmut Schmidt als natürlicher Kandidat für das Verteidigungsministerium galt. Einige der Teilnehmer wird man später im Kuratorium der ZEIT-Stiftung wiederfinden.

13. Kapitel

Vorreiter der Ostpolitik: »Deutsche an einen Tisch«

Solange die Sowjetunion und ihre Genossen in Ost-Berlin noch hofften, sie könnten die Eingliederung der Bundesrepublik in die westliche Allianz verhindern, skandierten die deutschen Kommunisten unentwegt ihre Parole »Deutsche an einen Tisch«. Als aber die Bundesregierung 1955, mittlerweile im Vollbesitz ihrer Souveränität, praktisch auf eine eigene Ostpolitik verzichtet, weil sie die »sogenannte DDR« nicht anerkennen will und zugleich das Interesse des SED-Regimes an einer Wiedervereinigung erlahmt, da ist es Gräfin Dönhoff, die jene Parole nun umkehrt: »Wir fragen euch, die Behörden der DDR: Seid ihr bereit dazu, oder ist es euch nicht ernst mit der Devise: Deutsche, sprecht mit Deutschen?«

Der Leitartikel, der mit dieser Frage abschließt, erscheint in der letzten Ausgabe des Jahres 1955. Die Vorschläge sind ernst gemeint und ganz konkret: Zeitungsaustausch zwischen hüben und drüben; Austausch auch »Film um Film, Buch um Buch«; Einladung an DDR-Journalisten, mit ihnen zu debattieren; Öffnung der Grenze für eine Woche, damit sich die Deutschen aus Ost und West einmal wieder begegnen und auf beiden Seiten den Wiederaufbau und die neuen Errungenschaften besichtigen können.

Von 1956 an wird die ZEIT nicht müde, den Politikern in Bonn die Veränderungen in Osteuropa aufzuzählen, auf die Adenauers Regierung mit einer neuen Politik reagieren müßte: den XX. Parteitag in Moskau, auf dem Chruschtschow in der Sowjetunion und im übrigen Ostblock die Entstalinisierung einläutet; die Wandlungen in Polen, der Tschechoslowakei und in Jugoslawien, von denen sich Marion Dönhoff selber ein Bild gemacht hat. Sie plädiert dafür, die Pläne des polnischen Außenministers Rapacki für eine atomwaffenfreie Zone in Mitteleuropa aufzugreifen.

Doch während Bonn weiterhin ostpolitisch unbeweglich blieb, ging die DDR 1959 tatsächlich auf einen der Vorschläge ein. Karl-Eduard von Schnitzler, der Chefkommentator des Deutschlandsenders, kam mit drei Redakteuren des Staatsrundfunks der DDR zu einer öffentlichen Diskussion nach Hamburg. Die Teilnehmer auf westdeutscher Seite waren Gräfin Dönhoff und Hans Gresmann von der ZEIT, Rudolf Augstein und Hans Schmelz vom »Spiegel«. Dieses »Deutsche Gespräch«, der erste gesamtdeutsche Dialog seit 1949 überhaupt, wurde am 5. Mai 1959 vom Deutschlandsender und vom NWDR übertragen. Augstein erinnerte sich dreißig Jahre danach: »Sehr Kluges haben wir dabei nicht gesagt, wohl aber sehr Richtiges. Karl-Eduard von Schnitzler war am Ende doch ein wenig geplättet.«

Berührungsängste hatten die westdeutschen Teilnehmer jedenfalls nicht. Sie teilten auch nicht das Vorurteil mancher Kollegen, sie könnten in einer Diskussion der marxistisch-leninistischen Dialektik nicht gewachsen sein. Unbefangen nannte Gräfin Dönhoff den zweiten deutschen Staat bei seinem Namen DDR. Sie hat ihren Redakteuren weder die amtliche Sprachregelung (»sogenannte DDR«) noch Axel Springers Gänsefüßchen (»DDR«) vorgeschrieben. In der Probenummer von »Moment« purzeln die Bezeichnungen nur so durcheinander: Sowjetzone, Mitteldeutschland, SBZ, Pankow, DDR.

Bis zum Herbst 1966, als die Große Koalition in Bonn endlich die Ostpolitik entdeckte, war die ZEIT keineswegs deren einziger Vorreiter. »stern« und »Spiegel« taten das Ihrige, und auch die »Frankfurter Rundschau«, die »Süddeutsche Zeitung« und der »Kölner Stadt-Anzeiger« trieben den Gedanken voran. Doch die ZEIT ist es, die durch spektakuläre Unternehmungen von sich reden macht.

Die erste, das PEN-Forum in Hamburg, ergab sich eher zufällig. Das Deutsche PEN-Zentrum Ost-West mit Sitz in Ost-Berlin – das war der Rest des Clubs, nachdem sich die Mehrzahl der westdeutschen Schriftsteller 1951 abgespalten und ein eigenes PEN-Zentrum Bundesrepublik gegründet hatte – wollte Anfang Dezember 1960 in Hamburg seine Generalversammlung abhalten. Auch westdeutsche Schriftsteller und Journalisten waren eingeladen. Auf Plakaten wurden drei Veranstaltungen angekündigt: eine über »Tolstoj«, eine über den »PEN-Club in unserer Zeit« und eine Autoren-Lesung. Die Erwartungen waren groß: Die geistige Elite der DDR, darunter angesehene Schriftsteller aus der Weimarer Zeit und jüngere Autoren, stellten sich zum erstenmal einer Auseinandersetzung mit westlichen Literaten.

Als die Gruppe schon in Hamburg eingetroffen war – begleitet von Wilhelm Girnus, dem Staatssekretär für das Hochschulwesen in der DDR –, schritt plötzlich der Polizeisenator ein – hinter den Kulissen.

Ein paar Telephongespräche, und schon standen die Hörsäle in der Uni nicht mehr zur Verfügung, sperrte der Künstlerklub »Die Insel« seine Räume. Eine Pressekonferenz der Gruppe im Hotel wurde polizeilich verboten. Und als ein westliches Mitglied des PEN-Zentrums die östlichen Teilnehmer bat, als seine persönlichen Gäste im Hotel zu bleiben, wurden alle zusammen, Ost- wie Westgäste, vom Geschäftsführer des Hotels vor die Tür gesetzt. Ein handfester Skandal also und eine Blamage für den vielgerühmten hanseatischen Geist der Freiheit.

Der junge ZEIT-Redakteur Dieter E. Zimmer, der im Feuilleton die Literatur betreute, erfuhr durch einen Anruf von dem Geschehen und suchte die Gruppe in Alsterdorf auf. Dort lernte er den Schriftsteller Stephan Hermlin kennen, der in Berlin-Steglitz dasselbe Gymnasium besucht hatte wie er. Zimmers Bericht brachte die Große Konferenz der ZEIT in Wallung. Sollte man nicht die abgewiesenen PEN-Mitglieder auf Kosten der ZEIT noch einmal nach Hamburg einladen? Feuilleton-Chef Rudolf Walter Leonhardt rief umgehend Verleger Gerd Bucerius an und fragte, ob der Verlag dafür eine bestimmte Summe hinblättern könne. Bucerius gab ihm sogleich die Vollmacht, alles in die Wege zu leiten. Das ganze Gespräch hatte keine vierzig Sekunden gedauert.

Noch vor Weihnachten wurden auch die Leser der ZEIT ins Bild gesetzt. Der von der Redaktion gezeichnete Artikel (»Die roten Dichter und Hamburgs Polizei«) schloß mit der Ankündigung: »Sollte die Universität ihre Hörsäle versagen, so stehen die Redaktionsräume der ZEIT dafür zur Verfügung.« Welcher Rektor hätte da noch ein zweites Mal nein sagen können? In einem Interview mit den Sendern Rias und NWDR forderte Gerd Bucerius den Osten heraus: »Wir wollen ein Streitgespräch – wir wollen uns offen mit den Gästen aus der Zone auseinandersetzen, um wieder einmal die Überlegenheit unserer Auffassung des Lebens zu beweisen.« Auf die Frage, ob nicht solche Gespräche wie jüngst mit Karl-Eduard von Schnitzler sinn- und folgenlos seien, kam die stolze Antwort des Verlegers: »Ich lehne es ab, mich hinter eine Maginotlinie des Geistes zurückzuziehen.«

Durch dieses Interview fühlte sich der Intendant des Deutschlandsenders (DDR), Kurt Ehrich, bemüßigt, mit offenen Briefen an Bucerius einen zweiten Ost-West-Dialog zu eröffnen. Die Korrespondenz wurde Anfang Februar 1961 auf zwei Seiten der ZEIT dokumentiert, mit der zutreffenden Überschrift: »Von der östlichen Kunst, westliche Argumente zu verdrehen oder zu verschweigen«. Zum Beispiel hatte das SED-Zentralorgan »Neues Deutschland« aus einem Artikel des »stern«-Chefredakteurs Henri Nannen zitiert, worin er die Bundesregierung angegriffen hatte wegen der »verdammten deutschen Neigung zu verbieten, zu bestrafen und möglichst alles unter die Kontrolle der Obrigkeit zu bringen«. Aus der »deutschen« Neigung war im SED-Blatt eine »(west)deutsche« geworden. Bucerius rügte dies als »schäbige Fälschung«.

Der Deutschlandsender wollte sich an das PEN-Forum anhängen und seine Mikrophone für ein deutsch-deutsches Streitgespräch zur Verfügung stellen, »natürlich nicht für unverbindliches Verbrüderungsgeschwätz«, wie der Intendant gleich vorbeugte. Daraufhin machte Bucerius der DDR-Seite ein präzises Angebot für den Austausch von Zeitungsartikeln. Die ZEIT würde Herrn von Schnitzler eine wöchentliche Kolumne einräumen, wenn sie dafür eine entsprechende Spalte in einer »zonalen« Zeitung bekäme (Bucerius, noch Bundestagsabgeordneter der CDU, hielt sich an den Bonner Sprachgebrauch und sagte statt DDR »Zone«). Auch müsse gesichert sein, daß der ZEIT-Artikel wirklich abgedruckt würde »und nicht etwa irgendwo ›ausgehängt‹ oder verfälscht wird, weil der Inhalt Ihnen nicht paßt«.

Da Ost-Berlin dieses Angebot ignorierte, erklärte sich Bucerius mit einer einmaligen Rundfunkdiskussion einverstanden, obwohl diese im Vergleich zur Wirkung eines Zeitungsartikels »fast wertlos« sei. Inzwischen hatte »Neues Deutschland« behauptet, Bucerius wolle sich drücken. Schon am nächsten Tag stellte der ZEIT-Verleger gegen die verantwortlichen Redakteure des SED-Zentralorgans und der Nachrichtenagentur »ADN« Strafantrag wegen übler Nachrede.

Ungeachtet dieses Zwischenspiels bereitete das ZEIT-Feuilleton das PEN-Forum vor. Die westdeutschen Diskutanten wurden sorgfältig ausgewählt, damit sie sich im Streit mit den Kommunisten auch als ebenbürtig erwiesen. Zwei Abende lang haben dann Anfang April 1961 Schriftsteller aus Ost und West im Auditorium maximum der Hamburger Universität diskutiert. Hörsäle hätten wegen des Publikumsandrangs nicht gereicht. Gastgeber Bucerius nahm in seiner Vorrede dem Experiment die politische Brisanz, indem er im Namen der ZEIT untertreibend erklärte, man werde weder kommunistische Propaganda machen, noch wolle man durch Diskussionen die Wiedervereinigung erreichen: »Wir waren nämlich im Grunde nichts anderes als neugierig.«

Die Besetzung dieses Ost-West-Stücks war auf beiden Seiten erstklassig. Die DDR hatte den PEN-Präsidenten Arnold Zweig, den Literaturprofessor Hans Mayer, den Schriftsteller Stephan Hermlin, den Dramatiker Peter Hacks und den Leiter des Malikverlages, Wieland Herzfelde, aufgeboten. Die ZEIT präsentierte die Schriftsteller Siegfried Lenz, Martin Beheim-Schwarzbach, Martin Walser, Hans Magnus Enzensberger und – auch damals schon in seinem Unterhaltungswert unüberbietbar – den Literaturkritiker Marcel Reich-Ranicki, der erst vor kurzem von Polen in die Bundesrepublik übergesiedelt war. Im nachhinein wirkt es kurios, daß Reich-Ranicki und der Leipziger Professor Mayer an verschiedenen Fronten stritten. Es wird nur noch wenige Jahre dauern, bis Hans Mayer ebenfalls im Westen ankommt – wo sich die beiden freundschaftlich über Literatur weiterstreiten.

Von Anfang an steuerte Reich-Ranicki im PEN-Forum auf die kritischen Punkte los: Warum wurden einige der bedeutendsten Schriftsteller des Jahrhunderts in der DDR nicht verlegt? Warum wurde die große sowjetische Literatur aus den zwanziger Jahren und die Literatur des polnischen »Tauwetters« unterdrückt? Und was hatten die Freunde vom PEN-Club getan, um die Freilassung inhaftierter Schriftsteller der DDR zu erreichen? Er nannte auch Namen: Wolfgang Harich und Erich Loest.

Am Ende des Streits über die gesellschaftliche Funktion des Schriftstellers, vor einem »wunderbaren Publikum«, waren sich die Literaten tatsächlich etwas nähergekommen. Sie hatten manches übereinander erfahren. Hans Mayer sprach von seiner Absicht, nun auch Lenz, Walser und Enzensberger zu einer ähnlichen Diskussion in die Leipziger Universität einzuladen. Robert Neumann, Vizepräsident des Internationalen PEN-Clubs, freute sich darüber, daß »die Freunde aus der DDR« keineswegs einer Meinung gewesen seien. Und er sagte noch eins: Er wisse, daß sie nach diesem Gespräch für die Inhaftierten Harich und Loest intervenieren würden.

Auf zweimal vier Seiten hat die ZEIT Auszüge aus den Tonbandprotokollen abgedruckt – im politischen Teil, obschon der Ruhm dem Feuilleton gebührte. Natürlich war das Forum aktuelle Politik, die in der ZEIT von Anfang an nie auf ein Ressort beschränkt gewesen ist.

Vierzehn Tage später wurden die Leser schon wieder mit vier Seiten Protokoll überrascht – diesmal waren Gerd Bucerius, Marion Dönhoff und Theo Sommer nach Adlershof in Ost-Berlin zum Deutschlandsender gereist, um dort mit dem ehemaligen Propagandachef der DDR, Gerhart Eisler, Chefkommentator von Schnitzler und Intendant Kurt Ehrich zu diskutieren. Thema: »Wege und Möglichkeiten der Wiedervereinigung«.

Vor allem Eisler, dessen Wortschwall kaum zu bändigen war, hatte es darauf abgesehen, die Bundesrepublik als direkte Nachfolgerin des nationalsozialistischen Staates zu entlarven. Wiedervereinigung war für ihn gar kein Thema, es sei denn als Anschluß an die DDR. In hundert Jahren werde die DDR von niemandem zurückgerollt werden. Anders als in Hamburg ging es diesmal am Podiumstisch turbulent zu.

Gräfin Dönhoff schrieb hernach, man habe sich auf das Streitgespräch – es wurde, versehen mit giftigem Kommentar, vom Deutschlandsender ausgestrahlt – eingelassen, »weil wir den Zonenbewohnern das Vergnügen nicht vorenthalten wollten, in ihrem Rundfunk einmal Widerspruch gegen ihre Funktionäre hören zu können und eine andere Meinung als jene, die dort tagaus, tagein vertreten wird«. Ihr selber war es gelungen, einen Satz loszuwerden, der vielen Hörern in der DDR gefallen hat: »Ein Staat, der seine Bürger mit Maschinengewehren auf Wachtürmen zurückhalten muß, in dem kann doch gar keine Freiheit sein.«

Vier Monate später wurde in Berlin die Mauer hochgezogen, um dem Volk der DDR auch noch das letzte Schlupfloch in den Westen zu verstopfen. An jenem 13. August 1961, einem Sonntag, lief im Fernsehen noch Werner Höfers »Frühschoppen«, als bei Theo Sommer das Telephon klingelte. Am anderen Ende Gräfin Dönhoff: »Um halb drei geht die Maschine nach Berlin. Wollen wir nicht hin?« Am späten Nachmittag gelangten die beiden mit einem geliehenen alten »Käfer« noch in den Ostsektor Berlins. Zu Fuß gingen sie durch das Menschengewimmel, an Panzern vorbei, zwischen Volkspolizisten und Pionieren hindurch, die an der Sektorengrenze Stacheldraht spannten. Etwas von der damaligen Stimmung, einem Gemisch aus Wut und Trauer, floß in Marion Dönhoffs Leitartikel ein. Eine Nation habe am Bildschirm zuschauen können, wie für einen Teil der Bevölkerung das Kreuz zurechtgezimmert wurde. Sie möchte irgend etwas tun, helfen, wünscht sich Demonstrationen der Bevölkerung, Unterschriftensammlungen in der Arbeiterschaft, das Ende des Bundestagswahlkampfes, einen Appell an die Vereinten Nationen.

»Wir sind dem Abgrund ein gut Stück näher gerückt« – das war ein Gefühl des ersten Augenblicks. Es stimmte zwar nicht für Berlin – dort hatte Chruschtschow ja die vom amerikanischen Präsidenten

Kennedy garantierte »Friedensgrenze am Potsdamer Platz« respektiert. Aber es traf schon bald auf die Weltpolitik zu. Heimlich begann Chruschtschow mit dem Raketenpoker in Kuba; es drohte ein Krisen-Junktim mit Berlin.

Am 26. Oktober 1962 bringt die ZEIT zum ersten Mal anstelle eines Leitartikels ein Editorial, abgehoben von den übrigen Texten durch größeren Zeilenabstand. »Dies ist nicht der Augenblick, sich etwas vorzumachen. Seit Montag ist der Krieg in Sicht« – die Kubakrise ist ausgebrochen. Man muß auch für Berlin ein kriegerisches Echo befürchten. »Der Frieden kann das Opfer der Standhaftigkeit werden.«

Es geht gut aus, und nach vierzehn Tagen sagt Theo Sommer hellsichtig voraus, wie die Weltpolitik fortan aussehen wird: Beide Supermächte sind »Zur Koexistenz verdammt«. Auf Deutschland bezogen heißt das, eigene Gedanken für Verhandlungen entwickeln, um aus dem Status quo herauszukommen.

Im nächsten Jahr wird Egon Bahr, Pressesprecher des Berliner Regierenden Bürgermeisters Willy Brandt, in der Evangelischen Akademie Tutzing sein Konzept des »Wandels durch Annäherung« vortragen. Es ist der Ausweg, den auch die ZEIT für den besten hält. Im Juli 1963 holt Gräfin Dönhoff ihren alten Vorschlag wieder hervor, Ost und West sollten Nichtangriffsdeklarationen austauschen, um den kommunistischen Regimen ihre Sorgen zu nehmen. Damit hat sie bereits das Kernstück der Ostpolitik benannt, die Willy Brandt 1969 mit seiner Politik des gegenseitigen Gewaltverzichts umsetzen wird. Sehr begrüßt wurde von der ZEIT-Redaktion das erste Berliner Passierscheinabkommen zu Weihnachten 1963. Die Redaktion setzte zum Jahresende statt der vertrauten Flora-Karikatur ein großes Photo auf die erste Seite; es zeigte, wie DDR-Pioniere für die Verwandtenbesuche in Ost-Berlin einen Durchgang öffneten: »Die erste Bresche in der Mauer«. Nicht alle freilich begrüßten diesen partiellen Durchbruch. Konservative CDU-Leute sahen darin bloß einen schlimmen Sündenfall: Da wurde doch tatsächlich mit der DDR verhandelt! An solcher Engstirnigkeit wurde bald eine zweite Passierscheinregelung zuschanden. Franz Amrehn, der stellvertretende Regierende Bürgermeister Berlins, gab die Parole aus, man müsse »die Wunde bluten lassen« – keine Kontakte also!

Vor diesem Hintergrund wird überhaupt erst begreifbar, welch ungewöhnlicher Schritt es war, als die ZEIT es wagte, eine Redaktionsgruppe zu einem offiziellen Besuch in die DDR zu entsenden.

Kontakte mit dem Unrechtsregime galten kompromißlosen Antikommunisten als Verrat am Vaterland und an der Wiedervereinigung. Die Einladung war eine späte Frucht der Streitgespräche im Frühjahr 1961. Damals hatte Bucerius erklärt, der journalistische Beruf lege es nahe, »uns auch mal selber nach drüben zu begeben und nach den Gründen und der Entwicklung jenes Systems zu forschen«.

Eines Tages kreuzten in der Redaktion zwei umtriebige, nette, junge Herren aus Ost-Berlin auf. Sie sollten die Reise vorbereiten, zu der Gräfin Dönhoff, Theo Sommer und Feuilletonchef Rudolf Walter Leonhardt – er war seinerzeit beim PEN-Forum einer der Gesprächsleiter gewesen – von der DDR-Regierung eingeladen worden waren. Die Gäste hielten sich eine ganze Woche im Pressehaus auf, gingen von Tür zu Tür, um sich mit den ZEIT-Redakteuren zu unterhalten. Der Verdacht, es könnten Abgesandte der Stasi sein, störte niemanden. »Wir sind liberal, wir haben nichts zu verbergen«, so die Meinung der Politikredakteure.

Was niemand ahnte: Einer der Herren, der Dozent und Journalist Dr. Kurt Ottersberg, wird zuvor die Reiseroute testen. In die Rolle der Gräfin Dönhoff schlüpft Klaus Rainer Röhl, Herausgeber der Hamburger Studentenzeitschrift »konkret«, die damals noch von der SED unterstützt wurde. Röhl machte einen Reisebericht für »konkret«; er gab Ottersberg Ratschläge, wie man die Reise für die ZEIT noch attraktiver machen oder wo man lieber einiges aus dem Programm streichen sollte. Niemandem in der ZEIT ist es aufgefallen, daß Röhl »den gleichen kollektivierten Kälberstall, den gleichen Kindergarten, die gleiche LPG-Vorsitzende mit Herz und Bildung und Sitz im Zentralkomitee, die gleiche Hafenbrigade, die gleiche neu aus dem Boden gestampfte Stadt« schon in seinem Blatt beschrieb, als die Delegation der ZEIT diese Stätten gerade erst besuchte.

Vierzehn Tage lang führten der Funktionär Ottersberg und sein Genosse die drei von der ZEIT im März 1964 durch die DDR. Die beiden Begleiter ertrugen mit Engelsgeduld die frivole Ironie, in die sich die ZEIT-Redakteure flüchteten, wenn es ihnen des Parteijargons zuviel wurde. Für seine Leistung wurde Ottersberg hinterher mit einem Posten beim Rundfunk belohnt. Wie fürsorglich er seine Gäste auch betreute, die Bewegungsfreiheit der Westdeutschen war eingeengter als bei Reisen durch Polen und Jugoslawien, was Gräfin Dönhoff nach ihren früheren Reisen bestätigen konnte. Die vorgesehene Reiseroute durfte nicht verlassen werden; dennoch gelang den ZEIT-

Leuten, die wohlweislich einen eigenen Wagen mitgenommen hatten, der eine oder andere unbeaufsichtigte Abstecher.

Am aufreibendsten war die Reise für Feuilletonchef Leonhardt – gab es doch für ihn ein schmerzliches Wiedersehen mit der mitteldeutschen Heimat. Manches hatte sich zum Nachteil verändert, aber erhalten hatte sich, im Gegensatz zur Bundesrepublik, viel Anheimelndes aus dem alten Deutschland. Hier spielten Kinder noch Kreisel, hier beschatteten Bäume noch schmale Alleen, und Autos waren Mangelware.

Trotz ihrer Unterschiedlichkeit kamen die drei am Ende zu ähnlichen Antworten. Die Welt der »Brüder und Schwestern«, also der geschätzten achtzig Prozent der Bevölkerung, die weder aktiv für noch aktiv gegen das Regime waren, ließ sich nicht so säuberlich von der Welt der Funktionäre trennen, »als daß man die eine bekämpfen könnte, ohne die andere in Mitleidenschaft zu ziehen«. Wirtschaftlich schien sich die Lage zu bessern, die Leute paßten sich an. Ihren Mißmut zeigten einige Funktionäre erst, wenn die zweite Flasche kreiste.

Allüberall waren die Besucher auf den Wunsch nach noch mehr Beziehungen zum Westen gestoßen. Und so lautete dann der Ratschlag der ZEIT an Bonn: Man solle zwar die DDR nicht anerkennen, wohl aber noch mehr Bindungen und Verbindungen schaffen, durch Kontakte, Zeitungsaustausch, Kredite, Passierscheine, Reisen. Und immer wieder Diskussionen. Theo Sommer vertraute auf den Geist des Zweifels und die Gesetze des Marktes, die mit der Zeit die Verhältnisse in der DDR auflockern würden: »Wir sitzen am längeren Hebel.« Ihrer Serie gab die ZEIT den so schönen wie erschreckenden Titel »Reise in ein fernes Land« (er wurde rasch zum geflügelten Wort, das gleichnamige Buch zum Bestseller). Es spiegelte sich darin der hohe Grad an Entfremdung, den zwanzig Jahre Teilung seit dem Kriege bewirkt hatten.

Es kennzeichnet den Geist der Toleranz in der Redaktion, daß einige Monate danach auf der Themenseite eine Reportage erschien, die einige Schlußfolgerungen der drei Reisenden in Frage stellte. Denn hier hatte einer nicht mit linientreuen (und überwachten!) Funktionären gesprochen, sondern mit alten Freunden, die vor dem Besucher aus dem Westen ihre Maske abgelegt hatten, die sie ansonsten trugen. Was den drei ZEIT-Redakteuren als hoffnungsvoller Beginn einer allmählichen Stabilisierung der DDR vorgekommen war, die Neue Ökonomische Politik, wurde hier in ihrer alltäglichen Erbärmlichkeit entlarvt: »Organisieren« als Überlebensprinzip wie in Schwarz- und Graumarktzeiten; Erschleichen von Dienstleistungen und Gütern; Betrügereien und Bestechungen; aufgeblasene Bürokratie; unregelmäßige Versorgung; bittere Wohnungsnot; völlige Überlastung der Menschen durch Arbeitsverpflichtungen, Abendstudium, Nebenerwerb und Parteiversammlungen. Man hatte sich daran gewöhnt: »Fünfzehn Jahre DDR sind fünfzehnmal 1949.«

Die Schilderung wirkte um so glaubwürdiger, als die zitierten DDR-Bürger der staatlich geförderten neuen »Intelligenz«-Klasse angehörten. Von dem Autor des Berichtes, Kaspar Lentow, hatte noch nie jemand etwas gehört – es war ein Pseudonym, hinter dem sich Manfred Sack, ein junger Redakteur aus dem Modernen Leben, versteckt hatte, um seine Freunde in der DDR vor Stasi-Nachfragen zu bewahren. Alle Namen, selbst der Ort (»eine kleine Stadt an der Saale«) waren verschlüsselt.

Die ZEIT blieb ihrem Kurs treu. Theo Sommer machte die Deutschlandpolitik zum großen Thema und lud inländische und ausländische Autoren ein, darunter Kissinger und Brzezinski, ihre Gedanken dazu in der Wochenzeitung auszubreiten (»Denken an Deutschland«). Die Bonner Politiker wurden vehement attackiert, als sie ein zweites Passierscheinabkommen in Berlin verhinderten. Als eine Besuchergruppe aus der DDR, die zu einem Jugendtreffen in Oberhausen eingeladen worden war, von der Polizei eingesperrt und dann abgeschoben wurde, widmete Sommer dem Skandal einen Leitartikel mit unmißverständlicher Schlagzeile: »Mehr Angst als Vaterlandsliebe«. Und für Bundeskanzler Kiesinger, der immerhin schon Briefe an Ost-Berlin richtete, dennoch aber der Realität DDR nur den vernebelnden Namen »Phänomen« zubilligte, hatte Theo Sommer nur noch beißenden Spott übrig: »Phänomenal!«

In einem Punkte machte sich die ZEIT-Redaktion nichts vor: Auf unabsehbar lange Zeit hieß es vom schönen Traum einer Wiedervereinigung Abschied nehmen. Noch zum zehnten Jubiläum der ZEIT hatte der Verleger Axel Springer dem Blatt gewünscht, daß die Auflage im nächsten Dezennium »unaufhörlich wachsen möge« (damit sollte er recht behalten), »vor allem östlich der dann längst nicht mehr existierenden Zonengrenze, ganz zu schweigen von Großberlin« (das war eine Illusion). Springer wird aber trotz der Mauer von seinem Traum nicht lassen. Als er irgendwann in den ersten Jahren nach dem 13. August 1961 ZEIT-Chefredakteur Müller-Marein mit messianischer Gewißheit anvertraute, die Wiedervereinigung werde ganz sicher im nächsten Jahr kommen, wäre Müller-Marein, wie er oft erzählte, beinahe vor Lachen vom Hocker gefallen.

Selbst Paul Sethe, der leidenschaftliche Kämpfer für die Wiedervereinigung – er war nach einem Abstecher bei der »Welt« inzwischen bei der ZEIT angelangt – hatte nicht mehr als »einen Funken vager Hoffnung«. Anfang 1966 rezensierte er (im Leitartikel!) den DDR-Film »Der geteilte Himmel« nach dem Buch von Christa Wolf: »Für einen Augenblick taucht ein Wort auf, das man in diesem Film nicht zu hören erwartet hatte: ›Deutschland‹ ... Man kann es nicht vergessen. Die da drüben haben es auch nicht vergessen. Gewiß, nur ein Gefühl, auch das nur in Ansätzen, kein politischer Wille für Gesamtdeutschland ist zu spüren. Aber auch Gefühle können eines Tages wirksam werden.«

Viel später, als die sozialliberalen Regierungen das feindliche Verhältnis der beiden deutschen Staaten in ein geregeltes Miteinander umgewandelt hatten, wird Willy Brandt zu Gräfin Dönhoff sagen: »Sie und die ZEIT haben das Volk auf unsere Ostpolitik vorbereitet.« Das Engagement der Gräfin »für eine Politik der Versöhnung« und »für eine Verständigung zwischen allen Nationen in West und Ost« und »ihre Lebensarbeit für die Idee eines Zusammenlebens der Völker ohne Gewalt« wurden am 17. Oktober 1971 mit dem Friedenspreis des Deutschen Buchhandels gewürdigt. Das große öffentliche Aufsehen und die Berichte über den feierlichen Akt in der Paulskirche mehrten das Prestige der ZEIT: ihr wurden auf diese Weise viele neue Leser zugeführt.

Gerd Bucerius und der Tübinger Politikprofessor Theodor Eschenburg an der Brüstung im sechsten Stock des Pressehauses in den sechziger Jahren.

Eschenburg hat schon seit Mai 1956 viele kritische Betrachtungen zur politischen Praxis der Bundesrepublik in der ZEIT veröffentlicht.

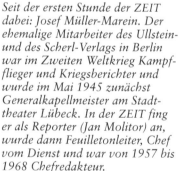

Seit der ersten Stunde der ZEIT dabei: Josef Müller-Marein. Der ehemalige Mitarbeiter des Ullstein- und des Scherl-Verlags in Berlin war im Zweiten Weltkrieg Kampfflieger und Kriegsberichter und wurde im Mai 1945 zunächst Generalkapellmeister am Stadttheater Lübeck. In der ZEIT fing er als Reporter (Jan Molitor) an, wurde dann Feuilletonleiter, Chef vom Dienst und war von 1957 bis 1968 Chefredakteur.

Auch Marion Gräfin Dönhoff gehörte von Anfang an zur ZEIT-Redaktion. Die promovierte Volkswirtin, die im Krieg die ostpreußischen Familiengüter verwaltet hatte, floh im Frühjahr 1945 zu Pferde vor den Russen in den Westen.
1950 wurde sie Politikchefin, 1957 außerdem Stellvertreterin des Chefredakteurs, 1968 Chefredakteurin, 1973 Herausgeberin.

»Die Buben der Gräfin«: Theo Sommer und (im Vordergrund) Hans Gresmann. Sie haben seit Ende der fünfziger Jahre unter Marion Dönhoff maßgeblich den politischen Teil der ZEIT gestaltet. Beide wurden 1968 ihre Stellvertreter: Sommer in der Chefredaktion, Gresmann im politischen Ressort.

Rudolf Walter Leonhardt, von 1958 bis 1973 Feuilletonchef der ZEIT. Nach dem Studium hatte er in London als Journalist für britische Zeitungen und für die BBC gearbeitet, schließlich auch als Korrespondent der ZEIT. Er machte aus dem Feuilleton ein Forum der neuen deutschen Literatur. Von 1973 bis 1985 war Leonhardt stellvertretender Chefredakteur.

Der Hamburger Senat wollte Ende 1960 dem PEN-Zentrum keine Ostberliner Räume überlassen. *Darauf organisierte DIE ZEIT im April 1961 ein Treffen von Schriftstellern aus Ost und West.* *Gastgeber Gerd Bucerius (rechts), in der Mitte der Ost-PEN-Präsident Arnold Zweig.*

ZEIT-Teilhaber Gerd Bucerius (zweiter von links) wurde 1949 als hamburgischer Abgeordneter für die CDU in den ersten Deutschen Bundestag gewählt. Als kritischer Gefolgsmann Konrad Adenauers hat er dessen Politik bis in die sechziger Jahre engagiert verfochten. *Während einer außenpolitischen Debatte: Gerd Bucerius im Gespräch mit (v.l.) Kurt Georg Kiesinger, Außenminister Heinrich von Brentano, Ludwig Erhard und Konrad Adenauer.*

Theo Sommer: Lyndon B. Johnson – der Nachfolger (Seite 3)

DAS DEUTSCHE WELTBLATT

DIE ZEIT

GEDRUCKT IN HAMBURG BUENOS AIRES TORONTO

WOCHENZEITUNG FÜR POLITIK · WIRTSCHAFT · HANDEL UND KULTUR

Nr. 48 / 18. Jahrgang · C 7451 C · Hamburg, den 29. November 1963 · Preis 70 Pfennig

Was wird bleiben?

John F. Kennedys Politik für die Welt von morgen / Von Marion Gräfin Dönhoff

Kennedys Konzept

Johnsons schweres Spiel

Ist alles Zufall?

Washington, am 25. November 1963

Kanzler und General

Pariser Treffen: Kein Konflikt, kein Einverständnis

Diese Woche in der ZEIT

Der geschichtlichen Wirkung des ermordeten amerikanischen Präsidenten John F. Kennedy galt Marion Dönhoffs »Leiter« im November 1963.

Auf Einladung des Feuilletons der ZEIT besuchte Graham Greene nach dem Mauerbau Berlin. Hier in Begleitung des Feuilletonchefs Rudolf Walter Leonhardt, der ihn vergeblich immer wieder für den Nobelpreis vorgeschlagen hat.

14. Kapitel

Leos Feuilleton: Das intellektuelle Forum der Republik

Ruhm und Größe verdankt die ZEIT in den sechziger Jahren vor allem dem Feuilleton. Unter seinem neuen Chef, Rudolf Walter Leonhardt – halb respektvoll, halb vertraut nur »Leo« genannt, wie er seine Glossen zeichnete – wurde dieses Ressort für einige Jahre zum intellektuellen Forum der Bundesrepublik. Zwei großartige Errungenschaften der ZEIT verbinden sich mit seinem Namen: Er hat der jungen deutschen Nachkriegsliteratur einen Freiraum verschafft, die ZEIT war ihr Freund, Partner und Verteidiger. Und er hat die Bildungspolitik erfunden, lange bevor sich die Regierungen ihrer annahmen, und zu einem integralen Bestandteil des Blattes gemacht.

Neben Gräfin Dönhoff ist Leonhardt in jenen Jahren die beherrschende Figur der ZEIT. Die beiden trafen sich 1954 zum erstenmal in London. Sie hatte sich ins englische »Exil« begeben, Leonhardt – sie hielt ihn zunächst für einen Engländer – arbeitete beim BBC und für etliche Zeitungen der Fleet Street; zeitweilig schrieb er sogar Fußballreportagen.

Rudolf Walter Leonhardt wurde in Thüringen geboren und ging in Sachsen zur Schule, also im Herzen Deutschlands, doch galten seine Neigungen der westlichen Kultur, denn er hatte eine französische Mutter aus Lothringen und eine englische Großmutter. Von Hause aus gefeit gegen die Versuchungen des Nationalsozialismus, wollte er 1938 an der Sorbonne in Paris studieren. Er wurde abgelehnt, weil er noch nicht seiner Wehrpflicht genügt hatte. Im Zweiten Weltkrieg war er bei der Luftwaffe. Versessen auf die Fliegerei, schaffte er es trotz einer Augenschwäche, seinen Pilotenschein zu erwerben. Zwischendurch steckte man den Jagdflieger in eine Luftwaffenfelddivision. Nach schweren Verwundungen konnte er als Genesender noch im Krieg an der Universität Leipzig zweieinhalb Semester Medizin studieren.

Nach dem Krieg schwenkte er an der Bonner Universität zur Philologie um (neuere deutsche Literatur, Altgermanistik, Anglistik und –

bei Ernst Robert Curtius – Romanistik). Im Herbst 1948 ging er als Lehrer für deutsche Sprache und moderne deutsche Literatur an die Universität Cambridge. Nach sieben Jahren kehrte er aus England zurück (mittlerweile hatte er in Bonn promoviert und sein Staatsexamen abgelegt).

Als er bei der ZEIT ins politische Ressort eintreten wollte, für das er schon öfter aus London berichtet hatte, war keine Stelle frei. »Da hätten Sie schon adelig sein müssen«, scherzte später Müller-Marein, denn 1955 gehörten zur Politik neben Gräfin Dönhoff noch die Herren von Uexküll und von Zühlsdorff. Daraufhin verdingte sich Leonhardt beim Institut für Demoskopie in Allensbach am Bodensee. Dort erreicht ihn nach einem halben Jahr ein Brief der Gräfin Dönhoff: Es sei alles nur ein Mißverständnis gewesen, und er möge doch zur ZEIT kommen. So wurde er im Herbst 1955 doch noch politischer Redakteur. Seinen Einstand gab er mit einem Porträt seines Lehrers, des britischen Philosophen Bertrand Russell. Nach dessen Tod im Jahre 1970 wird er ihm einen anderthalb Seiten langen Nachruf widmen. Das Lebensprinzip Russells – »Zu denken, was man fühlt, und zu tun, was man denkt« – könnte auch über »Leos« Jahren bei der ZEIT stehen.

Im Februar 1957 – Paul Hühnerfeld hatte gekündigt – kam Müller-Marein zu Leonhardt: »Leo, Sie haben doch mal Literatur studiert, da können Sie ja auch das Feuilleton machen.« Erst einmal für zwei Wochen – daraus wurden dann siebzehn Jahre.

Zunächst war das Ressort ein Einmannbetrieb. Große Hilfe ward »Leo« im Sommer 1957 zuteil, als ein erfahrener älterer Kollege in die ZEIT eintrat: der Deutschbalte René Drommert. Ihm ging der Ruf voraus, der beste Theaterkritiker Hamburgs zu sein. Jüngere Kollegen bewunderten ihn wegen seiner klassischen Bildung. Er kam aus einem musischen gutbürgerlichen Haus in Riga, wo er dreisprachig aufwuchs (deutsch, russisch, lettisch), außerdem sprach er fließend französisch und lernte auch italienisch dazu. Von seinen Russischkenntnissen wird die ZEIT noch Jahrzehnte profitieren. Kurz nach dem Ersten Weltkrieg mit der Familie aus dem Baltikum geflohen, wollte der junge Drommert zunächst Maler werden. Er studierte an der Hamburger Kunsthochschule, entschied sich dann aber für Romanistik und Kunstgeschichte. Im kulturwissenschaftlichen Institut von Aby Warburg durfte er eine kleine Bibliothek betreuen.

Als die Nationalsozialisten an die Macht kamen, hat sich Drommert sehr ehrenhaft verhalten. In einem Brief an den Hochschulsenator trat er für seinen Doktorvater Professor Walter Küchler ein, dessen Vorlesungen von SA und Hitlerjugend boykottiert wurden, weil er ein »Judenknecht« sei. So hatte sich René Drommert seine wissenschaftliche Karriere verbaut. Er mußte sich als freier Journalist durchschlagen. Im Rußlandfeldzug war er als Dolmetscher verpflichtet.

In der ZEIT nahm sich Drommert als erstes der Rubrik »Funk für Anspruchsvolle« an, die ihren Namen überhaupt erst verdiente, seit er viel Zeit und Mühe darauf verwandte. Sein eigentliches Feld waren die schönen Künste. Er schrieb gescheite Feuilletons über den Qualitätsbegriff in der modernen Kunst, führte ein Streitgespräch mit Leonhardt über den Kitsch, interviewte Henry Moore und dachte beim Beginn der Raumschiffahrt darüber nach, ob die Bibel auch für den Mars gelte. Russische Literatur, vor allem aus dem Samisdat, landete stets auf seinem Schreibtisch – er hat übrigens Gorkij und Lermontow übersetzt. Zwölf Jahre lang steht René Drommert dem Berufungsausschuß der Filmbewertungsstelle Wiesbaden vor; in der Redaktion überläßt er den Film jetzt jüngeren Kollegen.

Über zwanzig Jahre wird Drommert dann »mit Eifer und Treue und mit baltischer Großherzigkeit« über die wöchentliche Fernsehkolumne wachen, die der Schriftsteller und klassische Philologe Walter Jens unter dem Pseudonym »Momos« für die ZEIT-Leser schrieb. Als Jens seine Rezensionen in einem Sammelband herausgab, widmete er das Buch seinem »Lehrmeister« und »Wegführer« Drommert. Mit der gleichen Sorgfalt und Zuwendung betreut Drommert bis heute auch die regelmäßig erscheinenden Fernsehkritiken von Barbara Sichtermann.

Bald nach »Leos« Amtsantritt wurde auch der Platz des Feuilletons erweitert. In konjunkturell günstigen Zeiten hatte das Ressort an die sechzehn Seiten zu füllen, von denen Leonhardt mindestens die Hälfte, oft aber sechzig bis achtzig Prozent dem Literaturteil zuschlug. Als Mitarbeiter holt er sich Dieter E. Zimmer, einen jungen Studenten der Germanistik und Anglistik. Zimmer hatte Ende der fünfziger Jahre als Assistenzlehrer an einem französischen Gymnasium in den Ardennen unterrichtet und brauchte dringend Geld für eine Reparatur seines Motorrollers. Er las damals schon die ZEIT; kurz entschlossen schrieb er eine feinsinnige Betrachtung über den Wandel vom romantischen Heidelberg Hölderlins und Eichendorffs zum Heidelberg des Tourismus. Der Text landete auf dem Schreibtisch von Eka von Merveldt, die ihn zunächst »Leo« zeigte. Der Artikel gefiel allen und erschien im Reiseteil.

Nach diesem erfolgreichen Kontakt wurde Dieter E. Zimmer 1959 ohne Vertrag im ZEIT-Feuilleton eingestellt, für ein Gehalt von 400 Mark plus Zeilenhonorar. Diese Regelung wurde schnell geändert, weil sich der neue Mann als sehr fleißiger Schreiber entpuppte. Getreu der ZEIT-Tradition besuchte er weiterhin die Universität, mußte aber bald darauf verzichten, weil er im Ressort zuviel zu tun hatte. Allein die sorgfältige Zusammenstellung der wöchentlichen »Deutschen Bibliographie«, aufgeteilt nach Belletristik und Sachbüchern, und die Zusammenstellung des monatlichen sogenannten »Seller-Tellers« erforderten viel Zeit.

Als nächste klopfte eine junge Hamburgerin an »Leos« Tür: Petra Kipphoff, Studentin der Germanistik, Kunstgeschichte und Anglistik. Sie hatte keine Lust, Lehrerin zu werden. Paul Hühnerfeld verschaffte ihr das Entree bei der ZEIT. »Eigentlich haben wir gar keinen Platz«, sagte Leonhardt, »aber kommen Sie mal am Montag wieder.« So unkompliziert gelangte man damals zur ZEIT.

Auch Petra Kipphoff mußte von der Pike auf lernen und durfte sich zuerst an Glossen im ZEIT-Mosaik versuchen. Jahrelang befaßte sie sich mit Allerweltsthemen; sie rezensierte Kinderbücher, schrieb geschliffene Kurzprosa, zum Beispiel einen Nachruf auf Gustaf Gründgens, und mischte sich auf eine freche, erfrischende und kluge Weise in die öffentlichen Dinge ein. Das »charmante und frauenrechtlerisch habenswerte Mädchen« wurde, so Robert Neumann, zur Zierde des Feuilletons.

Aus jener Anfangszeit stammten ihr einfühlsames Stück zum Tode von Marilyn Monroe (»Der Preis dafür, ein Symbol zu sein«) und ein großer Essay zu den sensationellen Mordprozessen gegen Maria Rohrbach, Vera Brühne und Eva Mariotti (»Hetzjagd auf die schöne Frau«), eine Abrechnung mit mittelalterlicher Männermoral und der weiblichen »Eifersucht der Häßlichkeit«. Allmählich fand Petra Kipphoff dann zu ihrem eigentlichen Feld, den bildenden Künsten.

Mit dieser kleinen Mannschaft allein hätte Leonhardt nicht ein solch großartiges Feuilleton auf die Beine stellen können. Das Geheimnis seines Erfolges ist im Grunde ganz einfach: Redakteure werden nicht dafür bezahlt, viel im eigenen Blatt zu schreiben, sondern gute Autoren zu verpflichten und zu betreuen. Anderseits achtete er darauf, daß die freien Mitarbeiter nie besser honoriert wurden als seine Redakteure. Ausschlaggebend war das persönliche Verhältnis zu den Autoren, in der Regel eigenwillige, sensible Intellektuelle: Da bedurfte es des Fingerspitzengefühls, um Lob und Tadel angemessen zu verteilen.

Wenn »Leo« am Telephon jemanden für eine Rezension, einen Essay oder einen Kommentar gewinnen wollte, überzeugte er den Partner vor allem darin, daß nur er für diese Aufgabe der richtige Autor sei. Er kannte alle seine freien Mitarbeiter persönlich, besuchte sie, wann er nur konnte, und bei Tagungen der Gruppe 47 oder auf der Buchmesse bewegte er sich unter den Literaten, als sei er einer von ihnen. Außerdem unterhielt er eine umfangreiche Korrespondenz – in seiner zierlichen Schrift brachte er schöne Briefe zu Papier, die seine Sekretärin Margarete Westhaus ins reine tippte.

Fräulein Westhaus ist aus der Geschichte des Feuilletons nicht wegzudenken. Sie kam schon im Hungerjahr 1946 zur ZEIT, wo ihr früherer Chef in Chemnitz, Schmidt di Simoni, den Verlag leitete. Sie wurde die erste Sekretärin des Feuilletonchefs Müller-Marein; als sie anfing, gab es in dem winzigen Zimmer keinen Stuhl, und auf dem Tisch stand noch keine Schreibmaschine. Auch unter den Nachfolgern Abendroth, Hühnerfeld und Leonhardt blieb sie dem Feuilleton treu. Unentbehrlich war sie »Leo« auch als Korrektorin: »Sie ließ nichts durchgehen.« (Noch im hohen Alter kam Fräulein Westhaus zweimal wöchentlich zum Korrekturlesen in die ZEIT, bis sie im Herbst 1994 auf dem Heimweg vom Tod überrascht wurde.)

Das Feuilleton war unter Leonhardt der bestredigierte Teil der ZEIT. Jeder Artikel mußte von allen gelesen werden, das hieß, es durfte jeder jeden redigieren. Wenn Fräulein Westhaus alle Korrekturfahnen wieder eingesammelt hatte, gab es eine Schlußkonferenz beim Ressortleiter. Dort wurde nicht nur über die Fehler, sondern jedesmal auch über den Inhalt der Artikel gesprochen. Es kam einfach nicht vor, daß jemals ein Text, nicht einmal eine Meldung, unredigiert ins Blatt gekommen wäre. Und es gab keinen Artikel, zu dem nicht Leonhardt das Seinige beigetragen hätte, indem er sich mit den Autoren über verschiedene Punkte unterhielt. Alle hatten hinterher das Gefühl, etwas dazugelernt zu haben.

Leonhardt achtete ebenfalls darauf, daß die Redakteure nicht bloß Fachreferenten blieben, sondern er erzog sie zum generalistischen Mitdenken und diskutierte mit ihnen über Themen, die den Horizont des Feuilletons überschritten. In ruhigem Ton verständigte er sich mit ihnen, welche Themen wie und warum in die nächste Ausgabe gehörten.

In der Blattgestaltung war Leonhardt ungewöhnlich einfallsreich. Er überließ nichts dem Zufall. Forderte er die Leser auf, sich zu einem Thema zu äußern, so hatte er schon längst mehrere Autoren im Lande um Stellungnahmen gebeten. Sehr bedacht war er darauf, mittels stets wiederkehrender kleiner Rubriken Leserbindungen zu schaffen. Wochenlang wurden die Leser etwa in Spannung gehalten, welcher Schriftsteller sich in der Rubrik »Mein Gedicht« wofür entscheiden und wie er seine Vorliebe begründen würde. Im nächsten Jahr wurde diese Spalte abgelöst durch »Mein Bild«, eine Veranstaltung, die naturgemäß noch mehr Platz verlangte. Walter Jens, ehe er sich als Momos tarnte, bekam monatlich großzügig Platz für »Mein Buch des Monats«. Unter der Dachzeile »Aus den Hauptstädten der Welt« schilderten Korrespondenten und Besucher das Kulturleben anderer Völker. Plötzlich auftauchende Themen konnten jederzeit unter der Rubrik »Zeitfragen« oder in Leitglossen abgefangen werden.

Von Anbeginn wollte Leonhardt kein provinzielles Feuilleton. Er fühlte sich als ein typisches Kind des Krieges, das fast sechs Jahre hinter Festungsmauern eingesperrt saß und nach 1945 einen fast unersättlichen kulturellen Nachholbedarf hatte. »Wir wollten wissen, was wir Deutschen versäumt hatten und was sich inzwischen draußen in der Welt getan hatte.« Bei dieser Aufgabe der Wiedervermittlung ließ er sich von drei emigrierten deutschen Juden helfen, die alle noch den unverwechselbaren polemischen Stil der dreißiger Jahre beherrschten. Aus Los Angeles schrieb der blitzgescheite, aufregende Philosophieprofessor, Schriftsteller, Essayist und Kritiker Ludwig Marcuse, aus London schickten der Wiener Journalist und Literaturkenner Ernst E. Stein und der Kolumnist Edmund Wolf (»Zum Lachen oder Weinen?«) ihre Beiträge.

Dazu gesellte sich der quirlige, unterhaltsame Schriftsteller Robert Neumann, der nach Europa zurückgekehrt und mit dem Ressortchef befreundet war. Ihn überredete »Leo« 1964 zu den »Briefen aus dem Tessin«, die unter dem Pseudonym »Italo« erschienen. Italo war ein alter, vereinsamter Literat, der sich mit allen dort lebenden Kollegen, auch einem widerlichen Parodisten (das konnte ja nur Neumann sein!), zerstritten hatte und nun an seine Geliebte schrieb, die ihn hatte sitzenlassen. Zuvor schon hatte Leonhardt die Leser mit satirischen »Briefen aus dem Rheinland« erfreut, die ein Katholik namens »Lohengrin« an seinen protestantischen Freund in Hamburg sandte. Hinter dem Pseudonym verbarg sich niemand anders als – Heinrich Böll. In dieser Tradition standen später auch die »Briefe aus Krähwinkel« von Thilo Koch.

»Leo« selber war von einer frappierenden Vielseitigkeit. Er holte sich Impressionen von der Tagung der Nobelpreisträger in Lindau am Bodensee, besuchte Boleslaw Barlogs Berliner Bühnen, rügte penibel schlechte Übersetzungen amerikanischer Literatur. Über Jahre machte sich der Porsche-Fahrer und Whisky-Kenner Leonhardt zum Fürsprecher der Autofahrer, die sich um Geschwindigkeitsbegrenzungen und zu rigorose Strafverfolgung bei Trunkenheit am Steuer sorgten. Ihn mußte man auch nicht erst bitten, als Ressortchef auf der Seite eins zu schreiben.

In seine Kollegenschar setzte Leonhardt großes Vertrauen. Zu Dieter E. Zimmer entspann sich eine Art Vater-Sohn-Verhältnis. Schon bald durfte »Dieter E.«, wie man ihn im Hause nannte, unter »Leos« Ägide den großen Literaturteil betreuen. Praktisch war er viele Jahre lang der Literaturchef der ZEIT, ohne daß er jemals im Impressum als »verantwortlich« erwähnt worden wäre. Rudolf Walter Leonhardt hielt jedoch sehr auf die Gesamtverantwortung, und sei es nur, um das Ressort gegen Übergriffe anderer Ressorts zu schützen. Ehe das Feuilleton sein neues Gesicht bekommen hatte, vergingen ein paar arbeitsame Jahre. Fünfzehn- bis Sechzehnstundentage waren keine Seltenheit. Doch im Laufe der Jahre fand Leonhardt öfter Gelegenheit, die ZEIT nach außen zu repräsentieren, was ja vom Verlag gern gesehen wurde. An vielen anspruchsvollen Rundfunksendungen und an kulturellen Fernsehsendungen hat er teilgenommen, zumeist als Diskussionsleiter.

Auch die kleine Feuilletonredaktion machte die Zeitung, die ihr selber am besten gefiel. Freilich gab es da einen Unterschied zum politischen Ressort: Leonhardt hatte ein untrügliches Gefühl dafür, was die Leser des Feuilletons bewegte und was sie erwarteten. Kein Wunder, daß die ZEIT besonders gern von Studenten gelesen wurde. Wo sonst fanden sie Serien mit Titeln »Wie man in Deutschland Medizin, Chemie, Germanistik usw. studiert«? Aus der ZEIT erfuhren die Akademiker alles über die neuen Universitäten in Bochum, Bremen und Konstanz. Im Feuilleton schrieb der Soziologe Ralf Dahrendorf seine großen Aufsätze über die minderen Bildungschancen der Arbeiterkinder und der katholischen Töchter vom Lande. Hier wurden die ersten Gedanken zu einer Hochschulreform zur Debatte gestellt. Widerspruch und Empörung von vielen Seiten riskierend, stellte Leonhardt selbst solch kecke Fragen wie die, ob Volksschullehrer studiert haben sollten.

Eine Spezialität des Literaturteils waren die Rezensionen, wofür Leonhardt und Zimmer ausgezeichnete Mitarbeiter heranziehen konnten. Die Literaturkritik lag Ende der fünfziger Jahre sehr im argen; wirklich gute Rezensenten konnte man an den Fingern einer Hand abzählen. Dazu gehörte Leonhardts Vorgänger Paul Hühnerfeld, der als freier Mitarbeiter der ZEIT treu geblieben war, immer auf der Suche nach jungen Romanautoren, die wirklich noch erzählen konnten: Hühnerfeld legte den Deutschen die Dänin Tania Blixen ans Herz, und er entlarvte Henry Miller, den angeblich obszönsten Schriftsteller, als honorigen Bürger. Im Sommer 1960 schickte Dieter E. Zimmer Hühnerfeld nach Paris, wo er einem Skandal um Paul Celan auf den Grund gehen sollte. Auf dem Rückweg, als Hühnerfeld einem Mopedfahrer ausweichen wollte, prallte sein Wagen gegen einen Baum. Den Verletzungen ist er nach einigen Wochen erlegen.

Leonhardt hatte 1960 den einzigartigen Einfall, drei von ihm ausgedachte Möglichkeiten der Literaturkritik bekannten Kritikern vorzulegen, um Korrekturen bittend. Zuvor hatte er schon den verwegenen Einfall verwirklicht, zur Buchmesse vierzehn Rezensenten, von denen er behauptete, sie »machten« die deutsche Literatur, zu fragen, was sie von der neuen Buchsaison erwarteten. Mit den Antworten füllte er vier Seiten. Und alle folgten seinem Ruf: Friedrich Sieburg, damals Doyen der deutschen Literaturkritik; Max Rychner (Zürcher »Tat«); Willy Haas (»Welt«); Karl Silex und der junge Wolf Jobst Siedler (»Tagesspiegel«); Ernst E. Stein (London); Professor Hans Mayer (Leipzig); Siegfried Melchinger (»Stuttgarter Zeitung«); Gody Suter (Zürcher »Weltwoche«); Günter Blöcker (Berlin); Hans Hennecke (München); Walter Jens (Tübingen); als jüngster Joachim Kaiser (»Süddeutsche Zeitung«) und – Marcel Reich-Ranicki, schon auf dem Sprung, fester Mitarbeiter der ZEIT zu werden. Wann wäre jemals wieder so viel sprühendes geistiges Leben in den Spalten der ZEIT gewesen? Zwei Jahre danach startete Leonhardt die Serie »Was gilt die deutsche Literatur im Inland?«. Mit solch ausgreifenden Veranstaltungen begründete er den literarischen Ruf der ZEIT.

Hier ist nun der Punkt, da ein dauerndes Mißverständnis ausgeräumt werden muß. Als in den Jahren 1957 bis 1959 einige der bedeutenden Autoren der deutschen Nachkriegsliteratur ihre Frühwerke veröffentlichten (Andersch, Enzensberger, Grass, Johnson, Walser, Böll), begann gleichzeitig die Gruppe 47, eine lockere Vereinigung im Literaturbetrieb der Nachkriegszeit, für Verlage und Medien interessant zu werden, die ZEIT nicht ausgeschlossen. Da setzte sich bei eher konservativen Kritikern und im Publikum die

Meinung fest, die ZEIT sei ein Informationsblatt oder gar das Hausorgan der Gruppe 47, ja, Rudolf Walter Leonhardt geriet in Verdacht, er sei der Mann im Hintergrund.

Wahr ist: Er hatte ein paar gute Freunde, die zu den Tagungen der Gruppe eingeladen wurden; aber kurioserweise wurden deren Bücher in der ZEIT immer wieder verrissen – und das oft von sogenannten Mitgliedern der Gruppe. Richtig ist ebenso: Die ZEIT hat sich der jungen deutschen Literatur angenommen, die sich damals in den Vordergrund drängte. Diese Schriftsteller zogen bewußt einen scharfen Trennstrich zur älteren Generation. Sie waren fixiert »auf Krieg und Sühne, Schuld und Selbstbefreiung« (so Leonhardt in einer Würdigung) und begierig, den literarischen Weltgeist aufzusaugen: Camus, Faulkner, Nabokov. Diese Nachkriegsliteratur, getragen von den Generationen der alten Krieger (Eich), der jungen Soldaten (Böll) und der Flakhelfer (Grass) – so hat »Leo« sie charakterisiert –, wurde weitgehend von der Gruppe 47 repräsentiert. Und ein modernes Feuilleton, wie es »Leo« und »Dieter E.« verkörperten, konnte gar nicht ausführlich genug darüber berichten.

Vor der »Frankfurter Allgemeinen Zeitung«, wo seit 1956 Friedrich Sieburg den Literaturteil leitete, hatten die jungen Literaten einen schweren Stand. Da ergab es sich von selbst, daß das ZEIT-Feuilleton in eine Antihaltung zum »FAZ«-Feuilleton geriet. Damit setzte es sich aber auch in Gegensatz zur früheren Linie der ZEIT. Noch 1952 hatte sich ihr Redakteur Christian E. Lewalter über jene literarischen Gruppen mokiert, die da meinten, »daß ein heute geschriebenes Buch eine prinzipiell andere Problematik, Diktion und pädagogische Gesinnung haben müsse als ein Buch vor der Zäsur von 1945«. Und: »Viele, die sich vor den Programmen schämen, sind heute mit schlechtem Gewissen ästhetische Menschen. Nicht so Friedrich Sieburg.«

Da hatte er recht. Noch 1960 ereiferte sich Sieburg, der einstige Autor und Berater der ZEIT, in einem Brief an Leonhardt: »Wenn Sie Ihre Rekruten *[gemeint waren natürlich junge Autoren, die für die ZEIT schrieben]* nicht dazu erziehen können, den Tonfall gesitteter Menschen nachzuäffen ..., dann ist die Aufforderung, ich solle mit denen da ›polemisieren‹, wirklich eine Zumutung.«

Es gehört zu den Pikanterien heftiger Auseinandersetzungen zwischen den beiden großen deutschen Feuilletons, daß deren Leiter nach wie vor in vollendeter Form und sehr angeregt miteinander korrespondierten und sich auch zu langen Gesprächen zusammensetzten, ohne je die persönliche Integrität des anderen anzuzweifeln. Jahrzehnte später, nach Sieburgs Tod, sah auch Leonhardt, nun selber ein alter Mann, ihn in milderem Lichte als in jenen Jahren, da Sieburg »so gut wie allein die Speere aller Schriftsteller, die sich verkannt fühlten, auf sich zog«.

Leonhardt hat zum erstenmal 1959 einen großen Bericht über die Tagung der Gruppe 47 geschrieben (damals auf Schloß Elmau), und keineswegs unkritisch. Er bedauerte den willkürlichen Ausschluß traditionsbewußter Schriftsteller und Kritiker, weil der Gruppe dadurch ein Gegengewicht fehle. Dieter E. Zimmer war zum erstenmal 1963 im Saulgau als Beobachter dabei und verfaßte danach eine der detailliertesten und wohl auch gerechtesten Beschreibungen der Gruppe. Unübersehbar ist aber auch seine Kritik an der Methode der Anhörung von Texten, zu der sich die Autoren auf einen »heißen Stuhl« setzen mußten, damit sich einige bekannte Schriftsteller als Oberrichter aufführen konnten:

»Natürlich ist die Kritik manches Mal mörderisch. Gut für den Autor, der es dennoch nicht merkt. Ich habe sie sitzen sehen, die Durchgefallenen, Geschlagenen, denen Prädikate wie ›Hör-zu‹-Niveau, letzter Dreck (der Ausdruck, der fiel, war noch rüder), liederlicher Stil, Eklektizismus, Bedeutungslosigkeit, Skandal, prätentiöse Erbärmlichkeit zuteil wurden ...« Zwar räumte er ein, daß am Schluß, unter dem Strich, die Kritiken selten ungerecht waren. Aber er distanzierte sich entschieden von diesem Gruppenritual des »Massakers« und des »elektrischen Stuhls«, wobei Aufrichtigkeit nicht mehr gegen Takt aufgewogen zu werden brauchte. Heute würde Zimmer noch viel kritischer schreiben als damals.

Drei Jahre später reiste Zimmer mit der Gruppe 47 nach Princeton, wo man sich die Tagung von der Nobeluniversität und der Ford-Stiftung finanzieren ließ – eine im Grunde von Anfang an mißglückte Veranstaltung. Unverkennbar steckte die Gruppe in einer Anpassungskrise; sie wehrte sich nur noch gegen den Trend, mit Hilfe von Verlagen und Medien zu einer Macht, ja zu einer Organisation zu werden. Ein Jahr später, 1966 in der Pulvermühle, ist es dann schon einer aus der quasioffiziellen Kritikergarde selber, den die ZEIT berichten läßt: ihren und der Gruppe Stammkritiker Reich-Ranicki. Diesmal hatte die Politik nach der Gruppe gegriffen, nicht die staatliche, sondern die revolutionäre der Studenten des SDS. Bald darauf zerfiel die Gruppe.

Das literarische Leben im ZEIT-Feuilleton hat darunter nicht gelitten. Es bot seinen Lesern unterhaltsame Kritiken. Zum Beispiel wurden neue Romane über Wochen von anderen Autoren pro oder contra rezensiert. Eine der Lokomotiven, die den Auflagenanstieg des Blattes beschleunigen halfen, war bis in die frühen siebziger Jahre unbestritten Marcel Reich-Ranicki, der hier den ganzen Reichtum seiner Talente spielen lassen kann, neue Autoren »entdeckt«, aus klein groß und aus groß klein macht, bei vollem Risiko des Fehlurteils, aber nie langweilig: ein Fest der Literaturkritik.

Nicht immer wurde der Leser rechtzeitig bedient. Als Siegfried Lenz' »Deutschstunde« herauskam und im Nu zum Bestseller wurde, hüllte sich das Feuilleton in Schweigen. Den Grund darf man jetzt verraten: Seine Freunde fanden an dem Roman einiges auszusetzen, trauten sich aber nicht, ihm öffentlich zu nahe zu treten. Erst der Unmut in der Gesamtredaktion nötigte das Feuilleton, einen unbefangenen Rezensenten anzusetzen, und zum Schluß machte Reich-Ranicki alles wieder gut, indem er seinen Freund interviewte (»Vom Erfolg überrascht«). Und die Spalten der ZEIT blieben weiter offen für neue Erzählungen des Schriftstellers.

Für den Platz im Heft und damit auch das Prestige seines Feuilletons glaubte Rudolf Walter Leonhardt Woche um Woche streiten zu müssen, da die Ressorts Wirtschaft und Politik von mehr Lesern beachtet wurden als das Feuilleton. Verleger Bucerius lobte die Erfolge von »Leos« Ressort, schob aber einmal den Satz nach: »Feuilleton-Leser sind keine Lastwagen-Inserenten.« Diese Klientel, entgegnete »Leo«, sei wohl für den Kulturteil kaum eine ergiebige Leserschaft. Wie auch immer: »Leo« genoß es, Außenseiter zu sein.

15. Kapitel

Stolze macht Wirbel: Wirtschaft für jedermann

Während die Ressorts Politik und Feuilleton seit Ende der fünfziger Jahre durch ihre moderne Aufmachung die Leser anlockten, präsentierte sich die Wirtschaft immer noch als trostlose graue Bleiwüste. Allenfalls zierte gelegentlich eine Karikatur von H.-E. Köhler die Seiten. Hier schrieben, durchaus kritisch, exzellente Fachleute – für Fachleute. Jeder Mitarbeiter beschränkte sich auf sein Arbeitsfeld, sei es Industrie, Handel oder Landwirtschaft. »Damals«, so spottete Gerd Bucerius hernach, »fanden Wirtschaftsjournalisten es schädlich, wenn mehr als tausend Leute verstanden, was sie schrieben.«

Das Ressort, in dem Erwin Topf bis 1958 die beherrschende Figur blieb, saß in zwei winzigen Zimmern. Seit 1952 dabei war der Ostpreuße Wolfgang Krüger, der ursprünglich Musiker hatte werden wollen, ein liebenswürdiger, fleißiger Kollege. Er kümmerte sich um den sozialen Teil der Marktwirtschaft und bald auch um den Umbruch. Dann gab es noch den Börsenredakteur Kurt Wendt, alias Securius, der ebenfalls der Kriegsgeneration angehörte; er wird über viele Jahre getreulich und zuverlässig die ZEIT-Leser mit Anlagetips begleiten. Erwin Topf war Ressortleiter geblieben, obwohl er im Streit der Herausgeber auf seiten des Chefredakteurs Tüngel gestanden hatte. Mit Müller-Marein, dem neuen Chef, der jetzt seine überlangen Leitartikel einkürzen mußte, lag er alle paar Wochen im Streit. Er hatte sich angewöhnt, bei solchen Auseinandersetzungen mit seinem Rücktritt zu drohen, ein Verhalten, das, wenn es überzogen wird, nicht nur in der Politik ins Auge gehen kann. Eines Tages, so erzählt man sich, fand Topf auf seinem Schreibtisch einen Zettel vom Chefredakteur: »Lieber Erwin, ich nehme Dein Angebot an.« Dennoch blieb er dem Hause als Autor treu und führte auch nach wie vor kesse Reden auf der Redaktion.

Als seinen Nachfolger holte sich die ZEIT einen jungen Schweizer Wirtschaftswissenschaftler: Jacques Stohler. Professor Edgar Salin, der Basler Doktorvater von Gräfin Dönhoff, hatte ihn der ZEIT empfohlen. Stohler unterhielt gute Beziehungen zu Staatssekretär Alfred Müller-Armack im Wirtschaftsministerium, der unter Ludwig Erhard die eigentliche Arbeit leistete. Den Schweizer interessierte vor allem die Europapolitik, also die Weiterentwicklung der Montanunion zur Europäischen Wirtschaftsgemeinschaft. In der Redaktion spottete man, er betreibe die Öffentlichkeitsarbeit für den Bundesverband der Deutschen Industrie; jedenfalls nahm er dessen Verlautbarungen gern als Anlaß für einen Artikel.

Im Jahre 1961 wurde der Redakteur Heinz Michaels aus dem politischen Ressort in die Wirtschaft versetzt. Müller-Marein: »Da muß mal endlich jemand hin, der deutsch schreiben kann!« Michaels, ehemaliger Kampfflieger wie »Leo«, früher bei bremischen Zeitungen, danach bei »dpa«, war für eine Reporter-Abteilung angeworben worden, die dann aber noch über ein Jahrzehnt lang auf sich warten ließ.

Nach ein paar Jahren kehrte Jacques Stohler in die Schweiz zurück, wo eine Professur auf ihn wartete. Auf ihn folgte sein Landsmann Hermann Riedle, der aber nur ein kurzes Zwischenspiel gab. Inzwischen hatte Verleger Gerd Bucerius mit kühnem Entschluß einen neuen Mann für das Wirtschaftsressort ausersehen, auf den in der Branche kaum jemand verfallen wäre: Diether Stolze, der unter dem Pseudonym »Mercator« vielgelesene Kolumnen im »stern« schrieb (»Mach mehr aus deinem Geld«). »Nun machen die aus der ZEIT auch eine Illustrierte«, raunten die Kritiker. Sie sollten sich noch wundern.

Stolze war ein Seiteneinsteiger. Er hatte Physik studiert, sich dann aber dem Journalismus zugewandt und als freier Mitarbeiter bei Illustrierten angefangen. Obwohl kein ökonomischer Fachmann, erschrieb er sich, wie Theo Sommer ihm nachrühmt, »mit der ihm eigenen Neugier und mit seiner Gabe, Probleme vereinfacht, zugespitzt und stilistisch gewienert zu formulieren«, bald einen Namen. Dabei fiel ihm das Schreiben keineswegs leicht. An einem Artikel von achtzig Zeilen Länge quälte er sich manchmal eine ganze Nacht.

In der ZEIT-Redaktion stand Stolze von Anfang an rechts der Mitte. Er war ein leidenschaftlicher Verfechter der freien Marktwirtschaft, wobei er, so das Urteil seines Kollegen Michaels, »mehr dem alten Manchester-Liberalismus zuneigte als dem Erhardschen Ordo-Liberalismus«. »Der Kapitalismus wird sich ausbreiten wie ein Hausbrand«, prophezeite Stolze schon Jahrzehnte vor dem Zusammenbruch des Ostblock-Kommunismus.

Seine Nähe zur Industrie verhehlte er keineswegs; auf der Hannover-Messe leitete er Podiumsdiskussionen. Seine Sicht der Dinge entsprach voll jener der mittelständischen Unternehmer, die mit eigenem Geld ihre Firmen aufgebaut hatten. Die modernen Managertypen der Multis und Konzerne lagen ihm weniger, schon deswegen, weil sie ihm zu sehr von sozialpolitischen Bedenken angekränkelt schienen.

So »durch und durch konservativ« (Marion Dönhoff) er in seinen politischen Ansichten war, so liberal war Stolze im Umgang mit seinem Ressort und den übrigen ZEIT-Kollegen: freundlich, locker, stets zum Scherzen aufgelegt, immer verbindlich, sachlich, nie laut. Hinter der kühlen Arroganz, die er mitunter vor Fremden an den Tag legen konnte, verbarg sich eine gewisse Schüchternheit.

Der neue Ressortleiter verstand es auf unnachahmliche Weise, seine Leute zu Höchstleistungen zu motivieren. Alle, die unter ihm arbeiteten, schwärmten später von ihm, besonders jene, die politisch anderer Meinung waren als er. Dieser Vollblutjournalist sprudelte die Einfälle nur so heraus. Sobald der letzte Seitenabzug abgezeichnet war, rief er seine Leute zu einer zweistündigen Konferenz zusammen, in der bereits die Themen der nächsten Ausgabe erörtert wurden. Man konnte und durfte mit ihm viel und leidenschaftlich diskutieren. Gerade im Streit, wo sich die Meinungen und Temperamente rieben, entstanden Ideen, die das Ganze des Blattes befruchteten.

Stolze ließ andere Meinungen zu und richtete Pro- und Contra-Spalten ein. Mit seinem ausgeprägten Sinn für Machtstrukturen achtete er darauf, daß in der Regel nur er auf der ersten Seite der ZEIT über wirtschaftliche Themen schrieb. Das Pamphlet lag ihm mehr als die Analyse. Sein eindringlicher Stil war holzschnittartig, aber nie langweilig und für jedermann verständlich. Fast jede Woche schrieb Stolze die sogenannte Wirtschaftskolumne, quasi den Leitartikel des Ressorts.

So polarisierend seine Anschauungen manchmal auch sein mochten, dem Binnenklima schadete es nicht. Das Ressort ertrug sogar Kollegen, die noch weiter rechts standen als Stolze, zum Beispiel Wolfgang Müller-Haeseler. Stolze, kein Kind von Traurigkeit, war es zufrieden, wenn in seinem Ressort viel gefeiert wurde.

Sein bleibendes Verdienst ist es, daß er dem Wirtschaftsteil ein neues Gesicht gab: modern, gefällig, populär. Die Änderungen im Erscheinungsbild des Wirtschaftsteils waren nachgerade revolutionär und sind bald von anderen Zeitungen nachgeahmt worden. Doch nichts wurde übers Knie gebrochen. Ein ganzes Jahr dauerten die

Vorbereitungen. In vielen Klausuren wurde das Pro und Contra erprobt. Großen Widerwillen gegen die geplanten Neuerungen zeigte Müller-Haeseler. Man bedenke: Plötzlich tauchten da in dem streng sachlichen Wirtschaftsteil große Photographien, Zeichnungen, Karten und Graphiken auf. Statt des Fachjargons sollten sich die Redakteure einer leserfreundlichen Sprache bedienen und den »kleinen Leuten«, die sich in der Wirtschaft nicht zurechtfanden, Lebenshilfe geben.

Der Erfolg war durchschlagend. Mit steigender Auflage belebte sich auch das Anzeigengeschäft. Den großen Werbeagenturen gefiel die Mischung von Inhalt und Form. Darüber erschlossen sich ihnen ganz neue Zielgruppen. Nicht einverstanden mit dem Aussehen des Wirtschaftsteils war allerdings die ZEIT-Korrespondentin in Düsseldorf: Sie wollte für kein »Bilderblatt« schreiben und kündigte.

Stolze reformierte auch den Aufbau des Ressorts. Es wurde nach Sachgebieten geordnet; zu neuen Referaten suchte er sich die Mitarbeiter. Das Thema »Werbung« wurde später Gunhild Freese anvertraut, der ersten Frau im Ressort. Sie hatte in Berlin studiert, nicht nur Volkswirtschaft, sondern auch Publizistik. Ihr einziger Kontakt zur Wirtschaft war ein dreimonatiger Aufenthalt bei VWD gewesen, einer Frankfurter Agentur für Wirtschaftsnachrichten.

Redakteurinnen in Wirtschaftsressorts waren damals eine Seltenheit. In Stolzes Mannschaft wurde lange darüber diskutiert, ob man die Bewerbung einer Frau überhaupt ernst nehmen solle. Die Redakteure hatten große Bedenken, dürften sie doch wohl künftig keine Herrenwitze mehr erzählen, und auch die Trinkfreudigkeit würde zwangsläufig nachlassen. Die ersten beiden Jahre waren für Gunhild Freese als einzige Frau unter lauter Männern sehr hart. Sie schrieb praktisch über alles, was anfiel, bis sie endlich eine eigene Nische gefunden hatte.

Stolze ging bald der Ruf voraus, er sei ein »begnadeter Faulpelz«. Daran war so viel richtig, daß er sich – so Bucerius – »seine Gewohnheiten nicht vorschreiben ließ. Dafür war er immer ausgeschlafen und wohlinformiert.« Einer der von ihm überlieferten Sprüche lautete: »Wer sich den Fünfzigern nähert und mehr als vier Stunden am Tag am Schreibtisch sitzt, der hat seine Karriere verfehlt.« Er war ein Meister im Delegieren, denn er wollte sich den Kopf freihalten zum Nachdenken und Pläneschmieden.

Genau wie Rudolf Walter Leonhardt im Feuilleton zog sich auch Stolze einen jungen Hochschulabsolventen als Stellvertreter heran:

Michael Jungblut. Der Volkswirt und Soziologe aus dem Ruhrrevier hatte, da seine Jugend nicht auf Rosen gebettet war, die Wirtschaft bereits »von unten« kennengelernt, zum Beispiel als Rohrleger. Nach einem Vortrag von Gräfin Dönhoff im Hamburger Europa-Kolleg hörte er zufällig, daß sie einen jungen Volkswirt für die ZEIT suchte: Er bewarb sich und wurde angenommen. Stolze erkannte rasch die Qualitäten seines »Ziehsohnes«: Er war äußerst belastbar, fleißig, zuverlässig und loyal. Als Bucerius 1972 Stolze zum Herausgeber der vom Zeitverlag übernommenen »Wirtschaftswoche« berief, durfte Jungblut für ein halbes Jahr kommissarisch das Ressort leiten.

Das reformierte Wirtschaftsressort kam mit dem neuen Chef gut zurecht. Er war entscheidungsfreudig, zog eine Sache durch, wenn's sein mußte, auch allein. In der Großen Konferenz verhalf Stolze seinen Leuten durch sein Auftreten zu mehr Selbstbewußtsein. Gegen seine ruhige, logisch aufgebaute, beredt vorgetragene Argumentation war schwer anzukommen. Nicht selten forderte er auch die in gewohnter Weise brillierenden Macher der Politik, Sommer und Gresmann, in die Schranken.

In der Führung des Ressorts, besonders bei Personalproblemen, verfuhr Stolze mit großem Geschick. Immer zog er dann die älteren Kollegen Wendt und Krüger zu Rate. Krüger, quasi Chef vom Dienst der Wirtschaft, war ihr Blattmacher, solange die ZEIT noch keine eigene Graphik hatte. Als diese Mitte der sechziger Jahre eingerichtet wurde, arbeiteten die jungen Bildredakteure am liebsten mit der Wirtschaft zusammen. Stolze und Krüger erlaubten ihnen ein eigenständiges und großzügiges Arbeiten. Die Seiten sahen gut aus.

Wie das Feuilleton unter »Leo« hatte auch das Wirtschaftsressort Diether Stolzes seine Eigenarten: Die Titel auf den einzelnen Seiten und besonders die Aufmachung der Aufschlagseiten wurden gemeinsam in einer Überschriftenkonferenz erfunden und erwogen. Wenn sich die Redakteure nicht gleich einigten, konnten diese Sitzungen Stunden dauern. Auf solche Weise wurden nicht nur alle in die Verantwortung einbezogen, sie betrachteten auch jede Woche das Produkt voller Stolz als »ihr« Werk.

Nicht nur in den internen Diskussionen, auch als Leitartikler liebte es Stolze, konträre Meinungen zu verfechten. Typisch dafür ist sein Verhalten während der großen Auseinandersetzung um die Aufwertung der Mark in den Jahren 1968 bis 1971. Es kümmerte ihn nicht, daß er in der deutschen Presse und auch in der Redaktion eine Minderheitsposition einnahm. Kurt Wendt, der als Börsen- und Bankenredakteur die Stabilität des Geldes für den Angelpunkt der Politik hielt, über seinen Ressortchef: »Stolze war ein Wachstumsfetischist. Eine Geldentwertung nahm er dabei in Kauf.«

Unter Schiller und Strauß, dem sozialdemokratischen Wirtschaftsminister und dem christlich-sozialen Finanzminister, im Volksmund »Plisch und Plum« genannt, war die Bundesrepublik in den Jahren der Großen Koalition »wieder zum Musterland der Stabilität« geworden, wie Stolze anerkennend registrierte. In keinem anderen Industrieland war die Inflationsrate niedriger. Nach der Abwertung des britischen Pfundes und des Franc und bei hohem Zahlungsbilanzdefizit der USA geriet die Mark durch eine gewaltige internationale Spekulation unter zunehmenden Druck. Von Deutschland mit seinen Exportüberschüssen von 18,4 Milliarden Mark erwartete die westliche Welt eine angemessene Aufwertung. Selbst Diether Stolze mußte zugeben, daß unsere Industrie sie wohl verkraften könnte.

Die Mehrzahl der deutschen Wirtschaftswissenschaftler und Ökonomen, ebenso Wirtschaftsminister Schiller und die SPD, die wegen der kommenden Wahlen Inflation und Preissteigerungen vermeiden wollten, waren für die Aufwertung, doch konnte sich Bundeskanzler Kiesinger zu keiner Entscheidung durchringen, weil Finanzminister Franz Josef Strauß im Einklang mit der deutschen Exportindustrie (und mit Stolze!) vehement dagegen Front machte.

Als sich der Kanzler am 9. Mai 1969, wenn auch erst nach langem, die Spekulation anheizendem Zögern, entschlossen hatte, »auf ewig« nicht abzuwerten, wurde er von Stolze gelobt. Auf das Gerede von der importierten Inflation gab er nicht viel: »Wir werden weiterhin Hochkonjunktur haben, Vollbeschäftigung und Wachstum. Die Löhne werden kräftig steigen können... Allerdings werden auch die Preise klettern, natürlich bei weitem nicht so schnell wie die Löhne.« Als Rezept gegen die dauernden Währungskrisen in der Welt empfahl Stolze – zwanzig Jahre vor Maastricht – eine Koordination der europäischen Wirtschafts- und Währungspolitik.

Zwei Monate später jubilierte Stolze auf Seite eins der ZEIT: »Boom 1969: Genuß ohne Reue. Die prophezeite Krise findet nicht statt«. Er will den Bürgern die Angst vor einer Preisflut nehmen, die vermutlich nach der Bundestagswahl einsetzen werde. In jener spannenden Vorwahlzeit war der Wirtschaftsteil nicht weniger informativ und lesenswert als die Politik: Gespräche mit den Parteien (»Start in die siebziger Jahre«), die Serie »Wer heute Wirtschaft lehrt«, seitenlange Reportagen über die »wilden Streiks«.

Als nach der Wahl Wirtschaftsminister Schiller, nun unter einem Kanzler Willy Brandt, zunächst einmal den Wechselkurs der Mark freigibt und der Dollar bei 3,75 liegt, sagt Stolze Verluste im Export und neue Milliardensubventionen für die Landwirtschaft voraus. Noch einmal träumt er seinen Traum von einem Dollar, der sich auf vier Mark einpendeln und halten läßt. Und das, so meint er, hätte bei einer Koalition zwischen CDU/CSU und FDP sogar der Fall sein können. Als endlich Ende Oktober die Mark aufgewertet ist, schreibt Stolze dem Wirtschaftsminister ins Stammbuch, er werde den Wachstumskurs der Wirtschaft fortsetzen müssen. Allerdings werde die Aufwertung nur dann keinen Schaden anrichten, wenn Schiller die Gewerkschaften trotz steigender Preise zum Maßhalten bewege.

Im Mai 1971, nach einer neuen Währungskrise, als die Teuerungsrate einen Rekord von fast fünf Prozent erreicht hat, rät Stolze dem sozialliberalen Kabinett, für lange Zeit auf Reformen zu verzichten, die Steuern zu erhöhen und möglicherweise auch die Vollbeschäftigung abzubauen. Im August 1971 zerstört Präsident Nixon das Währungssystem von Bretton Woods und hebt die Parität von Gold und Dollar auf. Stolzes alarmierende Überschrift: »Der tiefe Sturz des Dollar. Droht nun eine weltweite Wirtschaftskrise?«

Nun, der Dollar hat seither nie mehr einen Wechselkurs von vier Mark erreicht, aber ebenso ist der von Stolze befürchtete Untergang ausgeblieben. Sein Nachfolger Jungblut meint, manche der Argumente des damaligen Ressortleiters nähmen sich heute als übertrieben, wenn nicht absurd aus. Aber, so hält Theo Sommer dagegen: »Nur wer nicht schreibt, schreibt nichts Falsches.« Gleichwohl: Mögen viele der neuen ZEIT-Leser mit den Beschwörungen Stolzes nicht einverstanden gewesen sein – gelesen haben sie ihn doch.

16. Kapitel

Zwischen Nähe und Distanz: Das Vier-Kanzler-Jahrzehnt

Die Aufstiegsjahre der ZEIT gehen einher mit dramatischen Machtkämpfen und Machtwechseln in Bonn: dem Ende der Ära Adenauer, den enttäuschenden Regierungsjahren Ludwig Erhards, dem gewagten Experiment einer Großen Koalition unter der Kanzlerschaft Kurt Georg Kiesingers, dem Neubeginn unter Willy Brandt. Es ist zugleich die Zeit großer Bewegungen und Entwürfe in der Weltpolitik, die auf die Bundesrepublik ausstrahlen und sich an Namen wie Nikita Chruschtschow, John F. Kennedy, Charles de Gaulle festmachen lassen. Die Haltung der ZEIT, wie sie sich in den Leitartikeln ihrer Redaktion, zuweilen auch in den Kommentaren ihres Verlegers widerspiegelt, durchläuft, wie sollte es anders sein, Wechselbäder der Gefühle und der Meinungen. Nicht immer bleibt es bloß bei kritischer Begleitung und Beobachtung. Mitunter kommen politische Leidenschaften ins Spiel, die in die Irre führen können, oder es werden Hoffnungen geweckt, die sich nicht erfüllen.

Kritik an Adenauer: Bucerius verläßt die CDU

Geradezu aufatmend kommentierte Marion Dönhoff im April 1959 den unverhofften Entschluß des 83jährigen Konrad Adenauer, für das Amt des Bundespräsidenten zu kandidieren. Niemand, meinte sie, hätte ihm diese Elastizität und jugendliche Kraft zugetraut, sein eigenes Amt als Kanzler in Frage zu stellen. Sie hatte zwar über weite Strecken seine Außenpolitik mitgetragen, ihn aber als Persönlichkeit immer »mit einer Mischung aus Bewunderung und Abwehr« betrachtet. Als Preußin verübelte sie es ihm, daß er nach 1945 die aus dem Osten und aus Berlin kommenden Gründer der CDU, wie Andreas Hermes, Jakob Kaiser und Hans Schlange-Schöningen, als Rivalen beiseite gedrückt hatte. Mit Empörung hatte sie reagiert, als der Kanzler im Wahlkampf 1957, den er mit glanzvoller, absoluter

Mehrheit gewann, die Möglichkeit einer SPD-Regierung dem Unter gang Deutschlands gleichsetzte. Sie warf ihm vor, er habe das Klima der Innenpolitik in Deutschland ruiniert. Noch zerstörerischer mußte es jedoch wirken, als er im Juni 1959 willkürlich seine Kandidatur für das Amt des Staatsoberhauptes wieder zurückzog. In einem Leit artikel »Mit dem Volke spielt man nicht« ging Gräfin Dönhoff gna denlos mit Adenauer ins Gericht: »Heute ist der Kanzler ein Opfe seiner Menschenverachtung geworden.« Worte wie »Trümmerhau fen« und »Staatskrise« flossen ihr in die Feder.

Jetzt packte der Zorn auch den CDU-Bundestagsabgeordneten und ZEIT-Verleger Gerd Bucerius, der bis dahin die Politik Adenauer loyal unterstützt und mitgestaltet hatte. Er wollte dem Kanzler einen solch fahrlässigen Umgang mit den höchsten Staatsämtern nich durchgehen lassen. Seine Meinung setzte er aber wohlweislich nich in das eigene Blatt, sondern er veröffentlichte eine Anzeige in Ham burger Zeitungen, worin er als Abgeordneter seine Wähler bat, ihm mitzuteilen, ob sie die Entscheidung Adenauers, Kanzler zu bleiben guthießen oder nicht. 92,5 Prozent der Antworten mißbilligten Ade nauers Verhalten. Freunde in der Fraktion verschaffte sich Buceriu damit nicht. Als er sich vor Adenauer rechtfertigen wollte, trommel ten fast alle 216 Abgeordneten der Fraktion minutenlang mit de Fäusten auf den Tisch.

Der Abstieg Adenauers von der Macht begann mit seiner Wahl schlappe im September 1961 – die CDU/CSU verlor die absolute Mehrheit. Viele Wähler hatten dem Kanzler nicht verziehen, daß e sich nach dem Bau der Mauer in Berlin dort tagelang nicht hatte blicken lassen. Der Koalitionspartner FDP setzte durch, daß de Kanzler nur noch für ein oder zwei Jahre im Amt bleiben sollte. Da war die Stunde von Bucerius: Zum erstenmal beanspruchte er seine ZEIT als Forum für eine politische Auseinandersetzung. Er riet seine Partei, Adenauer trotz der Einigung mit der FDP nicht zum Kanzle wiederzuwählen. »Das Alter und die ungeheuerliche Arbeitslas haben selbst ihn schließlich verbraucht.« Hier bleibt anzumerken was die ZEIT-Leser nicht ahnen konnten: Bucerius hatte bereits eini ge Tage vor der Bundestagswahl den Kanzler brieflich aufgefordert sein hohes Amt jetzt in andere Hände zu legen: »Sie würden dami Ihr einzigartiges Werk wahrhaft vollenden.«

Schon die Überschrift seines Aufsatzes zeigte den Lesern, wohin der Weg gehen sollte: »Ein Kabinett der Besten. Warum Ludwig Erhard den Kanzler ablösen muß.« Anders als Adenauer brauchte

Erhard nicht erst eine Koalition auszuhandeln, sondern könne sein Kabinett selber bestimmen und sich dafür die besten Leute aussuchen, nicht nur bei CDU/CSU und FDP, sondern, wie Bucerius Ludwig Erhard nahelegte, wegen der bevorstehenden »bitteren Jahre« auch bei den Sozialdemokraten (er nannte Helmut Schmidt und Carlo Schmid). Nach seinem Demokratieverständnis hatte Loyalität gegenüber dem Gemeinwohl höher zu stehen als die Treue zur Partei.

Endgültig zerschnitten wurde das Tischtuch zwischen dem Verleger Bucerius und der CDU erst ein paar Monate später. Im »stern« war Mitte Januar 1962 der Artikel eines jungen Redakteurs erschienen (»Brennt in der Hölle wirklich ein Feuer?«). Der Autor verneinte diese Frage mit Vehemenz. Außerdem behauptete er auch noch, die evangelischen Abgeordneten in der CDU-Fraktion hätten sich dem Willen der katholischen Abgeordneten gebeugt (ein Vorwurf, den Bucerius für ungerechtfertigt hielt). Nun hätte sich die Empörung, die darauf in den Unionsparteien ausbrach, wohl beheben lassen, wenn die CDU Henri Nannens Entschuldigung und sein Angebot akzeptiert hätte, auch die »Gegenseite« im »stern« zu Gehör zu bringen. Aber die Fraktion wollte ein Exempel statuieren.

Der Schock für Bucerius kam am Abend des 7. Februar 1962. Ohne ihn vorher anzuhören, hatte der Bundesvorstand der CDU beschlossen, zu klären, ob das Verhalten des Abgeordneten Bucerius als Verleger des »stern« mit seiner Zugehörigkeit zur Bundestagsfraktion zu vereinbaren sei. Adenauer versuchte vergebens, die Sache herunterzuspielen (»So wichtich ist der Herr Bucerjus doch jar nich«). Im Kommuniqué für die Presse aber wurde der Beschluß sogar noch verfälscht und verschlimmert: Der Vorstand habe einstimmig die Veröffentlichungen im »stern« als eine Verletzung christlicher Empfindungen schärfstens mißbilligt. Diesen Geist der Intoleranz hinzunehmen, war Bucerius nicht bereit. Er gestattete seiner Partei nicht, den Glauben zum Vorspann für die Politik zu machen. Am 8. Februar 1962 legte er sein Bundestagsmandat nieder und trat nach fünfzehnjähriger »harter und treuer Arbeit« für die CDU auch aus der Partei aus.

Ausführlich hat er Gründe und Hintergründe seines Austritts den ZEIT-Lesern vorgelegt. Dem Renommee der Wochenzeitung konnte diese entschiedene demokratische Haltung nur bekömmlich sein. Bucerius fühlte sich fortan frei, aus der ZEIT heraus in die Politik einzugreifen. Am 18. Mai 1962 verkündete er: »Adenauers Zeit ist vorbei.« Doch nie vergaß Bucerius bei seiner Kritik, Adenauer als großen Staatsmann zu feiern. Sein Vorwurf galt diesmal der Umgebung Adenauers – Ministern, Freunden, Familie –, die, »verblendet teils, teils pflichtvergessen«, versäumt hätten, den »vom Alter geschlagenen Mann« zum Rücktritt zu zwingen.

Als der Autor des Artikels »Brennt in der Hölle wirklich ein Feuer?«, Jürgen von Kornatzky, ein paar Jahre nach der Veröffentlichung starb, ging Gerd Bucerius zur Trauerfeier. Versonnen flüsterte er seinem Nachbarn in der Ohlsdorfer Kapelle zu: »Nun weiß er es …«

Zweifel an Erhard: Zuspruch von Müller-Marein

Nach wie vor tat Adenauer alles, um den als Nachfolger ausersehenen Wirtschaftsminister und Vizekanzler Ludwig Erhard als außenpolitisch unzuverlässig zu diskreditieren. Seine Partei wollte aber auf den populären Prediger der sozialen Marktwirtschaft nicht verzichten: Nach allen Umfragen würde er die beste Wahllokomotive sein. Der Öffentlichkeit war freilich nicht entgangen, daß sich Erhard, trotz kräftiger Sprüche, gegen Adenauers Ungerechtigkeiten und Unwahrheiten nicht offensiv zur Wehr setzte.

So konnte Gräfin Dönhoff, als sie während der »Spiegel«-Affäre im Dezember 1962 für eine Große Koalition eintrat, zu dem Schluß gelangen, der neue Regierungschef dürfe weder Adenauer noch Erhard heißen. »Denn der viel umstrittene Vizekanzler, der im entscheidenden Moment nie handelt, sondern stets umfällt, er würde aller Voraussicht nach die Führungskrise zum Normalzustande werden lassen.«

Ganz anderer Ansicht waren Gerd Bucerius und Chefredakteur Müller-Marein. Der Verleger kannte Erhard seit den Tagen des Frankfurter Wirtschaftsrats 1948; er hatte damals als Vertreter Hamburgs vieles mit dem Wirtschaftsdirektor zu besprechen. Er bewunderte den »tollkühnen Mut«, mit dem Erhard nach der Währungsreform die ganze Nation gezwungen hatte, den sicheren Weg der Planwirtschaft mit ihrem Bezugscheinsystem zu verlassen und die freie Marktwirtschaft zu probieren.

ZEIT-Mitarbeiter Professor Theodor Eschenburg hingegen, der mit Ludwig Erhard schon im Krieg verkehrt hatte, zweifelte an den Regierungsfähigkeiten Erhards (»Ein guter Koch ist noch kein Chefkoch«). Deshalb schrieb er für die ZEIT einen Artikel, in dem er Ludwig Erhard für den Fall, daß er das Kanzleramt betrete, ein schlimmes Ende voraussagte. Es war der einzige Artikel Eschenburgs, den die ZEIT nicht veröffentlicht hat. Verblüffend war es, wie Chefredakteur Müller-Marein die Absage begründete: Er sei zwei Tage vorher selber bei Erhard gewesen und habe ihm zugeredet, ja ihn angefleht, unbedingt Bundeskanzler zu werden. Müller-Marein hatte eine Schwäche für diesen Mann, der so gar nicht dem Typ des harten Berufspolitikers entsprach und über den Rolf Zundel 1963 in der ZEIT geschrieben hat: »Über seinem Leben liegt ein warmer Glanz bürgerlicher Poesie.« Bei Müller-Marein stieg Erhard noch in seiner Hochachtung, als er in dessen Wohnzimmer Schallplatten mit moderner E-Musik entdeckte.

Belastet wurde die Kanzlerschaft Ludwig Erhards im vorhinein durch den Streit in den eigenen Reihen zwischen Atlantikern und Gaullisten. Die Atlantiker, zu denen Bundesaußenminister Gerhard Schröder zählte, orientierten sich an Kennedys Grand Design für die amerikanisch-europäische Zusammenarbeit, das auch von Gräfin Dönhoff groß herausgestellt wurde. Die Gaullisten, Politiker der CSU wie der Freiherr von und zu Guttenberg und Franz Josef Strauß, hatten sich für Präsident de Gaulles »europäisches Europa« entschieden, welches nicht unter der Hegemonie Amerikas stehen sollte.

Im Januar 1963 unterzeichneten Adenauer und de Gaulle im Elysee-Palast den Deutsch-Französischen Vertrag; kurz darauf ließ de Gaulle die Verhandlungen über einen Beitritt Großbritanniens zur Europäischen Wirtschaftsgemeinschaft scheitern. »Ein schwarzer Tag«, klagte Marion Dönhoff am 1. Februar 1963, voll ohnmächtigen Zorns auf Adenauer, dessen Politik der Westbindung sie doch gegen alle Widerstände mitgetragen hatte: »Er setzte also die westliche Gemeinschaft vor die Wiedervereinigung, und nun opfert er diese Gemeinschaft um der Freundschaft willen, die ihn mit General de Gaulle verbindet.«

Anderthalb Jahre danach streitet sie auf Seite drei der ZEIT mit Armin Mohler, dem ehemaligen ZEIT-Korrespondenten in Paris, darüber, ob die Weltanalyse de Gaulles zutreffend sei oder nicht. Er bejaht: »Paris wird uns nicht verkaufen.« – Sie verneint: »Ohne die Großmacht Amerika sind wir verloren.«

Zur selben Zeit macht sich Theo Sommer für ein neues Modell der amerikanischen Abschreckungsstrategie stark, das sich MLF nennt (Multilateral Force), ein Name, der zwei Jahre lang den meisten ZEIT-Lesern vertraut wird. Er hat alles über diese Atomstreitmacht gelesen und in vier Hauptstädten die Sachverständigen befragt. Dabei war er selber zum deutschen MLF-Experten geworden; er lebte seinen Kollegen vor, daß Journalisten »Spezialisten auf Zeit« sein müssen, an deren Informationswissen niemand sonst heranreicht.

Als MLF vorgesehen war eine Flotte von 25 Überwasserschiffen, mit gemischtnationaler Mannschaft, bestückt mit je acht Polaris-Raketen, also Atomwaffen, die Ziele in fast der gesamten Sowjetunion zerstören konnten. Von Juni 1964 an übten auch bereits Mannschaften, Unteroffiziere und Offiziere aus sieben Nationen auf einem amerikanischen Raketenzerstörer, neben Amerikanern und Briten Deutsche, Italiener, Belgier, Griechen und Türken. Diese Flotte sollte Europa und Amerika verklammern und den Wunsch der Europäer nach Mitbestimmung beim Einsatz strategischer Waffen erfüllen.

Sommer wurde nicht müde, in eigenen Serien und mit Beiträgen verschiedener Autoren – Carl-Friedrich von Weizsäcker machte den Anfang – die geplante Atomflotte vorzustellen. Sommer hielt die MLF nicht militärisch, wohl aber psychologisch und politisch als Klammer des Bündnisses für bedeutsam.

Eigentlich sollte der MLF-Vertrag 1964 unterzeichnet werden, 38 Monate nach der Ratifizierung wären dann die ersten Schiffe auf Gefechtsstation gegangen. Aber die MLF ist nie vom Stapel gelaufen. De Gaulle wetterte dagegen, sie laufe dem Pariser Vertrag mit Bonn zuwider. Die Sowjets gaben drohende Töne von sich, die Briten wollten für ihre Polaris-Flotte eine Extrawurst; 1966 schließlich blies Präsident Johnson das Experiment ab. Sommer versenkte die MLF im Dezember 1965 per Leitartikel: »ein untaugliches Instrument« nannte er sie nun; die Idee habe den Test der politischen Praxis nicht bestanden; weil die Zustimmung der Nichtgaullisten ausblieb, sei sie zum Spaltpilz geworden; im übrigen habe die Bundesregierung zu stark den Eindruck erweckt, es gehe ihr nicht so sehr um Mitbestimmung, als vielmehr um Mitbesitz an Atomwaffen. Gräfin Dönhoff nannte die MLF hernach ein »intellektuelles Angebot multilateraler Waffentechnik«. Zum Schluß ließ Paul Flora in einer Karikatur auf Seite eins eine Flotte aus Papierschiffchen sacht versinken.

Bundeskanzler Erhard und seine Mannschaft schufen eine wohltuende liberale Aura, angelegt auf Pluralismus, Diskussion und den Glauben an die Vernunft der Argumente, wie es Rolf Zundel, der neue Korrespondent in Bonn, den ZEIT-Lesern aus eigener Anschauung beschrieben hat. Doch wollte das Regierungsschiff nicht recht Fahrt aufnehmen. Zu viele waren der Neider und Intriganten, zu groß die Erwartungen (auch der ZEIT), zu schwer die Hypotheken nach dreizehnjähriger patriarchalischer Kanzlerdemokratie. Bucerius hat manches Mal gelitten, wenn Gräfin Dönhoff und andere Redakteure seinem Freund Erhard wegen dessen Ungeschicklichkeiten zu Leibe rückten.

Ein Jahr nach Erhards großartigem Wahlsieg von 1965 wurde die Bundesrepublik von einer Rezession erwischt. Kumpel im Kohlenpott zeigten dem Vater des Wirtschaftswunders die Faust. Die rechtsradikale NPD zog in mehrere Landtage ein. Nach einer verheerenden Niederlage der CDU bei den Landtagswahlen an Rhein und Ruhr brach in Bonn eine Regierungskrise aus. Erhard wurde von seiner eigenen Partei gestürzt. Leise trat der Kanzler ab. Niemand in der ZEIT trauerte ihm nach. Bucerius mußte zugeben, daß er sich im zweiten Kanzler der Republik geirrt habe.

Die ZEIT sucht sich eine Regierung

Viele Wochen dauerte im Herbst 1966 die Bonner Regierungskrise. Während Ludwig Erhard noch seiner letzten Illusion nachhing, eine Minderheitsregierung zu bilden, fragte Marion Dönhoff bereits im Leitartikel: »Wenn Erhard geht – was kommt danach?«

Zum erstenmal entschied sich die ZEIT-Redaktion klar für einen Machtwechsel: Sie wünschte sich eine sozialliberale Koalition und wollte die CDU/CSU auf die Oppositionsbank verbannt sehen, wo sie sich regenerieren könne: »Wir wünschen uns eine solche Koalition, weil sie die sauberste und überzeugendste wäre«, heißt es in dem Leitartikel vom 4. November 1966, »aber wir müssen gleichzeitig zugeben, daß sie leider die unwahrscheinlichste ist.« Rolf Zundel, der als Bonner Korrespondent gute Beziehungen zu den Freien Demokraten unterhielt, hatte berichtet, daß sich die FDP zur Stunde auf eine Regierung mit den Sozialdemokraten nicht einlassen werde, da die Mehrheit von nur zwei Abgeordneten eine zu schmale Basis sei.

Eine Woche später hatten sich die Christdemokraten auf vier Kanzlerkandidaten geeinigt, aber Kurt Becker, der nüchtern-unbestechliche innenpolitische Kommentator der ZEIT-Redaktion, hegte noch Zweifel, ob sich die Unionspartei auf einen Kandidaten festlegte. »Dann wird die SPD die Führung der deutschen Politik übernehmen müssen.«

Selten war die Innenpolitik in der ZEIT so spannend und – amüsant zu lesen wie damals. Hans Gresmann berichtete vom Presseball in der Bonner Beethovenhalle: »Das Menuett der Diadochen« sei so artig wie unheimlich gewesen. Strauß führte den Reigen als Königsmacher an, und drei der Kronprinzen – Kiesinger, noch Regierungschef in Stuttgart, fehlte – hielten hof, jeder für sich: Barzel, Gerstenmaier, Schröder. Nur der FDP-Chef Erich Mende bewegte sich zwanglos im Kreise, »offen nach allen Seiten«.

In der Woche danach war zwar Kurt Georg Kiesinger überraschend zum Kanzlerkandidaten der CDU/CSU gewählt, die Situation aber eher unübersichtlicher geworden. »Kiesinger oder Brandt?« hieß vielsagend die Schlagzeile der ZEIT. »In Bonn ist jetzt alles möglich«. Selbst das Undenkbare, wie der empörte Aufschrei der Gräfin Dönhoff auf Seite zwei belegte: »Kein Parteigenosse als Kanzler!« Schon die Frage überhaupt stellen, ob jemand wie Kiesinger, der von 1933 bis 1945 Mitglied der NSDAP war, 1966 Kanzler werden soll, heiße sie sogleich verneinen. »Was für ein Armutszeugnis für eine große Partei! Oder auch: wie lax die Maßstäbe geworden sind.« In der nächsten Nummer, vom 25. November 1966, fragte sich Rolf Zundel, »ob die SPD noch Mut und Kraft zur Kleinen Koalition, zur politischen Führung hat«.

Am 2. Dezember 1966 kann Theo Sommer nur noch den Vollzug der Großen Koalition melden: »Koalition auf Bewährung«, doch die Unterzeile ist entlarvend: »Nach dem Bonner Sündenfall«. Gleich am Anfang gibt Sommer offen zu, daß sich die ZEIT ein anderes Regierungsbündnis gewünscht habe und Kiesinger nicht ihr Vorzugskandidat gewesen sei. Im Feuilleton kann man den Brief nachlesen, mit dem Günter Grass den nationalsozialistischen Mitläufer Kiesinger einen Tag vor seiner Wahl zum Kanzler zu der Einsicht bewegen wollte, doch auf das Amt zu verzichten: »Die Verantwortung werden Sie tragen müssen, wir die Folgen und die Scham.«

Während Sommer der neuen Regierung eine kritische Begleitung durch die ZEIT ankündigt, die sich an Leistung und Stil orientieren werde, schreibt Grass in einem großen Aufsatz im Feuilleton, es sei jetzt, trotz eines Nazis an der Spitze, trotz eines Ministers Strauß, der einmal das Parlament belogen habe, trotz eines Ministers Wehner, der als Mitgift die »totalitären Praktiken« des ehemaligen Kommunisten mitbringe, keine Zeit für Resignation und Sentimentalität. »Es wird hiergeblieben. Der Staat sind wir.« Aber auch die Stimme des Optimismus äußert sich. Mit dreispaltiger Schlagzeile auf Seite eins setzt Diether Stolze seine »Hoffnung auf starke Männer«. Denn »Die Wirtschaft baut auf Strauß und Schiller«.

Es ließ sich alles besser an als erwartet. Die faire Schlußbilanz lieferte Rolf Zundel im Juli 1969. Unter der Großen Koalition habe sich die politische Landschaft der Bundesrepublik mehr verändert als je zuvor. Als Wichtigstes für die Verfassungswirklichkeit bewertete er den großen Anteil der kritischen Öffentlichkeit an der Diskussion über die Notstandsgesetze (derentwegen Zehntausende auf die Straße gegangen waren), aber auch bei anderen umstrittenen Gesetzen, für die damals die Institution der »Hearings« erfunden wurde. Die ZEIT hat die Reformvorhaben der Regierung mit großen Foren und Serien begleitet.

Eine dramatische Wahlnacht

Beizeiten hat das Wochenblatt die Leser 1969 auf die kommende Bundestagswahl eingestimmt (Serie »Was steht zur Wahl?«). Die Information für die Leser war außergewöhnlich objektiv und umfangreich. Sogar die Gaullisten Guttenberg und Strauß durften auf eigenen Seiten ihr außenpolitisches Programm darlegen. Die Ziele von SPD und FDP lagen klar vor Augen: Sie wollten gemeinsam die Herrschaft der CDU/CSU ablösen.

Wie immer an großen Wahlabenden lud Gerd Bucerius auf »ein Butterbrot und ein Glas Wein« – wie immer wartete in seiner Wohnung am Leinpfad ein vorzügliches Buffet auf die Gäste. Vor mehreren Fernsehmonitoren verfolgte die Redaktion den Stand der Hochrechnungen. Unverkennbar wünschte sich die große Mehrheit der Redakteure eine sozialliberale Regierung. Deshalb eine Riesenenttäuschung nach den ersten Hochrechnungen: Die Unionsparteien lagen dicht bei der absoluten Mehrheit, die FDP nur wenig über der Fünfprozentmarke. Politiker der Unionsparteien posierten vor den Kameras bereits als Sieger. Als dann auch noch Herbert Wehner spät abends die FDP als »alte Pendlerpartei« verhöhnte, brachen viele Gäste enttäuscht auf: Willy Brandt hatte es also zum drittenmal nicht geschafft.

So verpaßten die meisten ZEIT-Redakteure den historischen Augenblick, kurz vor Mitternacht, als Willy Brandt vor der Presse verkündete: »SPD und FDP haben mehr als CDU und CSU.« Er habe die FDP wissen lassen, daß er zu Koalitionsgesprächen bereit sei.

Mit Recht überschrieb Theo Sommer seinen Leitartikel nach der Wahl: »Das Ende einer Herrschaft. Der Wählerauftrag: Ruck nach links«. Das klingt, als habe er möglichen Abweichlern bei der FDP noch ins Gewissen reden wollen. Denn trotz einer Mehrheit von zwölf Mandaten war noch ungewiß, ob bei der Kanzlerwahl alles gutginge. Am 24. Oktober 1969 kann dann Rolf Zundel, in einer immer noch zutreffenden Charakterstudie, Willy Brandt als neuen Kanzler vorstellen: »Ein Mann der gelinden Macht«. Die liberale ZEIT ist mit ihren Wünschen am Ziel.

17. Kapitel

Affären, Attraktionen, Argumente

Die Abhöraffäre 1963/64

Ein »Enthüllungsblatt« ist die ZEIT nie gewesen. Sie kennt deshalb auch keinen Scheckbuch-Journalismus. Der Grund dafür ist in der Entstehungsgeschichte zu suchen: Anfänglich hatte die ZEIT gar nicht das Geld, um beim Konkurrenzkampf um die heißesten Informationen mithalten zu können. Zudem stand das Kommentieren immer höher im Kurs als das Rapportieren. Selbst die ZEIT-Reportagen in Wirtschaft, Feuilleton und im Unterhaltungsteil waren immer schon ein Stück Analyse. Die aufsehenerregenden Geschichten hatten und brachten der »Spiegel« oder der »stern«, mit dem man in einem Boot saß. Gelegentlich fiel ein Happen für die ZEIT ab, sei es, weil die »stern«-Redaktion die Brisanz einer Geschichte verkannt oder Verleger Bucerius – was sehr selten vorkam – entschieden hatte, ein bestimmtes Thema passe besser in die ZEIT.

Anfang der sechziger Jahre hatte »stern«-Reporter Peter Stähle in Bonn eine Geschichte zusammengetragen, die Henri Nannen sofort veröffentlichte: »Der Mann ohne Namen«. Geschildert wurde die SS-, SD- und Gestapo-Karriere eines der besten Ostexperten im Kölner Bundesamt für Verfassungsschutz. Angeblich hatte er noch etliche andere SS-Kameraden im Amte »rücksichtslos hochgeboxt«. Nach den Sommerferien 1963 wollte endlich Bundesinnenminister Hermann Höcherl dem zuständigen Bundestagsausschuß Rede und Antwort stehen, wie viele ehemalige SS-Männer angestellt seien und warum man sie überhaupt eingestellt habe. An diesen Skandal knüpfte Peter Stähle am 6. September 1963 in der ZEIT noch einmal an: Zu klären werde auch sein, warum ausgerechnet diese Grundrechtshüter seit Jahren Telephongespräche zahlreicher Bundesbürger, auch von Rang und Namen, abhörten und Briefe öffneten, um Inhalt und Absender zu registrieren.

Erstmals hatten sich Politiker, Journalisten und andere Bürger nach der »Spiegel«-Affäre im November 1962 beschwert, weil sie merkwürdige Geräusche im Telephon bemerkten und sich abgehört fühlten. Daraufhin versicherte Höcherl im Bundestag auf eine Frage der SPD, das Grundrecht auf Post- und Fernmeldegeheimnis nach Artikel 10 werde »in vollem Umfang, soweit die deutsche Zuständigkeit gegeben ist, gewahrt«. Stähle aber bekam heraus, daß die Kölner Behörde die Abhöranlagen alliierter Dienste mitbenutzte, indem sie den fremden Kollegen einfach Namen und Anschlußnummern von Personen nannte, die sie zu überwachen wünschte.

Seine Enthüllungsstory veröffentlichte die ZEIT auf Seite drei. Schon die Überschrift hatte es in sich: »Sagte Höcherl die Wahrheit? Der Verfassungsschutz bricht seit Jahren das Postgeheimnis«. Als Theo Sommer eine Woche darauf in einem großen Leitartikel den Skandal wieder aufgriff, waren die Vorwürfe weder dementiert noch widerlegt. Innenminister Höcherl und der Präsident des Verfassungsschutzes nahmen vielmehr ihre Untergebenen in Schutz, die sich aufgrund des Deutschlandvertrages und des Truppenvertrages, der einen deutsch-alliierten Nachrichtenaustausch vorsah, absolut rechtens verhalten hätten. Eben das wurde aber vom Bundesjustizministerium bestritten. Aus alliierten Rechten könnten deutsche Stellen keine Überwachungsbefugnis ableiten.

Sommer ging deshalb mit Höcherl hart ins Gericht. Er nannte ihn einen »Skandal-Kandidaten« von Amts wegen, bezichtigte ihn jahrelanger Untätigkeit und Gewissensstumpfheit und warf ihm Kapitulation vor seinen Kanzlisten vor. Höcherls Aussage, die Verfassungsschützer seien Leute, die nicht den ganzen Tag mit dem Grundgesetz unterm Arm umherliefen, ergänzte Sommer mit dem sarkastischen Zusatz: »wohl aber mit der SS-Blutgruppen-Tätowierung«.

Als auch nach vier Wochen in Bonn und Köln noch immer die Tatsachen vernebelt wurden, legte Hans Gresmann in einem Leitartikel nach: Die Zahl der Fälle – Höcherl hatte für 1963 nur ein paar Dutzend Anträge erwähnt – lasse sich überhaupt nicht mehr feststellen, weil die Mitteilungen an die Alliierten zumeist mündlich gegeben wurden. Gresmann unterstellte Höcherl »Tricks eines bayerischen Provinzadvokaten«. Im Namen der ZEIT wies er den Vorwurf des »politischen und moralischen Rufmords« zurück, den die CSU erhoben hatte. »Wir wollen diesen Mann auch nicht ›zur Strecke bringen‹. Wenn er sich, nach bayerischem Ministervorbild« – eine Anspielung auf das Verhalten von Strauß während der »Spiegel-Affäre« – »›festlügt‹, dann ist das seine Sache.« Der Verfassungsbruch sei von der

ZEIT klar beschrieben worden. »Wir warten auf eine Widerlegung.« Statt der Widerlegung schickte Innenminister Höcherl eine einstweilige Verfügung und eine Klage ins Pressehaus – er wollte sich nicht als Lügner hinstellen lassen.

Nachdem am 23. Oktober 1963 der Bundestag endlich den von der ZEIT längst geforderten Untersuchungsausschuß eingesetzt hatte, stellte die Wochenzeitung jede Kommentierung ein. Gräfin Dönhoff: »Wir hatten ja erreicht, was wir für notwendig hielten.« Sie griff im November jedoch noch einmal zur Feder, als Höcherl im »Deutschland-Union-Dienst« behauptete, die ZEIT habe ihre Informationen seit dem Frühjahr zurückgehalten, bis die Zeit der Regierungsbildung herangerückt war. »Kann sich«, schrieb Gräfin Dönhoff, »der derzeitige Innenminister wirklich nicht vorstellen, daß es hierzulande noch Leute gibt, die Sauberkeit im Staate ungeachtet der Jahreszeit oder der jeweiligen Bonner Aktualitäten verfechten?«

Das Ende der Affäre kam im März 1964. Der Abhör-Untersuchungsausschuß bestätigte den Kern der Vorwürfe und widerlegte die Schutzargumente des Innenministers. Der Abhörmißbrauch wurde künftig eingestellt oder erschwert, das seit Jahren ausstehende, im Grundgesetz vorgesehene Bundesgesetz zur Einschränkung des Postgeheimnisses auf den Weg gebracht. Der Vorsitzende des Ausschusses bedankte sich bei der Presse, daß sie diese Diskussion in Gang gesetzt habe.

Übrigens: Das Verfahren gegen die ZEIT-Redakteure Hans Gresmann und Theo Sommer endete mit der Abweisung der Klage. Jahre später, bei einer deutsch-englischen Konferenz in Cambridge, während der Höcherl seinen Geburtstag feierte, verband Sommer seinen Glückwunsch mit dem Bemerken: »Sie haben mir ja einmal den Staatsanwalt auf den Hals gehetzt!« Augenzwinkernd erwiderte Höcherl: »Aber an ganz an dummen!«

Das Pamphlet gegen Wehner: drucken oder unterdrücken?

Einen Monat bevor die ZEIT 1966 mit einem großen Interview Franz Josef Strauß wieder hoffähig machte, hat sie an einem Versuch mitgewirkt, den bedeutendsten sozialdemokratischen Politiker der Bundesrepublik, Herbert Wehner, zu diskreditieren. Das muß man dreißig Jahre danach objektiv so sehen. Subjektiv vermeinten die jungen politischen Redakteure eine journalistische Großtat zu begehen.

Eine anonyme Gruppe unzufriedener Berliner Sozialdemokraten hatte ein Memorandum in Umlauf gebracht, worin dem stellvertretenden SPD-Vorsitzenden und Kärrner seiner Partei ein diktatorisches Regiment vorgeworfen wurde. Zuallererst boten die Frondeure das Manuskript der Illustrierten »Quick« an, deren Chefredakteur es dann aber in seiner Schublade verschloß, nicht ohne in der Öffentlichkeit durchblicken zu lassen, wie schädlich es für Wehner sei. Über dieses Verhalten entrüstete sich die ZEIT. Daraufhin wurde ihr das Manuskript ebenfalls angeboten. In der Redaktion setzten stundenlange Diskussionen ein: drucken oder unterdrücken? In Bonn war das Pamphlet Tagesgespräch. Alle redeten darüber, keiner kannte es. Eine Mehrheit der Redakteure räsonierte: warum verschweigen, worüber alle reden?

Es gab sehr wohl einige Redakteure, die es für verderblich hielten, wie Wehner als Zuchtmeister die SPD seinem Willen unterwarf. Eines hätte sie allerdings mißtrauisch werden lassen müssen: Diese anonymen Sozialdemokraten stellten sich in eine Reihe mit jenen Politikern von rechts, die in den fünfziger Jahren Wehner wegen seiner kommunistischen Vergangenheit verleumdet und verfolgt hatten. Die Frondeure hielten ihm vor, er sei »heimlicher Generalsekretär einer Partei, die er inzwischen nach dem Schema einer bolschewistischen Organisation gegliedert hat und die er mit Methoden beherrscht, die er in seiner politischen Vergangenheit als kommunistischer Kaderchef gelernt hat«. Es fiel auf, wie sich die Verfasser seitenlang sehr detailliert über Wehners kommunistische Tätigkeit in Deutschland und über seine Jahre in Moskau während der mörderischen stalinistischen Säuberungen ausließen.

Aber hatten nicht führende Sozialdemokraten, ja Wehner selber inzwischen gefordert, das Pamphlet zu veröffentlichen? Im Ressort wurde darüber abgestimmt, ob man es drucken solle. Unter den Jüngeren war die Meinung geteilt; Sommers Stimme gab den Ausschlag. Einer war vehement dagegen: Kurt Becker. Der ehemalige politische Ressortchef der »Welt«, eben erst in die ZEIT-Redaktion eingetreten, ein seriöser Journalist mit hanseatischen Tugenden, hätte nie die Grenzen des Anstands und des guten Geschmacks überschritten. Auch schwante ihm, daß die Frondeure Leichtgewichte waren; er traute ihnen nicht über den Weg.

Am 11. März 1966 druckte die ZEIT das anonyme Memorandum auf mehreren Seiten ab. Allerdings hatten ihr die Justitiare geraten, einige Passagen zu streichen, um juristische Folgen zu vermeiden. Die politische Redaktion verstand den Abdruck als Anstoß zu einer offenen Auseinandersetzung in der SPD. Großzügig stellte sie die ZEIT den Sozialdemokraten als Plattform zur Verfügung, »auch und gerade Herbert Wehner«. Der aber dachte nicht daran. Was er zum Memorandum zu sagen hatte, ließ er in einem Interview in der »Welt« wissen. Und was er von der ZEIT hielt, gab er deren Korrespondenten in Bonn drastisch zu verstehen: »Die Sommer und Gresmann sind freischwebende Arschlöcher!« Mehrere Jahre lang hat Wehner der ZEIT jedes Interview verweigert – erst in den siebziger Jahren durfte Theo Sommer für ein Gespräch zu ihm und Stieftochter Greta in die Hamburger Wohnküche am Schlump kommen.

Die erhoffte Diskussion blieb aus. Kein führender Sozialdemokrat wollte sich mit den anonymen »Dreckskerlen« (Helmut Schmidt) einlassen. Sie scheine wohl auch nicht zu lohnen, meinte Hans Gresmann süffisant, nachdem der SPD-Fraktionsvorsitzende Fritz Erler hinter dem Memorandum eine Art »Kombination der Rechten mit den Herren aus Ostberlin« vermutete. Erler hatte damit ins Schwarze getroffen – das wissen wir aber erst seit den Enthüllungen der neunziger Jahre. Tatsächlich hatten SED und Stasi zusammen mit dem KGB eine Verleumdungskampagne gegen Wehner beschlossen, um den Mann zu treffen, der mit seiner berühmten Bundestagsrede 1960 die SPD auf den Boden der Westverträge gezwungen hatte.

Botschaften aus dem Osten: das Naturereignis Jewtuschenko

Der Besuch des damals 29jährigen russischen Lyrikers Jewgenij Jewtuschenko Anfang 1963 in der Bundesrepublik kam wie ein Naturereignis über die Deutschen. Die Hörsäle in Tübingen, München und Hamburg faßten nicht die Tausende, die seinen theatralischen Gedichtlesungen lauschen wollten. Dahinter stand eine Gemeinschaftsleistung des Zeitverlags und des Feuilletons; angestoßen wurde sie aber vom politischen Ressort. Hans Gresmann hatte sich bei den Weltjugendfestspielen in Helsinki über einen Vortrag des Dichters geärgert, weil der seine Kritik an den Verhältnissen in Westdeutschland weit überzogen hatte. Als ihm Jewtuschenko eingestehen mußte, er kenne das Land gar nicht, lud ihn Gresmann spontan ein: »im Namen der ZEIT«. Hernach wurde ihm wegen seiner Voreiligkeit doch etwas unbehaglich zumute. Er telephonierte mit Verleger Gerd Bucerius und gestand ihm die Einladung. Bucerius reagierte sofort: »Ein großartiger Einfall!«

In einer Phase, da der sowjetische Staats- und Parteichef Chruschtschow der Bundesrepublik Avancen in Sachen Koexistenz machte, war die Deutschlandreise des Dichters natürlich ein Politikum. Dennoch beschloß Feuilletonchef Rudolf Walter Leonhardt, sie als literarisches Ereignis zu betrachten. »Was bedeutet Jewtuschenko als Lyriker?« fragte er am 18. Januar 1963. Bei seinem Versuch einer Annäherung stützte er sich nicht nur auf Gespräche mit dem Dichter und seinem Übersetzer, sondern auch auf die kritische Beschäftigung seines Kollegen Dieter E. Zimmer mit moderner Lyrik und auf die russischen Sprachkenntnisse seines Kollegen René Drommert.

Er bat verschiedene Lyriker um Nachdichtungen von Jewtuschenko-Texten. Zur Einführung für den Leser veröffentlichte er vier deutsche Fassungen des berühmten Gedichtes »Babi Jar«, worin der Autor den Antisemitismus in der Sowjetunion anprangerte. (In Babi Jar waren 1941 über 33.000 Juden von den Deutschen in einer Schlucht ermordet worden. Die Sowjets hatten den Opfern kein Denkmal gesetzt.) Die bedeutendste Übersetzung, welche die ZEIT vorlegte, war zweifelsohne die von Paul Celan, der ganz frei die Verse in seinem eigenen Stil übertragen hatte. Fünf Gedichte, die der sowjetische Lyriker bei seinen Auftritten vortrug, wurden in der ZEIT dokumentiert, darunter je zwei Übersetzungen von Peter Rühmkorf (»Gespräch« und »Stalins Erben«) und René Drommert (»Zärtlichkeit« und »Auf der Beerenlese«). In der ihm eigenen Bescheidenheit mochte Drommert in so kurzer Frist lediglich »wortgetreue Übersetzungen« vorlegen. Er war es auch, der den ZEIT-Lesern ein besonderes Vergnügen bereitete, indem er eine bis dahin unveröffentlichte lange Erzählung des Dichters (»Der Hühnergott«) auf deutsch wiedergab.

Jewtuschenko hielt sich etwa drei Wochen in der Bundesrepublik auf, rezitierte in Hamburg, München und Tübingen, führte Gespräche, knüpfte Kontakte, sah und hörte sich um – auch in der Herbertstraße auf St. Pauli. Anfang Februar 1963 brachte er für die ZEIT auf einer ganzen Seite seine Abschiedsgedanken zu Papier: »Laßt uns das Eis brechen!« Sie gipfelten in dem Vorschlag, Schriftsteller, Künstler, Gelehrte und Kulturschaffende beider Länder sollten eine Goethe- und Puschkin-Gesellschaft gründen.

Ein Jahr später wurde Chruschtschow gestürzt. Unter der Herrschaft seiner neostalinistischen Nachfolger widerfuhr der sowjetischen Literatur neue Drangsal. Aufmerksam verfolgte die ZEIT-Redaktion das Schicksal der Dissidenten in der Sowjetunion. Als der sowjetische Schriftstellerverband Ende 1968 den Erzähler und Romancier Alexander Solschenizyn ausschloß, schrieb der polnisch-tschechische Satiriker Gabriel Laub – er war nach der sowjetischen Invasion in die Tschechoslowakei nach Hamburg emigriert – eine bitterböse Polemik gegen jene linientreuen sowjetischen Schriftsteller, die bereits einen Boris Pasternak in den Tod getrieben und nun Solschenizyn als Verbrecher abgestempelt hatten. Dieser Artikel wurde ergänzt durch Verse aus einem noch unbekannten Epos Solschenizyns. Daraus waren Auszüge über den Samisdat, die sowjetische Untergrundliteratur, an die ZEIT gelangt. Die Vers-Erzählung »Preußische Nächte«, die René Drommert ins Deutsche übertrug, gibt eine drastische Szene vom Einmarsch der Roten Armee in Ostpreußen wieder.

Im August 1972 – in der Sowjetunion schmachteten mehrere Schriftsteller in psychiatrischen Kliniken – brachte Dieter E. Zimmer auf Seite eins Auszüge aus einem offenen Brief des Nobelpreisträgers Solschenizyn an KGB-Chef Andropow. Der Dichter prangerte mehrere Willkürakte des Staatssicherheitsdienstes an. Zimmer nutzte die Gelegenheit, die sowjetfreundliche Neue Linke in der Bundesrepublik zu tadeln, weil sie solche Fälle zu ignorieren oder zu bagatellisieren pflegte.

Eine Sonderleistung eigener Art vollbrachte die ZEIT am 9. August 1968, als sie das berühmte erste Memorandum des sowjetischen Atomphysikers und Bürgerrechtlers Andrej Sacharow nachdruckte (»Wie ich mir die Zukunft vorstelle«), das Gräfin Dönhoff mit Recht als das aufregendste sowjetische Dokument seit Beginn der Entstalinisierung bezeichnete. Zum erstenmal erschien in der Analyse eines Sowjetbürgers die Welt »so, wie sie ist«: überall Anfechtungen der Macht, Verletzungen der Menschenrechte, Reformbedürftigkeit des Kapitalismus wie des Kommunismus, Mitschuld der Supermächte am Vietnamkrieg oder an der Situation im Nahen Osten. Vor allem freute sich die Chefredakteurin darüber, »daß es offenbar eine Internationale der Wissenden gibt, die der Zustand der Welt, der Gesellschaft und des Menschen nicht ruhig schlafen läßt« – ein Thema, das sie von nun an nicht mehr loslassen wird.

Plädoyer für ein liberales Strafrecht: Was ist Kunst?

Großes Aufsehen in der westdeutschen Kulturszene verursachte im August 1962 der Hamburger Prozeß gegen Jean Genets Roman »Notre-Dame-des-Fleurs«. Die Hamburger Staatsanwaltschaft hatte 1960 beantragt, die deutsche Ausgabe wegen Unzüchtigkeit einzuziehen. Obwohl sich inzwischen aufgrund einer Entscheidung des Bundesgerichtshofes die Rechtslage geändert hatte, ließ Generalstaatsanwalt Ernst Buchholz den Antrag nicht zurückziehen, weil er eine grundsätzliche Entscheidung für die Freiheit der Kunst erreichen wollte. Das gelang – Genets Buch wurde freigegeben.

Es war die ZEIT, die sich Generalstaatsanwalt Buchholz als Bühne erkor, wo er im Sommer 1962, noch vor dem Prozeß, in einer Serie »Wann ist Kunst unzüchtig? Was ist Kunst?« seine liberalen Ansichten ausbreitete. Er begrüßte das Urteil des Bundesgerichtshofes, das den sogenannten Normalmenschen zu Grabe getragen hatte, der bis dahin in Literatur- und Künstlerprozessen als Maßstab für das Sittlichkeits- und Schamempfinden der Leser und Beschauer hatte herhalten müssen. Künftig mußte bei der strafrechtlichen Bewertung eines Kunstwerks das Wesen der zeitgenössischen Kunst mitberücksichtigt werden. Statt des »Normalmenschen« war nun der Kunstinteressent gefragt. Im Hamburger Prozeß waren es der Sexualpsychologe Hans Giese und der Schriftsteller Friedrich Sieburg, die in ihren Gutachten Genets Roman als Kunstwerk einstuften.

Mit dramatischen Beispielen »aus einem Jahrhundert obrigkeitlicher Proklamationen und Definitionen von Kunst« – angefangen mit den Prozessen gegen Charles Baudelaire und Gustave Flaubert bis zu den Reden Kaiser Wilhelms II., Adolf Hitlers und kommunistischer Kunstdiktatoren in der Sowjetunion und der DDR – begründete Buchholz seine Warnung an Richter, Staatsanwälte und an Institutionen wie die Bundesprüfstelle, jemals Forderungen an die Kunst zu stellen. Was er seinerzeit in der ZEIT aus dem Geist der Liberalität heraus postulierte, hat Jahrzehnte danach als Mahnung nicht seine Aktualität verloren: »Niemand aber hat das Recht, von der Kunst etwas anderes zu verlangen als Kunst.«

18. Kapitel

»Stammesherzogtümer« und Miniressorts: Der Luxus des Besonderen

Nichts ist dem Zeitungsleser dienlicher als eine klare Gliederung seines Blattes. Als um 1960 die Umfänge der ZEIT zunehmen, beschließen Verlag und Redaktion eine neue Einteilung, die ZEIT-typisch bleiben wird. Bis dahin fingen die Ressorts in einem jener »Bünde« an, die sich aus der Drucktechnik ergaben. Mittendrin begann das Feuilleton, nur durch eine Vignette abgehoben, und sprang dann einfach in den nächsten »Bund« über. Dies wurde nun geändert. Die klassischen Ressorts – Politik, Feuilleton, Wirtschaft – erscheinen in jeweils voneinander getrennten »Büchern« mit eigener Aufschlagseite. Im Jahre 1961 gesellt sich als viertes Hauptressort das Moderne Leben hinzu. Als in den kommenden Jahren die ZEIT noch dicker wird, muß man aus technischen Gründen immer mehr »Bücher« einlegen.

Eigene Aufschlagseiten steigerten Selbstbewußtsein und Ehrgeiz der einzelnen Abteilungen, für die sich der Name »Stammesherzogtümer« einprägte. Als Kurt Becker vom Hause Springer zur ZEIT überwechselte, bemerkte er, halb staunend, halb spöttisch: »Die ZEIT besteht aus drei verschiedenen Zeitungen, die sich der Einfachheit halber auf eine gemeinsame Typographie und einen gemeinsamen Erscheinungstermin geeinigt haben.«

Der inhaltliche Rahmen, also die Gesamtkonzeption des Blattes, bildete sich Woche für Woche im dauernden Gespräch heraus, an dem sich, nach seiner Rückkehr aus Bonn, nun auch Bucerius kontinuierlich beteiligte. Zum unverwechselbaren Stil des Hauses gehört seit Ende der sechziger Jahre die »Käsekonferenz«, die auf eine noch überschaubare Redaktion zugeschnitten war. Erst bei portugiesischem Rosé, bald bei französischem Sancerre und Käse trafen sich jeden Freitag um 14 Uhr, nach den Ressortkonferenzen, Chefredakteur, Ressortleiter und Verleger zu einem Gedankenaustausch. In heiterer Atmosphäre wurde dort oft über Dinge gesprochen, die mit der nächsten Ausgabe nicht unbedingt etwas zu tun hatten. Es waltete ein Klima großzügiger Toleranz, das sich auf die ganze Redaktion auswirkte. Da mußten Verleger und Chefredakteur schon riskieren, daß sie am Mittwoch beim Lesen der neuen Ausgabe über den einen oder anderen Artikel erschraken, ja geradezu daran litten. »Die hohe Bedeutung der ZEIT«, so hat einer ihrer Freunde, der einstige Chefredakteur des »Kölner Stadt-Anzeigers«, Joachim Besser, gesagt, »liegt ja gerade darin, daß sie nicht von vorn bis hinten die Einheitsmeinung des Chefredakteurs oder Verlegers verbreitet, sondern eine Vielzahl von Ansichten selbständiger Köpfe.«

Mit steigender Auflage mehrte sich, unter zumeist vorzüglichen konjunkturellen Umständen, auch das Anzeigenaufkommen. Da aber der Anzeigenteil nie größer sein sollte als der Textteil, eröffneten sich der Redaktion neue Aussichten: Im Mai 1961 wurde das Themenangebot erstmals erweitert. Drei zusätzliche Seiten entstanden: »Modernes Leben«, »Welt im Wandel« und »Sport«. Das Moderne Leben trat an die Stelle der Kupfertiefdruckbeilage, die der Verlag, weil sie auf die Dauer zu teuer wurde, eingestellt hatte. Die ersparten Ausgaben kamen den neuen Seiten zugute. Das Moderne Leben – im Impressum lief es noch eine Weile unter Allgemeines – schloß von nun an das Blatt ab. Aber wofür sollte es stehen, wenn es schon nicht die Aufgabe der Beilage – illustrierte, belehrende Unterhaltung – fortführte? Es gab die damals typisch männliche Ansicht, dies sei der Teil im Blatt, den der Ehemann seiner Frau überläßt, also ein Platz für Kochrezepte und Haushaltsratschläge. Aber Gräfin Merveldt und ihre jungen Mitgestalter konnten sich mit ihrem Konzept durchsetzen: Das Moderne Leben sollte sich allen gesellschaftlich wichtigen Fragen zuwenden. Während das Feuilleton die Bildungspolitik betreute, sollte hier gezeigt werden, wie die Schule praktisch aussieht. Und während das Wirtschaftsressort die Wirtschafts- und Gewerkschaftspolitik und die ökonomischen Theorien abhandelte, sollte man hier erfahren, was Menschen am Arbeitsplatz empfinden und wie die Familien leben. Daneben war Raum für Kurzweil mit Pfiff vorgesehen.

Ebenso wie die Politik war auch das Moderne Leben eine Pflanzstätte für journalistischen Nachwuchs. Im Spätsommer 1961 hospitierten dort für drei Monate zwei junge Leute, die es in der Hierarchie des Blattes weit bringen sollten: Aus Saarbrücken kam der Jurastudent Haug von Kuenheim, Sproß eines alten ostpreußischen Geschlechts, der gerade sein Referendarexamen abgelegt hatte, aber unbedingt zur ZEIT wollte. Aus Köln kam Nina Grunenberg, gebürtige Dresdnerin, die 1958 nach einer Buchhändlerlehre in die Journalistenschule von Heinz Stuckmann eingetreten war, dessen Schülerin und Assistentin sie wurde. Stuckmann berichtete aus Nordrhein-Westfalen für den Länderspiegel; auch Nina Grunenbergs Artikel erschienen unter seinem Namen. Eines Tages sprach Chefredakteur Müller-Marein Stuckmann an: »Sie schreiben neuerdings so anders, was ist denn eigentlich los?« Stuckmann, ganz stolz und naiv: »Ich habe da ein tüchtiges junges Mädchen im Büro ...« Darauf lud man Nina Grunenberg nach Hamburg ein.

Im Modernen Leben war seit 1959 schon der Jungredakteur Manfred Sack tätig, der gleich dafür sorgte, daß Nina Grunenbergs Artikel künftig unter ihrem eigenen Namen erschienen. Sack stammte aus Coswig in Anhalt und war noch als Hitlerjunge an die Front geschickt worden. Eigentlich wollte er Architekt werden, doch wegen der ungünstigen Verhältnisse in der Sowjetzone und der späteren DDR ging er nach West-Berlin, wo er an der Freien Universität Musikwissenschaften und Kunstgeschichte studierte. Mehrmals begab er sich als Student zu geheimen Flugblatt- und Propagandaaktionen in die Sowjetzone, entkam aber jedesmal seinen Häschern. Seine journalistischen Lehrjahre als Volontär und Bezirksredakteur absolvierte er bei niedersächsischen Zeitungen.

Die beiden anderen Seiten waren Miniressorts, verwaltet von jeweils einem einzigen Redakteur, der besonders motiviert war, weil man ihn selbständig arbeiten ließ. In diesem Falle leistete sich die ZEIT sogar den Luxus, zwei journalistischen Dilettanten die neuen Seiten anzuvertrauen: Welt im Wandel dem Mathematiker und Informatiker Dr. Thomas von Randow, Sport dem Medizinprofessor Adolf Metzner.

Der damals vierzigjährige Randow hatte zuvor am Massachusetts Institute of Technology in Cambridge/USA studiert. Als er nach Deutschland zurückkehrte, begann die Regierung Adenauer, die Auswanderung deutscher Wissenschaftler zu erschweren. Randow, der sich in den USA niederlassen wollte, mußte zwei Jahre warten. Da er für seine Familie zu sorgen hatte, war er froh, als Eugen Kogon ihn für eine Fernsehreihe beim Norddeutschen Rundfunk anheuerte, in der Maschinen vorgestellt wurden, die denken, sprechen und lernen konnten. (Das Wort »Computer« zählte noch nicht zum deutschen Sprachschatz.) Zufällig sahen Marion Dönhoff und ihre jungen Kollegen diese Sendung. Sie waren von der Vorführung so begeistert, daß sie Randow zu einem Gespräch ins Pressehaus einluden.

Die ZEIT war damals stolz auf die neue Seite Welt im Wandel, die mit dem programmatischen Rubrum »Richtung Zukunft« erschien. Bis dahin wurden naturwissenschaftliche Artikel im Feuilleton gedruckt. Als Betreuer der Seite gewann die Gräfin den Zukunftsforscher und Schriftsteller Robert Jungk. Der Sohn einer deutsch-jüdischen Künstlerfamilie in Berlin war durch die Weltbestseller »Die Zukunft hat schon begonnen« und »Heller als tausend Sonnen« bekannt geworden. Später wurde er, einem wortgewaltigen alttestamentlichen Propheten gleich, zur Leitfigur der internationalen Bewegung gegen die nukleare Bedrohung. Name und Konterfei dieses phantasievollen und mitreißenden Publizisten gereichten der ZEIT zur Zierde.

Doch es gab Anfangsschwierigkeiten: Jungk, ein unruhiger Geist, war alles andere als ein Ressortleiter, der täglich in Hamburg an seinem Schreibtisch sitzen wollte. Deshalb holte sich die ZEIT Thomas von Randow als neuen Wissenschaftsjournalisten, was er übrigens immer schon hatte werden wollen. Als Leseprobe erbat sich Gräfin Dönhoff das Porträt eines berühmten Wissenschaftlers. Randow hatte einen besseren Vorschlag: Er wollte den Roboter Cora porträtieren, der »unglücklich« ist, weil er »klug« wurde. Sein Debüt gelang so gut, daß der Artikel unredigiert ins Blatt gelangte.

Im Juni 1961 fing die Karriere Randows bei der ZEIT an. Vom Zeitungmachen hatte er keine Ahnung. Doch Theo Sommer nahm ihm die Angst: »Sie schweben einfach darüber.« Sein jüngerer Kollege Manfred Sack führte ihn in die Geheimnisse des Umbruchs ein. Randow gestaltete die »Seite Zukunft«, so der Hausjargon, nach eigenem Konzept. »Bob« Jungk schrieb noch eine Zeitlang Kolumnen (»heute ... morgen ... übermorgen«), die ihm freilich immer viel zu lang gerieten und stark redigiert werden mußten.

Großen Erfolg hatte Thomas von Randow mit Schwerpunktthemen. Eines hatte der Wahlkampf der SPD vorgegeben (»Blauer Himmel an der Ruhr«): der heute kaum noch vorstellbare Grad der Luftverschmutzung im westdeutschen Industrierevier. Die ZEIT war das erste Blatt in Deutschland, das bewußt auch andere Umweltthemen aufgriff. So hat Randow Rachel Carsons Buch »Der stumme Frühling« (»Silent Spring«) hierzulande bekannt gemacht, die erste mutige Warnung vor den gefährlichen Folgen eines überreichlichen Gebrauchs von Pflanzenschutzmitteln.

Von Anfang an empörte sich Randow darüber, daß die Bundesrepublik kein wirksames Arzneimittelgesetz hatte, wie er es aus den

Vereinigten Staaten kannte. Trotz der Contergan-Katastrophe wurden neue Medikamente immer noch viel zu leichtfertig zugelassen. Unermüdlich predigte Randow den Politikern und der Pharmaindustrie, daß jedes Arzneimittel klinisch geprüft sein müsse, und zwar nicht nur auf seine Giftigkeit, sondern auch auf seine Wirksamkeit. Es war einer der schönsten Tage in seinem Leben, als ihn Staatssekretär von Manger-Koenig aus dem Bundesgesundheitsministerium anrief und ihm mitteilte, daß die Novelle zum Arzneimittelgesetz die parlamentarischen Hürden genommen habe: »Die Lex Randow ist durch!«

Dann folgte jene Phase, in der es sich Randow zum Ziel setzte, jedes Medikament oder Lebensmittel, das in Amerika von der Wissenschaft als schädlich oder zumindest als verdächtig eingestuft wurde, sogleich auch seinen Lesern bekannt zu machen. Es verging kaum eine Große Konferenz am Freitagnachmittag, ohne daß er die Kollegen mit Hiobsbotschaften über noch ein Lebensmittel, noch einen Grundstoff, der Krebs verursachte, in Schrecken versetzte. Damals wurde er von manchem ZEIT-Kollegen für etwas belächelt, was heutzutage selbstverständliche Praxis in der Tagespresse ist.

Zu einem exotischen Gewächs in der deutschen Presselandschaft geriet auch die Sport-Seite. Wochenzeitungen haben es schwer, einen lesenswerten Sportteil zu gestalten, da sie mit der Tagesaktualität nie mithalten können. Deshalb wollte die Chefredaktion, daß die ZEIT nur einen Sportteil bekam, der ihr entspräche – einen, wie es ihn noch nie gab. Erdacht und geformt hat die Seite dann der Mediziner Adolf Metzner. Der große, kraftvolle Pfälzer, ein hinreißender Erzähler, war in den dreißiger Jahren Europameister im 400-Meter-Lauf gewesen. Am Hamburger Institut für Sportmedizin hatte Professor Metzner zusammen mit ZEIT-Freund Ernst Gadermann die Telemetrie entwickelt, ein Verfahren, mit dem Herztätigkeit und Kreislauf der Leichtathleten während ihres Laufs beobachtet werden können. Es kam der Sport-Seite zugute, daß Metzner ein leidenschaftlicher Bildungsreisender und außerdem ein ausgezeichneter Kunstkenner war. Er breitete nun in der ZEIT seine archäologischen Kenntnisse der Sportgeschichte aus. Die Entdeckung der antiken olympischen Startmaschine für Leichtathleten war ihm ebenso wichtig wie ein sportliches Ereignis der Gegenwart.

Nach dem Ausscheiden Metzners (er starb 1978) wurde die Sport-Seite einige Jahre lang von dem Hamburger Studienrat Jürgen Werner, einem ehemaligen Fußballnationalspieler, weitergeführt, natürlich in anderer Form. Schließlich hat man sie eingestellt, weil sie gegen die Übermacht der Fernsehbilder nicht mehr aufkam. Die Redaktion mußte sich nun andere Arten eines ZEIT-spezifischen Sportjournalismus ausdenken.

Von Anbeginn gab es noch zwei wichtige Miniressorts, die sich allmählich herausgebildet hatten und ständig an Umfang zunahmen: den Länderspiegel und die Leserbriefe, nur wurden sie von Redakteuren aus anderen großen Ressorts mitbetreut. In den ersten Jahren benutzte man diese Ressorts gern als Bewährungsfeld für neue Redakteure.

Anfang 1964 konnte die ZEIT ihren Lesern zwei weitere Neuerungen präsentieren: »Das politische Buch« und das »Zeitgeschehen der Woche«. Inzwischen war die Auflage an der 200.000-Grenze. Das schaffte die Möglichkeit und – so hieß es in einer redaktionellen Ankündigung – machte es zur Pflicht, den Inhalt des Blattes sinnvoll zu erweitern. Bis dahin wurden historische und politische Bücher im Literaturteil des Feuilletons rezensiert, freilich im Schatten der Belletristik. Zum verantwortlichen Redakteur der neuen Seite berief die ZEIT Dr. Paul Sethe, einen der bedeutendsten Journalisten der Nachkriegsjahre, ja für ihn wurde die Seite eigens erfunden. Gerd Bucerius hatte den ehemaligen Mitherausgeber der »Frankfurter Allgemeinen« und leitenden Redakteur der »Welt« für ZEIT und »stern« angeworben und den Stellenetat auf beide Blätter verteilt. Zuvor hatte Sethe der politischen Redaktion schon als Berater, Kommentator und Artikelschreiber zur Seite gestanden. Er bewies sein Talent als Erzähler historischer Ereignisse, schrieb noble Nachrufe auf Hans Zehrer und Max Brauer, ein treffendes und faires Porträt von Herbert Wehner, einen grandiosen Essay über Winston Churchill.

Ungewollt beflügelte er den großen Historikerstreit der sechziger Jahre über Ursachen und Ziele des Ersten Weltkrieges. Erschüttert hatte er in einer Rezension von Fritz Fischers »Griff nach der Weltmacht« bekannt, wie tief ihn die Erkenntnis traf, daß sein positives Bild vom Reichskanzler von Bethmann Hollweg und auch vom Parlament nicht den Tatsachen entsprochen hatte. »Es bleibt die schmerzliche Erinnerung an die Vermessenheit, an die politische Todsünde der Hybris.« Das aufsehenerregende Wort von der »Alleinschuld« Deutschlands in der Überschrift stammte allerdings nicht von ihm, traf aber die Zielrichtung Professor Fischers und seiner Schüler. Den konservativen Kritikern Fischers kam dieses Wort wie gerufen. Wochenlang wurde die ZEIT das Forum der Zeithistoriker für ihre Auseinandersetzungen über Kriegsziele und Kriegsschuld.

In der kleinen Politikrunde war Sethes überlegtes Urteil gefragt. Auch Marion Dönhoff begegnete ihm mit Ehrerbietung. Schon von seiner politischen Vita her war er ihr sympathisch: Die Verschwörer des 20. Juli 1944 hatten ihn als Chefredakteur ihres Regierungsblattes vorgesehen.

In wenigen Jahren hat Sethe in der ZEIT dem Politischen Buch Format und Ansehen verschafft. Da ereilte ihn, 65jährig, im Juni 1967 der Tod, als er gerade seinem Freund und Redaktionskollegen Kurt Becker – der lag nach einer Bandscheibenoperation im Krankenhaus – ein Körbchen Erdbeeren bringen wollte.

Die neue anzeigenfreie Nachrichtenseite (»Zeitgeschehen«), immer die letzte Seite der Politik, setzte die Tradition der alten Wochenübersichten fort, die Ende der fünfziger Jahre aus der Mode gekommen waren. Mittlerweile kamen viele hart arbeitende Deutschen gar nicht mehr dazu, eine Tageszeitung zu lesen. Ihnen gab nun die ZEIT eine komprimierte, gleichwohl lebhafte Darstellung der wichtigsten Wochenereignisse an die Hand, jeweils »gefiltert durch das Gehirn eines Redakteurs«, wie es Kurt Becker formulierte. Dabei profitierten die Leser auch von den Verträgen, welche die ZEIT mit dem amerikanischen Nachrichtenmagazin »Newsweek« und der Londoner Sonntagszeitung »Observer« geschlossen hatte, die es ihr erlaubten, das gesamte Material auszuwerten, das von deren weltweitem Korrespondentennetz zusammengetragen wurde.

Auch die Wirtschaft gestattete sich damals einen Redakteur, der aus dem üblichen Schema fiel: Dr. rer. pol. Willi Bongard, einen der vielseitigsten Redakteure, den die ZEIT je erlebte. Bongard, ein umtriebiger, kollegialer Rheinländer (nach eigenen Worten »ein wundervoller Windhund von Mensch«), gelernter Tuchweber und Diplomkaufmann, war Börsenredakteur bei der »Frankfurter Allgemeinen«, ehe er 1962 zur ZEIT ging. Er ist der einzige Redakteur gewesen, der sowohl für den Verlag als auch für die Redaktion arbeitete. Verlagsleiter Streitberger hatte ihn nämlich beauftragt, die Werbung der Markenartikelfirmen zu untersuchen.

Mitte der sechziger Jahre ließ sich Bongard für zwei Jahre beurlauben. Mit einer Fellowship von 500 Dollar monatlich durfte er in New York den Kunstmarkt studieren. Zum Abschied lud er die Redakteure zu einem Happening ein: Er hatte in seiner Autogarage einen von der Popkünstlerin Niki de Saint Phalle präparierten Altar aufgehängt; seine Gäste mußten das Kunstwerk vollenden, indem sie mit einem Luftgewehr fixierte Farbbeutel zerschossen. Bester Schütze war die jüngste Neuerwerbung der Wirtschaft, der Reserveleutnant Michael Jungblut.

Mit dem naiven Erstaunen eines enthusiastischen Laien stellte Bongard in den Vereinigten Staaten fest, daß ihm »selten so viel Idealismus, gepaart mit so wenig Geschäftssinn« begegnet war wie auf diesem Markt. Die Ausbeute seiner Recherchen war sein Buch »Kunst & Kommerz«. Bongard hatte das Thema seines Lebens gefunden. Bei Ressortleiter Diether Stolze, mit dessen Meinungen er fast nie konform ging, setzte er durch, daß ihm monatlich eine ganze Seite »Kunstmarkt« zur Verfügung stand. Doch schon 1968 verließ er die ZEIT; er machte sich, nach einem Umweg über »Capital«, als Herausgeber eines Informationsdienstes selbständig. (Er ist 1985 bei einem Autounfall tödlich verunglückt.)

Am 9. Juni 1965 unterrichtete Gerd Bucerius die Leser von einer entscheidenden Veränderung: Der Verlag Henri Nannen GmbH, der die ZEIT (Auflage 210.000) und den »stern« (1,9 Millionen) herausgab, fusionierte mit der Druckerei Gruner & Sohn, einer der modernsten Tiefdruckanstalten Europas, und dem Constanze-Verlag John Jahr KG. Die neue Firma Gruner+Jahr GmbH & Co. war mit einem Schlage das zweitgrößte Verlagsunternehmen in der Bundesrepublik. Gruner, immer schon am »stern« beteiligt, druckte außer dem »stern« bereits zwei Illustrierte des Verlegers John Jahr. Bucerius schilderte den Vorteil der Fusion: »Man kann mehr leisten, dem chronischen Personalmangel abhelfen, Archive und Verlagsbüros zusammenlegen, statistische Abteilungen (sehr teuer!) einsparen, den Außendienst stärker machen.« Die neue Firma hatte ein Kapital von 30 Millionen Mark, wovon auf den Gesellschafter Bucerius 28,25 Prozent entfielen. Der ZEIT-Verleger versicherte seinen Lesern, die Wochenzeitung werde auf dieser soliden Basis auch in Krisenzeiten standhalten. Bucerius blieb weiterhin allein zuständig für die politische Linie und die Besetzung der Redaktion. Außerdem behielt er sich vor, die ZEIT bei Gruner+Jahr wieder herauszunehmen (was schneller als erwartet geschehen sollte).

Das Hamburger Pressehaus wurde nun wirklich seinem Namen gerecht: Von den Mauern grüßten nicht nur die Lettern von ZEIT, »stern« und »Spiegel«, sondern auch die der Zeitschriften John Jahrs: »Constanze«, »Brigitte«, »Petra« und »Schöner Wohnen«. In den unteren Stockwerken saßen die Redaktionen der SPD-Zeitungen »Hamburger Echo« (die bald eingestellt wurde) und der »Hamburger Morgenpost«; im Parterre standen die Rotationsmaschinen des Auerdruck, über deren Walzen auch die ZEIT lief.

Noch immer waren die räumlichen Verhältnisse der ZEIT beengt. Das änderte sich erst, als 1969 der »Spiegel« in das neue Hochhaus an der Brandstwiete umzog und die ZEIT die oberen Stockwerke übernahm. Im 6. Stock bezog Gräfin Dönhoff, nunmehr Chefredakteurin, das ehemalige Büro Augsteins, und die ZEIT-Redaktion tagte von nun an im ehemaligen Konferenzzimmer des »Spiegel«. Führten die Redakteure ihre Gäste durch die neuen Flure, vergaßen sie nicht, halb stolz, halb ehrfürchtig, an die »Spiegel«-Affäre von 1962 zu erinnern: »Hier war das Zimmer von Conny Ahlers«; und: »Dort hatte sich Leo Brawand im Schrank versteckt«. Oder: »In diesem Konferenzsaal hatte der Staatsanwalt Siegfried Buback *(der später, als Generalbundesanwalt, von der RAF ermordet wurde)* sein Hauptquartier.«

Nach der Fusion beauftragte G + J das Allensbacher Institut für Demoskopie mit einer Erhebung: »Wer sind die ZEIT-Leser?« Das Ergebnis: Drei Viertel der Leserschaft zählten zu den gehobenen Schichten. Die stärksten Fraktionen bildeten die Angestellten (25 Prozent) und die Facharbeiter (17 Prozent). Stellte man sich die verschiedenen gesellschaftlichen Gruppen der Bevölkerung in Form von Pyramiden vor, so gehörten die ZEIT-Leser jeweils zu den Spitzen der Pyramide. Es waren Intellektuelle und geistig Interessierte aus allen erdenklichen Berufskreisen, die sich der ZEIT zuwandten. In der Redaktion ging danach eine Zeitlang die Sage um, der statistisch errechnete durchschnittliche ZEIT-Leser, an den man beim Schreiben denken solle, sei »der Zahnarzt aus Gummersbach«.

Unter den Lesern gab es ungewöhnlich viele Männer: 63 Prozent. Für die Überparteilichkeit und Unabhängigkeit der Wochenzeitung sprachen die gleichmäßigen Anteile (jeweils 40 Prozent) von CDU/CSU- und SPD-Anhängern; überdurchschnittlich war lediglich der Anteil von FDP-Wählern (13 Prozent). Der Umfang der ZEIT, damals bis zu vierzig, fünfzig Seiten, schreckte die meisten Leser überhaupt nicht, weil sie an selektives Lesen gewöhnt waren. Geschätzt wurde die ZEIT vor allem wegen der Reichhaltigkeit ihrer Themen und der hohen Qualität ihrer Mitarbeiter, eine Auskunft, welche die Redaktion ermunterte, auf dem eingeschlagenen Wege weiterzugehen und sich um erstklassige Journalisten und Mitarbeiter zu bemühen.

Im Jahre 1966 wurde der Reiseteil, der bisher ebenso wie Sport und Modernes Leben unter Allgemeines rubrizierte, zu einem eigenständigen Ressort erhoben, kombiniert mit einer Auto-Seite (»Am Steuer«). Diese neue Abteilung »Reise und Verkehr« wurde natürlich Eka Gräfin Merveldt anvertraut. Fernweh gehörte von Jugend an zu ihrem Leben. Schon in Berlin hatte sie als junge Novizin einen Reiseteil einrichten dürfen. Jetzt konnte sie ihre Reiselust voll ausleben, zumal ihr für die laufenden Arbeiten ein neuer Redakteur an die Seite gegeben wurde. Es war bei ihr keineswegs nur journalistische Neugierde, sondern auch eine gute Portion Abenteuerlust im Spiel. Vor allem Ostasien zog sie in den Bann. Schon früh reiste sie in damals noch verschlossene Länder wie Burma, China und die Äußere Mongolei. Allein fünfmal war sie in Kambodscha, ehe es in den Strudel des Vietnamkrieges hineingerissen wurde. Selbst ins krisengeschüttelte Kaschmir wagte sie sich.

Gleichzeitig mit der Aufwertung der Reise bekam auch das Moderne Leben Aufwind. Alexander Rost wurde der neue Ressortleiter. Rost, im Kriege U-Boot-Fahrer, hatte sich als Chef vom Dienst bei der »Welt am Sonntag« einen Ruf als Blattmacher erworben. Axel Springer wunderte sich, was er denn bei einer *Zeitschrift* wolle: »Die lesen sich doch nur Gedichte vor.« Rost: »Die ZEIT ist eine *Zeitung!«* Chefredakteur Müller-Marein, an dem die Bestallung von Rost vorbeigelaufen war, zeigte sich sehr skeptisch. Nachdem sich aber die beiden bei ein paar Gläsern Kognak nähergekommen waren, verkündete er überall: »Der Mann ist in Ordnung.«

Rost kam mit fertigem Konzept. Auf Erwägungen, aus dem Modernen Leben ein zweites Kulturressort zu machen, ließ er sich gar nicht erst ein. Es sollte bleiben, was es schon seit Jahren war: ein rundum interessanter, unterhaltsamer, aktueller Teil, nur eben noch einen Deut besser. Zunächst konnte er sich nur auf Manfred Sack stützen, der das Ressort mit aufgebaut hatte. Er ist einer jener Journalisten, ohne die keine Zeitung auskommt, auch wenn nur die »Leitenden« im Lichte stehen: unaufdringlich, erfahren, stets einsatzbereit, ideenreich und mit unaufhörlichem Spaß an der Arbeit. Selber ein Meister der kleinen Form, hatte er einen Blick für die unauffälligen, gleichwohl wichtigen Dinge im Leben. Er bereicherte das Moderne Leben um einige Rubriken, die bald ihre festen Lesergemeinden hatten. So hatte er 1964 den Vorschlag des Lesers Eugen Oker aufgegriffen, nicht nur Bücher, Filme, Konzerte zu rezensieren, sondern auch Spiele. Oker bekam im Blatt seine beliebte Kritik-Kolumne »Für Spieler«.

Mit Sacks Hilfe erhielt auch Thomas von Randow eine Ecke im Blatt, wo er den Lesern seine logischen Aufgaben zum Knacken anbot. Diese Denkrätsel hatte er zuerst an der Hamburger Universität ausprobiert, als Ersatz für eine Zulassungsprüfung, die man den vielen Heimkehrern, die sich zum Mathematikstudium drängten, nach jahrelanger Gefangenschaft nicht zumuten mochte. Das Wort »Logelei« brachte er aus der Kindheit mit. Wenn die Geschwister mit der Logik Mißbrauch trieben, wurden sie von den Eltern ermahnt: »Logelt nicht!« Sack fand das passende Pseudonym für den Autor des Rätsels: Wenn es einen Einstein gebe, warum nicht auch einen Zweistein? Seither, nun schon 33 Jahre lang, erscheinen »Zweisteins« Logeleien in der ZEIT.

Alexander Rost ermunterte seinen früheren Kollegen Gerhard Prause, Serienredakteur bei der »Welt am Sonntag«, für die ZEIT Geschichtsrätsel zu erfinden. Prause, der nach dem Krieg Literaturwissenschaften, aber auch mittelalterliche Geschichte studiert und dann dreieinhalb Jahre lang bei der Illustrierten »Kristall« eine Geschichtszeitung betreut hatte (sie wurde ein Riesenerfolg), war der gegebene Mann für diese Aufgabe. So wurde »Tratschke« geboren.

Den Schriftsteller Ben Witter (»Tagebücher eines Müßiggängers«), den Rost von der »Welt« her kannte, motivierte er zu den berühmten »Spaziergängen mit Prominenten«. Die oft entlarvenden, aber menschlich anrührenden Artikel setzte er auf die letzte Seite. Es waren, wie der spätere Feuilletonchef Ulrich Greiner urteilt, »keine Interviews im üblichen Sinn. Sie glichen eher (Selbst-)Porträts der mit Ben Witter spazierenden Politiker, Manager, Künstler.« Als Carl-Friedrich von Weizsäcker nach einem »Spaziergang« von Freunden ironisch begrüßt wurde: »Wir wissen jetzt viel von Ihnen«, wußte er nur zu entgegnen, er könne nun auch über Ben Witter einiges sagen. Der Hamburger, Jahrgang 1920, war wegen seiner offenen Verachtung für die Nazis einem Strafkommando zugeteilt worden, das nach den Bombenangriffen auf Hamburg im Juli 1943 die Leichen aus den Trümmern bergen mußte. Dieses Erlebnis hatte ihn fürs Leben geprägt. Er gab sich gern rauhbeinig, um seine Empfindsamkeit zu verbergen, die in seinen Kinderbüchern sichtbar wurde oder in den liebevollen Geschichten über die Leute vom Kiez auf St. Pauli.

Schließlich nahm Alexander Rost auch Nina Grunenberg unter seine Fittiche. Die Redakteurin hatte für »Leos« Feuilleton Serien geschrieben, zum Beispiel über die Kultusminister der Länder. Rost erkannte und förderte ihre eigentliche Begabung: Er machte sie zur

Hauptreporterin der ZEIT. Ihre ersten Reportagen für das Moderne Leben schrieb sie über »Die Journalisten«. Die Serie wurde ein Bombenerfolg, ebenso das folgende ZEIT-Buch, zu dem Gerd Bucerius ein Nachwort lieferte. Danach durchleuchtete Nina Grunenberg die Amtsstuben der Gemeinden, Kreise und Städte: »Der Staat ganz unten«. Allmählich wurde sie zur Spezialistin für Elitestudien, aus denen die Soziologen und Politologen noch heute schöpfen: »Die Generale«, »Die Bischöfe«, »Die Botschafter«, »Die Gewerkschafter«, »Eine Woche mit dem Bundeskanzler«, »Die Unternehmer«.

Als Rost eine Art Modeseite plante, wurde er an die Geschäftsführerin Ebelin Bucerius verwiesen. Sie empfing ihn freundlich an ihrem Louis-Seize-Tischchen und empfahl ihm eine Reihe von Modekorrespondentinnen. Er entschied sich für die erfahrene Marietta Riederer – es war ein Glücksgriff. Für andere Frauen- und Familienthemen, die Ende der sechziger Jahre sehr gefragt waren, engagierte er die Frau eines »Spiegel«-Redakteurs. Manfred Sack, damals wohnhaft Siebenschön 17, verlieh ihr den klangvollen Namen »Leona Siebenschön«.

Rost selber pflegte seinen eigenen Stil. Leicht polternd ging er durch die Flure, plauderte hier und dort, sagte ungeschützt seine Meinung und gab jedermann zu verstehen, daß er jederzeit auch einen anderen Job machen könne.

Der Pioniergeist der erneuerten ZEIT bewährte sich im Juli 1969 anläßlich der ersten amerikanischen Landung auf dem Mond. In einer großen Gemeinschaftsleistung, an der Politik, Wissenschaft (so hieß nun Thomas von Randows Welt im Wandel), Modernes Leben, die Wirtschaft und sogar das Feuilleton mitwirkten. Das Nachwort schrieb Alexander Rost auf Seite eins (»Die Eroberung Utopias«). Er blieb mit beiden Füßen auf der Erde: »Der Mensch hat den Mond betreten, nun gut … Auf der Erde, unserer Erde, hat er jetzt noch genug Lösungen zu suchen.« Die Satire zum Welt- und Fernsehereignis veröffentlichte der neue (und erste festangestellte) Theaterredakteur der ZEIT, Hellmuth Karasek, im Feuilleton, wo er mit Witz und Ironie die journalistische Aufbereitung des Mondflugs beschrieb: »Wie man ein neues Zeitalter einläutet«.

19. Kapitel

Schatten der Vergangenheit

Gegen Ende der fünfziger Jahre, als die Deutschen schon wähnten, ihr Land sei wieder als vollwertiges Mitglied in der Völkergemeinschaft anerkannt, wurden sie von ihrer nationalsozialistischen Vergangenheit eingeholt. Sehr spät, mit dem Ulmer Einsatzgruppen-Prozeß, fing die deutsche Justiz 1958 an, jene Mörder zur Verantwortung zu ziehen, die als scheinbar gesittete Bürger in der Gesellschaft untergetaucht waren. Gleichzeitig häuften sich antisemitische Vorfälle, die im Ausland stark beachtet wurden. Die ZEIT hat sich sogleich dieser neuen Herausforderung gestellt; neben der Politik war es vor allem Feuilletonchef Rudolf Walter Leonhardt, der sich des heiklen Themas annahm.

»Gibt es bei uns einen neuen Antisemitismus?« fragte die ZEIT am 10. April 1959. Bundestagspräsident Eugen Gerstenmaier, Generalstaatsanwalt Ernst Buchholz, Professor Karl Schiller, Leonhardt selber und der ehemalige stellvertretende Chefredakteur der ZEIT, Ernst Friedlaender, antworteten. Sie alle stellten der deutschen Jugend ein hervorragendes Zeugnis aus. Friedlaender brachte das Problem auf den Punkt: »Man sollte nicht leugnen, daß es den alten Sumpf gibt. Wesentlich ist, daß er sich nicht ausbreitet.« Es gebe nicht mehr »Nazi-Antisemiten« als fünf oder zehn Jahre zuvor: »Sie sind nur unverschämter geworden.«

Als erstmals jüdische Friedhöfe mit Hakenkreuzschmierereien geschändet wurden, war auch für ZEIT-Verleger Gerd Bucerius der Moment zum Eingreifen gekommen. Das Angriffsziel des Auslandes hatte sich verschoben: »Jetzt spricht man davon, daß heute noch hohe Richter in Deutschland amtieren, die unter dem Naziregime blutige Urteile gefällt hatten« – fortan ein Dauerthema der ZEIT –, »und ferner davon, daß in Bonn drei frühere Nationalsozialisten führende Positionen innehaben.« Sein Artikel auf Seite eins wurde um so mehr beachtet, als hier einer aus der vorderen Riege der CDU/CSU-Bundestagsfraktion sein Urteil fällte, entschieden und beherzt wie immer. Er legte sich für Bundesinnenminister Gerhard Schröder ins Zeug, der als Referendar mit 23 Jahren in die SA eingetreten war, sich aber später als aufrechter Gegner des Nationalsozialismus selber in Gefahr gebracht habe. Zum Erstaunen vieler Leser sagte er auch für Adenauers Staatssekretär Hans Globke gut, auf dessen organisatorische Fähigkeiten der Kanzler nicht verzichten mochte, obwohl er im »Dritten Reich« einen Kommentar zu den Nürnberger Rassegesetzen geschrieben hatte. Als Mitglied des Fraktionsvorstandes hatte sich Bucerius jedoch überzeugen lassen, daß Globke unanfechtbar sei. Nach Aussagen von katholischer und jüdischer Seite habe Globke als Beamter im Reichsinnenministerium Zehntausenden von Juden das Leben gerettet.

So blieb Globke unangetastet. Der Staatsrechtler Professor Theodor Eschenburg verteidigte ihn gegen die Angriffe, die nicht nachließen, und Gräfin Dönhoff schätzte ihn als Informanten. Nie ist einer der jüngeren Redakteure auf die Idee gekommen, Auszüge aus dem Nürnberger Kommentar oder anderen Texten Globkes abzudrucken, damit sich die Leser selber ein Urteil hätten bilden können.

Kompromißlos war das Verdikt, das Bucerius über den Bundesvertriebenenminister Professor Theodor Oberländer fällte. Dieses Kabinettsmitglied, von dem selbst Adenauer gesagt hat, er sei »tiefbraun« gewesen, war 1923 als Achtzehnjähriger mit Hitler zur Feldherrnhalle gezogen und nach 1933 Parteigenosse geworden. Die Sowjets bezichtigten ihn, nach der Eroberung von Lemberg 1941 an Greueln beteiligt gewesen zu sein; in der DDR wurde er deswegen in Abwesenheit zum Tode verurteilt. Ein internationaler Ausschuß jedoch hatte ihn freigesprochen. Bucerius lobte zwar die Verdienste Oberländers um die Integration von Millionen Heimatvertriebenen. Dennoch beschied er, der anpassungsfähige Mann gehöre nicht ins Bundeskabinett: »Oberländer muß gehen!« Diesen öffentlichen Angriff auf einen der Ihrigen hat die CDU/CSU-Fraktion Bucerius nicht verziehen.

Oberländer, inzwischen zurückgetreten, verbündete sich mit dem Schriftsteller und Journalisten Kurt Ziesel, der Gerd Bucerius, seinen Chefredakteur Müller-Marein und schließlich auch Gräfin Dönhoff attackierte. Ziesel war Nationalsozialist gewesen und hatte 1958 ein Buch geschrieben (»Das verlorene Gewissen«), worin er ehemalige Berufskollegen, die inzwischen wieder eine Stellung in der deutschen Presse gefunden hatten, als Nazis denunzierte. Es war ein fatales Buch, wurde jedoch in Journalistenkreisen gern als Nachschlagewerk benutzt, um zu erfahren, wer was in der Nazizeit geschrieben hatte. Drei Jahre später folgte ein neues Buch (»Der Rote Rufmord«), worin Ziesel Gerd Bucerius bezichtigte, er habe im Kriege als Wehrmachtlieferant in fast allen besetzten Gebieten gute Geschäfte gemacht.

Es stellte sich rasch heraus, daß Ziesel einem Haufen übler Nachreden und Klatschgeschichten, die bis ins Private gingen, aufgesessen war. Keineswegs hatte Bucerius gute Geschäfte gemacht, sondern er war, von den Nazis für wehrunwürdig befunden, 1943 als Angestellter einer Firma dienstverpflichtet worden, die Baracken für die Industrie baute und eine einzige deutsche Dienststelle in Frankreich belieferte. Am 10. Juli 1961 erließ das Landgericht Hamburg eine einstweilige Verfügung gegen Ziesel und seinen Verleger. Ein paar hundert noch vorhandene Exemplare wurden beschlagnahmt. Der anschließende Prozeß endete mit einem vollen Sieg für Bucerius.

Doch Ziesel gab keine Ruhe. Alte oder neue Beleidigungen gegen Bucerius wurden publiziert, und es hagelte neue einstweilige Verfügungen. Erst 1965 verebbte der Zank. Inzwischen hatte sich Ziesels Schutzbefohlener Oberländer selber auf die ZEIT eingeschossen. Anlaß war ein kritischer Artikel von Theo Sommer (»XYZ-Oberländer«) über einen Vortrag des Exministers vor Korpsstudenten in Hamburg. In einem offenen Brief warf Oberländer dem ZEIT-Redakteur Unfairneß vor, weil er, als Angestellter einer Zeitung, deren Chefredakteur einer der führenden nationalsozialistischen Journalisten gewesen sei (hier berief er sich auf Ziesels Buch), andere nach dreißig Jahren noch nationalsozialistischer Betätigung bezichtige.

Statt Sommer antwortete am 31. August 1962 Chefredakteur Müller-Marein selber. Zum erstenmal äußerte er sich zu den schon 1958 erhobenen Vorwürfen Ziesels. Er stellte folgendes klar: Anders als Oberländer sei er nie in der Partei gewesen. Er sei im »Dritten Reich« keinen einzigen Tag bei einer Zeitung angestellt gewesen, habe also auch niemals einem nationalsozialistischen Blatt gedient. Weder als Betroffener noch als Mitläufer sei er von einer Entnazifizierungskammer eingestuft worden. Man habe ihn als »Kriegsberichter« zur Luftwaffe eingezogen, eine Tatsache, die Ziesel bei seinen Anklagen verschwiegen hatte.

Ausführlich erklärte Müller-Marein, wie auch er als Journalist im Frieden und erst recht im Krieg der »Sprachregelung« des Goebbelsschen Propagandaministeriums unterworfen war. Die verantwortlichen Redakteure hätten entsprechend der Vorschrift in den Manu-

skripten Streichungen vorgenommen oder vorgeschriebene »Poin
ten« hineingeschrieben. Er kenne inzwischen die Namen seiner poli
tischen Zensoren. »Sie wären auch bereit, dies zu bestätigen, abe
was soll's – nach so vielen Jahren?« (In Redaktionskreisen erzählte e
bisweilen, einer der Zensoren sei Karl Korn gewesen, der später
Feuilletonchef der »FAZ«.) Schließlich erwähnte Müller-Marei
noch, er habe sich der Zensur entzogen, indem er sich zur Front mel
dete (»300 Feindflüge«) – eine teuer erkaufte Rettung? Nein, nicht z
teuer, wenn man auf diese Weise der »Überarbeitung durch die Leut
entging«, denen Oberländer angehangen habe.

Ein Jahr danach attackierte Ziesel auch Gräfin Dönhoff. Schein
heilig fragte er sie in einem Brief, ob er ein Bild veröffentliche
könne, das sie Seite an Seite mit dem SA-Führer Graf Helldorf zeige
und ob die Information stimme, sie habe einmal »einen der übelste
Nazi-Bonzen, den Gauleiter Koch« zu einem Wohltätigkeitsfes
eingeladen. Gräfin Dönhoff antwortete mit einem offenen Brief i
der ZEIT, da Briefe »in solch flegelhaftem Ton« keiner persönliche
Antwort wert seien. Allen Publizisten riet sie, Kurt Ziesel jed
Aussage zu verweigern und für alle Nachteile haftbar zu machen
die ihnen aus seinen Veröffentlichungen erwachsen könnten. Zu
Sache selbst stellte sie klar: Ziesel habe sie mit Verwandten ver
wechselt, die Nazis und Duzfreunde von Erich Koch waren und di
es sich nicht hatten nehmen lassen, »mein Telephon und mein
Post jahrelang überwachen zu lassen und mich mehrfach bei de
Gestapo und nach dem 20. Juli 1944 auch bei Erich Koch persönlich
anzuzeigen«.

Wegen des dauernden Ärgers mit Ziesel gaben die Justitiare de
Redaktion den Rat, künftig seinen Namen nicht mehr zu erwähne
und möglichst auch alle Buchstabenkombinationen zu meiden, au
denen man das Wort Ziesel herauslesen könnte.

Später nahm die Politik Kurt Ziesel ins Visier, als er geschäfts
führendes Vorstandsmitglied der Deutschland-Stiftung e.V. gewor
den war und »Adenauer-Preise« vergab, zumeist an konservativ
Zeitgenossen. Gräfin Dönhoff beschäftigte sich 1964 noch einma
mit Ziesel, nachdem eine Bundeswehrschule sein neuestes Buch »De
deutsche Selbstmord« der Truppe als Lehrstück über den »Miß
brauch der freien Meinungsbildung und Meinungsäußerung« emp
fohlen hatte. »Wer prägt mit am Leitbild des neuen Soldaten?« frag
sie und zitiert dann ausführlich aus einem Artikel, den Ziesel noch
am 3. September 1944 im NS-Hauptorgan »Völkischer Beobachter«

publiziert hat. Diesmal sollte es, wie wir noch sehen werden, vierundzwanzig Jahre dauern, bis Kurt Ziesel zurückschlug.

Einen ungewollten Skandal verursachte das Feuilleton im Sommer 1963, als es einen provozierenden Artikel (»Bewältigte Vergangenheit?«) abdruckte, den Professor Peter Hofstätter, Direktor des Psychologischen Instituts der Universität Hamburg, angeboten hatte. Im Begleitschreiben hieß es: »Der Rundfunk hatte Bedenken dagegen, das zu senden – wollen Sie es drucken?« Feuilletonchef Leonhardt wollte: »Wir haben nun einmal eine unüberwindliche Vorliebe für Professoren, die öffentlich zu vertreten bereit sind, was sie besten Wissens und Gewissens als Wahrheit ermittelt zu haben glauben.«

Im Ansatz war der Aufsatz Hofstätters vernünftig. Sprachkritisch entlarvte er den bis heute verwendeten Begriff »Bewältigung der Vergangenheit« als Ausdruck verworrenen Denkens. Ähnliches hatte ein Jahr zuvor bereits der Emigrant Ernst Stein, ein Autor des Feuilletons, geschrieben: »Was sie nur alle mit dem Bewältigen haben! Als ob jemals ein Zeitalter mit dem Vorher fertig geworden wäre!« Das bessere Wort hatte 1960 Marcel Reich-Ranicki in einer Buchrezension eingeführt: »Abrechnung mit der Vergangenheit«, nur griff es leider niemand auf.

Ungeschützt hatte Hofstätter im zweiten Teil seines Aufsatzes weitergedacht, obschon er seiner Sache nun »nicht mehr sicher« war. Er setzte den Massenmord an den Juden in Beziehung zu den modernen Massenvernichtungswaffen und bezweifelte, ob Gerichte über »Weltgeschichte und Massenvernichtung« urteilen könnten und sollten. Seine Schlußfolgerung, von der sich Feuilletonchef Leonhardt im vorhinein distanziert hatte, lief auf eine Generalamnestie für NS-Mörder hinaus: Er befürwortete einen Akt des Staates, »der zwar die Schuld der Täter nicht tilgt, aber auf deren Bestrafung verzichtet. Die Täter werden sich vor Gott zu verantworten haben. Uns aber geziemt ein Bekenntnis zur unbewältigbaren Vergangenheit.«

Solche Provokation blieb nicht unwidersprochen. Sie schlug der Rechtsmeinung ins Gesicht, zu der sich die deutsche Justiz gerade durchzuringen begann. In den Ostblockstaaten ruhten noch ungezählte Dokumente über Naziverbrechen, die alle aufgearbeitet werden sollten, um die Täter zur Verantwortung zu ziehen.

Was die ZEIT angestoßen hatte, mündete in den nächsten Wochen in eine Hexenjagd gegen den Professor. Nach einer völlig verunglückten Diskussion vor Studenten und anderen fand er keine Ruhe mehr, wurde telephonisch und brieflich beschimpft – von Antifaschisten, die sich übelsten Nazijargons bedienten. Ungeübt im Umgang mit der Presse, gab er viele Interviews, auch der rechtsradikalen »Nationalzeitung«, die seine Erklärungen entstellt wiedergab. Die »Allgemeine jüdische Wochenzeitung« wiederum rief Offiziere und die Elite zur Empörung auf über Worte, die der Professor so nie gesagt hatte.

Es ehrt Rudolf Walter Leonhardt, daß er in diesem Tohuwabohu unbeirrt seine Linie durchhielt: »Wir sind für alle Polemiken, auch heftige. Bei einer Hexenjagd jedoch wird man uns auf seiten des Gejagten finden.« Ein Vierteljahr später bekundete der Rektor der Universität Hamburg in der ZEIT, Hofstätter habe sich in Inhalt und Motivation keiner antisemitischen Äußerung schuldig gemacht.

Feuilletonchef Leonhardt scheute sich auch sonst nicht, heiße Eisen aufzugreifen. Er war es, der den Dichter und Dramatiker Hans Baumann rehabilitierte. Ein in Berlin bereits angenommenes Theaterstück, das Baumann unter einem Pseudonym eingereicht hatte, war abgesetzt worden, nachdem bekannt wurde, er sei der Dichter jenes Marschliedes, das die Hitlerjugend bis zum Mai 1945 gesungen hat: »Es zittern die morschen Knochen / der Welt vor dem großen Krieg« und das mit den berüchtigten Schlußversen endet: »Denn heute (ge)hört uns Deutschland / und morgen die ganze Welt«. Baumann hatte es mit achtzehn Jahren schon vor 1933 für einen katholischen Schülerbund gedichtet und komponiert.

Als ein Mitarbeiter der ZEIT heftig gegen den Artikel protestierte, verschob Leonhardt die Veröffentlichung um eine Woche. Er holte sich Expertisen von zwei Mitarbeitern, die Hitler aus Deutschland vertrieben hatte. Ludwig Marcuse war leidenschaftlich für »Drucken«. Der Feuilletonchef R.W. Leonhardt habe nicht das geringste Recht, den Mitarbeiter R.W. Leonhardt zu zensurieren. Nicht anders entschied Ernst Stein in London: Ein Achtzehnjähriger, zu dessen Versen Soldaten marschieren können, sei bestimmt nicht talentlos. »Wenn wir schärfer, viel schärfer auf Talent und weniger auf Leumund sehen wollten, gäbe es mit der Zeit mehr Begabungen und wahrscheinlich auch mehr gute Menschen.«

Nicht minder aufregend war Leonhardts Idee, fünf Antworten auf die Frage zu veröffentlichen, ob es richtig gewesen sei, die Autobiographie des russischen Schriftstellers Ilja Ehrenburg auf deutsch zu verlegen. Mehrere große Zeitungen und die Vertriebenenverbände hatten einen Sturm der Entrüstung entfacht, denn Ehrenburg galt als Verfasser eines Flugblattes, mit dem er die Rote Armee aufgefordert haben sollte, deutsche Frauen zu vergewaltigen. Der Schriftsteller hatte nach dem deutschen Überfall auf die Sowjetunion tatsächlich viele blutrünstige Texte geschrieben, die Urheberschaft an dem Flugblatt aber stets bestritten; er hielt es für eine Goebbelssche Fälschung.

Martin Walser meinte, es müßte alle Überlebenden des Hitlerstaates doch interessieren, wie Ehrenburg den Stalinismus überleben konnte. Auch Wolf Jobst Siedler hatte nichts gegen das Buch, doch hielt er nicht viel von Ehrenburgs Anspruch auf moralische Autorität. Kurt Ziesel (es war gewiß das einzige Mal, daß eine Äußerung von ihm positiv in der ZEIT vermerkt wurde) bezweifelte das Recht der Deutschen, sich zum Richter über den Juden und Russen Ehrenburg zu erheben »nach all dem maßlosen Unrecht, das von unserer Seite an den Juden und an Rußland begangen wurde«.

Einen Klartext, wie ihn die Deutschen selten vorgesetzt bekamen, formulierte »Marcel« (Reich-Ranicki). Heuchlerisch nannte er jene, die zwar Verständnis für die Mordaufrufe Ehrenburgs vorschützten, ihm aber die angebliche Aufforderung zur Vergewaltigung vorwarfen. Nur ein Mann, der das Warschauer Ghetto überlebt hatte und der Ermordung in Auschwitz knapp entronnen war, durfte diesen Satz den Deutschen ins Stammbuch schreiben: »Muß man selbst gesehen haben, wie Deutsche jüdischen Müttern – bitte lesen Sie weiter – ihre kleinen Kinder entrissen und deren Schädel an Häusermauern zerschmetterten, um die Schamlosigkeit der Entrüstung zu ermessen, mit der heute in deutschen Blättern über die damaligen – tatsächlichen oder angeblichen – Aufrufe Ehrenburgs geschrieben wird?«

Erst ein Jahr nach dem Zusammenbruch der Sowjetunion wurden in Moskau Dokumente entdeckt, die Ehrenburg in gänzlich anderem Lichte zeigen. Im Frühjahr 1945 hatte ihn der militärische Geheimdienst bei Stalin denunziert, weil er die Ehre der Roten Armee verletzt habe: Der Dichter hatte sich nämlich über die Ausschreitungen der Sowjetsoldaten während der Eroberung Ostpreußens entrüstet. Dessenungeachtet wurde im Mai 1995 in mehreren großen deutschen Zeitungen und in Gedenkbüchern ungerührt wieder die Mär von jenem Flugblatt aufgetischt.

Während des großen Auschwitz-Prozesses in Frankfurt 1965/66 war die ZEIT als Wochenzeitung in einer schwierigen Lage, da sie mit den aktuellen Berichten in der Tagespresse nicht Schritt halten konnte. Der politische Redakteur Dietrich Strothmann, auch er einer aus der Flakhelfergeneration, der sich mit einer Dissertation über Literatur im »Dritten Reich« als Fachmann empfohlen hatte, fand einen probaten Ausweg: Er konzentrierte sich auf bestimmte Angeklagte und schrieb über sie detaillierte ganzseitige Porträts. Natürlich konnte er nur über einen Bruchteil der ungezählten NS-Prozesse berichten, die in den sechziger und siebziger Jahren in der Bundesrepublik liefen. Ihm war immer bewußt – und manche Leserbriefe bezeugten es –, daß fast die Hälfte der bundesdeutschen Bevölkerung diese Verfahren ablehnte. Im Oktober 1966 kritisierte er, daß allzuoft Gnade vor Gerechtigkeit ging: »Die toleranten Tribunale sind typisch für die Spruchpraxis geworden, wenn es sich um Morde handelt.« Immer wieder mußte Strothmann berichten, daß hochgestellte Beamte und Akademiker als Mitschuldige oder Mitläufer enttarnt wurden.

Dem besonderen Verhältnis der Bundesrepublik zu Israel gerecht zu werden, hat sich auch die ZEIT bemüht, besonders seit der Aufnahme diplomatischer Beziehungen zwischen beiden Staaten im Jahre 1965. Vergessen waren längst jene Zeiten während des ersten Nahostkrieges 1948/49, als sich die ZEIT noch über jüdische Terroristen empörte und in ihnen den Typus von Freikorpskämpfern und SS-Ordensjunkern wiedererkannt haben wollte. Eine Probe aufs Exempel für die neue Empfindsamkeit war der israelische Sechstagekrieg im Juni 1967, der ausbrach, als ihn die Welt nach wochenlanger Spannung im Nahen Osten schon nicht mehr erwartete.

Die Blitzmeldung vom Präventivschlag der Israelis gegen die ägyptische Luftwaffe erreichte die ZEIT zu einem ungünstigen Zeitpunkt: an einem Dienstag vormittag, als das Blatt schon konzipiert war. Dietrich Strothmann, der das Israel-Referat betreute, bekam einen solchen Schreck, daß er wieder das Rauchen anfing. Und Theo Sommer hängte erst einmal eine vergrößerte Karte der Sinaihalbinsel an die Wand, um mit farbigen Stecknadeln den Frontverlauf zu kennzeichnen. Dann zeigten sich, wie immer in solchen Ausnahmesituationen, seine Fähigkeiten als Blattmacher. Er krempelte blitzschnell das Blatt um, fegte ganze Seiten leer, organisierte neue Artikel. Zum Glück hielt sich »stern«-Reporter Jörg Andrees Elten in Israel auf, und auch in Kairo ließ sich ein Korrespondent auftreiben. Dietrich Strothmann porträtierte die beiden Feldherren, General Dayan und Marschall Amer, und Sommer selber schrieb einen Leitartikel, der auch nach einer Woche noch Bestand hatte, als der Dreifrontenkrieg schon wieder zu Ende war: »Nach dem Blitzkrieg – welcher Friede? Das Gebot: Mäßigung im Sieg«. Er schrieb von der hohen Warte eines weltpolitischen Beobachters, so daß die Haltung der Supermächte Amerika und Sowjetunion allemal wichtiger schien als der Ausgang der Kämpfe.

Unverkennbar schlug das Herz der ZEIT-Redakteure für die Israelis. Im Nu ging die Nachricht durchs Haus, als Freunde aus Jerusalem anriefen und, vor Freude weinend, erzählten, sie hätten soeben an der Klagemauer gebetet. Wohl kamen in den folgenden Tagen arabische Gelehrte und Journalisten in die Redaktion, die um Mitleid für die ägyptischen Soldaten baten, welche mit nackten Füßen über harten Wüstengrund vor den Angreifern geflohen waren, doch im Blatt schlugen sich solche Betrachtungen nicht nieder.

Gefeit war die ZEIT gegen die Versuchung, der einige große Zeitungen erlagen, welche die Befreiung Ostjerusalems feierten, als hätten die Israelis gerade Berlin erobert. Vielmehr mokierte sich die ZEIT über diesen peinlichen Siegesjubel, setzte sich aber dabei selber in die Nesseln. Zu später Stunde, in der Redaktionsschlußnacht, fand Theo Sommer es für wirkungsvoller, das Fremdwort »Philosemitismus« durch das altschwäbische Wort »Judenhudelei« zu ersetzen, und der Autor und seine Kollegen gaben ihm recht. Das meinte zwar dasselbe, mußte aber von den Israelis mißverstanden werden. Der israelische Botschafter beschwerte sich prompt im Auftrage des Außenministeriums beim Chefredakteur der ZEIT (der es den Autor des Artikels erst viele Wochen später wissen ließ).

Die anhaltende Diskussion über die Nazivergangenheit schlug in eine neue Qualität um, als seit Mitte der sechziger Jahre die ultrarechten Nationaldemokraten (NPD) von den Wählern in mehrere Landtage katapultiert wurden. Die ZEIT hat stets unaufgeregt und vernünftig auf dieses Phänomen reagiert. Ihre Kommentatoren erkannten die Wurzel des Übels: ein allgemeines Unbehagen an der Bonner Politik. Die Partei der Gestrigen zog Protestwähler auf sich, die sich später wieder anderen Parteien zuwenden würden. So ist es denn bei der Bundestagswahl 1969 in der Tat geschehen. Die ZEIT war für eine politische Auseinandersetzung und gegen ein Parteiverbot, wie es in der Großen Koalition erwogen wurde.

Dank der guten Kontakte Dietrich Strothmanns zu dem Parteivorsitzenden Adolf von Thadden war die ZEIT über die innere Verfassung und die Wahlstrategien der NPD immer im Bilde. Allerdings hatte die Redaktion, wie die Demoskopen und die anderen Parteien, damit gerechnet, daß die NPD in den Bundestag kommen würde. Mit 4,3 Prozent blieb die Partei dann doch deutlich unter der 5-Prozent-Grenze.

Die Position der ZEIT im Umgang mit der nationalsozialistischen Vergangenheit hat in den sechziger Jahren niemand trefflicher formuliert und fast zu einem Leitsatz erhoben wie der Bonner Korrespondent und Leitartikler Rolf Zundel. Im Frühjahr 1965 hatte sich das Parlament nach einer bewegenden Debatte dazu durchgerungen, die Verjährungsfrist für NS-Morde zu verlängern. Für einen Liberalen war die rückwirkende Verlängerung keine gute Sache, weil sie den Rechtsfrieden störte. Aber es gab keinen anderen Ausweg, weil es den Politikern, wie Zundel schrieb, an politisch-moralischem Mut gebrach und sie die politische und rechtliche Auseinandersetzung mit den Nazitätern versäumt hatten.

Wenn er kritisierte, daß Männer wie Globke, Oberländer und andere ehemalige Nazis führende Positionen innehatten – »Mußte dies alles sein?« –, dann distanzierte er sich in Teilen zugleich auch von der Linie der ZEIT, ein Zeichen, welch unabhängiger Geist da urteilte. Zundel ging weit über das Tagesereignis hinaus und brachte der Leserschaft einen Gedanken nahe, der, wie sich später auch in den Gedenkjahren 1983, 1985 und 1995 gezeigt hat, unbequem ist, weil er an innerste Überzeugungen und Verletzungen rührt: Der böse, grausame Traum ist Teil der deutschen Geschichte. Sie muß mitsamt Morden und Mordgehilfen akzeptiert werden. Nicht im Sinne einer juristischen Schuld, sondern als geschichtliches Erbe. Als habe Zundel geahnt, welche Schwierigkeiten sich nach der Wiedervereinigung mit der doppelten Schuld auftun sollten, warnte er vor »moralischer Überheblichkeit, die von eigener Schuld nichts wissen will, aber … von den Volkspolizisten der DDR als ›den Schergen Ulbrichts‹ spricht«.

Ein Gegenstück dazu ist vier Jahre danach im Feuilleton Horst Krügers ehrliche Offenbarung, daß ihn die Abrechnung mit der Nazizeit zu langweilen beginnt. »Es ist aus mit der Nazizeit, es ist vorbei. Kein Thema mehr für Zeitgenossen.« Er bezieht auch die Jungen mit ein, Studenten und andere, die sich in republikanischen und bürgerrechtlichen Gruppen vereinigen. Das war ein Irrtum. Denn einer der Antriebe der 68er-Bewegung war ja gerade der Protest der Söhne und Töchter gegen eine Vätergeneration, die ihnen das Gespräch über die Vergangenheit verweigert hat. Ein Teil dieser neuen Jugendbewegung will mit einer falschen Anwendung des Begriffes Faschismus die Gegenwartsprobleme lösen. Auch in ZEIT-Artikeln jüngerer Autoren werden nun öfter Wörter wie »faschistisch« und »faschistoid« auftauchen, wo »nationalsozialistisch« gemeint ist – auch das eine Folge mißlungener oder versäumter politisch-historischer Bildung.

Völkermord in Biafra – ein Aufruf an die Regierungen (Seite 3)

DAS DEUTSCHE WELT-BLATT

DIE ZEIT

WOCHENZEITUNG FÜR POLITIK · WIRTSCHAFT · HANDEL UND KULTUR

GEDRUCKT IN HAMBURG BUENOS AIRES TORONTO

Nr. 34 / 23. Jahrgang — Hamburg, den 23. August 1968 — C 7451 C — Preis 1,– DM

15. März 1939: Hitlers Soldaten marschieren in die Tschechoslowakei ein

20. August 1968: Ulbrichts Soldaten marschieren in die Tschechoslowakei ein

Die Sprache der Bajonette

Moskaus Generale siegten über die Vernunft / Von Hansjakob Stehle

Das Unrecht des Stärkeren: In Prag rollen sowjetische Panzer gegen die Freiheit

Deutsche Schande

Ulbrichts Triumph

Als »deutsche Schande« empfindet DIE ZEIT im August 1968 die Beteiligung der DDR beim Einmarsch der Truppen des Warschauer Paktes in die Tschechoslowakei.

Oben:
Nach einer Diskussion der ZEIT-Redaktion mit dem CSU-Vorsitzenden Franz Josef Strauß am 7. November 1983 in der ZDF-Reihe »Redaktionsbesuch«:
v.r. Gunter Hofmann, Rudolf Herlt, Strauß, Reinhard Appel (ZDF-Moderator), Michael Schwelien, Marion Dönhoff.

Unten:
Die Unterzeichnung des Redaktionsstatuts am 1. Juli 1974. ZEIT-Verleger Gerd Bucerius und die Redaktionsdelegierten Karl-Heinz Janßen und Dieter Buhl.

Oben:
Wilhelm Güssefeld, dreißig Jahre lang Chef der Hypothekenbank in Hamburg, trat 1953 als Pensionär mit 67 Jahren in den Zeitverlag ein. Er führte das Unternehmen als Geschäftsführer durch die schwere Zeit der Teilhaberprozesse.

Danach war er bis zu seinem Tode 1974 Generalbevollmächtigter des Verlages und Vorstand der ZEIT-Stiftung.

Unten:
Hilde von Lang, seit 1969 für den Zeitverlag tätig, seit Ende der siebziger Jahre als Geschäftsführerin. Nach dem Tod des Inhabers Gerd Bucerius im Herbst 1995 übernahm sie als Testamentsvollstreckerin die volle verlegerische Verantwortung.

Für Europa verloren? – Hintergründe der italienischen Krise (S. 11/33/34/35)
NR. 20
10. MAI 1974
29. JAHRGANG
PREIS 1,80 DM
DIE ZEIT
ERSCHEINT IN HAMBURG BUENOS AIRES TORONTO
WOCHENZEITUNG FÜR POLITIK · WIRTSCHAFT · HANDEL UND KULTUR
C 7451 C
Des Kanzlers jäher Sturz
Brandts Rücktritt: Königsopfer oder Fahnenflucht? – Das schwere Erbe Helmut Schmidts / Von Theo Sommer
Das Drama in Bonn
2 Vorhang zu – und alle Fragen offen
3 Ein Kanzler, der seine Kraft erschöpfte
4 Blitzkur für die Koalition – Helmut Schmidt tritt an
5 Kerzen vor der Kanzlervilla
6 Wie reagiert Ostberlin?
Versagen in der Krise
Eine Chance für die SPD
Außerdem lesen Sie diese Woche
BRANDT

»Die Handhabung der Guillaume-Affäre warf Zweifel nicht nur am Durchsetzungswillen des Kanzlers Brandt, sondern auch an seiner Urteilskraft auf« (Theo Sommer am 10. Mai 1974).

20. Kapitel

1968 – das tolle Jahr

Das Jahr 1968 ist längst zur Chiffre geworden: Zeichen einer Generation, eines Aufbruchs, eines Umdenkens. Aber 1968 war nicht nur der Höhepunkt der Studentenrevolte in Berlin und der Bundesrepublik, sondern auch das Jahr, in dem der Vietnamkrieg seine Peripetie erreichte. Und es war die Zeit der Worte, die zu Symbolen wurden: Biafra, Pariser Mai, Prager Frühling.

Drei Meinungen zum Vietnamkrieg

Vietnam ist eines jener asiatischen Länder, denen die ZEIT schon früh ihre Aufmerksamkeit widmete. Marion Dönhoff reiste bereits im Frühjahr 1954 dorthin, als sich der erste Vietnamkrieg und die französische Kolonialherrschaft ihrem Ende zuneigten. Jener Krieg, der auf der Genfer Konferenz durch die Teilung des Landes abgeschlossen wurde, gebar den nächsten: einen Krieg des kommunistischen Nordens für die Wiedervereinigung des Landes, in den von Anfang an die Vereinigten Staaten hineingezogen wurden.

Als das Engagement der Amerikaner in Südvietnam zusehends größer wurde – von anfänglich ein paar hundert Militärberatern und zivilen Helfern bis zu einer Armee von 500.000 Mann, soviel wie Napoleon gen Moskau geführt hatte –, da zog es auch die ZEIT-Redakteure auf den Kriegsschauplatz: Marion Dönhoff, Rolf Zundel und Theo Sommer, ihn gleich mehrmals. Anfang der siebziger Jahre folgten Dieter Buhl und Andreas Kohlschütter (der die südvietnamesische Armee auf ihrem Feldzug ins benachbarte Kambodscha begleitete). Die aktuelle Berichterstattung war vortrefflich, da die ZEIT auf ihrer Nachrichtenseite das Material von »Newsweek« und »Observer« auswertete. Da konnte es zuweilen geschehen, daß Meinungsartikel auf Seite eins durch die Nachrichten auf Seite acht widerlegt wurden.

Zu Lebzeiten John F. Kennedys empfand man in der ZEIT noch Sympathien für die amerikanischen Hilfsaktionen in Südvietnam, auch wenn alle die Springer-Parole, in Saigon werde Berlin verteidigt, für überspannt hielten. Doch je mehr die Amerikaner erst den Süden und bald auch den Norden des Landes mit Krieg überzogen und rund um die Welt die Jugend auf den Straßen dagegen protestierte, desto mehr schwankte die Redaktion in ihrer Beurteilung. Zum Jahresende 1965 gestattete sich die ZEIT, drei Meinungen zu haben, die sie auf zwei Seiten vor der Leserschaft ausbreitete.

Die Meinung der meisten jüngeren Redakteure artikulierte Feuilletonchef Rudolf Walter Leonhardt. Er setzte die Moral »wider die nüchterne Realpolitik«, eingedenk der Verse des Matthias Claudius: »'s ist leider Krieg und ich begehre / Nicht schuld daran zu sein!« Leonhardt stellte sich an die Seite jener Amerikaner, die leidenschaftlich gegen den Krieg in Vietnam demonstrierten. Seine moralischen Kategorien waren die gleichen, nach denen Amerika den Krieg gegen Nazi-Deutschland geführt und die es mit der »re-education« den Deutschen eingeimpft hatte.

Den längsten Artikel schrieb Theo Sommer, aber er hatte auch den schwersten Part übernommen, denn für ihn war es »Der notwendige Krieg«: »Bei aller Kritik an seinen Modalitäten halte ich dieses Engagement im Grundsatz für richtig und unvermeidlich.« Amerika und Südvietnam hätten Völkerrecht und Verträge auf ihrer Seite, wenn sie das Land gegen eine nordvietnamesische Invasion verteidigten. Drei Motive führte er für die USA ins Feld: als Zwei-Ozeanen-Staat müsse Amerika die Freiheit in Asien ebenso verteidigen wie in Europa; als Weltmacht habe es die Aufgabe, den chinesischen Kommunismus einzudämmen; nach der Dominotheorie würde eine Kapitulation in Vietnam nur neue Aggressionen in Südostasien auslösen. Heute wissen wir, daß alle drei Motive nicht stichhaltig gewesen sind. Am Ende seines Plädoyers wiederholte Sommer mehrmals, er sehe »keine Alternative zum Engagement«. Das ist das Risiko bei Pro-und-Contra-Diskussionen: Jeder überzieht und überspitzt sein Argument.

Rolf Zundel bezog und begründete die Gegenposition: »Der sinnlos gewordene Krieg«. Sein Essay ist ein historischer Beleg dafür, daß man im Jahre 1966 sehr wohl schon den schlimmen Ausgang des Krieges voraussehen konnte. Aus eigener Anschauung weiß er, daß es unmöglich sein wird, in Südvietnam eine Demokratie aufzubauen und zugleich einen totalen Krieg zu führen. Ein völlig verwüstetes Land als Preis für eine Demokratie westlichen Musters scheint ihm zu hoch, zumal bei einer Bevölkerung, der Ideologien gleichgültig sind und die nach zwanzig Jahren Krieg Ruhe und Frieden ersehnt.

Zundel sagt all die Folgen eines langen Krieges voraus, die dann tatsächlich eintreten: Das Ansehen Amerikas in der Dritten Welt wird leiden; das kommunistische Regime in Nordvietnam gerät wider seinen Willen in die Abhängigkeit von China; die rein militärische Logik wird die politische Vernunft zurückdrängen. Zundel hat seiner politischen Analyse jenes Quantum Menschlichkeit beigemischt, das der Realpolitiker, dessen Position Theo Sommer einnimmt, mit Kühle und Härte geringachten muß, obschon ihm das »ungeheure menschliche Elend und Leid« bewußt ist.

Was bei diesem Forum noch fehlt, sind jene Entartungen der amerikanischen Kriegführung, die man 1965 selbst in der ZEIT für unmöglich gehalten hätte: die Entlaubung der Wälder, die »free-to-kill«-Zonen, die Massaker à la My Lai. Weit unterschätzt wird der Opfermut und die Leidensfähigkeit der patriotischen Vietcong-Partisanen, von denen Gräfin Dönhoff 1966 nach ihrem Frontbesuch schreibt, daß sie »mit einer Bravour kämpfen, die kaum ein Vorbild hat«.

Als ein gutes Jahr später, im Sommer 1966, Theo Sommer den »stern«-Chefredakteur Henri Nannen zu einem Besuch beim amerikanischen Präsidenten Lyndon B. Johnson auf dessen Texas-Ranch begleitet, ist in dem fünfstündigen Gespräch von Vietnam kaum die Rede. Johnson präsentiert sich den Hamburger Journalisten als einer, der mit sich und der Welt zufrieden ist. Doch im Februar 1968, nach der unerwarteten landesweiten »Neujahrsoffensive« des Vietcong, zerstiebt der Nimbus der siegreichen Weltmacht Amerika.

Die ZEIT paßt sich den neuen Verhältnissen eher unauffällig an: Kurt Becker, eigentlich ein Innenpolitiker, verkündet in einem zweiten Leiter, dem kleineren Leitartikel auf der ersten Seite, das Scheitern der amerikanischen Vietnampolitik. Er empfiehlt der Bundesregierung, den amerikanischen Freunden die Sorge zu nehmen, daß Deutschland eine Kursänderung in Vietnam falsch auslegen könnte. Sieben Wochen später, als Präsident Johnson seinen gescheiterten Oberkommandierenden Westmoreland aus Südvietnam zurückruft, beginnt auch Theo Sommer vorsichtig seine Position zu ändern: »Man muß sich mit dem Gedanken vertraut machen, daß der Vietnamkrieg nur um einen unzumutbar hohen Preis gewonnen werden kann und daß das bisherige Ziel – ein unabhängiges, stabiles, nichtkommunistisches Südvietnam – möglicherweise unerreichbar ist.«

Ein paar Wochen später ist er viel weiter: »Bestenfalls wird wiederum ein halber Frieden herauskommen, und auf lange Sicht ist ein Triumph Ho Tschi-minhs nicht mehr auszuschließen.« Am 5. April 1968 schreibt der Korrespondent in Washington, Joachim Schwelien, zum erstenmal einen Leitartikel. Das zu vermeldende Ereignis ist auch danach: Präsident Johnson hat den Luftkrieg gegen Nordvietnam eingestellt und auf seine (ziemlich sichere) Wiederwahl verzichtet. In derselben Ausgabe ist noch ein zweites Novum zu verzeichnen: Das Feuilleton bringt ein politisches Thema auf die Aufschlagseite. Es druckt einen Leitartikel ab, den der Berliner Kulturkorrespondent der »Frankfurter Allgemeinen Zeitung«, Dieter Hildebrandt, geschrieben hat. Sein eigenes Blatt hatte sich geweigert, ihn zu drucken, so daß Hildebrandt deswegen die »FAZ« verlassen wird. Der Titel »Dieser Krieg« führt ein wenig in die Irre, denn fast in jedem Absatz heißt es: »Dieser Krieg ist unser Krieg«. Hildebrandt appelliert an jedermann, schon zu Hause mit Toleranz und Kritikbereitschaft anzufangen, sich für den Frieden in Vietnam einzusetzen.

Die ZEIT hilft Biafra

Am 12. Juli 1968 erscheint die ZEIT mit einer ungewöhnlichen Schlagzeile: »Belsen in Biafra?« Der Titel grenzt ans Ungehörige: Die Hungersnot im nigerianischen Sezessionskriegsgebiet läßt sich nicht dem Holocaust in Nazi-Deutschland gleichsetzen. Aber die Schlagzeile half, die Menschen aufzurütteln. Das ist auch der Sinn von Gräfin Dönhoffs Leitartikel, in dem sie, aus dem Fundus ihrer afrikanischen Kenntnisse schöpfend, erklärt, wie im größten Land Afrikas, Nigeria, eine leichtfertige Polizeiaktion zum fahrlässigen Krieg und zuletzt zum Völkermord entarten konnte. Aus dem belagerten Biafra kamen unglaubliche Berichte von Massenflucht und Massensterben. Marion Dönhoff beklagt das Schweigen der Politiker in der ganzen Welt und ebenso das Verstummen der studentischen Rebellen, von denen sich kaum jemand für diese Katastrophe interessiert.

Vier Wochen später schlägt Hans Gresmann Alarm: »Ein Volk stirbt, es stirbt unter den Augen der Welt.« Jeden Tag werden die Elendsbilder im Fernsehen gezeigt. Aber die Spenden, die man in Europa gesammelt hat, erreichen angeblich nicht ihren Bestimmungsort. Zwölf Millionen Menschen sollen vom Tode bedroht sein. Der Leitartikler verlangt deshalb das Eingreifen der Vereinten Nationen. Am 23. August veröffentlicht die ZEIT einen Aufruf an die Adresse der Regierungen, der von Marion Dönhoff und den Schriftstellern Max Frisch und Günter Grass unterschrieben ist, denen sich noch neun andere Prominente angeschlossen haben. Sie verlangen die sofortige Einstellung aller Waffenlieferungen nach Nigeria; wer sie durchführe oder dulde, mache sich an einem Verbrechen schuldig, »unsühnbar wie das Verbrechen Auschwitz«. Das Internationale Rote Kreuz müsse seine humanitäre Hilfe selbst gegen Widerstände durchsetzen. Alle seine Mitgliedstaaten sollten Transportflugzeuge mit Piloten stellen.

Dieser Aufruf wurde gleichzeitig in mehreren europäischen Zeitungen veröffentlicht. Jeder Leser konnte zur Unterstützung seine Unterschrift ans Pressehaus schicken. Der Appell schien deshalb so dringlich, weil die nigerianische Armee zur Schlußoffensive in Biafra angetreten war. Die Kämpfe endeten jedoch erst nach anderthalb Jahren. Im Dezember 1968 flog Haug von Kuenheim von São Tomé mit einem Flugzeug, das im Auftrag der Kirchen Lebensmittel transportierte, nach Biafra. Sein Fazit: Die Not war groß, aber nicht so groß, daß Biafra kapitulieren mußte. Nacht für Nacht wurden von »Kirchenflugzeugen« bis zu 150 Tonnen Lebensmittel eingeflogen.

Bis heute steht nicht fest, wie viele Menschen damals in Biafra verhungert sind. Der Verdacht drängte sich auf, eine sehr geschickte Propaganda der Regierung von Biafra habe überhöhte Schreckenszahlen in Umlauf gebracht, um die Weltöffentlichkeit wachzurütteln. Der Name Biafra verschwand bald wieder von der Landkarte und auch aus den Schlagzeilen – andere dramatische Ereignisse drängten sich in den Vordergrund.

Prager Frühling: Hoffen und Bangen

Niemals wieder hat sich die ZEIT von einem historischen Ereignis derart mitreißen lassen wie im Frühjahr und Sommer 1968 vom tschechoslowakischen Reformkommunismus. »Wer in diesem Frühjahr nach Prag kommt«, schrieb Marion Dönhoff nach einem Besuch, »hat das Gefühl, mitzuerleben, wie Geschichte gemacht wird: ›Und ihr könnt sagen, ihr seid dabei gewesen.‹« Das Aufregende war der Versuch, innerhalb des Ostblocks einen Sozialismus mit menschlichem Antlitz auszuprobieren, eine Demokratie, welche die Abschaffung des Privateigentums beibehält, also einen dritten Weg zwischen Kapitalismus und Sowjetkommunismus einzuschlagen.

Über die erste unblutige Revolution im Ostblock berichtete für die ZEIT von Anfang an der in Wien residierende Osteuropa-Korrespondent Hansjakob Stehle. Er wies frühzeitig auf zwei Ungewißheiten des Reformversuchs hin: die wirtschaftliche und die außenpolitische Lage des Landes. Dennoch konnte er im März vermelden: »Niemand in Prag rechnet mit sowjetischem Eingreifen.« Die Spalten der ZEIT standen nun wochenlang für Beiträge tschechoslowakischer Wirtschaftsreformer und Schriftsteller offen. Journalisten aus Prag besuchten die ZEIT-Redaktion, neue Freundschaften wurden geschlossen.

Als im Sommer 1968 der sowjetische Druck auf die Prager Reformer zunahm, analysierte Gräfin Dönhoff in einem außergewöhnlich langen Leitartikel die machtpolitischen und ideologischen Schwierigkeiten der Kremlführer: Konnte sich das Imperium eine Zersetzung vom Rande leisten, wodurch auch die Nationalitätenfrage in der Sowjetunion aufgeworfen werden mußte? Und ließ sich ein ideologischer Zweifrontenkrieg gegen Prag und Peking durchhalten? Dennoch schien ihr die Lage rosiger als 1956 vor der russischen Invasion in Ungarn: Alle kommunistischen Parteien Westeuropas und einige gewichtige Ostblockstaaten standen hinter Alexander Dubček und seinen Reformern. Auch sei die junge Generation in Rußland selbstbewußter als zu Stalins Zeiten.

Anfang August stieg die Zuversicht in der ZEIT-Redaktion noch weiter. Hansjakob Stehle konnte Erfreuliches berichten. Bei den Konferenzen mit den Sowjets in Čierna und mit den erzürnten kommunistischen Bruderparteien in Preßburg hatten Dubček und seine Freunde, sanft im Umgang, hart in der Sache, einen Modus vivendi erreicht: Sie mußten weder die Zensur wieder einführen noch sowjetische Truppen im Lande stationieren. Der einzige Preis, den sie zu zahlen hatten, war der Verzicht auf offene antisowjetische Polemik. Selbst Stehle, sonst eher vorsichtig, geriet einen Moment lang ins Träumen: »Der Umbau des sowjetischen Imperiums zu einem Commonwealth … ist in ein neues Stadium getreten.«

Die peinliche dreispaltige Überschrift »Prag siegte bei Čierna« war in Hamburg ausgetüftelt worden. Tatsächlich machte sich in der Redaktion das Gefühl breit, der Ostblock lasse sich auf dem Umweg über Prag aus den Angeln heben. Nur einer teilte diesen Übermut nicht. Kurt Becker, der nie zu überschwenglichen Kommentaren neigte, sagte: »Wenn ich sowjetischer General wäre, würde ich jetzt einmarschieren!«

In der Nacht zum 21. August 1968 passierte es – so kurz vor Druckbeginn, daß man am frühen Vormittag nur noch die Seite eins verändern konnte. Das politische Ressort war zum großen Teil in Ferien. Es mußte improvisiert werden, und zwar schnell. Zwei große Photos füllten die halbe Seite zwischen Zeitungskopf und Knick aus. Sie zeigten den Einmarsch der Wehrmacht am 15. März 1939 in Prag und daneben eine Parade der Nationalen Volksarmee mit der Unterschrift: »Ulbrichts Soldaten marschieren in die Tschechoslowakei ein«. Truppen der DDR beteiligten sich zwar an der Invasion, verkrochen sich aber in den Grenzwäldern. In einer Glosse (»Deutsche Schande«) schrieb Gräfin Dönhoff: »Die Geschichte erspart diesem Volk – beiden Völkern – auch wirklich nichts, nicht einmal diese letzte Erniedrigung, diese neuerliche Scham. Arme ČSSR. Und: Armes Deutschland.«

Darunter meldete der Berliner Korrespondent Kai Hermann, ein triumphierender Ulbricht habe soeben in Berlin die Übergänge an der Mauer gesperrt und die S-Bahn stillgelegt. Hermann prophezeite, jede Politik der Normalisierung in Deutschland sei nun auf Jahre blockiert. Das war ein Fehlurteil, wie es am Anfang einer noch unüberschaubaren Katastrophe verzeihlich ist. Es dauerte nur noch anderthalb Jahre, bis Willy Brandt nach Erfurt reiste.

Die ZEIT konnte an jenem Tag so aktuell wie jede große Tageszeitung sein: Ebenfalls auf Seite eins stand bereits ein Funkbild von den Sowjetpanzern auf dem Wenzelsplatz, umrahmt von einem Leitartikel aus der Feder Hansjakob Stehles, der sich noch in der Nacht hingesetzt hatte, die Hintergründe der Invasion zu analysieren.

Am selben Morgen war Kai Hermann aus Berlin aufgebrochen. Er schaffte es, über die österreichische Grenze in die Tschechoslowakei zu gelangen. Seine Reportage über den passiven Widerstand der Prager Bevölkerung, die sechs Tage lang mit bloßen Händen den Panzern trotzte und mit schwejkscher List und Findigkeit die Besatzungsmacht narrte, ist ein Dokument dieses Jahrhunderts. Hermann war auch Zeuge, als sich nach dem vergeblichen Widerstand die »Nacht über Prag« senkte. Er hat gleich erkannt, daß die Russen dem Volkshelden Alexander Dubček vor seinem Sturz die Schmutzarbeit der Entdemokratisierung überlassen wollten. Und doch bewahrte sich auch Kai Hermann eine winzige Illusion: Dubček und seine Freunde würden nun um die kleine Freiheit ringen. (Ein Jahr danach wird Marion Dönhoff registrieren, daß die »Prager Inquisition« unaufhaltsam fortschreitet: »Es kann einem angst und bange werden angesichts der Intensität von Haß und Rachsucht.«)

Die ZEIT lief, wie stets nach großen Ereignissen, in der zweiten Ausgabe nach der Invasion zu großer Form auf: Politik, Feuilleton und Wirtschaft übertrafen sich gegenseitig. Es gab Interviews mit Heinrich Böll, Pavel Kohout und General Graf Baudissin, Beiträge des österreichischen Reformkommunisten Ernst Fischer, des Ostexperten Wolfgang Leonhard und des Schweizer Schriftstellers Max Frisch. Diether Stolze fragte sich, ob man nun noch zur Leipziger Messe fahren dürfe, und »stern«-Photograph Hilmar Pabel brachte eine Bildreportage aus Prag. Theo Sommer war es, der den Überblick behielt. Als die meisten Experten gefährliche Entwicklungen befürchteten (»Die Russen im Böhmerwald!«), hat er die weltpolitische Konstellation richtig eingeschätzt. Nur eine Entspannungsphase, nicht die Entspannung war zu Ende gegangen: »Die Zukunft gehört nicht den Kalten Kriegern. ... Die Kräfte, die auf Wandel dringen, werden auf die Dauer stärker bleiben als die Gendarmen.«

Bald klopften Flüchtlinge aus der Tschechoslowakei – Schriftsteller, Künstler und Journalisten – an die Türen der Redaktion. Für sie richtete die ZEIT bei ihrer Hausbank einen »Hilfsfonds ČSSR« ein (Konto 21-8-68), in das als erste Spender Gerd Bucerius und Rudolf Augstein jeder 100.000 Mark einzahlten.

Die Studentenrevolte in Berlin: Die ZEIT war dabei

Die Studentenrevolte in Westdeutschland und Berlin hatte sich schon seit mehreren Jahren angekündigt, und die ZEIT war seit den Anfängen mit dabei. Der 28jährige Redakteur Kai Hermann, der in Tübingen, Hamburg und Vancouver studiert hatte, war 1966 als ZEIT-Korrespondent nach Berlin geschickt worden. Er beobachtete die Entpolitisierung der Freien Universität (FU), die vergeblichen Bemühungen der Studenten um eine Hochschulreform, den wachsenden Unmut über die Repressionen der Obrigkeit und erlebte das erste »Sit-in« in der deutschen Universitätsgeschichte.

Zunächst hat Kai Hermann die Hamburger Zentrale mit seinen Berichten nur genervt; da man sie als Berliner Lokalpossen mißverstand, wurden sie im hinteren Teil der Politik oder im Länderspiegel gedruckt. Aufmerksamen ZEIT-Lesern war die unheilvolle Konstellation in West-Berlin jedoch längst vertraut, ehe der tödliche Schuß aus einer Polizeipistole am 2. Juni 1967 den Studenten Benno Ohnesorg niederstreckte und den Aufstand der Jugend auslöste.

Enttäuscht von der hilflos-autoritär reagierenden Berliner Obrigkeit und vom Eintritt der SPD in die Bonner Große Koalition, hatte sich, angeführt von sozialdemokratischen Studenten, eine außerparlamentarische Opposition formiert. Diese APO geriet unter starken Druck des radikalen, antiparlamentarischen Sozialistischen Deutschen Studentenbundes (SDS). Über ihn hatte die ZEIT schon im Sommer 1966 berichtet, in einer Reportage vom Frankfurter SDS-Kongreß. Sie trug die bezeichnende Überschrift »Aufbruch in die Sackgasse«. Zum erstenmal in einer westdeutschen Zeitung wurde hier das demagogische Talent eines Berliner Studentenführers vorgestellt, der Rudi Dutschke hieß.

Als am Abend des 2. Juni die Demonstranten, die wegen der Unterdrückung der Opposition im Iran gegen den Besuch von Schah Reza Pahlevi protestierten, vor der Oper von der Polizei brutal zusammengeknüppelt wurden, saß ZEIT-Korrespondent Kai Hermann als Gast der Festveranstaltung für das persische Kaiserpaar im Saal. Ein Augenzeuge, Jürgen Zimmer, sprang draußen für ihn ein. Während die Tagespresse zunächst nur die beschönigenden Verlautbarungen des Senats und der Polizei brachte oder, schlimmer noch, Tatsachen unterdrückte, beschrieben diese beiden wahrheitsgemäß und schonungslos die schrecklichen Vorfälle und deren Folgen. Diese Faktentreue hatte zur Folge, daß nun viele Bürger, vor allem Studenten, zum erstenmal die ZEIT lasen.

Der Tod des Studenten Benno Ohnesorg, der, wie Dieter E. Zimmer herausfand, überhaupt kein Radaubruder oder Gewalttäter gewesen war, sondern ein stiller, sanfter, hilfsbereiter Kommilitone, schockierte die ZEIT-Redaktion: Nicht in einer Bananenrepublik, sondern im freien Berlin hatte die Polizei einen Demonstranten erschossen! Den Konservativen Paul Sethe bekümmerte freilich noch anderes: »Das geht zu weit – mit faulen Eiern und Tomaten gegen ein Staatsoberhaupt!« In der nächsten Ausgabe – inzwischen war im Gefolge des Sargs mit dem toten Ohnesorg der Funke der Revolution nach Westdeutschland übergesprungen – stieg das Feuilleton groß ein: Vier Seiten widmete es dem Thema »Studenten und die Obrigkeit«. Das Ressort erfüllte neben seiner Informationsaufgabe auch eine Schutzpflicht. Professor Peter Wapnewski von der FU verteidigte die aufsässigen Studenten gegen die Pogromlust der Kleinbürger und gegen die Vorurteile der Obrigkeit (»Sie sind keine Messerstecher«).

Gräfin Dönhoff wirbt in den folgenden Wochen mit viel Sympathie um Verständnis für die Ziele der Rebellen, denn sie hielt es schon lange für dringend, die Universitäten zu modernisieren, zu vergrößern und die Allmacht der Ordinarien abzubauen. Und es konnte nicht ausbleiben, daß sich einige, die anderer Meinung waren, erinnerten, Marion Dönhoff sei während ihres Studiums an der Frankfurter Universität gelegentlich als »rote Gräfin« bezeichnet worden.

Voller Neugierde steckte auch der begeisterungsfähige Verleger Gerd Bucerius. Er lud einige Wortführer der Berliner Studentenrevolte zu einem Gespräch in seine Wohnung an der Warburgstraße. Redakteure, die an dieser Begegnung mit den Verächtern und Gegnern des Liberalismus teilnahmen, erinnern sich heute kaum noch an Einzelheiten der Diskussionen, wohl aber an die Stimmung. Sie fanden es aufregend und spannend, diese Rebellen in ihrem gewollt schäbigen Revolutionslook und mit ihren bewußt antibürgerlichen Manieren aus der Nähe zu erleben. Als die Wirtschaftsredakteure Stolze und Jungblut hartnäckig den Verelendungstheorien und der Kapitalismuskritik Rudi Dutschkes widersprachen, sprang plötzlich Bucerius auf: »Sie haben ja so recht, die Jungen, sie haben ja so recht!« Natürlich durchschaute er das Illusionäre ihrer politischen und wirtschaftlichen Ziele. »Aber ich beneide sie um ihren Glauben und ihre Redlichkeit. Die Gesellschaft wird sich vor ihnen bewähren müssen.«

Bald machte das Gerücht die Runde, Bucerius finanziere Dutschke und seine Bewegung. Dies stimmte nicht. Doch fühlte er sich aufgerufen, Geld für ihre Verteidigung vor Gericht zu spenden (er bezog sich dabei auf Winston Churchill, der 1949 fast 20.000 Mark gesammelt hatte, damit sich Feldmarschall von Manstein, der vor dem Militärgericht in Hamburg stand, einen englischen Verteidiger leisten konnte): Am 1. Dezember 1967 hatte der Konvent der Studentenvertretung an der FU Bucerius informiert, viele Studenten, die gegen den Schah demonstriert hatten und nun vor Gericht gestellt wurden, seien in Not, weil sie sich keinen Verteidiger leisten konnten. Sofort zahlte Bucerius 5000 Mark auf ein »Sonderkonto Rechtshilfe«. Dabei blieb es nicht, da noch mehr Anwälte bezahlt werden mußten. Unter ihnen befand sich auch Horst Mahler, der später mit der Roten-Armee-Fraktion in den Untergrund ging.

Es ist ein arges Mißverständnis, daß sich die ZEIT an die Spitze der 68er-Bewegung gesetzt habe. Vielmehr hat sie schon sehr früh den Revoluzzern ein »Bis hierher und nicht weiter« zugerufen. Wohl nie st die ZEIT gleichzeitig so oft von links wie von rechts attackiert worden wie in jenen Jahren. Für ältere Konservative waren es »Gräfin Dönhoff und ihre Bolschewiken«, wie der Hamburger Bürgermeister Herbert Weichmann frotzelte, welche durch ihren Beifall für die Linken die rechtsstaatliche Ordnung untergraben halfen. Den Radikalen hingegen galt die ZEIT als Teil des Establishments und des Manipulationsapparats, und die Redakteure waren in ihren Augen »Scheißliberale«.

Nichtsdestoweniger hat die ZEIT die Ereignisse weiterhin getreulich aufgezeichnet. Zum Beispiel veröffentlichte das Feuilleton ein Dreiseitenprotokoll von der großen Hamburger Podiumsdiskussion mit einigen Leitfiguren der Studentenrevolte. ZEIT-Redakteur Hans Gresmann leitete das Gespräch. Hier war es, wo Rudi Dutschke zum erstenmal seine Theorie vom Langen Marsch durch die Institutionen verkündete. Ein andermal hat das Feuilleton über mehrere Wochen das SDS-Projekt »Kunst als Ware« zur Diskussion gestellt.

Die Osterunruhen: Der Wendepunkt

Als bei Demonstrationen die ersten Steine flogen, fand Marion Dönhoff, jetzt sei der Punkt erreicht, wo die ZEIT gegenhalten müsse (»Die gesteinigte Demokratie. Wenn der Terror die Freiheit bedroht«). Hans Gresmann fühlte sich angewidert, als er Demonstranten, denen sich mit Fahrradketten bewaffnete »Rocker« angeschlossen hatten, beim Sturm auf das Hamburger Amerikahaus erlebte. »Abstieg zum Mob« überschrieb er seinen Bericht, von dem freilich Bucerius, wohl wegen des bitterbösen Tons, meinte, der Text sei auch eine Schande fürs Blatt.

Theo Sommer zog dann einen dicken Trennstrich nach den Osterunruhen 1968. Am Gründonnerstag war Rudi Dutschke bei einem Attentat lebensgefährlich verletzt worden. Daraufhin hatte sich die Wut der linken Studenten vor den Verlagshäusern Axel Springers ausgetobt; sie hielten einige seiner Blätter wegen ihrer Pogromhetze für mitschuldig an dem Mordversuch. Durch Sitzblockaden wurde an mehreren Orten die Auslieferung der Zeitungen verhindert. Sommer verurteilte diesen Eingriff in die Pressefreiheit und geißelte scharf die Schreibtischtäter des SDS, denen er die geistige Vaterschaft an den Ausschreitungen zusprach. Anderseits rügte er die »sinnlose, blinde Knüppelei« der Polizisten. Er resümierte: »Zwischen der ratlosen

Gewalt der Regierenden ohne Programm und der fühllosen Gewalt der Protestierenden ohne Ziel muß es einen dritten Weg geben: die permanente Reform, die das Bestehende fortentwickelt, ohne seine Fundamente zu zertrümmern.« Dies waren die Tage, da sich der Hamburger Polizeipräsident Jürgen Frenzel mit Marion Dönhoff und Helmut Schmidt zusammensetzte, um zu beraten, wie man sich am besten auf die Demonstrationen der Jugend einstellte.

Die Osterunruhen zogen gerichtliche Auseinandersetzungen zwischen Springer Verlag und Zeitverlag nach sich. Am 26. April 1968 hatte Kai Hermann den Redakteuren der Springer-Blätter vorgeworfen, sie verfälschten die Wahrheit, verbreiteten zahllose Falschmeldungen und unterdrückten konsequent alle Nachrichten von Übergriffen und Brutalitäten der Polizei. So hatte die »Bild«-Zeitung am Dienstag nach Ostern ihren Bericht über die Unruhen mit der Schlagzeile aufgemacht: »Möbelhaus in Brand gesteckt« und gefragt: »Ist das Demonstration?« In Wirklichkeit war dieser Vorfall in Gladbeck die Tat eines arbeitslosen Einbrechers gewesen.

Der Axel Springer Verlag schickte eine lange Gegendarstellung und verlangte von der ZEIT, die Behauptungen nicht zu wiederholen. Die ZEIT druckte die Gegendarstellung am 9. Mai freiwillig ab, wiederholte aber gleichzeitig, belegt durch Beispiele, den Vorwurf der Manipulation, Verfälschung und Fälschung von Nachrichten. An einem Sonntagvormittag hatten Kai Hermann und der »stern«-Redakteur Manfred Bissinger in stundenlanger Kleinarbeit diese Dokumentation zusammengestellt. Rechtzeitig zur Verhandlung am 10. Mai 1968 lag sie dem Hamburger Landgericht vor. Zwei Anträge der Springer-Anwälte wurden von den Richtern ganz, der dritte zum Teil abgewiesen. Die ZEIT durfte lediglich nicht mehr behaupten, daß die Springer-Presse »konsequent« Nachrichten unterdrückt habe, denn zwei Zeitungen hatten immerhin das »Schlagmassaker« erwähnt. ZEIT-Anwalt Heinrich Senfft: »Das Urteil war ein Juwel. Seitdem hat es eine ihm vergleichbare Entscheidung nicht noch einmal gegeben.«

Von der Brandstiftung zur Stadtguerilla

Die Leitartikler in Politik und Feuilleton lehnten Gewalt als Mittel zur gesellschaftlichen Veränderung klar ab; sie ließen sich auch nicht durch Tarnvokabeln wie »Gegengewalt« oder die theoretische Trennung in »Gewalt gegen Sachen« und »Gewalt gegen Menschen« beirren. Aber es gab, am Anfang jedenfalls, unter den Mitgliedern der Redaktion durchaus auch einige, die in ihrem Urteil zur Milde, ja Sympathie neigten. Der erste Test auf diese Gesinnung war der Frankfurter Kaufhausbrand im Frühjahr 1968. Die Täter, vier junge Leute, unter ihnen die späteren Terroristen Andreas Baader und Gudrun Ensslin, wurden schnell gefaßt. Sie handelten aus Überzeugung, wollten gegen die Gleichgültigkeit protestieren, mit der die Menschen dem »Völkermord« in Vietnam zusahen.

Das ZEIT-Feuilleton schickte als Beobachter zum Kaufhausbrand-Prozeß den begabten jungen Uwe Nettelbeck, der als Filmrezensent angefangen hatte und sich als Gerichtsreporter ein neues Feld erschloß. Seine Reportage hatte er bis ins letzte durchstilisiert; seine Urteilsschelte und seine Kritik am Staatsanwalt waren für damalige Verhältnisse ungewöhnlich frei. Die vier Angeklagten wurden wegen versuchter menschengefährdender Brandstiftung zu je drei Jahren Zuchthaus verurteilt. Nettelbeck bezweifelte, daß überhaupt eine schwere Brandstiftung vorgelegen habe. Seine Schlußfolgerung: »Damit war das Marschziel des Prozesses, den vier Angeklagten auf Biegen und Brechen mit einer drastischen Strafe zu kommen, weil es galt, einen Angriff auf die herrschende Ordnung zu ahnden, im Rahmen des juristisch vielleicht noch eben Möglichen erreicht.«

Feuilletonchef Leonhardt fragte in seinem Kommentar, ob die vier jungen Leute wirklich von der ganzen Härte eines Gesetzes getroffen werden mußten, das noch aus dem vorigen Jahrhundert stammte. Und dann, ganz im damaligen Zeitgeist: »Ich glaube, daß ein Strafgesetz, welches das Eigentum so viel stärker schützt als die Person, dringend revisionsbedürftig ist.«

Ebenso wie Nettelbeck nahm es auch Leonhardt den Angeklagten ab, daß sie den Brand um Mitternacht gelegt hatten in der Zuversicht, dann kein Menschenleben zu gefährden. Beide übersahen jedoch die anerkannt hohe Intelligenz der Täter. Behutsamer ging Dieter E. Zimmer vor. Er schickte ein Manuskript zurück, in dem der Kaufhausbrand als dadaistischer Akt verharmlost wurde. In der Großen Konferenz hatte man über »Leos« Meinung lange diskutiert. Nicht allen war wohl zumute. Ein Leser schrieb, er werde demnächst der Redaktion eine Bombe ins Pressehaus senden, doch solle man dafür sorgen, daß nachts niemand vom Betrieb mehr im Hause weile.

Aufsehen erregte damals ein Kommentar der »konkret«-Kolumnistin Ulrike Meinhof: »Das progressive Moment einer Warenhausbrandstiftung liegt nicht in der Vernichtung der Waren, es liegt in der Kriminalität der Tat, im Gesetzesbruch.« In der ZEIT hielt man die ehemalige Studentenzeitung »konkret« für viel zu links, doch die Artikel »der Meinhof« las man immer. Einige Redakteure kannten sie recht gut von den Parties, auf denen sich Hamburger Intellektuelle begegneten. Auch Bucerius schätzte die Journalistin (»eine empfindsame, sogar anschmiegsame Person«, »im Umgang angenehm und liebenswert«) und diskutierte gerne mit ihr.

Am 14. Mai 1970 beteiligte sich Ulrike Meinhof an der gewaltsamen Befreiung des Strafgefangenen Andreas Baader. Ein Mittäter verlor bei dem Überfall die Nerven und schoß einen älteren Angestellten nieder. Zwei Tage vor der Tat hatte Ulrike Meinhof noch ZEIT-Literaturchef Dieter E. Zimmer spät abends angerufen. Sie schien ihm ziemlich deprimiert. Wissen wollte sie, ob man sie denn wegen ihrer radikalen Meinung für immer ins Abseits gestoßen habe, so daß eine Rückkehr unmöglich sei. Es war offensichtlich der letzte Selbstzweifel vor dem Schritt in den Untergrund.

Das Entsetzen unter den Journalisten war allgemein. Haug von Kuenheim schrieb in einem Kurzkommentar »Entlarvt«: »Jetzt ... sollte auch dem letzten Salon-Anarchisten aufgegangen sein, daß die ›Propagandisten der Tat‹ sich als Kriminelle entlarvt haben. Ihr Weg muß zwangsläufig hinter Gittern enden.« Bald hingen überall die Fahndungsplakate. Und in der ZEIT-Redaktion hub eine Art Gesellschaftsspiel an: Wie sollte man sich verhalten, wenn eines Tages plötzlich »Ulrike« vor der Tür stünde und um Asyl bäte? Dann las man ihr »Konzept Stadtguerilla«, und nun konnte erst recht niemand mehr verstehen, wieso diese Frau der Bundesrepublik den Krieg erklärt hatte. Jedoch hat die ZEIT streng darauf geachtet, auch dann noch, als die Bomben explodierten, nicht vorverurteilend den Polizeiterminus von der »Baader-Meinhof-Bande« zu übernehmen. Bis zur Verurteilung in Stammheim war stets nur von der »Gruppe« die Rede. Der Terrorismus wird in den siebziger Jahren eines der umstrittensten Themen für die ZEIT bleiben.

Der frische Wind des Zeitgeistes

Wenn sich die ZEIT auch politisch gegen die 68er-Bewegung stellte, so ließ sich die Politik gern von der Bewegung zu neuen Diskussionen anregen. Als erstes griff sie das Feindbild der Apo auf, das »Establishment«, und startete die Serie »Wer ist am Drücker?«, in der sie von ausländischen Autoren ebenfalls die Machteliten in Amerika, England und Frankreich untersuchen ließ. In der Folgeserie »Krise der Demokratie« durften auch Vertreter der Apo schreiben: Die Gebrüder Karl Dietrich und Frank Wolff analysierten den »Revolutionären Realismus«, und Ekkehart Krippendorff erhoffte sich, daß die Erfolge der Befreiungsbewegungen in China, Vietnam, Kuba und Bolivien eines Tages auf Deutschland zurückwirkten. Da zu den Idolen der Rebellen neben Mao und Ho Tschi-minh auch der lateinamerikanische Revolutionär »Ché« Guevara zählte, der gerade in Bolivien eine Guerilla zusammensuchte, betitelte die Politik den Aufsatz mit dem ironischen Satz »Das Heil kommt aus Bolivien«. Der Vordenker der Linksliberalen in der FDP, Karl-Hermann Flach, verteidigte leidenschaftlich das bundesrepublikanische System gegen die jungen Kritiker. Ralf Dahrendorf (sein Standardwerk »Gesellschaft und Demokratie in Deutschland« gehörte zur Pflichtlektüre der politischen Redakteure) mahnte eine Reform des Bonner Systems an. Gräfin Dönhoff wies in ihrem Resümee in eine neue Richtung: Vielleicht sei das Ganze weniger eine Krise der Demokratie als eine Krise der modernen Gesellschaft, von der Ost wie West betroffen seien.

Der Pariser Mai, dessen Auswirkungen Frankreich in die Nähe eines Bürgerkrieges brachten, interessierte die Politik vornehmlich, weil ihre Redakteure nicht ohne Schadenfreude die Herrschaft de Gaulles wanken sahen. Veröffentlicht hat sie immerhin das berühmte Gespräch zwischen dem Revolutionär Daniel Cohn-Bendit und Jean-Paul Sartre (»Die Phantasie an die Macht«).

Als Willy Brandt 1969 Kanzler geworden war – nicht zuletzt mit den Stimmen vieler reformbewegter junger Demonstranten –, eröffnete die ZEIT die Serie »Das 198. Jahrzehnt«, ein Geschenk von ihren Freunden zum 60. Geburtstag Marion Dönhoffs. Zwölf Wochen lang prognostizierten internationale Fachleute die Entwicklungen in Politik und Gesellschaft, in Bildung und Großforschung. George Kennan zählte zu den Autoren und Raymond Aron, Helmut Schmidt und Carl-Friedrich von Weizsäcker, Herman Kahn, Daniel Bell und Georg Picht, Henry Kissinger und Zbigniew Brzezinski. Aus der DDR kam ein Manuskript des Dissidenten Robert Havemann. Dieses »Brevier für die Zukunft« dokumentiert, in welchem Maße sich auch die ZEIT vom Fortschrittsoptimismus jener Jahre anstecken ließ. Zur gleichen Zeit stimmten in der Wirtschaft Diether Stolze und Michael Jungblut ein Hohelied auf den Kapitalismus an. Das Moderne Leben hielt mit der Serie von Gisela Stelly dagegen: »Wahn und Wirklichkeit im Wohlstand«. Sie schrieb von der Kluft zwischen den übermäßig vielen Nichtbesitzenden und den wenigen übermäßig Reichen, über das Konsumdenken der Wenigverdiener, über die Niedriglöhne der berufstätigen Frauen. Das Wort »Armut« wurde möglichst vermieden, um den Verdruß der Wirtschaftskollegen in Grenzen zu halten.

Nachhaltiger als die politische Jugendbewegung der 68er, die bald in vielerlei Gruppen zerfiel, hat die von ihr und einzelnen Kommunen losgetretene Kulturrevolution die Gesellschaft beeinflußt, auch die ZEIT, die ein Teil von ihr ist. Ein freierer Ton kehrte in die Redaktion ein. Es machte Spaß, Tabus zu brechen. Kollegen wetteiferten, wem es wohl als erstem gelänge, eines der bis dahin unaussprechlichen Wörter in einem Text unterzubringen. Dafür verschwanden die Doktor-Titel und das Wort »Neger«. Das erste Aktbild erschien im Leserbriefteil auf einem Photo, das eine Kinoreklame in Tokio zeigte. Die Kleidersitten lockerten sich: Anzüge und Hemden wurden farbiger, die Haare länger, der Krawattenzwang entfiel. Ältere Semester kam es manchmal schwer an. Leser der Politik staunten nicht wenig, als in einer Jahresendnummer auf Seite zwei ein großes Porträt über den – Minirock erschien.

Im Feuilleton wehte der Geist, wie er mochte. Jede Woche nach der Endkorrektur-Konferenz versammelte »Leo« die Seinen um sich, und dann wurde stundenlang nach Herzenslust und auf hohem Niveau über alle Themen und Theorien diskutiert, die von den Revolutionären und ihren geistigen Vätern in den Diskurs gebracht worden waren: Sexualität, Drogen, Alkohol am Steuer, antiautoritäre Erziehung, die Emanzipation der Frau, Partnerschaftsprobleme, Schwangerschaftsunterbrechung, ein neues Verhältnis zur Kunst und über allem die Selbstverwirklichung des Individuums.

In diesem geistigen Klima ist dann auch 1969 Rudolf Walter Leonhardts unvergessene große Drogen-Serie entstanden (»Haschisch, Himmel und Hölle«), woran konservativere Gemüter im Hause lange schwer zu schlucken hatten. »Leo« schmuggelte diese Serie keineswegs an der Chefredakteurin vorbei, er nutzte nur die übliche Toleranzbreite aus. Marion Dönhoff freilich erinnert sich, sie habe damals »gelitten wie ein Hund«. Ein Vierteljahrhundert später, da in der ZEIT diskutiert wurde, ob man nicht mit kontrollierter Freigabe von Drogen dem Drogenmißbrauch abhelfen kann, war die Aufregung kaum noch zu verstehen, die jene Veröffentlichung – es war der

Vorabdruck aus einem Buch – hervorrief. Dabei ging es Leonhardt durchaus um sachliche Aufklärung, die aber nicht anders als unkonventionell sein konnte, wie zum Beispiel die These, daß Alkohol und Nikotin, obwohl nicht verboten, von allen Rauschgiften am schädlichsten für die Gesundheit seien, oder die Aussage, Drogenkriminalität sei eher eine Folge der Rauschgiftgesetzgebung.

Als im selben Jahr aus Amerika Einzelheiten über den Ritualmord von Hollywood bekannt wurden (dort hatten Mädchen einer Hippie-Kommune im Auftrage des Sektenanführers Charles Manson die hochschwangere Schauspielerin Sharon Tate und vier ihrer Partygäste bestialisch umgebracht), da gab sogar die Politik ihre Seite drei her, damit Hellmuth Karasek und Alexander Rost das bürgerliche Vorurteil widerlegen konnten, daß die Blumenkinder und Haschischraucher an allem schuld seien. Es war auch dem neuen Filmredakteur Wolf Donner nicht zu verdenken, daß er den Ursachen der Sexwelle im Kino nachspürte; er meinte, sie sei weniger das Problem einer gewissenlosen Filmindustrie als vielmehr das eines Publikums, das diese Filme zum Millionengeschäft macht. Furore erzeugte das Moderne Leben mit dem Diskussionsbeitrag von Leona Siebenschön: »Ehebruch – kein Beinbruch«. Das grenzte für einige im Hause und auch für manche Leser schon an Libertinage. Aber über derartige Fragen unterhielt man sich damals auf den Parties. Die ZEIT war der Seismograph, der die Verwerfungen in einer sich wandelnden Gesellschaft registrierte.

21. Kapitel

Das neue Angebot: Wundertüten und Kürläufe

Am 1. Juli 1968 wurde Marion Dönhoff Chefredakteurin der ZEIT; sie blieb Leiterin der Politik. Ihr Vorgänger Josef Müller-Marein, Anfang der Sechzig, gab den Lesern die Ablösung in beschwingtem Ton bekannt. Er hatte sich für seinen Abgang einen günstigen Moment ausgesucht: keine Krisen, keine Sorgen. Die Auflage florierte. Als er 1957 das Amt übernommen hatte, verkaufte die ZEIT 48.000 Exemplare, jetzt 250.000.

Die Ära Dönhoff ließ sich gut an. Aber dann begann es Anfang 1969 zu kriseln: Die Kosten für Druck, Papier, Löhne, Gehälter, Postzeitungsgebühren stiegen jährlich um fünf bis zehn Prozent und konnten mit dem Zeitungspreis nicht mehr aufgefangen werden. Zudem begann die Auflage der ZEIT zu stagnieren, was sich auf die Anzeigenpreise auswirken mußte. »Stagnation«, wußte Bucerius, »bedeutet Untergang.« Wollte er die ZEIT durchbringen, mußte er alles daransetzen, die Einnahmen zu verbessern und die Auflage wieder anzukurbeln.

Als erstes bescherte er dem Blatt einen damals in Deutschland einzigartigen, nach Berufen geordneten »rubrizierten Stellenmarkt« *(»classified ads«)*, dessen Gestaltung er mit großem persönlichen Engagement im Einvernehmen mit vielen Firmen erarbeitet hatte. Das Rezept, präzise Information sei besser als Imponiergehabe mit großen Anzeigen, war erfolgreich. Daneben führte die Anzeigenabteilung die Rubrik »Lehre und Forschung« ein. Es war der Einfall einer jungen Frau, Hilde von Lang, die über die Jahre an der Seite von Gerd Bucerius zur Verlegerin der ZEIT heranreifte. Heute bringen die Stelleninserate 23,5 Prozent des Anzeigenumsatzes. Sie liegen damit auf dem ersten Platz vor den Reiseanzeigen und den Verlagsanzeigen, auf die jeweils knapp über 11 Prozent entfallen.

Anfang 1969 nahm Bucerius die ZEIT aus dem G + J-Konzern (an dem er weiter beteiligt blieb) heraus und übertrug sie auf seine »tempus Zeitungs- und Zeitschriftenverlagsgesellschaft mbH«. Diese verlegte auch den »Volkswirt« und hielt 76 Prozent der Anteile am »Monat«. (Der »Volkswirt«, bald in »Wirtschaftswoche« umbenannt, wurde 1974 verkauft, der »Monat« 1971 eingestellt.) Für Vertrieb und Archiv sorgte weiterhin Gruner + Jahr über einen Dienstleistungsvertrag. In der ZEIT blieb nur ein kleines Dokumentationszentrum, wo Uta Wagner seit 1974 als kollektives Gedächtnis der Redaktion waltet.

Wie aber ließ sich die ZEIT noch attraktiver machen? Bucerius verdichtete seine Überlegungen bald zu dem Plan, nach dem Vorbild der britischen Sonntagszeitungen »Sunday Times« und »Observer« in das Schwarzweißblatt ein Farbmagazin einzulegen. Zum Weihnachtsfest 1969 wurde der ZEIT eine 36 Seiten starke Probenummer beigefügt; gestaltet hatte sie der vielgefragte Blattdesigner Willy Fleckhaus. Das Heft war nur einem Thema gewidmet, der Futurologie: »Die ZEIT zeigt: Das neue Jahrzehnt«.

Das ZEITmagazin war ganz und gar die Erfindung von Gerd Bucerius; er hat es gegen die Skepsis und den Widerstand der Redaktion durchgesetzt. Der Gegenargumente gab es viele. Ein »buntes Blättchen« (Dönhoff) passe nicht zur seriösen ZEIT, Leser wollten Texte lesen und nachdenken, statt sich von Bildern verführen zu lassen. Gräfin Dönhoff fürchtete auch um das Betriebsklima: »Es darf doch nicht sein, daß die Redakteure des Magazins höhere Gehälter beziehen als die Kollegen im Schwarzweißblatt.« Kurt Becker sah eine für das Blatt nicht ungefährliche Eigenentwicklung voraus, eine »Tendenz zur Unterhaltung mit Reizmitteln, wobei Substanz und Niveau immer in Gefahr sind«. Der Zwang zum Erfolg lege die Neigung zur Übertreibung nahe. Als Bucerius die Herausgabe des Magazins anordnen wollte, hat ihm die Chefredakteurin nur unter einer Bedingung zugestimmt: »Einer von uns soll's machen.«

Mit einem kleinen Team von Mitarbeitern, die von anderen Blättern kamen, startete Hans Gresmann, der aus der Politik an die Spitze des Magazins wechselte, im Juli 1970 aus dem Stand mit den Vorbereitungen. Am 2. Oktober schon wurde das neue Magazin, 56 Seiten stark, zum erstenmal beigelegt. Das Titelbild zeigte einen jungen Langhaarigen, als Symbol für das Lebensgefühl der Beatles-Generation: »Im Grunde wissen sie gar nicht, was sie von uns halten sollen ...«

Als Gerd Bucerius und Marion Dönhoff das vorproduzierte erste Exemplar durchblätterten, etliche Tage vor Erscheinen der Zeitung, waren beide erschrocken und enttäuscht. »So werden wir keine

Anzeigen bekommen!« rief Bucerius aus. Da auch Branchenexperten und Anzeigenvertreter herbe Kritik am Layout und am Inhalt äußerten, durchlitt der Verleger einige schlaflose Nächte. »Damals«, wird Bucerius später schreiben, »wurde ich Großkonsument von Beruhigungsmitteln. Ich kann der Firma Hoffmann-La Roche für ihr Valium, Librium, Nobrium, Limbatril ein gutes Zeugnis ausstellen.«

Nachdem einige Magazin-Ausgaben erschienen waren, ohne daß sich redaktionell Entscheidendes geändert hatte, handelte Bucerius: Er löste Gresmann ab und rief seinen Freund Müller-Marein aus Frankreich zurück, der vorübergehend die Aufsicht über das Magazin führen sollte. Gleichzeitig engagierte Bucerius zum 1. November 1970 den Schweizer Photographen Peter Knapp, der die französische »Elle« betreut hatte, für mindestens einen Monat als neuen Artdirector. Gresmann entschloß sich, nicht in die politische Redaktion zurückzukehren, sondern lieber mit einer Abfindung die ZEIT zu verlassen. Später wurde er stellvertretender Chefredakteur beim Südwestfunk in Baden-Baden und schließlich Korrespondent des Senders in Washington.

Im verwaisten Magazin sorgte Müller-Marein für Frieden und gute Stimmung. Beim ersten Weihnachtsfest des neuen Ressorts – es muß sehr lustig zugegangen sein, der »Chef« tanzte mit einem Jungredakteur Tango – erschien auch Jochen Steinmayr, der neue Magazin-Chef. Steinmayr war, nach einem Medizinstudium, lange Jahre Journalist bei der »Süddeutschen Zeitung« gewesen und hatte zeitweise die im selben Verlag erscheinende »Münchner Illustrierte« geleitet. Beim »stern« betreute er den neuen politischen Teil »Die Woche«. Marion Dönhoff, die er bei einer Begegnung beeindruckt hatte, machte Bucerius auf ihn aufmerksam. Prompt lieh sich der Verleger den erfahrenen Redakteur von Henri Nannen als Nothelfer aus. Steinmayr blieb fast zwanzig Jahre. Mit ihm beginnt eine einzigartige Erfolgsgeschichte. Schon 1972 erreichte das Magazin fast die angestrebte Marke von 600 Anzeigenseiten pro Jahr. Von da an wurde die Beilage zu einem Zugpferd. Nun ging es wieder mit der Auflage bergan. Damit stieg auch das Selbstbewußtsein des neuen Ressorts.

Steinmayrs Erfolgsrezept war ganz einfach: Jede Woche schenkte er dem Leser eine neue Wundertüte. Was jeweils hineingehörte, dafür hatten Steinmayr und seine motivierten Mitarbeiter das richtige Gefühl. »Er macht alles aus dem Bauch«, hieß es. Auf jeden Fall mußte sich das Magazin vom übrigem Blatt abheben. Darum übertrug man soviel wie möglich ins Optische. Auch der Stil war anders:

Im Magazin wurde erzählt, nicht reflektiert. Jochen Steinmayr führte sein Team wie ein Hausvater. Aber die Mitarbeiter gewöhnten sich daran, zumal es in der Regel locker und lustig zuging. Nirgendwo sonst im Haus wurden so viele fröhliche Feste gefeiert wie im Magazin.

Obwohl eher konservativ ausgerichtet, hat Steinmayr bewußt Journalisten aus der 68er-Generation gefördert, zum Beispiel den begnadeten Reporter Michael Holzach (der ein Jahr lang bei den Hutterern in Kanada lebte und dann darüber berichtete oder als mittelloser Tramp durch Deutschland zog – er starb 1983, als er seinen Hund »Feldmann« vor dem Ertrinken retten wollte). Zu den Schützlingen des Magazinchefs gehörte auch der immer etwas aufmüpfige Rüdiger Dilloo, der irgendwann (schreibender) Alternativbauer wurde und schließlich aus New York freche Kolumnen lieferte. Aus der Reise kam Wolfram Runkel; Steinmayr setzte ihn auf Sozialreportagen an.

Von Anfang an legte sich der Ressortleiter einen Stamm von hauseigenen Photographen zu: Wilfried Bauer, Dirk Reinartz, Jo Röttger, Frieder Blickle. Ihnen reservierte er immer den besten Platz – die vorderen Seiten. Während andere Illustrierte Farbreportagen machten, pflegte das Magazin das klassische Schwarzweißphoto. Furore machte es durch die Kombination von guten Autoren mit guten Photographen. Etliche bekannte deutsche Journalisten haben zeitweise als Redakteure im Magazin gearbeitet: Jost Nolte, Wolfgang Nagel, Katharina Zimmer, Eckart Kleßmann, Michael Globig (der erste Wissenschaftsredakteur des Magazins). Auch im eigenen Hause konnte Steinmayr Kollegen als Autoren für das Magazin gewinnen. Fritz J. Raddatz und Dieter E. Zimmer mit ihren berühmten Serien wurden quasi feste Mitarbeiter. Bald hörte denn auch das Gerede über Unseriosität der Farbbeilage auf.

Wovon selbst Henri Nannen bis dahin nicht einmal zu träumen wagte, Steinmayr setzte es in die Tat um: Er holte die Kunst ins Magazin, wobei ihm Petra Kipphoff und Gottfried Sello, später auch Peter Sager zur Hand gingen. Anna Mikula, eine Literaturexpertin, konnte dem Magazin Satiriker und Karikaturisten wie Friedrich Karl Waechter, Robert Gernhardt und Tomi Ungerer zuführen.

Zu großer Form lief das Magazin in den anzeigenstarken Zeiten auf; dann war es manchmal 120 Seiten dick. Verschwenderisch wurde Platz geschaffen für große und reich bebilderte Serien und Sonderleistungen: Raddatz veranstaltete die Reihe »Das ZEITmuseum der 100 Bilder«. Dieter E. Zimmer betreute eine Serie internationaler Kurzgeschichten, die er selber auswählte. Rolf Hochhuth sammelte für das Magazin zeitgenössische Tagebuchblätter.

Stark beachtet wurde der Libby-Skandal. Thomas von Randow hatte herausgefunden, daß die Amerikaner eingedoste Früchtecocktails nach Deutschland exportierten, die in den Vereinigten Staaten wegen eines krebsverdächtigen Süßstoffs verboten waren. Daraufhin erschienen drei Herren mit Anwalt in der Redaktion und verlangten einen Widerruf, denn alle Libby-Konserven in Deutschland seien mit Zucker gesüßt. Noch am selben Tage fanden Magazin-Redakteure die verbotenen Dosen in mehreren Geschäften in Hamburg und München. Der Widerruf wurde abgelehnt.

Geradezu eine Pioniertat und ein Vorzeigemodell war das »Unternehmen Mottenburg«, die erste gelungene Sanierung ursprünglich zum Abriß bestimmter Altbauten. Ende 1973 gaben Manfred Sack und Magazinchef Steinmayr die Anregung, ein Straßenviertel im Altonaer Stadtteil Ottensen teils zu erneuern, teils zu modernisieren. Die Bedingung war: Alle Beteiligten sollten mitmachen, an erster Stelle die Mieter selber (ihre Vertreter sind die wahren Helden der Geschichte), die Vermieter, die Gewerbetreibenden, renommierte Architekten, Bezirkspolitiker. Selbst die Stadtbeamten ließen sich von der Begeisterung anstecken. Die vielen großen illustrierten Berichte im Magazin waren zusätzlicher Ansporn. Wo einst unrettbare Häuser standen, gibt es heute kleine helle Straßenhöfe mit Sandkästen und Bäumen, für die Einwohner »ein Fenster zum Himmel«.

Unentbehrlich erschienen Steinmayr die kleinen Zutaten, die ja erst Leserbindung schaffen. Gleich zu Beginn waren »Zweistein« mit seinen Logeleien und »Tratschke« mit seinen Geschichtsrätseln vom Schwarzweißblatt ins Magazin übergewechselt. Udo Pini und Peter Karl entwarfen die Kreuzworträtsel, bei denen »um die Ecke gedacht« werden mußte; seit 1971 sind sie ein gleichbleibender Erfolg. Zu Zehntausenden beteiligten sich die Leser (darunter auch sehr prominente Leute) an den saisonalen Preisrätseln. Den absoluten Rekord erreichte das Sommer-Preisrätsel 1993, als 330.250 Rätselpostkarten in der Redaktion ankamen, obschon es weder Traumreisen noch Mittelklassewagen zu gewinnen gab (Höchstpreis: 200 gebündelte nagelneue Fünfmarkscheine).

Eine treue Lesergemeinde erwarb sich Sybil Gräfin Schönfeldt mit ihren nachdenklichen Feuilletons – sie wuchs in die Rolle einer modernen Madame Knigge hinein. Als snobistisch empfanden manche Leser Wolfram Siebecks Feinschmecker-Kolumnen, aber sie sind längst so unentbehrlich geworden wie seine »Kochseminare«.

Im Laufe der Jahre hat das Magazin für seine Leser eine ganze Reihe von Kunsteditionen bereitgestellt. Den größten Erfolg hatte eine limitierte Auflage von Originallithographien moderner Künstler. Die Redaktion rechnete bei einem Stückpreis von 130 Mark mit etwa 300 Bestellungen – nach drei Tagen waren es bereits 10.000.

Am 1. April 1988 übergab Jochen Steinmayr das Magazin an den jüngeren Michael Schwelien. Peter Wippermann und Jürgen Kaffer, die beide schon in der ZEIT-Graphik gearbeitet hatten, entwarfen ein moderneres Layout. Doch der zweite Start mißlang wie neunzehn Jahre zuvor der erste. Die Macher hatten die alte Journalistenweisheit in den Wind geschlagen, daß man Leser nur behutsam an ein neues Layout heranführen soll. Anstößig waren auch die kleinen Zeitgeist-Feuilletons. Eine Warnung Helmut Schmidts, man solle nicht ein Magazin für Yuppies gestalten, wurde überhört. Die Redaktion war, wie Jochen Steinmayr meint, dem Juvenilitätswahn verfallen; einem bildungsbürgerlichen Leserpublikum dürfe man keine Jugendzeitung vorsetzen.

Bucerius sah sein jüngstes Kind in Gefahr. Auf seinen Wunsch hin lud Helmut Schmidt zu einer Krisensitzung in sein Langenhorner Haus. Bucerius brachte die bewährten Illustriertenkämpen Erwin Ehret von »Geo« und »stern«-Senior Henri Nannen mit. Es wurde beschlossen, die mißlungenen Neuerungen rückgängig zu machen. Darüber kam es zu Auseinandersetzungen, und nach 38 Tagen waren Magazinchef und Artdirector abgesetzt. Jochen Steinmayr mußte noch einmal an Bord und brachte das Magazin wieder in ruhigeres Fahrwasser.

Das Dossier: Dabeisein ist alles

Im Jahre 1978 wurde ein neues Element eingeführt: das Dossier. Dem Chefredakteur schwebte »eine Art von Titelgeschichte« vor. Das Dossier sollte »so gut vorausrecherchiert sein wie nötig, so aktuell wie möglich«, im übrigen »recht häufig eine Gemeinschaftsarbeit, nicht bloß die Hervorbringung eines einzelnen«. Für die ZEIT war dies eine revolutionäre Neuerung: Teamrecherchen, Teamautorenschaft. Aber auch Einzelautoren, die sich sonst mit drei oder sechs Schreibmaschinenseiten begnügen mußten, erhielten in diesem Teil die Gelegenheit zu großen »Kürläufen«. Mit großzügiger Aufmachung wollte man die Leser reizen; Karten, Tabellen, eingekastelte Minilexika sollten die Stücke anreichern.

Nach einem holprigen Start wurde Michael Naumann zum Ressortleiter Dossier berufen, der 1970 schon das Magazin mit aus der Taufe gehoben hatte. Ihm assistierte später Josef Joffe, Harvard-Absolvent und Experte für Außenpolitik und Rüstung. Die beiden entwickelten ein provozierendes Selbstbewußtsein, das sie auf ihre Nachfolger zu übertragen suchten: »Wir sind die ideenreichste, spannendste und modernste Abteilung des Blattes.«

Erste thematische Schwerpunkte setzte das Dossier während der Krisen am Golf, in Afghanistan und in Polen. Nach dem Erfolgsprinzip Theo Sommers: »Nicht kleckern, sondern klotzen« verfuhr nun auch das Dossier bei unverhofften großen Ereignissen oder Katastrophen. Erstmals geschah das im April 1979, als zufällig in Hannover ein Gorleben-Hearing über die Problematik der nuklearen Entsorgung eröffnet wurde und zur selben Zeit im Kernkraftwerk Three Miles Island bei Harrisburg nach einem Ausfall im Kühlsystem radioaktiver Dampf in die Atmosphäre entwich.

Drei Monate später fuhr »Joe« Joffe zur malaysischen Insel Pulau Bidong, wo 40.000 chinesische Bootsflüchtlinge aus Vietnam dahinvegetierten. Sein erschütterndes Dossier »Stehplatz in der Hölle« war der Auftakt zu einer einzigartigen Rettungsaktion. Die Redaktion der ZEIT hatte tagelang diskutiert: Dürfen sich Journalisten damit begnügen, über solches Elend nur zu berichten? Gräfin Dönhoff bat darauf in einem ganzseitigen Leitartikel (»Völkerwanderung des zwanzigsten Jahrhunderts«) die Leser um Hilfe für einen Plan, den die ZEIT mit dem Hamburger Senat und dem Roten Kreuz ausgearbeitet hatte: Etwa 250 Flüchtlinge, ausgewählt nach dringendster Not, sollten in der Hansestadt aufgenommen werden. Die ZEIT übernahm die Flugkosten für die Flüchtlinge aus Pulau Bidong und finanzierte deren Betreuung in den ersten Monaten, obendrein auch Sprachunterricht und Fürsorge. Außerdem spendete sie die frei verfügbare Hälfte des mit 90.000 Mark dotierten holländischen Erasmus-Preises, den Gräfin Dönhoff kurz zuvor für die ZEIT entgegengenommen hatte. Die ZEIT-Leser brachten binnen wenigen Wochen 1,8 Millionen Mark auf. Auf dem Flug in ihre neue Heimat wurden die Flüchtlinge – am Ende waren es 271 – von den ZEIT-Redakteurinnen Margrit Gerste und Gabriele Venzky begleitet. Noch viele Jahre lang hat sich die Asien-Spezialistin Venzky der Familien angenommen.

Das Dossier war der Platz in der ZEIT, wo all die großen Umweltkatastrophen der achtziger Jahre ausführlich behandelt wurden: das Waldsterben, die Folgen von Tschernobyl, die Gaskatastrophe in Bophal, das Ozonloch, die Vernichtung der Regenwälder, die Verschmutzung der Nordsee, der Treibhauseffekt. Hier wurde 1989 auch die angesichts der Nazivergangenheit überaus heikle Diskussion über das Thema Euthanasie an schwerstbehinderten Säuglingen geführt. Der Feuilletonredakteur und Jurist Reinhard Merkel referierte in seinem – wohlwollenden, ja zustimmenden – Aufsatz die Thesen des australischen Wissenschaftlers Peter Singer, der vehement für Eugenik plädierte. Aus Protest gegen Merkels Thesen kettete sich Franz Christoph, der Sprecher der deutschen »Krüppelbewegung«, mit seinem Rollstuhl am Portal des Pressehauses an. Theo Sommer, seit 1973 Chefredakteur, lud ihn zur Debatte mit der gesamten Redaktion; auch der Lübecker Bischof Ulrich Wilckens nahm daran teil. Abgeschlossen wurde die Diskussion durch ein ZEIT-Gespräch, das Marion Dönhoff und Reinhard Merkel mit dem Philosophen Hans Jonas (»Mitleid allein begründet keine Ethik«) führten.

Die Reporter: Eingreiftruppe oder Spezialkommando?

Die ZEIT leistete sich schon lange den Luxus eigener, ressortunabhängiger Reporter. Man betrachtete sie als Feuerwehr, die jederzeit eingesetzt werden konnte, wenn es irgendwo brannte – die Generalisten wie die Spezialisten. Zu ersteren zählt bis heute Nina Grunenberg, die früh ihren eigenen Stil gefunden hat, der auf eine Wochenzeitung wie zugeschnitten ist: die reflektierte Reportage. Michael Schwelien gehört dazu, einer, der heute nach dem angeblichen Ölteppich im Persischen Golf ausspäht, morgen mit den Opfern einer Chemiekatastrophe in Indien spricht und übermorgen von der Entdeckung des Wracks der »Titanic« berichtet.

Daneben gibt es die Spezialisten. Eines Tages monierte Gerhard Prause bei der Chefredaktion, daß in der ZEIT nichts über das große Wissenschaftsgebiet der Archäologie zu finden sei. »Machen Sie's doch selber!« war die Antwort. So erarbeitete er sich ein ganz neues Feld und machte seine ersten archäologischen Reisen und Berichte.

Ende der siebziger Jahre erfand Dieter E. Zimmer eine Spezialität der ZEIT: die Wissenschaftsreports. Ausgangspunkt ist immer eine Laienfrage an die Wissenschaft. Dann aber fragt der Reporter mehrere Fachwissenschaften ab und zieht möglichst die primären Forschungsarbeiten heran. Im Laufe von zwei Jahrzehnten schrieb Zimmer an die vierzig solcher Reportagen: über den Schlaf und das Gedächtnis, über die Gebärdensprache und die Sprachversuche mit Menschenaffen, über Aggression und Depression, Hühnerhaltung und Orientierung, Geruchssinn und Migräne, Angst und Wetterlaunen. An einigen Reports entzündeten sich Diskussionen (die Erblichkeit des IQ, die Gruppenunterschiede). Als Zimmer ein großes Dossier über die Psychoanalyse (»Der Aberglaube des Jahrhunderts«) veröffentlichte, stellte das Moderne Leben eine Reportage-Serie von Edith und Rolf Zundel über »Leitfiguren der Psychotherapie« dagegen.

Von ganz anderem Schlage war der politische Redakteur Andreas Kohlschütter, ein Schweizer Reserveoffizier, bei dem Männlichkeit und Melancholie eine faszinierende Verbindung eingegangen waren. Ihn zog es immer wieder in Krisengebiete und auf Kriegsschauplätze, dorthin, wo sich Geschichte im Rohzustand formte. Kaum war der Jom-Kippur-Krieg 1973 ausgebrochen, saß Kohlschütter schon zusammen mit israelischen Reservisten in einer Maschine auf dem Flug nach Israel; an der Straße nach Damaskus ließ er in einem Erdloch eine syrische Artillerie-Feuerwalze über sich ergehen; mit den ersten israelischen Panzern überquerte er den Suezkanal. In Kabul erlebte er den Aufstand der Afghanen gegen die Russen und ließ sich, auf dem Gepäckträger eines Fahrrades hockend, unter Beschuß durch die Stadt bringen. Auch im Libanon und in Kambodscha hörte er die Kugeln pfeifen. Der Perfektionist Kohlschütter meißelte an jedem Satz wie an einer Bildsäule, was einen Redaktionsbetrieb mit festen Abgabeterminen ziemlich durcheinanderbringen kann.

Die Zeitläufte und das Wissen

Im Jahre 1988 entstand ein ganz neues Ressort: die »Zeitläufte«. Mehrere thematisch verwandte Seiten wurden zusammengelegt: ein neuer historischer Teil, in dem jede Woche erzählte Geschichte dargeboten wurde, um dem allgemein beklagten Mangel an Geschichtsbewußtsein abzuhelfen; eine neue Rubrik »Die ZEIT vor vierzig Jahren«; als Einzelseite die ebenfalls neue »Tribüne«, eine sogenannte op-ed-page nach amerikanischem Muster, auf der Meinungen aus dem In- und Ausland ausgebreitet werden, die man sonst in der ZEIT nicht findet; auf den Weg gebracht wurde sie von Christoph Bertram, dem Diplomatischen Korrespondenten des Blattes; das Ressort Politisches Buch, das hier endlich einen festen Platz fand, betreut wurde es seit 1983 von Gerhard Prause alias »Tratschke«, dem nach zwei Jahren der Historiker Volker Ullrich folgte, ein Kenner der zeit- und sozialgeschichtlichen Literatur; schließlich die Themenseite, die unter der Ägide des jungen Benedikt Erenz ein unverwechselbares Gesicht bekam.

Den altfränkischen Ressorttitel Zeitläufte, der sowohl die historische Rubrik als auch das ganze neue Sammelressort meinte, hatte Theo Sommer vorgeschlagen. Die meisten fanden ihn als Titel zu schwierig und zu lang. Gerd Bucerius gab den Ausschlag; er meinte (und behielt damit recht), daß sich gerade dieser etwas umständliche Name bei den Lesern festsetzen werde. Nach wenigen Jahren wurde das Ressort wieder aufgeteilt: Die Tribüne wanderte in die Politik; das Politische Buch ging abermals auf Wanderschaft, die Zeitläufte wurden auf eine, allerdings feste und anzeigenfreie Seite im Modernen Leben beschränkt. So war Platz geschaffen für ein neues Sammelressort: das »Wissen«. Es ist eine Kombination von Wissenschaftsressort und wiederbelebter Bildungsseite. Die Wissenschaft, zuletzt ein Zweimannressort mit Hans Schuh-Tschan und Professor Hans Harald Bräutigam, dem ehemaligen Chefarzt der Frauenklinik im Hamburger Marienkrankenhaus, fand im Wissen ihren Platz neben der Bildung, die Sabine Etzold übernahm.

Das neue Ressort wurde 1992 von der stellvertretenden Chefredakteurin Nina Grunenberg aufgebaut, einer intimen Kennerin des deutschen Wissenschaftsbetriebes. Sie achtete von Anfang an darauf, daß nicht Fachidiotentum, sondern journalistisches Temperament die Oberhand behielt. Die Artikel sollten kompetent sein, aber verständlich, und die Themenmischung bunt wie das Leben, nicht grau wie die Theorie. Im April 1994 übergab sie das Ressort an Joachim Fritz-Vannahme, ehemals Pariser Korrespondent der ZEIT. Im Jahre 1995 führte dann der Chefredakteur Robert Leicht für zwei immer wichtiger werdende Themenfelder neue Sonderseiten ein: »Medien« und »Computer«.

Eine Zeitung ist ein lebender Organismus. Er entwickelt und verändert sich, es wird ständig umgebaut, abgebaut, angebaut. Es gibt keinen Endzustand, und es darf keinen Stillstand geben.

22. Kapitel

Neue und alte Herausforderungen für die ZEIT

In den siebziger und achtziger Jahren kamen neue Herausforderungen auf die Deutschen zu, denen sich auch die ZEIT stellen mußte: das nukleare Wettrüsten der Supermächte; eine Massenangst vor dem Dritten Weltkrieg; der internationale Terrorismus mit seinen Auswirkungen auf den Gemütszustand einer liberalen Gesellschaft. Die Leser erwarteten von ihrem Blatt Orientierungshilfe, aber auch umfassende Berichte, die nur noch im Zusammenwirken aller alten und neuen Ressorts bewältigt werden konnten. Und mehr denn je mußten sich die Deutschen in diesen Jahrzehnten mit ihrer nationalsozialistischen Vergangenheit beschäftigen. Auch das Verhältnis zu Israel wurde durch eine neue Nahostkrise einer schweren Belastungsprobe ausgesetzt.

Der Terrorismus: Die Versuchung des Rechtsstaates

Im Frühjahr 1975 erlebte die bundesrepublikanische Gesellschaft eine neue Variante des Terrorismus: Ein Kommando der Bewegung 2. Juni hatte den Berliner CDU-Landesvorsitzenden Peter Lorenz als Geisel entführt und die Freilassung von fünf rechtskräftig verurteilten Terroristen verlangt. In dieser Weise war der demokratische Rechtsstaat noch nie herausgefordert worden. Die Bonner Regierung unter Helmut Schmidt und der sozialdemokratisch geführte Berliner Senat gaben den Erpressern nach und retteten so das Leben von Peter Lorenz. Der frühere Regierende Bürgermeister von Berlin, Heinrich Albertz, begleitete die Freigepreßten nach Aden.

Der Staat wurde daraufhin von rechter Seite wegen seiner scheinbaren »Schlappheit« kritisiert, und hier und da verlangte Volkes Stimme nach der Todesstrafe. Theo Sommer postulierte: »Besser ein hilfloser als ein herzloser Staat« – eine Leitartikel-Unterzeile, die viel Widerspruch fand (und die er heute auch differenzierter formulieren würde). ZEIT-Redakteur Hans Schueler, ein unbestechlicher Wächter des Grundgesetzes und der Rechtsstaatlichkeit, sprang ihm bei. Er erklärte die Entscheidung der Regierung im Sinne der Staatsräson für vernünftig und richtig. Der Staat sei von Rechts wegen verpflichtet, Leben zu schützen. »Mir scheint, daß ein Staat, der sich um das Leben seiner Menschen willen für erpreßbar hält und sich zur Not erpressen läßt, der liebenswerteste von allen ist.«

Ganz anders reagierte Marion Dönhoff. Sie zitierte den preußischen König Friedrich Wilhelm I.: »Besser wäre, daß einer stürbe, als daß die Justiz aus der Welt käme.« Die Gesellschaft bedürfe »unter Umständen auch einmal des Opfers«. Es gab ein großes Leser-Echo. Die einen fingen jetzt, mit Schueler, ihren Staat zu lieben an, andere hielten sich an das preußische Memento der Gräfin: Von Repräsentanten des öffentlichen Lebens dürfe man bei einer Entführung erwarten, daß sie den Tod in Kauf nähmen. (Gerd Bucerius hat damals verfügt, im Falle seiner Entführung den Erpressern nicht nachzugeben.)

Die Bundesregierung erklärte allerdings, die Entführer sollten die Kapitulation nicht als Freibrief für neue Taten mißverstehen. Schon zwei Monate danach mußte Helmut Schmidt zeigen, ob es ihm damit ernst war: Terroristen überfielen die deutsche Botschaft in Stockholm. Diesmal forderten sie die Freigabe von 26 Mitgliedern der Baader-Meinhof-Gruppe. Die Führer aller Parteien im Bundestag waren sich einig: Man durfte nicht nachgeben, nicht einmal um des Lebens der Geiseln willen. Tatsächlich wurden zwei der Überfallenen ermordet, und daß die anderen bei der Erstürmung der Botschaft gerettet werden konnten, war reine Glückssache. Diesmal gab es in der ZEIT-Redaktion keine Diskussionen. Das lag daran, daß sie durch ihre Beobachter am Orte – Sepp Binder in Stockholm und Rolf Zundel beim Bonner Krisenstab – über alle Einzelheiten informiert worden war.

Dann kommen im unheimlichen »deutschen Herbst 1977« die bangen, lähmenden Wochen zwischen der Entführung des Arbeitgeberpräsidenten Hanns Martin Schleyer und dem Mord an seinen vier Begleitern bis zur Befreiung der entführten »Landshut«-Maschine in Mogadischu, dem Selbstmord der RAF-Anführer im Sicherheitstrakt der Gefängnisfestung Stammheim und der kaltblütigen Ermordung Schleyers. Was keine deutsche Zeitung in jenen Tagen zu sagen wagte, hat Kurt Becker bereits in seinem ersten Leitartikel vom 4. September 1977 (»Nachgeben ist gefährlich«) angezeigt: Seit dem

Überfall in Stockholm habe die Überzeugung die Oberhand gewonnen, daß es Pflicht des Staates sei, *alle* zu schützen. Für Schleyer könne dies »von tragischer Konsequenz sein«.

Da der Staat eine Nachrichtensperre verhängt hatte, verfiel die ZEIT auf den Ausweg, verschiedene kompetente Autoren in einer Serie auftreten zu lassen, die über Ursachen und Therapie des Terrorismus nachdachten: »Staat hinter Stacheldraht?« In all den Wochen ist es immer wieder Hans Schueler, der – wie schon nach den Morden an Generalbundesanwalt Siegfried Buback und dem Bankier Jürgen Ponto – davor warnt, die Liberalität preiszugeben. Angesichts der vielen Antiterrorgesetze, die seit 1972 in kürzester Zeit im Bundestag durchgepeitscht wurden, meint er: »Wir sind im Begriff, Bastionen unseres demokratischen Selbstbewußtseins und unserer rechtsstaatlichen Selbstachtung zu räumen, von denen der Feind noch glaubt, daß er sie erst stürmen müsse.« Besonders greift er das Gesetz über die Kontaktsperre an, das vierzehn Tage lang den Verkehr zwischen inhaftierten Terroristen oder des Terrors Verdächtigten untereinander und mit der Außenwelt, auch mit ihren Verteidigern, untersagt (»ein legislativer Gewaltakt«).

Das Feuilleton der ZEIT hat den kühnen Einfall, nach dem Anschlag auf Schleyer drei Autoren um einen Kommentar zu bitten, die alle in der Öffentlichkeit bereits als Sympathisanten oder Wegbereiter des Terrorismus verleumdet worden sind: Professor Herbert Marcuse, den geistigen Vater der APO, den Schriftsteller Heinrich Böll (er sorgt sich um das Schicksal des Entführten, von dem die wenigsten überhaupt noch sprechen) und den Revolutionär Rudi Dutschke, der selber Attentatsopfer gewesen ist. Im Vorspann vermerkt die Redaktion, daß sie die politischen Ansichten Marcuses über unser Gesellschaftssystem nie geteilt habe und daß Dutschkes Konzeption vom Umsturz einer Ordnung, »die wir bejahen«, allem entgegengesetzt sei, wofür die ZEIT steht. Die Redaktion nimmt in Kauf, daß Marcuse und Dutschke ihre Ideen ausbreiten; wichtiger ist, daß beide konsequent Gewalt und Mord als politisches Mittel verwerfen.

Nach Mogadischu läßt Theo Sommer in seinem Leitartikel durchblicken, daß während der wochenlangen Krise auch im Bonner Krisenstab vor lauter Ohnmachtsgefühlen Ungeheuerliches gedacht worden ist: Auf Folterungen und standrechtliche Erschießung inhaftierter Terroristen hatte wohl Franz Josef Strauß angespielt. Sommer macht aber auch deutlich, daß der Kanzler derlei Versuchungen weit von sich gewiesen habe. Er kritisiert zugleich die Sittenverluderung im Bonner Parlament und mahnt die Rückkehr zu Toleranz und Gelassenheit an.

Dieter E. Zimmer geht mit psychologischem Feinsinn den Weg der Terroristen Baader und Ensslin nach, die aus »Weltverbesserungsdrang zu Verbrechern« wurden. Den Schlußakkord zu dieser Episode schlägt der Filmredakteur Hans C. Blumenberg an: Er rezensiert den Film »Deutschland im Herbst« von Kluge, Fassbinder, Schlöndorff und fünf anderen Regisseuren (»Lage der Nation«) und preist ihn als ein Modell für die dokumentarische Filmarbeit der Zukunft.

Ihre ganz eigene Sicht der Dinge hatten Marion Dönhoff und Gerd Bucerius. Die Gräfin zeichnet den Weg nach von der grenzenlosen Freiheit der Demokratie zur *permissive society* bis hin zur Zersetzung aller Strukturen und Werte – ein Thema, das sie nicht mehr loslassen wird – und fragt verzweifelt, warum »wir Aufgeklärten« nicht den Mittelweg der Vernunft einschlügen. Bucerius verlangt von der Politik, die zu lange nachsichtig gewesen sei, die Rückkehr zur Disziplin.

Wider die Gesinnungsschnüffelei

Klare Front bezog die ZEIT zum sogenannten Radikalenerlaß. Noch Bundeskanzler Willy Brandt und die Ministerpräsidenten der Länder hatten beschlossen, Angehörigen radikaler Parteien, die sich nicht mehr auf dem Boden des Grundgesetzes bewegten, den Verbleib im öffentlichen Dienst oder den Zugang dazu zu untersagen.

Am 13. Juni 1975 prangert Chefredakteur Sommer den Mißbrauch dieses Erlasses an, der dazu geführt hatte, daß Zehntausende von Beamten und Angestellten auf ihre Verfassungstreue überprüft werden mußten, daß viele Studenten monatelang zitternd auf ihren Bescheid warteten und daß sogar Postboten und Schrankenwärter, städtische Heizer und Friedhofsgärtner durchleuchtet wurden, deren Berufe wirklich nichts mit Politik zu tun hatten. Der Leitartikler sah schon eine Demokratie von Duckmäusern am Horizont. Die Gesinnungsschnüffelei gefährdete, wie er an Beispielen aufzeigen konnte, auch die Meinungsfreiheit und die Lehrfreiheit. Sommer fragte: »Wollen wir Metternichs Obrigkeitsstaat, oder bleiben wir beim liberalen Verfassungsstaat?« Die Kritik Sommers und auch Hans Schuelers hat mit den Anstoß gegeben, daß ein paar Jahre danach diese freiheitsgefährdende Praxis erheblich reduziert wurde.

Ganz dem Gesetz verpflichtet, nach dem man angetreten, setzte sich die ZEIT im Jahre 1983 mit an die Spitze der Bewegung gegen die geplante Volkszählung, die von Bonner Technokraten in der Art der unseligen Fragebogen bei der Entnazifizierung angelegt war. »Wozu Fragen nach der Religion, nach dem Geschlecht, nach Patient oder Behandler in einer Heilanstalt?« monierte Hans Schueler. »Wozu die Auslieferung höchstpersönlicher Daten an Einwohnermeldeämter mit der Folge, daß aus den Erfassungskarteien Ermittlungskarteien werden?« Als der Staat sich weigerte, trotz der massenhaften Proteste seine Fehlleistung zu revidieren, forderte Theo Sommer in einem Leitartikel eine Verschiebung der Volkszählung. In der Ausgabe vom 15. April 1983 konnte die Redaktion die soeben ergangene einstweilige Verfügung des Bundesverfassungsgerichts gegen eine sofortige Volkszählung noch in letzter Minute auf der ersten Seite unterbringen: »Rotes Licht aus Karlsruhe«.

Friedensbewegung und »Raketen-Gurus«

Nie war die ZEIT informativer, nie ausgewogener, nie beschwingter als in den Jahren der Nachrüstungsdebatten und Friedensdemonstrationen 1979 bis 1983. Der Nato-Doppelbeschluß, den Bundeskanzler Helmut Schmidt bei den Verbündeten durchgesetzt hatte, sah die Aufstellung neuer Pershing-Raketen und Marschflugkörper in Deutschland vor; damit reagierte das atlantische Bündnis auf die rasche Aufrüstung der sowjetischen Streitkräfte mit immer neuen SS-20-Raketen. Zugleich sollten jedoch Verhandlungen über den Verzicht auf solche Waffensysteme in Ost wie West vorgeschlagen werden. Der Beschluß war intellektuell so kunstfertig und verschlungen angelegt, daß er sich den Massen, vor allem den linken Jugendlichen, nur schwer vermitteln ließ. Wie sollte man auf Anhieb begreifen, daß Nachrüstung zur Abrüstung führen könnte?

Höhepunkt auf dem Hamburger Kirchentag 1981 war der Auftritt Helmut Schmidts bei einer Diskussion mit jungen Menschen in einer kleinen Kirche zu Altona – die halbe ZEIT-Redaktion saß auf den Bänken. »Herr Bundeskanzler, ich habe Angst vor Ihrer Politik«, sagte einer der Diskutanten. Helmut Schmidt aber machte der Jugend Mut, die Angst zu überwinden (in diesem Sinne schrieb auch Gräfin Dönhoff ihren Leitartikel). Der Kanzler sprach von seiner Sorge, daß die russischen SS-20-Raketen deutsche Städte bedrohten (und schwieg diplomatisch von der anderen berechtigten Sorge, ohne Nachrüstung in Europa mit neuen amerikanischen Raketen und Marschflugkörpern könnte der amerikanische Präsident im Ernstfall vielleicht den Atomschirm über Deutschland zuklappen). Der Zweifler waren viele, auch in der ZEIT-Redaktion – aber Schmidt sah sich nach dem Amtsantritt Gorbatschows gerechtfertigt, als die imperialistischen Pläne des alten Kremlchefs Breschnew enthüllt worden waren.

In jenen Tagen äußerte Gerd Bucerius in einem Interview, er wundere sich, daß es die ZEIT-Redaktion noch nicht zerrissen habe. Aber er fand es gut, wenn Zehntausende auf den Straßen die etablierten Parteien aus ihrer Ruhe aufscheuchten. Angst müsse der Staat vor ihnen nicht haben. Und er konnte sich sicher sein, daß die ZEIT ihrer politischen Linie – fest im Bündnis mit dem Westen – treu blieb. Zumindest die Politik, während andere Ressorts – Feuilleton, Dossier, Themenseite, Länderspiegel, Politisches Buch – die volle Bandbreite des liberalen Spektrums ausfüllten.

Auf den ersten Seiten schrieben, wie sie von den »Pazifisten« im Hause scherzhaft genannt wurden, die »Raketen-Gurus«, die alles über SS 20, Pershing II und Cruise Missiles wußten: Kurt Becker, Christoph Bertram, Theo Sommer. Die Friedensbewegung, ihre Interessen und ihre Vielfalt wurden im hinteren Teil beleuchtet, und keineswegs unkritisch. Nicht von ungefähr wählte der CDU-Politiker Kurt Biedenkopf die ZEIT als Bühne, um seine aufregende These zu verkünden: »Die nukleare Strategie ist auf die Dauer nicht konsensfähig.« Auch Carl Friedrich von Weizsäcker, Egon Bahr, Hans Koschnick, Freimut Duve meldeten sich zu Wort. Selbst der Streit innerhalb der Antiraketenbewegung wurde in der ZEIT ausgetragen: Wolfgang Pohrt denunzierte sie als deutschnationale Erweckungsbewegung, Matthias Greffrath nahm sie in Schutz. Der Schriftsteller Jürgen Fuchs beschwerte sich über die anmaßende Rolle der von Ost-Berlin gesteuerten DKP in der Friedensbewegung, Pastor Helmut Gollwitzer verteidigte diese Bundesgenossenschaft.

Außergewöhnlich breit schilderte das Blatt auch die Friedensbewegung in der DDR, die vor allem von jungen Christen getragen wurde, den Vorläufern der »sanften Revolution« von 1989. Sie wollten mit Kerzen und Blumen »Frieden schaffen ohne Waffen«. Marlies Menge und Joachim Nawrocki rühmten den stillen, opfermutigen Widerstand der vielen einzelnen, deren Risikobereitschaft die Protestler im freien Westen beschämen könnte. Feuilletonchef Fritz J. Raddatz berichtete zweimal groß über die Friedenskongresse, zu denen der (auch von den ZEIT-Oberen geschätzte) DDR-Autor Stephan Hermlin europäische Intellektuelle aus Ost und West nach Berlin eingeladen hatte.

Dramatisch wurde es erst im »heißen Herbst« 1983, als unter der Regierung Kohl die ersten neuen Raketen aufgestellt wurden, allüberall »atomwaffenfreie Zonen« wie Pilze aus der westdeutschen Erde schossen und die Demonstranten mit der Angst angst machten. Michael Schwelien, einer der hervorragenden Reporter des Blattes, stellte in einem über vier Seiten langen Dossier jene dreizehn Frauen und Männer vor, die in Bonn, Paris, Oakland und Toronto wochenlang für den Frieden fasteten, bis hart an den Rand des Todes; er war Augenzeuge, als Willy Brandt es schaffte, die beiden Frauen in Berlin zum Aufgeben ihres Hungerstreiks zu bringen.

Das waren jene Wochen, da der neue Herausgeber Helmut Schmidt an gewissen Aufsätzen im Feuilleton litt (»Theo, haben Sie das vorher gelesen?«). Aber Chefredakteur Sommer hatte bereits zwei Jahre zuvor die Diskussion im Blatt freigegeben: »Es ist kein Grund zum Schämen, wenn Deutsche sich für den Frieden einsetzen.« Und Fritz J. Raddatz (»Ich bin ein Pazifist«) tröstete seine Kollegen von der Politik: »Seid doch froh, daß ich Euch die Jungen beim Blatt halte!« Die Feuilletonisten Ulrich Greiner und Rolf Michaelis schwärmten aus, um sich – mit gemischten Gefühlen – die Sitz- und Singspiele der Friedensbewegung im Hamburger St.-Pauli-Stadion und vor der Raketenbasis Mutlangen anzusehen.

Am Ende verlief sich alles. Die beschworene Apokalypse war ausgeblieben. Der skeptische junge Politikredakteur Gerhard Spörl bemerkte früh, daß sich die Pazifisten nun andere Aktionsfelder suchten: Gorleben, Startbahn West, Wackersdorf. Notabene: Der Auflage der ZEIT hat das jahrelange Engagement für und wider die Raketen nie geschadet.

Krieg in Beirut – ein journalistischer Balanceakt

Im Sommer 1982 ist wieder Krieg im Nahen Osten. Israel, angeführt von Regierungschef Begin und Verteidigungsminister Scharon, hat einen Vernichtungsfeldzug im Libanon eröffnet. Wochenlang wird West-Beirut belagert, wo sich ein paar tausend PLO-Kämpfer verschanzt haben. Anders als beim Jom-Kippur-Krieg 1973, als viele

Deutsche einen Monat lang um die Existenz Israels bangten, herrscht diesmal betretenes Schweigen. Es wurzelt in der Erinnerung an den Holocaust. Doch die ZEIT bricht am 6. August 1982 das Tabu: »Kritik an Israel – für uns verboten?« Und Theo Sommer antwortet: »Diese Haltung ist falsch. Die Geschichte erlegt den Deutschen keine Hörigkeit gegenüber Israel auf, ganz gleich wie moralisch, amoralisch oder unmoralisch dessen Politik sei. Sie gebietet ihnen nicht Nibelungentreue, sondern Prinzipientreue.« So nennt er denn die Untaten beim Namen: daß dieser Krieg im Libanon unnötig und unmenschlich ist, daß es seit Vietnam eine so gnadenlose Kriegführung gegen Unschuldige nicht mehr gegeben hat, daß Gefangene mißhandelt werden. Sein Urteil ist unzweideutig: »Heute ist Israel eine regionale Großmacht, die der Moral ihrer Anfänge gründlich entsagt hat. ... Der Jerusalemer Premier gefährdet den Weltfrieden. Er verdient keine Gefolgschaft.« Der Leitartikler verschweigt nicht die Zweifel einer starken Minderheit in Israel. Und zum erstenmal wird in der ZEIT das Elend von Millionen palästinensischer Flüchtlinge historisch richtig eingeordnet: »Indirekt sind auch die Palästinenser Hitlers Opfer«, so daß die Deutschen für deren eigene nationale Heimat eintreten dürfen und müssen.

In derselben Ausgabe steht der deprimierende Bericht Dietrich Strothmanns, der für einen Tag den Kriegsschauplatz auf israelischer Seite hatte betreten dürfen. Dieser immer eher wohlwollende Chronist israelischer Verhältnisse schildert entsetzt, wie Beirut, einst eine Perle des Nahen Ostens, unter täglichem Beschuß in Schutt und Asche fällt und das ganze von Israelis besetzte Gebiet zerstört und geschunden wird.

Nach dem Ende der Schlacht erlebt Andreas Kohlschütter den Abzug der PLO aus West-Beirut. Seine Gespräche mit jungen palästinensischen Kämpfern zählen zu den erschütternden Kriegsreportagen dieses Jahrhunderts. Es dämmert den Soldaten eine für die Zukunft wichtige Erkenntnis: Statt um alles oder nichts zu kämpfen, müssen die Araber »jedes Stück Palästina annehmen, das noch zu haben ist«. Im September 1982 muß Kohlschütter dann von dem Massaker berichten, das christliche libanesische Milizen unter den Augen der Israelis in palästinensischen Flüchtlingslagern von Beirut angerichtet haben. Jetzt greift auch Gerd Bucerius zur Feder: Der Goodwill für Israel sei verspielt.

Zwei Jahre danach reist Andreas Kohlschütter in das von der israelischen Besatzungsmacht unterdrückte Westjordanland, »wo der

Friedensgruß Schalom in den Ohren weh tut«. In einem ZEIT-Dossier beschreibt er detailliert, wie ausgesiedelte palästinensische Bauern vergebens ihren Grundbesitz zurückfordern, und stellt die Willkür und Rechtsbeugung der religiös eingefärbten israelischen Siedlungspolitik an den Pranger. Als Redakteur mit Schweizer Paß, unbelastet von einer bösen historischen Vergangenheit, schreibt Kohlschütter im Ton unbekümmerter als seine deutschen Kollegen. Es vergehen zweieinhalb Monate, bis die israelische Botschaft, nach angeblich sorgfältiger Prüfung am Ort der Handlung, eine Richtigstellung schickt. Dem Reporter werden »einseitige sensationelle Kolportagen«, Verzerrungen und Tatsachenverdrehungen unterstellt. Auch will man Töne herausgehört haben, »die jüdischen Ohren verdächtig sind«. Kohlschütter antwortet mit einer seitenlangen Punkt-für-Punkt-Darstellung, um zu belegen, daß ihm die Botschaft »eklatante Unwahrheiten« präsentiert habe. Er wiederholt sein Urteil, daß »in den besetzten Gebieten der israelische Rechtsstaat als Unrechtsstaat auftritt«.

Aus der Rückschau des Jahres 1995 mutet jenes Gespräch prophetisch an, das Andreas Kohlschütter 1982 kurz vor dem Libanonkrieg mit einem erstaunlich gelassenen PLO-Chef Jassir Arafat in dessen Beiruter Bunker geführt hat. »Ich mache mir keine Sorgen«, so zitiert die ZEIT Arafat am 9. Juli 1982, »denn wir bewegen uns im Strom der Geschichte, die Israelis rennen gegen ihn an.«

Filbinger und andere Lasten von gestern

Im Dezember 1977 schickte der Feuilletonchef Fritz J. Raddatz dem Justitiar Heinrich Senfft eine noch unveröffentlichte Erzählung von Rolf Hochhuth, die er als Vorabdruck in der ZEIT bringen wollte. »Schauen Sie sich einmal die letzten beiden Seiten an – ich fürchte, so kann man das nicht veröffentlichen.« Die Geschichte handelte von einer badischen Gemüsehändlerin, die im Krieg wegen einer Liebesbeziehung zu einem Polen ins Konzentrationslager kam; ihr Geliebter wurde gehenkt. Hochhuth unterstellte den Behörden von Baden-Württemberg, sie seien nicht daran interessiert, die Mörder dingfest zu machen. »Ist doch«, so schrieb er, »der amtierende Ministerpräsident dieses Landes, Dr. Filbinger, selbst als Hitlers Marinerichter, der sogar noch in britischer Gefangenschaft nach Hitlers Tod einen deutschen Matrosen mit Nazi-Gesetzen verfolgt hat, ein so furchtbarer

›Jurist‹ gewesen, daß man vermuten muß – denn die Marinerichter waren schlauer als die von Heer und Luftwaffe, sie vernichteten bei Kriegsende die Akten –, er ist auf freiem Fuß nur dank des Schweigens derer, die ihn kannten.«

Der Rechtsanwalt gab Raddatz recht: So konnte man das, juristisch gesehen, nicht bringen, denn bis dahin war nur Filbingers Kriegsgerichtsurteil vom 29. Mai 1945 bekannt, das der »Spiegel« 1972 nachgedruckt hatte. Demnach hatte ein Feldgericht in Norwegen unter dem Vorsitz von Marinestabsrichter Filbinger drei Wochen nach der deutschen Kapitulation einen Matrosen-Obergefreiten, der sich die Hakenkreuzabzeichen von der Uniform trennte, wegen Verstoßes gegen die Manneszucht und Gesinnungsverfall zu sechs Monaten Gefängnis verurteilt.

Wie es im Redaktionsalltag manchmal so geht, das noch unredigierte Manuskript Hochhuths blieb auf Raddatz' Schreibtisch erst einmal liegen. Während seiner Abwesenheit gab das Feuilleton, nichts ahnend, den unveränderten Text in Satz. Am 17. Februar 1978 erschien die ZEIT mit dem Artikel »Schwierigkeiten, die wahre Geschichte zu erzählen«. Vier Tage später traf schon ein Brief von Filbingers Anwälten ein: Sie verlangten, die ZEIT solle den Satz über den »furchtbaren Juristen« nicht wiederholen und diese Zusage in der nächsten Ausgabe veröffentlichen. Als die Antwort ausblieb, beantragte Filbinger am 28. Februar beim Landgericht Stuttgart eine einstweilige Verfügung und verklagte Hochhuth und die ZEIT auf Unterlassung. Streitwert: 100.000 Mark. ZEIT-Verleger Stolze riet vergeblich zum Vergleich; Inhaber und Chefredakteur beschlossen, die Sache durchzufechten.

Hochhuth und Bucerius wurden für den 25. April zum Termin gebeten; noch war Zeit genug für historische Recherchen. Ehe die Redaktion selber tätig wurde, hatte Hochhuth die Akte des 1945 zum Tode verurteilten und hingerichteten 22jährigen Walter Gröger gefunden. Sie liegt im Bundesarchiv Kornelimünster. Der Staatsanwalt, der die Todesstrafe beantragt hatte, war Filbinger; ihn hatte man auch zum leitenden Offizier bei der Füsilierung bestimmt. Der Matrose hatte lediglich vorgehabt, zu desertieren, war aber wieder anderen Sinnes geworden. In erster Instanz hatte das Gericht ihn darum auch nur zu acht Jahren Zuchthaus verurteilt.

Chefredakteur Sommer schickte Hans Schueler mit der Akte nach Stuttgart, um sie dem Ministerpräsidenten in dessen Amtswohnung auf der Solitude vorzulegen. Filbinger konnte sich an den Fall nicht mehr erinnern. Er versicherte den Redakteur seiner antinationalsozialistischen Gesinnung und wies nach, daß er mehrmals Marineangehörige, die wegen Wehrkraftzersetzung angeklagt oder schon verurteilt waren, vor der Todesstrafe habe bewahren können. Nach dem Aktenstudium, währenddessen Schueler draußen spazierenging, meinte Filbinger, das Todesurteil gegen Gröger sei unabwendbar gewesen, da der Flottenchef als Gerichtsherr das erste Urteil aufgehoben hatte. Hätte er nicht die Todesstrafe gefordert, wäre wegen Befehlsverweigerung gegen ihn selber ein Verfahren eröffnet worden.

Die ZEIT brachte zum Beginn der Verhandlung in Stuttgart am 12. Mai 1978 eine drei Seiten lange Dokumentation heraus. Die Recherchen wurden von dem politischen Redakteur Horst Bieber geleitet, der hier zum erstenmal seine organisatorischen Fähigkeiten zeigte, die ihn später auf den Posten eines Chefs vom Dienst führen sollten.

Den auf den Fall Filbinger angesetzten Mitarbeitern der ZEIT gelang es, die ehemalige Freundin Grögers in Oslo und in Hannover die Mutter Grögers ausfindig zu machen, dazu den einstigen Verteidiger des Matrosen. Theo Sommer versicherte, die ZEIT wolle keine Treibjagd veranstalten. (Sie hat es dem »stern« und anderen Medien überlassen, im Bundesarchiv nach weiteren Urteilen Filbingers zu suchen. Es kamen noch Todesurteile zum Vorschein, von denen er behauptete, sie seien »Phantomurteile« gewesen, da die Angeklagten schon entkommen waren.)

Sommer ließ gelten, was Filbinger an Unschuldsbeteuerungen vorbrachte: daß er ein Nichtnazi, ein Antinazi gewesen sei. Doch sei er als Marinerichter ein Als-ob-Nazi gewesen, nach Hochhuths Worten »ein Durchführer des Führers«: damals kein Nazi, heute nur »ein obrigkeitlicher Demokrat«. Gerade in seinem Lande wurde der Radikalenerlaß am schärfsten praktiziert. Und dann brachte es Sommer auf den Punkt: »Es geht um die Grundwerte unserer Gemeinschaft, von denen Hans-Karl Filbinger zu gern redet. Am Ende geht es um die sehr persönliche Frage, wie einer mit sich selbst und unserer Demokratie im reinen leben kann, der in Oslo hat vorführen, erschießen, ›sargen‹ und abtransportieren lassen. Ist das eigentlich beides zugleich möglich, ist es menschlich, im Amte zu bleiben und keinerlei Einsicht, keinerlei Reue zu zeigen? Müßte Filbinger nicht zurücktreten?« (Unter dem Druck seiner eigenen Partei trat Filbinger drei Monate später zurück.)

Das Landgericht Stuttgart wies am 13. Juli 1978 die Anklage Filbingers gegen ZEIT und Hochhuth ab. Zuvor hatte es schon befunden, Filbinger dürfe sehr wohl »furchtbarer Jurist« genannt werden. Der ZEIT und dem Autor wurde einzig untersagt, weiterhin zu vermuten, Filbinger sei dank des Schweigens derer, die ihn kannten, auf freiem Fuß.

Nach 1989 ist die ZEIT mehrmals von Lesern aufgefordert worden, eine Ehrenerklärung für Filbinger abzugeben. Ein paar ehemalige Stasi-Offiziere hatten versucht, den Eindruck zu erwecken, Filbingers Sturz sei nichts anderes als das Ergebnis ihrer eigenen trüben Machenschaften gewesen. Filbinger griff diese Behauptung in einer Neuauflage seiner Memoiren gern auf. Der ZEIT wurde unterstellt, sie habe damals als verlängerter Arm des Staatssicherheitsdienstes fungiert. Man kann zu diesem Vorwurf nur nachsichtig lächeln. Bisher ist jedenfalls niemand aufgetreten, der das Bundesarchiv verdächtigt hätte, es habe in seinen Regalen lauter Kriegsurteile aus der Fälscherwerkstatt der Stasi gespeichert.

Der »Holocaust«-Film – eine Zäsur

Ende der siebziger Jahre hatte Dieter E. Zimmer in den USA die Aufzeichnung des mehrteiligen Fernsehfilms »Holocaust« gesehen. Ihm war gleich gewiß, daß diese Serie, würde sie in Deutschland gezeigt, eine ebensolche Zäsur im geschichtlichen Bewußtsein hervorrufen müßte wie in Nordamerika. Nur unterschätzte auch er die tatsächliche Wirkung. Fünfzehn Millionen Deutsche schauten nach dieser Fernsehserie in den dritten Programmen im Januar 1979 erschüttert auf die nationalsozialistische Geschichte. Die Diskussionen in den Familien und Schulen rissen nicht ab. Im Westdeutschen Rundfunk kamen dreißigtausend Anrufe an. »Es war, als sei ein Damm gebrochen«, berichtete Zimmer in einer Reportage aus dem Fernsehstudio in Köln.

Zweimal widmete die ZEIT dem historischen Medienereignis ein Dossier. In einer Ausgabe brachte sie als Aufmacherbild ein Photo der amerikanischen Photographin Margaret Bourke-White: Es zeigt Einwohner von Weimar, die 1945 von amerikanischen Soldaten an den Leichenbergen in Buchenwald vorbeigeführt werden. Alle kehren das Gesicht ab. Was die Deutschen damals verdrängen und vergessen wollten, kam nun – auf dem Umweg über eine sentimentale amerikanische Fernsehserie – zu ihnen zurück. Aus der Unterhaltungssendung wurde ein moralisches Ereignis. Dieter E. Zimmer faßte es in die pointierten Worte: »Grauenhaft ist die Vorstellung, daß viele Mitmenschen nur durch eine ästhetische Grauenhaftigkeit von der Grauenhaftigkeit der Geschichte zu überzeugen sein dürften.« Selbst der Fernsehkritiker Walter Jens (»Momos«) fand es bei allen Vorbehalten richtig, daß der Film gezeigt wurde, vorausgesetzt, man nehme ihn zum Anlaß, weiter über die Fakten zu diskutieren.

Aber die Wirkung hielt keine zehn Jahre vor. Sonst hätte 1994 nicht der Spielberg-Film »Schindlers Liste« – die Geschichte von dem Nazi-Unternehmer, der seine »Arbeitsjuden« vor der Gaskammer rettet – einen solch gewaltigen Effekt in Deutschland erzielen können. Als der Filmredakteur Andreas Kilb in der Großen Konferenz auf das kommende Ereignis aufmerksam machte und von seiner eigenen Betroffenheit erzählte, war es Chefredakteur Robert Leicht, der die Redaktion anhielt, in einer gemeinsamen Kraftanstrengung auch diesmal das zu sein, was die ZEIT bei dem Thema seit Jahrzehnten gewesen war: »Meinungsführerin«.

Der Historikerstreit

Im Jahre 1986 hat die ZEIT mit einem Artikel von Jürgen Habermas einen Historikerstreit ausgelöst. Habermas schrieb eine Replik auf einen nicht gehaltenen Vortrag des Historikers Ernst Nolte, den die »Frankfurter Allgemeine« gedruckt hatte. Darin hatte Nolte die in Frageform gekleidete These aufgestellt, der Holocaust sei die nationalsozialistische Antwort auf den Terror der Bolschewiki gewesen. Damit leugnete er die Einzigartigkeit des Völkermords an den Juden und relativierte zugleich die deutsche Schuld durch den Vergleich von Gulag und Auschwitz.

Der Historikerstreit fiel in die erste Amtsperiode der Regierung Kohl, die mit dem Ruf nach der »geistig-moralischen Wende« angetreten war. Unter den Konservativen verstärkte sich damals die Neigung, die tausend Jahre großartiger deutscher Geschichte »jenseits der zwölf Jahre« hervorzukehren, was hieß, die Nazizeit auszuklammern oder zumindest einen Schlußstrich zu ziehen.

Der Kunstgriff von Habermas bestand darin, verschiedene Äußerungen anderer Zeithistoriker, die dem rechten Spektrum zugeordnet wurden, mit Noltes Thesen zu koppeln. Besonders kritisierte er das Bändchen »Zweierlei Untergang«, in dem zwei Vorträge von Andreas Hillgruber zusammengespannt waren, die zunächst gar nichts miteinander gemein hatten: einen Text über den Genozid an der europäischen Judenheit und einen zweiten über die gleichzeitig einsetzende Vernichtung der deutschen Großmacht. Für Hillgruber war es eine Tragik, daß die Ostfront gehalten werden mußte, obwohl dadurch das Sterben des jüdischen Volkes in den Vernichtungslagern verlängert wurde. Klaus Naumann brachte dieses Verhalten am 3. Februar 1995 zur Eröffnung der ZEIT-Serie »1945 und heute« auf den Begriff: »gespaltene Erinnerung im Dienste nationaler Sinngebung«. Es war also ein Historikerstreit mit politischem Hintergrund.

Im Gedenkjahr 1995 – fünfzig Jahre nach Kriegsende – bündelten die klassischen ZEIT-Ressorts ihre Beiträge zu einer großen Gemeinschaftsleistung. Einzigartig war der Entschluß, zur Erinnerung an Auschwitz und Hiroschima die erste Seite der ZEIT Autoren betroffener Völker (Israel, Japan) einzuräumen. Selbst in diesem Jahre noch weigerten sich einige Leser, den 8. Mai 1945 als Tag der Befreiung Deutschlands zu sehen. Robert Leicht schrieb dazu am 5. Mai 1995 in einem ganzseitigen Leitartikel: »Nur wer beides im Gedächtnis behält, die notwendig gewordene Niederlage Deutschlands wie die allein durch sie möglich gewordene Befreiung auch der Deutschen, ist frei und mündig, das Erbe im Soll wie im Haben aufrichtig anzutreten – haftend und heilend zugleich.«

Nachtrag: Im Frühjahr 1988 wurde die ZEIT selber noch einmal von der Nazivergangenheit ereilt. Der Schriftsteller Kurt Ziesel gab in einem neuen Buch (»Die Meinungsmacher«) Auszüge aus einem Artikel wieder, den der spätere Chefredakteur der ZEIT, Josef Müller-Marein, im »Dritten Reich« geschrieben hatte und der am 24. September 1935 im NS-Zentralorgan »Völkischer Beobachter« zu lesen stand. Es war ein Loblied auf die SA-Lyrik (»Lebendige Dichtung im Kampf geboren«). Im ersten Schreck meinte Marion Dönhoff, wenn sie in den frühen Jahren davon erfahren hätte, wäre sie nicht bei der ZEIT geblieben. Der Fall läßt sich wohl nie mehr aufklären. Müller-Marein ist 1981 gestorben. Man ist versucht, den damaligen Aufsatz für eine Clownerie zu halten, denn die zitierten Verse lesen sich wie eine Satire. Bisher ist die Aussage Müller-Mareins in der ZEIT, niemals einem NS-Blatte gedient zu haben noch Parteigenosse gewesen zu sein, nicht zu widerlegen. Auf ihn und auf uns alle trifft ein Wort Theo Sommers zum Fall Filbinger zu: »Es bleibt die Last des Gestern, die wir in unser Morgen mitschleppen.«

23. Kapitel

Krisen, Konflikte, Kompromisse

Die Ära Sommer

Am 1. Januar 1973 wurde Theo Sommer Chefredakteur der ZEIT. Seine Vorgängerin, Marion Gräfin Dönhoff, hatte sich von der täglichen Fron des Blattmachens samt dreistündiger Lektüre in- und ausländischer Zeitungen befreien wollen; sie diente fortan dem Blatt als Herausgeberin.

In den nahezu zwanzig Jahren Amtszeit Theo Sommers ist die ZEIT weiter gediehen. Ihre verkaufte Auflage stieg von 330.000 auf eine halbe Million Exemplare (1980: 382.000; 1985: 421.000; 1990: 497.000). Zugleich wuchsen Seitenzahl und Angebot der Wochenzeitung. Der durchschnittliche Umfang vergrößerte sich von 64,6 Seiten im Jahre 1973 auf 82,8 im Jahre 1993. Dies wurde möglich, weil mit steigender Auflage auch das Anzeigenaufkommen ständig zunahm. Daher mußte die Redaktion vergrößert werden. Aus 40 Redakteuren wurden 100, aus 37 redaktionellen Mitarbeitern 90, aus 23 Pauschalisten 45. Hingegen blieb die Zahl der Mitarbeiter in Verwaltung und Anzeigenabteilung mit rund 90 konstant.

Die Aufwärtsentwicklung vollzog sich nicht immer gleichmäßig. Zwei weltweite Ölkrisen (1973/74 und 1979/80) verschlechterten die Konjunktur in Deutschland und beeinträchtigten damit auch das Anzeigengeschäft der ZEIT. Einmal verordnete der Verleger Gerd Bucerius der Redaktion sogar einen zweijährigen Einstellungsstopp. Aber die Stagnation war bald überwunden.

Dem raschen Wachstum wurden die hergebrachten familiären Strukturen des Blattes nicht länger gerecht. Verlag und Redaktion mußten neue Formen erproben. Dabei ging es nicht ohne Interessenkonflikte ab, die sich in den siebziger und achtziger Jahren in zum Teil schweren Auseinandersetzungen zwischen Verleger und Redaktion, aber auch innerhalb der Redaktionsführung entluden. Diese Spannungen hätte die ZEIT wohl kaum so glimpflich überstanden, wäre nicht zuvor eine vernünftige Mitbestimmung der Redakteure durch ein immer noch vorbildliches Redaktionsstatut garantiert worden.

Das Redaktionsstatut: Gütesiegel der Liberalität

Die liberale ZEIT stand nicht an der Spitze jener Bewegung im deutschen Journalismus, die sich Ende der sechziger Jahre für Mitbestimmungsrechte in den Zeitungsverlagen einsetzte. Während manche Tageszeitungen und Magazine schon längst ein Redaktionsstatut besaßen, seiner vielleicht schon wieder überdrüssig wurden, führte die kleine ZEIT-Redaktion noch ein mehr oder minder harmonisches Familienleben. Je mehr sich der Konzentrationsprozeß in der deutschen Presse beschleunigte, desto öfter dachten jedoch auch ZEIT-Redakteure über die innere Pressefreiheit nach. Es war damals keine Seltenheit, daß Journalisten erst aus fremden Zeitungen erfuhren, ihr Blatt sei eingestellt oder verkauft worden. Paul Sethe schrieb 1965 seinen berühmten Leserbrief an den »Spiegel«: »Pressefreiheit ist die Freiheit von zweihundert reichen Leuten, ihre Meinung zu verbreiten. ... Frei ist, wer reich ist. Das ist nicht von Karl Marx, sondern von Paul Sethe. Aber richtig ist es trotzdem. Und da Journalisten nicht reich sind, sind sie auch nicht frei.« Von dieser Regel nahm er lediglich ein paar Oasen aus, in denen noch die Luft der Freiheit wehe. Dazu zählte er mit Recht die ZEIT, deren Redaktion er inzwischen angehörte.

Wenn trotzdem in dieser Oase Unruhe entstand, so eher aus einem geringfügigen Anlaß. Wirtschaftschef Diether Stolze sollte am 1. Januar 1971 in die Geschäftsführung des Verlages eintreten, ohne sein Ressort aufzugeben. Es kam die Frage auf, ob sich diese Regelung mit der üblichen scharfen Trennung von Verlagsgeschäften und Redaktionsarbeit noch vertrüge. Einige Redakteure baten Gräfin Dönhoff schriftlich um eine Aussprache. Nur 7 von 32 Kollegen hatten sich allerdings bereit gefunden, diese Petition zu unterschreiben. Die Chefredakteurin verstand es, die sieben zu beruhigen: Die ZEIT mit ihrem besonderen Klima sei nicht mit anderen Zeitungen zu vergleichen; die Berufung Stolzes in den Verlag werde der Redaktion zugute kommen.

Doch eines Freitags, während der Großen Konferenz, erfuhr die Redaktion eher beiläufig, daß in der nächsten Ausgabe ausnahmsweise die Themenseite nicht ans Ende eines Buches, sondern ins Innere gesetzt werden sollte – der repräsentative Platz wurde für eine Anzeige benötigt. Marion Dönhoff und Diether Stolze hatten es zwischen Tür und Angel so abgesprochen. Protest wurde laut: Solche Eingriffe über die Köpfe der Kollegen hinweg könne sich die Redaktion nicht gefallen lassen. So entstand die Idee, auch der ZEIT ein Redaktionsstatut zu schneidern.

Im Nu machte sich eine Kommission ans Werk. Sie verglich die Texte aller Statuten in der deutschen Presse, von denen die des »stern« und der »Süddeutschen Zeitung« in der Einschränkung der verlegerischen Rechte am weitesten gingen. Eigene Entwürfe wurden der Chefredaktion vorgelegt – auch Stolze, der in den kommenden Verhandlungen als Sprecher des Verlags auftrat.

Stolze interessierte sich weniger für die innere Pressefreiheit der Redakteure als für die Beziehungen der Gesamtredaktion, vor allem der dominierenden Ressortleiter, zum Verleger. Auf seine Anregung kamen jene Paragraphen in das Statut, die der Redaktion ein Recht auf frühzeitige Unterrichtung und Anhörung zugestehen, sollte je beabsichtigt sein, das Verlagsrecht an der ZEIT an einen Dritten zu veräußern. Stimmte die Redaktion dem Verkauf nicht zu, so würde ihr für sechs Wochen ein Vorkaufsrecht eingeräumt, dem sich jeder Verlagsangehörige anschließen könnte. Theo Sommer malte sich diese Szene aus: »Das ist dann der Augenblick, wo sich Diether im Stresemann und mit dem Zylinder in der Hand zur Warburg-Bank oder zur Deutschen Bank begibt.« Bucerius mokierte sich über solche Sprüche: »Ja, ich weiß, Diether möchte gern Inhaber der ZEIT werden!«

Den Redakteuren lag zuvörderst die Meinungsfreiheit am Herzen. Was geschah, wenn bei einem Verkauf eine Änderung der Grundhaltung des Blattes zu befürchten sei? Antwort: Sollte eine Mehrheit der Redaktionsversammlung dieser Meinung sein, habe jeder ausscheidende Redakteur über die Erfüllung seines Vertrages hinaus Anspruch auf eine Abfindung in Höhe von zwei Monatsgehältern pro Dienstjahr. So kam es ins Statut.

Weil es üblich war, einem Statut publizistische Grundsätze für Verleger und Redakteure voranzustellen, bekam auch das ZEIT-Statut eine Präambel: »Verlag und Redaktion treten für freiheitliche, demokratische und soziale Prinzipien ein« – eine löbliche, aber nichtssagende Formel, denn jeder kann diesen Satz reinen Gewissens unterschreiben. Verzichtet hat die ZEIT-Redaktion jedoch auf die

Beteuerung, die man in anderen Statuten findet: daß kein Redakteur gezwungen werden könne, gegen seine Überzeugung zu schreiben oder etwas zu verantworten. Theo Sommer: »Der Stolz der ZEIT-Redakteure schließt jegliches Schreiben gegen die eigene Überzeugung sowieso aus.«

Einzigartig in der deutschen Presse waren zwei weitere Bestimmungen. Erstens erhielt die Redaktion ein verbürgtes Mitspracherecht in Personalfragen der Redaktion, zweitens einen gewählten Ausschuß, der ein verbrieftes Informationsrecht und klare Schlichtungsbefugnisse hat. Wichtig war der Redaktion auch das Mitspracherecht bei wesentlichen Änderungen der Zeitungsstruktur oder der redaktionellen Organisation. Hier bestand der Verlag allerdings auf dem Zusatz, daß bei gewichtigen wirtschaftlichen Gründen die Änderungen gebilligt werden müssen.

Das Mitspracherecht der Redakteure bei Berufung oder Ablösung des Chefredakteurs und seiner Stellvertreter war zwischen Verleger und Vollversammlung lange umstritten. In der Endfassung des Statuts hieß es dann: »Berufung und Entlassung des Chefredakteurs und seiner Stellvertreter ist Sache des Verlegers. Sie dürfen jedoch nicht gegen den erklärten Willen der absoluten Mehrheit jener Redakteure erfolgen, die mehr als zwei Jahre in der Redaktion tätig waren.« Die Einspruchsfrist wurde auf vierzehn Tage begrenzt. Bucerius erkannte sehr wohl: »Stehen die Redakteure gegen die geplante Berufung eines Chefredakteurs auf, dann muß der Verlag kapitulieren.« Dennoch schien ihm das Verfahren akzeptabel, weil man »die denkbar loseste Organisationsform« gewählt hatte.

Bislang ist die ZEIT-Redaktion in der Praxis mit diesem Paragraphen gut gefahren, obwohl nirgendwo festgelegt ist, wie sich der negative Wille der Redaktion erklären soll. Es müßte sich also eine »Fronde« bilden, die Gegenstimmen mobilisiert. Als Robert Leicht 1992 zum Chefredakteur und Nachfolger Theo Sommers bestimmt wurde, hat er selber darauf bestanden, den Willen der Redakteure per geheime Befragung kennenzulernen. Er erhielt eine vollauf befriedigende Mehrheit. Als hingegen Haug von Kuenheim 1985 zum stellvertretenden Chefredakteur ernannt wurde, reichte der Redaktionsversammlung die Akklamation. Anders erging es Nina Grunenberg, als sie 1987 an Kuenheims Stelle treten sollte. Es gab einen Gegenantrag, doch lief die Abstimmung zugunsten der Kandidatin aus.

Bei den Statutsverhandlungen im Jahre 1974 verlangten viele Redakteure, daß bei der Berufung und Entlassung von Ressortleitern ebenfalls eine Negationsklausel (»nicht gegen die absolute Mehrheit des betreffenden Ressorts«) gelten sollte. Damit kamen sie nicht durch. Im Einvernehmen mit dem Verlag darf der Chefredakteur bis heute Ressortleiter einsetzen oder absetzen. Er muß lediglich vorher die anderen Ressortleiter und das Ressort selber informieren und um ihre Meinung bitten. Sollte eines der Gremien widersprechen, wird der Ausschuß angerufen. Er kann mit Mehrheit für sechs Wochen ein suspensives Veto verhängen. Danach entscheidet endgültig der Chefredakteur. Dieses sehr komplizierte Verfahren mußte, obschon seither viele Ressortleiter kamen und gingen, bisher noch niemals angewandt werden.

Die ZEIT ließ sich mit ihrem Statut viel Zeit. Dreieinhalb Jahre wurde verhandelt und diskutiert; es gab siebzehn Entwürfe und Zusatzvarianten. Am 1. Juli 1974 wurde das Statut von Bucerius und drei Vertretern der Redaktion unterschrieben. Die beiderseitige Kündigungsfrist betrug ein Jahr. Darauf hatte der Inhaber Wert gelegt. Die Redaktion sollte wissen, daß sie die ihr zugestandenen Rechte wieder verlöre, »wenn sie den Verleger in die Ecke treibt«.

Theo Sommer nannte das Statut in der ZEIT ein ausgewogenes Dokument von »Mitsprache und Kollegialität«. »Es garantiert den Freiraum der Redaktion, ohne den Verleger um sein Recht zu bringen.« Bucerius empfahl es anderen Verlagen als nachahmenswert. Zurückhaltend kommentierte der Sprecher der Redaktion das Ergebnis: Das Statut gewähre ein Minimum an Demokratie, sei also eine Erschwernis für Entscheidungen des Verlages und der Chefredaktion. Gleichwohl: Das Statut ist ein Gütesiegel für die Liberalität der ZEIT.

Die ZEIT-Stiftung

Seit dem 15. Dezember 1971 gab es bereits die ZEIT-Stiftung, mit der Gerd Bucerius die Kontinuität seines Lebenswerkes DIE ZEIT absichern wollte. Ihr hat er die Titelrechte der ZEIT gegeben (und die Stiftung hat der KG Zeitverlag Gerd Bucerius GmbH & Co. den Nießbrauch am Titel gegen eine bescheidene Pachtgebühr überlassen). Ihren Kuratoren wurde gleichzeitig das Recht übertragen, bei der Berufung von Chefredakteuren der ZEIT und ihren Stellvertretern mitzuwirken.

Die ZEIT-Stiftung ist Erbe des Vermögens von Bucerius. Sie kann zwar ein Wirtschaftsunternehmen (zum Beispiel eine Zeitung) besitzen, darf es aber nicht betreiben. Die Gewinne daraus müssen ausschließlich gemeinnützig verwendet werden. Aus den Erträgen des Stiftungsvermögens und anderen zugewendeten Summen förderte die ZEIT-Stiftung zunächst die Privatuniversität Witten-Herdecke; die Studienstiftung des Deutschen Volkes; die Joachim-Jungius-Gesellschaft; die Hamburger Staats- und Universitätsbibliothek; die Atlantik-Brücke; die Aufbereitung des Kopelew-Archivs an der Universität Bremen und die Restaurierung der Arp-Schnitger-Orgel in St. Jacobi in Hamburg. Von der Hansestadt hat die Stiftung eine Stadtvilla am Schwanenwik (Baujahr 1865) gekauft und sie dann nach der Renovierung dem Hamburger Literaturhaus e.V. kostenlos in Erbpacht überlassen. (Nach dem Tode des Stifters und der Auszahlung des Bucerius-Anteils an die Bertelsmann AG erweiterte sich das Spektrum ihrer Tätigkeit erheblich. Die Bucerius Law School in Hamburg, Deutschlands erste private Hochschule für Rechtswissenschaften, wurde ihr größtes Projekt. Daneben hat sich die Stiftung – inzwischen die fünftgrößte private Stiftung der Bundesrepublik – mit dem Bucerius Kunst Forum am Rathausmarkt der Hansestadt, der Bucerius Summer School und unzähligen internationalen Aktivitäten einen Namen gemacht.)

Dem ersten Kuratorium gehörten das Ehepaar Ebelin und Gerd Bucerius an, ferner drei Journalisten: Gräfin Dönhoff, Diether Stolze und der Chefredakteur der »Wirtschaftswoche«, Peter Sweerts-Sporck, die Bankiers Karl Klasen und Hans-Hermann Münchmeyer, der Reeder Rolf Stödter und Bertelsmann-Chef Reinhard Mohn.

Stolze wird Verleger. Inhaber Bucerius als Blattkritiker

Die erste einschneidende Änderung im Gefüge der ZEIT datiert vom 1. Juli 1977. An diesem Tage zog sich Gerd Bucerius, inzwischen 71, aus dem Verlag zurück. Zu seinem Nachfolger als Verleger berief er den 48jährigen Diether Stolze, bisher Chef des Wirtschaftsressorts und Stellvertreter des Chefredakteurs Sommer. Er hatte schon mehrere Jahre im Verlag mitgearbeitet und war seit Mai 1976 alleinzeichnungsberechtigter Generalbevollmächtigter. Bucerius: »Ihm habe ich das Blatt anvertraut.«

Für den Eigentümer war es freilich nur ein halber Abschied. Die Aufgaben im Hause teilte er wie bei einer Aktiengesellschaft zwischen dem Vorsitzenden des Vorstandes (Stolze) und dem Vorsitzenden des Aufsichtsrates (Bucerius) auf. Der Alleininhaber erschien weiterhin regelmäßig in der Käsekonferenz und in der Großen Konferenz. Bucerius blieb die Unruh im Uhrwerk der ZEIT!

Jetzt hatte er mehr Zeit zum Lesen und vor allem zum Schreiben. Er packte große Themen an, die ihm in der ZEIT zu kurz kamen – bald die Kostenexplosion im Gesundheitswesen, bald die Situation des öffentlich-rechtlichen Rundfunks, die jugoslawische Arbeiterselbstverwaltung, eine Betrachtung zum Ende des Lastenausgleichs oder die zunehmende Wohnungsnot in den Großstädten. »Er kümmert sich gern um den Geldbeutel des kleinen Mannes«, bemerkte Werner Ross. Seine Beiträge erschienen unter der Stichzeile »Gerd Bucerius zu Fragen der Zeit«. Die Redaktion brauchte sich nicht mit der Meinung des Verlegers zu identifizieren.

Bucerius hatte nichts dagegen, wenn seine Beiträge redigiert oder gekürzt wurden; eine Aufgabe, deren sich im allgemeinen der Chefredakteur annahm. Beide waren sich einig, daß die Bucerius-Kolumne ein Stück Werbung für das Blatt sei. Aus diesem Grunde hatte sich Sommer immer dafür stark gemacht. Manche Redakteure hegten da ihre Zweifel. Doch bestand der Inhaber auf seinem ureigenen Recht, in seiner Zeitung seine eigene Meinung zu veröffentlichen; und natürlich las der Redaktionschef diese Meinung lieber in der ZEIT als in Form einer Anzeige in der »Welt«. Dennoch blieben Friktionen nicht aus: »Zu allem und jedem eine Stellungnahme«, klagte Sommer einmal schriftlich, »dazu in der Regel auch noch gegen die Redaktion, bis hin zur brutalen öffentlichen Schelte Ihres Chefredakteurs und Ihres Bonner Chefkorrespondenten – so hatte ich es mir nicht vorgestellt.«

Wichtiger denn je wurde das ständige Gespräch mit der Redaktion. Dabei bediente sich Bucerius auch der Korrespondenz. Seine Briefe an den »Lieben Ted« und den »Lieben Diether« waren oft zehn bis zwanzig Seiten lang. Die Anrede lautete oft »Liebe Freunde«; in diesem Falle mußten sich der Chefredakteur und der »angestellte Verleger« (so spöttelte Kurt Becker über Stolze) auf eine geharnischte Blattkritik gefaßt machen. Die Absicht des Inhabers lag klar zutage: die Redaktion in Schwung halten, sie dauernd zu Höchstleistungen anspornen. Fünf Elemente eines guten Journalismus wollte Bucerius in seinem Blatt sehen: erstens Aktuelles und Porträts von Menschen; zweitens Geschichte; drittens den neuesten Stand der Wissenschaften; viertens die Widerspiegelung ausländischen Denkens und ausländischer Tendenzen; fünftens Foren, Reports, Interviews, Essays.

Bucerius entwickelte sich in den siebziger Jahren zum besten Blattkritiker, den die ZEIT je hatte. Wenn er die Sonde an einen Text anlegte, kannte er keinen Respekt vor großen Namen oder verdienstvollen Journalisten, ausgenommen Marion Dönhoff, Theo Sommer und Diether Stolze, deren Stil und Schreibtalent er aufrichtig bewunderte; an Sommer störten ihn lediglich »die Papierblumen«. Der Inhaber las sein Blatt mit dem geschulten Blick des Juristen, der an den klaren, logischen Aufbau eines Schriftsatzes gewöhnt ist. »Ich werde zu beweisen suchen«, schreibt er Anfang 1980, »daß (zu) große Teile des Blattes in einem veralteten Stil geschrieben sind, oft mit barocken Schnörkeln; nicht mit dem entschiedenen Willen, den Leser zunächst einmal schlicht zu unterrichten (über Tatsachen; Vorgänge). Dagegen werden Reflexionen von Redakteuren (auch zweiter Ordnung) umständlich ausgebreitet.« Er bevorzugt den knappen, lateinischen Stil. Er haßt Langeweile und Umständlichkeiten und möchte nicht erst nach ein paar Absätzen erfahren, was der Autor will. Er moniert falsche oder gewundene Bilder, rügt die neue Sitte, »Fakten mit pompösen Worten zu schmücken«, lästert über schwülstigen Stil. Allgemeinverständlichkeit geht ihm über alles. Erbarmungslos verbessert er das schlechte Deutsch einiger Autoren: falsche Tempora, falsch verwendete Formeln, unnötige Wiederholungen und erfundene Fremdworte. Einmal notiert er: »Viele Druckfehler, weil die Korrektoren den Artikel nicht verstanden haben.« Und immer wieder predigt er seinen Freunden, doch dem Leser das Verständnis schwieriger Themen durch Karten, Tabellen, Zeichnungen zu erleichtern.

Fast immer traf Bucerius mit seiner Kritik ins Schwarze. Manchmal freilich waren seine Urteile ungerecht. Er, der immer unter Dampf stand, hat seine Chefredakteure oft unter Druck gesetzt. Die Korrespondenz mit ihnen füllt dicke Leitz-Ordner. Aber Bucerius hatte Respekt, wenn seine Partner Rückgrat bezeugten. Sommer, der als Chefredakteur zwei Jahrzehnte lang mit ihm zusammenarbeitete, mußte oft genug die Interessen der Redaktion vor dem Eigentümer vertreten. Er lehnte es auch ab, sich die Aversionen des Verlegers gegen den einen oder anderen Redakteur oder Mitarbeiter zu eigen zu machen.

Bucerius kokettierte gern damit, ein Hypochonder zu sein. Stets malte er auch die wirtschaftliche Lage des Verlages in schwärzesten Farben, sagte Rezessionen, Anzeigeneinbrüche, Preisexplosionen, riesige Defizite voraus, die dann doch nicht eintraten. »Er hat sich großgeängstigt«, sagt Marion Dönhoff über ihn. Er sah sein Lieblingskind dauernd von Gefahren umringt, und die Freunde (Dönhoff, Stolze, Sommer, auch Haug von Kuenheim) sollten ihm helfen, sie abzuwenden. Es gehörte ein dickes Fell dazu, die Übertreibungen des Inhabers ins Leere laufen zu lassen. Nur zu oft hatte er freilich mit seiner unablässigen Kritik, seinen Warnungen und Mahnungen recht.

Das Blatt war zu groß geworden für die gemütliche alte Machart. Es brauchte effizientere Strukturen, wohl auch ein Redaktionsmanagement (schon die Vokabel war alten ZEIT-Hasen ein Graus), auch mehr Mitverantwortung der Redakteure für das ganze Blatt, denn zu viele hielten sich an ihren Schubläden fest oder drohten zu Redaktionsbeamten zu werden. Der neue Verleger Diether Stolze, von dem Bucerius viel erwartete, überlegte gemeinsam mit Sommer, wie sie das Blatt ausbauen und die Auflage weiter steigern könnten.

Die erste Herausgeberkrise

Je mehr sich die Wochenzeitung in Abteilungen auffächerte, je mehr sie ihr Programm ausweitete (Magazin, Reportagen, Dossier, Foren), um den Bedürfnissen der Leserschaft entgegenzukommen, desto schwieriger wurde es für den Chefredakteur, die verschiedenen Ressorts zu führen, den Überblick zu behalten und gleichzeitig noch seinen übrigen Amtsverpflichtungen als »ZEIT-Autor, als Politikchef, als Repräsentant und Grüßaugust, als Motor und Motivator« nachzukommen. »Auf die Dauer kann und will ich dies alles auf einmal und zugleich nicht machen«, schrieb Sommer am 30. Mai 1978 an Gräfin Dönhoff. Denn er wollte auch noch ein »bißchen reisen, reden, schreiben«.

Die dauernden Sturmwarnungen von Bucerius ließen ihn aber nicht ganz unberührt. Wenn sich nicht bald etwas ändere, meinte der Chefredakteur nun, »werden wir uns sehr lange nicht einmal mehr in der Stagnation halten können«. Ja, er fürchtete sogar einen lautlosen Zusammenbruch.

Als Allheilmittel empfahlen Stolze und Sommer schließlich eine Reform der redaktionellen Führungsstruktur. Nach dem Vorbild der »Frankfurter Allgemeinen Zeitung« sollte die ZEIT künftig von mindestens drei, höchstens fünf Herausgebern geführt werden, von denen je einer im Jahresturnus die Funktionen eines Chefredakteurs, ein anderer die des Stellvertreters übernahm. Die übrigen sollten sich ganz dem Schreiben widmen.

Diese Idee einer Kollegialverfassung war nicht neu. Bereits im Sommer 1968, als die Chefredaktion von Müller-Marein auf Gräfin Dönhoff übergehen sollte, hatten die Teilnehmer der Käserunde – die Ressortleiter Rudolf Walter Leonhardt, Diether Stolze und Alexander Rost, denen sich die Politikredakteure Hans Gresmann und Theo Sommer anschlossen – in einem Brief an Marion Dönhoff und Gerd Bucerius empfohlen, der ZEIT eine »solide und so leicht nicht zu erschütternde kollektive Führung zu geben«. Unter Gräfin Dönhoff als Chefredakteurin (»Wir sind gern bereit, Sie, liebe Gräfin, als – letzten – Chefredakteur zu akzeptieren«) sollte ein »Gremium derjenigen, die das Bild der ZEIT am stärksten mitgeprägt haben oder mitprägen sollen«, reihum, aber einvernehmlich die Redaktion führen.

Das Ganze war nicht sehr durchdacht. Im übrigen war Bucerius strikt dagegen. Aus dem Urlaub in der Schweiz schrieb er: »Donnerwetter, das ist wirklich die eiligste Machtergreifung, die ich je erlebt habe!« Er konnte der Idee nichts abgewinnen. Statt dessen schlug er vor, Freiwillige zu rekrutieren, die abwechselnd »das harte Los des Chefs vom Dienst, vor allem in Marion Dönhoffs Abwesenheit, auf sich nehmen«. Damit war die Sache tot. Anfang August 1968 wurden Theo Sommer als stellvertretender Chefredakteur eingesetzt, Hans Gresmann als stellvertretender Ressortleiter Politik.

Zehn Jahre später war denn auch von einer institutionalisierten Käsekonferenz nicht mehr die Rede. Vielmehr wollten Stolze und Sommer Intellektuelle für die Herausgeberleiste anwerben (»eine frische Mischung aus Brillanz und Brisanz«), teils aus dem liberalen, teils aus dem konservativen Lager. In erster Linie dachten sie an Ralf Dahrendorf von der London School of Economics, an »Capital«-Chefredakteur Johannes Gross und an den Verleger Wolf Jobst Siedler. Auf der Liste der Gesprächspartner standen auch Conrad Ahlers, Chefredakteur der Hamburger »Morgenpost« und einstiger Bundespressechef, der Schriftsteller Günter Grass und Günter Gaus, ehemals »Spiegel«-Chefredakteur, nun Ständiger Vertreter der Bundesrepublik in Ost-Berlin. (Gaus winkte gleich ab, weil er seinen Posten nicht verlassen wollte.)

Es gelang Stolze und Sommer, auch Bucerius für diesen Plan zu gewinnen. Dem Inhaber konnte es im übrigen nur recht sein, denn er hatte schon des längeren das Gefühl, Sommer werde seinem Amt nicht gerecht, weil er zuviel in der Welt herumreise. Diese Reisen, das wußte Bucerius sehr wohl, brauchte Sommer, ein »mid-Atlantic man«, wie ihn der »Guardian« einmal nannte, um nicht die Verbindung zur internationalen Community der politischen und strategischen Vordenker zu verlieren. Der Ertrag seiner Visiten in den großen Hauptstädten des Westens und seiner Teilnahme an internationalen Konferenzen kam jedesmal in Gestalt großer Berichte oder Leitartikel der Leserschaft und dem Renommee der ZEIT zugute. Sommer trieb auch die Kollegen immerfort nach draußen, damit sie aus eigener Kenntnis schildern und urteilen konnten: »Die ZEIT läßt sich nicht aus der Lektüre von ›FAZ‹ und ›Herald Tribune‹ gestalten.«

Bucerius aber brauchte für seinen täglichen Dialog mit der Redaktion einen verantwortlichen Ansprechpartner, der möglichst immer am Schreibtisch saß. So wie Müller-Marein einer war, der sich bei Abwesenheit von der gleichberechtigten Gräfin Dönhoff vertreten ließ. Zudem hatte Bucerius Sommer im Verdacht, er gebe für den notwendigen Ausbau der Redaktion zu unbekümmert Geld aus. Tatsächlich wehrte sich der Chefredakteur, bei erfolgversprechenden Projekten am Umfang oder an den Stellen zu sparen. Die einzige im Führungskreis, die das Herausgeber-Modell skeptisch betrachtete, war die Herausgeberin Marion Dönhoff. Sie hielt es eher für ZEIT-fremd, befürchtete, die Superstars könnten wichtiger als das Wohl der Zeitung werden; außerdem entstünde eine Zweiklassengesellschaft. Die Herausgeberin warnte Sommer, sich nicht auf Stolzes Einflüsterungen einzulassen, denn der weisungsberechtigte Verleger werde immer mächtiger sein als der Chefredakteur.

Im August 1978 kursierten plötzlich auf den Fluren der ZEIT-Redaktion Gerüchte von einem Geheimtreffen auf Sylt, bei dem der Herausgeber-Plan mit einigen Kandidaten besprochen worden sei. Tatsächlich hatten sich Stolze, Sommer und Haug von Kuenheim dort übers Wochenende mit Dahrendorf, Gross und Siedler getroffen. Als Indiskretionen sogar den Weg in die Zeitungen fanden, verlangte der Redaktionsausschuß, daß Sommer und Stolze in der Großen Konferenz Rede und Antwort standen.

Diese Konferenz am 18. August 1978 war nicht nur mit fünfeinhalb Stunden die längste, sondern auch die bewegendste in der Geschichte der ZEIT. Die Gemüter waren so aufgewühlt, daß man ganz vergaß, Protokoll zu führen. Sommer rechtfertigte den Plan mit der Überbelastung des Chefredakteurs, Stolze als Verleger brachte die wirtschaftliche Lage ins Spiel. Mit verbissener Wut sahen die Redakteure ihren »Ted« vor sich, wie er, wirklich ermattet aussehend, seine Macht einfach auf ein Fünftel reduzieren ließ. Niemand unter den vierzig Teilnehmern akzeptierte den Herausgeber-Plan.

Kurt Becker als ältester packte den Chefredakteur am Portepee: »Herr Sommer, die ZEIT ist eine nationale Institution. Sie dürfen sie nicht im Stich lassen!« Rudolf Walter Leonhardt mokierte sich über die Vorstellung, daß ein paar »Überflieger« gelegentlich in die ZEIT kämen, um hohe Tantiemen zu kassieren. Musikredakteur Heinz Josef Herbort sprach süffisant vom »Peter-Prinzip«. Die meisten bemühten sich, Sommer den Rücken zu stärken. Noch nach Tagen fühlte er sich »bewegt und betroffen von dieser Mischung aus Huldigung und Hieben, die mir entgegengeschlagen ist«. Die Wut der Redakteure verwandelte sich in helle Empörung, als Stolze kühlen Herzens erklärte, die Herausgeber-Lösung könne auch gegen den Willen der Redaktion durchgesetzt werden. Deprimiert und angeschlagen verließen die Redakteure den Saal.

Nach diesem »Schwarzen Freitag« tagte wochenlang ein Sonderstab, dem neben Sommer und Stolze und den vier Ressortleitern der Bonner Bürochef Zundel und als Dienstältester Leonhardt angehörten. Die auf Sylt anvisierte Lösung war indessen gescheitert, weil die Kandidaten zu den vorgesehenen Bedingungen nicht zu haben waren. Eine Rückkehr zum Status quo verbot sich, weil Bucerius eine Alleinherrschaft Sommers nicht mehr für angebracht hielt. Er wollte drei Namen in der Herausgeberliste sehen: Dönhoff – Sommer – Stolze. Die Redaktion tat sich schwer damit, denn sie befürchtete, daß Stolze in die Redaktion zurückstrebte, um maßgeblichen Einfluß auf die politische Linie zu bekommen. Auch Sommer begann den Argwohn zu teilen, daß Stolze die Achse der ZEIT von der Mitte nach rechts verschieben wolle. Leonhardt berichtet, es sei in rücksichtsloser Offenheit diskutiert worden, »manchmal buchstäblich bis zum Erbrechen«.

Der bisherige Chefredakteur sträubte sich gegen eine »Zweierlösung, die in der Herausgeberleiste durch den Namen Marion Dönhoff verbrämt wäre«. Sie laufe auf eine »Halbierung« seiner Kompetenz hinaus, nicht auf eine »Vervielfältigung der chefredaktionellen Wirkungskraft« wie bei der größeren Herausgeber-Lösung. Als Minimum verlangte er eine »klare Grenzziehung« bei den Zuständigkeiten, dazu die unzweideutige politische Richtungskompetenz. Dies sollte die Befürchtung eindämmen, schrieb er an Stolze, »daß die ZEIT politisch auf eine schiefe Ebene geschoben« werde. Erst als ihm diese Richtlinienkompetenz zugewiesen wurde, ließ er die vorbereitete Rücktrittserklärung in der Jackentasche stecken.

Ein dürres Kommuniqué beendete am 1. November 1978 die Krise:

»Herausgeber der ZEIT sind künftig neben Marion Gräfin Dönhoff der gegenwärtige Chefredakteur Theo Sommer und der gegenwärtige Verleger Diether Stolze. Sommer und Stolze führen die Redaktion gemeinsam, wobei die Zuständigkeit für politische Richtungsfragen bei Sommer liegt. Neben seinen redaktionellen Aufgaben behält Diether Stolze seine verlegerische General-Kompetenz.« Die beiden Herausgeber teilten sich die Redaktion auf: Sommer kümmerte sich um Politik und Feuilleton, Stolze um die Wirtschaft, das Moderne Leben und anderes. Der stärkere im Bunde war jedoch Stolze, der seine verlegerische General-Kompetenz behielt, während Sommer das politische Ressort aufgab und Kurt Becker überließ. Leonhardt und Becker amtierten unter den beiden Herausgebern als stellvertretende Chefredakteure.

Gerd Bucerius hielt die Zweierlösung »für ganz schlecht, aber die bestmögliche«. Und er fügte hinzu: »Ich finde mich ab.« Zu ähnlicher Ansicht, zwischen Ausbrüchen des Zorns und der Verzweiflung, war auch Leonhardt gelangt. Deshalb beschwor er die Redaktion, das neue Modell nicht kaputtzumachen. »Es kann schiefgehen. Es muß nicht schiefgehen, wenn die Redaktion wach bleibt.« In einer geheimen Abstimmung waren von 42 Redakteuren 27 für die Lösung, 9 dagegen, 4 enthielten sich. Die Redaktion legte Wert auf die ausdrückliche Feststellung, daß sie die Lösung »akzeptiert«, nicht »gebilligt« habe. Auch ließ sie es sich nicht nehmen, über »dpa« eine Erklärung zu verbreiten, daß sie »ihre prinzipiellen Einwände gegen eine Vermischung redaktioneller und verlegerischer Funktionen« aufrechterhalte. Der nächste Krach war programmiert.

Die zweite Herausgeberkrise: Stolze will Sommer entlassen

Zunächst arbeitete das Duo mit Erfolg. Einige Redakteure fanden den neuen Zustand sogar vorteilhaft. Ging Sommer nicht gleich auf ihre Anregungen ein, wandten sie sich an Stolze, von dem man wußte, daß er leichter ja sagte. Doch die Auflage blieb hinter den Zielen zurück. Nach einigen Monaten schrieb Sommer an Stolze: »Nun haben wir zwei nicht geschafft, was vorher einer allein nicht erreichen konnte.«

Eine neue Diskussion brach jedoch erst im Herbst 1980 aus. Im Bundestagswahlkampf schwärmte Stolze für Franz Josef Strauß, den Kandidaten der Unionsparteien: Auf der prominenten Seite drei veröffentlichte er ein »Plädoyer für den besseren Mann« aus Bayern. Die CDU besorgte sich gleich 50.000 Sonderdrucke, um sie auf der Straße zu verteilen, mit dem Ruf: »Nun auch die ZEIT für Strauß!« Es gab einen Aufschrei der Leser. Stolze ließ das ungerührt. Er hielt seinen Artikel geradezu für einen Ausweis der Liberalität des Blattes – bei den sogenannten Foren kamen ja auch immer mehrere Meinungen zu Wort.

Theo Sommer zog – wie zuvor abgesprochen – in der nächsten Ausgabe an gleicher Stelle nach, indem er Helmut Schmidt, den »Mann mit der Lotsenmütze«, pries, der an Bord bleiben müsse. Bucerius schaltete sich ebenfalls groß in den Wahlkampf ein, hielt es wegen des Meinungsdrucks gegen Strauß aber für richtiger, die FDP zu wählen, um eine absolute Mehrheit der SPD zu verhindern.

Gestützt auf eine gestärkte FDP, konnte Helmut Schmidt in Bonn weiterregieren. Im Oktober 1980 wurde bekannt, daß er den Politikchef der ZEIT, Kurt Becker, zum neuen Regierungssprecher und Chef des Bundespresse- und Informationsamtes berufen wolle. Kollegen in der Redaktion fragten Becker, der gerade die Sechzig erreicht hatte, ob er sich diesem nervenaufreibenden Job wirklich aussetzen wolle. Aber er war »durch keine Macht der Welt« davon abzubringen. Sein Weggang brachte das mühsam gebastelte Führungsmodell der ZEIT zum Einsturz, da der Posten eines stellvertretenden Chefredakteurs vakant wurde, der zugleich Ressortleiter Politik war. Es fehlte nun ein führender Kommentator, der im Jahr mindestens zwölf bis fünfzehn Leitartikel geschrieben hatte. Die Diskussion um Beckers Nachfolge löste eine neue Krise aus.

Marion Dönhoff hielt es für selbstverständlich, daß Sommer, bis ein Nachfolger gefunden war, das Ressort Politik führe; Sommer war dazu auch für die Übergangszeit bereit. Stolze jedoch erhob sofort entschiedenen Einspruch, weil damit eine Unwucht in die Herausgeber-Lösung komme. Und er benutzte die neue Diskussion, um wieder seine alten Ideen ins Spiel zu bringen.

Erstens setzte er die alte Herausgeber-Konstruktion von neuem auf die Tagesordnung; zweitens drängte er abermals auf eine Erweiterung des Meinungsspektrums nach rechts; drittens wollte er die Eigenständigkeit der Ressorts schwächen und dafür die Zentralgewalt stärken; viertens verfiel er auf die Idee, sich mit Sommer alle zwölf Monate in der Chefredaktion abzuwechseln – Time-sharing nannte er dies. Der Konferenz- und Korrespondenzwirbel, den er damit in Gang setzte, hielt die Redaktion fast vier Monate lang in

Atem. Rudolf Walter Leonhardt, um Vermittlung bemüht, erkannte früh den Ernst der Situation. »Zwei gleichberechtigte Partner«, schrieb er, »bedeuten nie Konföderation, bedeuten immer Konfrontation. Es ist schön, daß Diether und Ted einander beinahe lieben. Aber sie haben sich Rollen zugeschrieben, die die Konfrontation beinahe unvermeidbar machen.« Er setzte hinzu: »Laßt uns die Kurve kriegen, auch wenn's furchtbar knirscht.«

Einen Augenblick lang sah es so aus, als könne dies gelingen. Nach zahllosen Käsekonferenzen der Ressortchefs, einer »Austernrunde« der Großkopferten bei Johann Cölln und vielen Stehkonventen auf den Korridoren führten die beiden streitenden Herausgeber am 8. Dezember 1980 ein langes Gespräch. Anschließend schaute Sommer bei Gräfin Dönhoff vorbei und verkündete freudestrahlend: »Wir haben uns geeinigt!« Aber das war ein Trugschluß. Das Protokoll, das Stolze verfertigte, stieß in allen wesentlichen Punkten auf Sommers Widerspruch.

In zwei oder drei Jahren sollte nach Stolzes Vorstellung die im Vorjahr gescheiterte Herausgeber-Konstruktion eingeführt werden. Dann müsse Sommers politische Zuständigkeit entfallen. Sommer wollte nur soweit zustimmen, daß man über die Konstruktion dann wieder sprechen werde. Entscheidend seien dann Personen, nicht Richtungsvertreter. Seine politische Richtlinienkompetenz wollte er bei solch einer Regelung aufgeben; sie sei ja in ihrer ganzen Logik auf die Zweierlösung gemünzt.

Zur Erweiterung der Leitartikler-Riege dachte Stolze an Johannes Gross, Ludolf Herrmann, Wolfram Engels. Sommer nannte daneben Ralf Dahrendorf, Graf Krockow. Auch Günter Gaus wurde wieder erwähnt. Doch wollte sich Sommer den Vorschlag noch reiflicher überlegen: »Im Augenblick trete ich der Sache ungern näher. Ich bin sehr dafür, das Podium der ZEIT-Diskussion weiter zu öffnen, auch ins konservative Spektrum hinein. Ich bin jedoch dagegen, die eigene ZEIT-Meinung per Subkontrakt mediatisieren und gleichzeitig nach rechts verschieben zu lassen.« Leitartikler müßten in der Redaktionsarbeit stehen und dort ihre Ansichten vertreten, sie dürften nicht »unabänderliche Meinungen per Telex ins Haus pusten«. Er warnte eindringlich: »Was helfen uns zwei oder drei neue Federn, wenn der Hut auseinanderfällt, an den wir sie stecken wollten?«

Stolze hatte aber noch anderes vor, was an den Nerv der ZEIT rührte: Er wollte die »Stammesherzogtümer« an die kurze Leine legen. Die Herausgeber sollten per Ukas und Sanktionen regieren.

Hier nun war Sommer ganz anderer Ansicht: Die Schwächung der Ressorts sei der Tod des Blattes. Man brauche nur über den starken Ressorts eine starke Zentralgewalt, die durch einen Redaktionsgeschäftsführer wie Kuenheim unterstützt würde. »Bei der ZEIT wird die Redaktionsspitze immer nur eine Macht haben, die Macht zu überzeugen.« Überzeugungskraft lasse sich nicht durch Ukasse ersetzen.

In dieser Situation ging Marion Dönhoff im Dezember 1980 aus der Deckung. Vorsorglich legte sie schärfsten Protest gegen die vorgeschlagenen Kolumnisten ein. Da drei der Kandidaten ausgesprochene Rechte seien, würde sich langsam die Weltsicht der ZEIT ändern, weil die Meinung des Blattes bald nur noch von diesen Outsidern gemacht werde. Sie sprach ihren Herausgeberkollegen das Recht ab, ohne Kontakt mit der Redaktion und ohne Rücksprache mit ihr eine Einigung über weitreichende politische und strukturelle Veränderungen zu treffen, »ganz so, als sei diese Zeitung Euer persönliches Eigentum«. An Sommer schrieb sie: »Das Ganze wirkt auf mich wie eine Konspiration. Jetzt glauben Sie offenbar, Konzessionen machen zu müssen, um das tun zu können, was selbstverständlich und im übrigen Ihre Pflicht ist: Interimistisch die politische Redaktion zu führen.«

Kurz vor Weihnachten spitzte sich der Streit zu. Stolze hatte sich seit Wochen aufs Lamentieren verlegt, um seine Vorstellungen durchzusetzen. Klagend trug er vor, er sei in der Minderheit und wisse nicht, ob das auf die Dauer für ihn erträglich sei. Sommer hielt dagegen: »Könnte Ihnen die Position nicht ausreichende Befriedigung schaffen, die Bucerius drei Jahrzehnte lang eingenommen hat: immer gegenhalten, nie verordnen, Gegengewichte durch die eigene Kolumne setzen?« Doch Stolze jammerte weiter über seine Minderheitsposition: Er wünsche sich »ein paar Spielkameraden«. Sommers Entgegnung: »Dann lieber in einer anderen Sandkiste.«

Schließlich verschärfte Stolze den Ton: Er neige dazu, den Herausgeber Sommer zu entlassen. Das hatte er schon einmal versucht. Bevor er zu einem längeren Besuch nach Amerika aufbrach, hinterließ er die Warnung: Wenn die Auflage nicht über 400.000 steige, werde er »den Sommer rausschmeißen«. Als dieser Ausspruch durchs Haus ging, schickte Bucerius dem Verleger Stolze ein Telegramm hinterher, daß Stolze sich in solchem Falle nicht auf ihn stützen könne.

Diesmal ging Stolze so weit, daß er dem Redaktionsausschuß drohte, im Falle eines Vetos gegen die Entlassung Sommers werde er sofort das Statut kündigen. Bucerius erfuhr davon erst um den Jahreswechsel, als ihn zwei Redakteure aus dem Betriebsrat wegen der Spannungen zu einem Gespräch aufsuchten. Dies sei nicht seine Position, erklärte er; eine Eskalation der Krise halte er nicht für wünschenswert. Noch wichtiger war sein Bekenntnis, daß er die ZEIT auf der liberalen Schiene halten wolle, was im übrigen auch durch die Marktsituation geboten sei. Auf der rechten Seite gebe es kein nennenswertes Leserreservoir für die ZEIT; der Bereich sei von der »Frankfurter Allgemeinen Zeitung« besetzt. Danach war klar: Der Inhaber war gegen eine Verschiebung des politischen Standorts nach rechts.

Jetzt schaltete sich auch die Redaktion vehement in die Krise ein. Federführend war das Bonner Büro (Wirtschaftskorrespondent Dieter Piel: »Wir lassen uns doch nicht den Sommer rausschießen!«). Fast alle Redakteure unterschrieben eine Entschließung zugunsten von Theo Sommer. Sie lehnten die von Stolze beabsichtigten Eingriffe und Änderungen ab, »weil wir befürchten, daß damit die politische Orientierung und das journalistische Konzept, denen unser Blatt sein Ansehen verdankt, zerstört werden«.

Am 13. Januar 1981 legte Gerd Bucerius »in letzter Instanz« den drei Herausgebern seine Haltung auf neun Seiten dar. »Kurskorrektur« – nein, sie würde die ZEIT unglaubhaft machen; journalistische Verbesserungen – ja (»Darüber schreibe ich seit Jahren«). Dann die Mahnung, den Streit zu beenden: »Was ich bisher gehört habe, scheint mir lösbar, die Diskussion war nützlich. Warum in aller Welt sollte ein Team auseinanderbrechen, das mit solcher Bedeutung und zu so großem allgemeinem Nutzen zusammengearbeitet hat?«

Vierzehn Tage lang wurden danach noch Gespräche geführt und Briefe gewechselt. Doch Anfang Februar konnte der Streit beigelegt werden, nachdem Sommer seinerseits gedroht hatte, den Inhaber »angesichts der institutionalisierten Bewegungslosigkeit« zu bitten, die alte Ordnung – Chefredakteur und Verleger – wiederherzustellen. Nur Gräfin Dönhoff wäre noch Herausgeberin geblieben.

Man einigte sich – mit der Hilfe einer Gruppe von zehn Redakteuren – auf eine Lösung, die den Willen aller widerspiegelte, ein besseres Blatt zu produzieren. Es blieb bei den drei Herausgebern; Sommer übernahm für rund anderthalb Jahre das nach Beckers Weggang verwaiste politische Ressort, auch in der Absicht, eine Berufung des erzkonservativen Stolze-Kandidaten Ludolf Herrmann zu verhindern. Eine Leitglosse des Feuilletons spießte im Oktober 1981 eine menschenverachtende Reportage Herrmanns über jugendliche Friedensdemonstranten auf, denen er nachsagte, bei ihnen flattere »für Momente der Massenerotik die kleine, rachitische Seele aus dem Gefängnis des pickligen Körpers«. Stolze enthielt sich weiterer Kündigungsdrohungen. Zur Unterstützung der Herausgeber wurde eine Redaktionsleitung aus den Ressortchefs unter Vorsitz Kuenheims eingesetzt.

Sommer und Stolze bekundeten einander auch danach immer wieder ihre ungetrübt freundschaftliche Gesinnung. Robert Leicht von der »Süddeutschen Zeitung«, der über das Tohuwabohu in Hamburg berichtete (nicht ahnend, daß er in wenigen Jahren selber zur ZEIT stoßen werde), fand das passende Schlußwort zur Krise: In Hamburg sei »die Harmonie eine Funktion des Konflikts«.

Die ZEIT will autonom bleiben

Im Jahre 1980 hatte Gruner + Jahr (eine Bertelsmann-Tochter) beim Bundeskartellamt das Vorhaben angemeldet, als Gesellschafter in den Zeitverlag Gerd Bucerius KG einzutreten. Es stand dann am 1. September 1980 im »Spiegel«: »ZEIT zu Bertelsmann?« Bucerius antwortete mit einem Leserbrief, in dem er klarstellte, daß zwischen ZEIT und Bertelsmann keine Rechtsbeziehungen bestanden. Allerdings saß sein Freund, Bertelsmann-Chef Reinhard Mohn, im Kuratorium der ZEIT-Stiftung, und Bucerius (er hatte zum 1. Januar 1973 seine Gruner + Jahr-Beteiligung an Bertelsmann abgegeben und dafür etwas über zehn Prozent an der Bertelsmann AG bekommen) war noch Vorsitzender des Aufsichtsrats in Gütersloh. Zu G + J unterhielt die ZEIT vielerlei geschäftliche Beziehungen: Der Konzern besorgte ihr im Dienstleistungsvertrag den Vertrieb, überließ ihr gegen Vergütung sein Archiv und druckte das ZEIT-Magazin. Doch die Beteiligungsgerüchte wollten nicht verstummen. Daraufhin beruhigte Diether Stolze den Redakionsausschuß: Bucerius habe nicht die Absicht, sein Direktionsrecht über die ZEIT abzugeben. Man tröstete sich: Beim Kartellamt dauerte immer alles sehr lange.

Aber dann riß Bucerius selber Mitte Dezember die Redaktion jäh aus ihrer adventlichen Stimmung. Ein Vertrag mit G + J war in der Grundlinie schon fertig. Ein Rücktritt sei nicht mehr möglich, es sei denn aus neuen, absolut zwingenden Gründen. Die Transaktion, sagte er der Vollversammlung, sei Teil seines altersbedingten planmäßigen Rückzugs. »Alles ist ein Stück Sterben für mich, ein Stück Abschiednehmen.«

Die Redaktion wurde von Bucerius deshalb informiert, weil juristisch strittig war, ob die geplante Transaktion ein Verkauf sei. Dann hätte nämlich die Redaktion der ZEIT laut Statut ein Vorkaufsrecht gehabt. Wie immer begründete Bucerius seinen Schritt mit wirtschaftlichen Sorgen. Eines Tages werde keine Auflagensteigerung die jährlichen Mehrkosten auffangen können. Ein Einzelverleger oder ein kleiner Verlag könne das Risiko nicht tragen. Bucerius hatte sich für eine Anbindung an Gruner+Jahr entschieden, weil es »der erfolgreichste und kreativste deutsche Zeitschriftenverlag« sei.

Aber all diese Argumente beeindruckten die Versammlung überhaupt nicht. Immer wieder äußerten Redakteure ihre Sorge, Gruner + Jahr sei ohne Verständnis für den Geist, das Temperament, das Profil der ZEIT. Man wolle sich nicht mit anderen »Objekten« und »Profitzentren« dieses Verlages gleichschalten lassen. Warum denn nicht eine Zukunftslösung, bei der die ZEIT ihre volle Autonomie behielte? Der Politikredakteur Dieter Buhl fragte Bucerius, ob er bereit sei, aus der Rendite seines Vermögens, das einmal der Stiftung zufiele, mögliche Defizite der ZEIT abzudecken. Aber in diesem Punkte blieb der Eigentümer bei seiner Meinung, daß eine Zeitung, die dauerhaft subventioniert werden müsse, keine Existenzberechtigung habe. Selbst Gräfin Dönhoff und Theo Sommer vermochten ihn nicht umzustimmen: »Ich will es nicht.« Man schied aber mit dem Versprechen, über Weihnachten weiter nachzudenken.

Im Januar 1981 untersagte das Kartellamt die Fusion mit G + J, dagegen legte das Unternehmen beim Kammergericht Beschwerde ein. Jetzt packte die Redaktion eigene Pläne auf den Tisch. Zwei jüngere Wirtschaftsredakteure, Richard Gaul und Rainer Frenkel, entwarfen vier Modelle für eine autonome Verfassung der ZEIT, die vor der Übergabe an Bucerius mit den drei Herausgebern besprochen wurden. Alle Varianten sahen vor, das Unternehmen Zeitverlag mit der ZEIT-Stiftung zu koordinieren, so daß nur noch ein Teil der Stiftungsaufgaben gemeinnützig gewesen wäre. Letzte Instanz sollte ein unabhängiger Aufsichtsrat sein, so daß die ZEIT-Interessen niemals Konzern-Interessen untergeordnet würden. Die ZEIT sollte sich selbst verwalten und selber tragen, ohne das Vermögen von Bucerius zu beanspruchen. Der Verleger und Wirtschaftsexperte Diether Stolze erklärte, rechtlich und wirtschaftlich seien alle Modelle ohne Zweifel machbar.

Mit Elan ging der Redaktionsausschuß in die Verhandlungen mit Bucerius und machte sich besonders stark für ein Modell, bei dem Gruner + Jahr mit 25 bis 49,9 Prozent als Kommanditist beteiligt sein sollte; eventuell mit Vetorechten. Aber die Erwartungen der Redakteure bekamen einen Dämpfer, weil Manfred Fischer, der Vorstandsvorsitzende bei Gruner + Jahr, abwinkte. Er befürchtete, das Unternehmen solle zwar die volle wirtschaftliche Haftung für die ZEIT übernehmen, doch ohne je Einfluß oder gar die Kontrolle zu erlangen.

Nach vierzehn Tagen bat Bucerius die Redaktion dringlich, weiterhin mit ihm die Sicherheit durch Anlehnung an ein großes Haus zu suchen. »Wenn ich 30 Jahre für die ZEIT das Richtige getan habe, warum sollten meine Vorstellungen gerade jetzt falsch sein?«

Bucerius kündigt das Statut. Die Redaktion wehrt sich

Am 23. Februar 1982 kündigte Gerd Bucerius das Redaktionsstatut. Ihm schien im Hinblick auf seine Beteiligungspläne die von ihm selber einst eingeführte Abfindungsregelung nunmehr untragbar. Für den Fall, daß die Redaktionsmehrheit eine Änderung der politischen Grundhaltung, sei es nach links oder nach rechts, befürchten sollte, würde – so hatte er ausgerechnet – die Abfindung aller Mitarbeiter 10,3 Millionen Mark kosten, bei zwei langjährigen Redakteuren jeweils mehr als eine Million.

Die Kündigung schockierte die Redaktion. Eine Versammlung jagte die andere, gearbeitet wurde kaum noch. Die Stimmung jener naßkalten Februartage hat sich den Beteiligten unvergeßlich eingeprägt. Nie wieder war die Redaktion so sehr von einem wärmenden Gefühl der Solidarität durchdrungen wie damals. »Widerstand« hieß die Parole. Marion Dönhoff war die erste, die das Wort »Streik« aussprach: Man solle einfach die nächste Ausgabe ausfallen lassen, um durch diesen symbolischen Akt Bucerius zur Einsicht zu bringen.

Das Streikgerede und eine Intervention des Betriebsrates versetzten nun auch Bucerius in höchste Erregung – obwohl dem Juristen Bucerius ganz klar war: Hier würde es sich um einen widerrechtlichen Streik handeln. Als ihn die Ressortleiter in der Käsekonferenz drängten, seine Kündigung zu widerrufen, bekam er einen Wutanfall, weil er sich durch eine Bemerkung von Theo Sommer provoziert fühlte. Er holte einen Stuhl aus der Ecke und stieß ihn mehrmals wütend auf den Teppichboden. Mit den Worten »Ich mag euch alle nicht mehr« verließ er den Raum. Leichenblaß sah man nachher die Ressortleiter und die beiden Herausgeber aus der Konferenz kommen. Jetzt schien wirklich das letzte Stündlein der ZEIT geschlagen zu haben! Währenddessen war Bucerius auf dem Weg in sein Büro stolz bei Gräfin Dönhoff eingekehrt: »Marion, so hoch bin ich gesprungen!« Das klang nun eher nach einem wohlinszenierten Zwischenfall, aber davon ahnten die Redakteure nichts.

Am 26. Februar 1982 »forderte« die Redaktionsversammlung mitsamt den drei Herausgebern Dönhoff, Stolze, Sommer den Eigentümer Bucerius in einem Brief auf, die Kündigung alsbald zurückzunehmen und das alte Statut unverändert in Kraft zu lassen. Erst danach könne man weiterreden. Mit einer Notiz auf Seite zwei wurden die Leser informiert; man verschwieg auch nicht, daß die Redaktion Bucerius »ihre tiefe Bestürzung ausgedrückt« habe – ein Vorgang, wie er bis dahin in anderen deutschen Blättern weder üblich noch denkbar war.

Der Inhaber, den der Ausdruck »fordern« empört hatte, ließ sich zehn Tage Zeit, ehe er das erlösende Wort aussprach: »Das Statut bleibt in Kraft, die Kündigung ist hinfällig. Über Änderungen muß gesprochen werden.« Allerdings hatte ihm die Redaktion diesen Entschluß dadurch erleichtert, daß sie sich in jenem Brief bereit erklärte, im Falle einer Fusion mit Gruner + Jahr auf die Anwendung der Abfindungsklausel zu verzichten. Eine Anregung von Feuilletonchef Fritz J. Raddatz hatte den Weg gewiesen: »Wir müssen Bucerius klarmachen, daß wir nicht sein Geld wollen.« Jetzt wartete Bucerius auf neue Verhandlungen; nach außen ließ er verlauten, sie würden zwei bis drei Wochen dauern. Es wurden vierzehn Monate daraus!

Die Gespräche begannen mit einer neuen Überraschung: Es ging Bucerius gar nicht mehr so sehr um die ohnehin kartellrechtlich noch fragliche Fusion mit Gruner + Jahr, sondern um eine Änderung des Statuts zuungunsten der Redaktion. In langen Verhandlungen, in denen beide Seiten hartnäckig ihre Positionen verteidigten, setzte er sich in zwei Punkten durch. *Erstens* wurde das Vetorecht der Redaktion bei der Entlassung von Herausgebern und Chefredakteuren abgeschafft; nur die Herausgeber Dönhoff, Sommer und Stolze sollten durch das Einspruchsrecht der Redaktion geschützt bleiben. Begründung: Das Vetorecht bei der Berufung des Redaktionsleiters sei das Äußerste, was man einem Zeitungseigentümer zumuten könne. Der Verleger dürfe nicht in die Lage kommen, mit einem

Chefredakteur zusammenarbeiten zu müssen, der nicht mehr sein Vertrauen besitze. Die Gegenforderung der Redaktion, als Kompensation die Kündigungsfrist des Statuts auf drei Jahre zu verlängern, wurde abgelehnt. Den neuen Passus hat die Redaktion nur mit der knappen Mehrheit von 16 gegen 12 Stimmen bei 3 Enthaltungen angenommen.

Zweitens wurde die Abfindungssumme auf einen Höchstbetrag von 7.500 Mark pro Jahr für höchstens 20 Jahre herabgesetzt. Begründung: Eine zu hohe Abfindung sei eine Aufforderung, sich – bereichert – abzusetzen. Es gelang dem Statutenausschuß nicht, dem Inhaber klarzumachen, daß die Redaktion nicht in erster Linie ans Geld denke. Bucerius: »Mein Pessimismus ist viel, viel größer als Ihrer. Aber ich merke schon, ich habe es mit Halbgöttern zu tun!«

Im Einverständnis mit der Redaktion wurde für den Fall, daß eine Änderung der Grundhaltung des Blattes zu befürchten sei, im Statut die Einschaltung eines Schiedsgerichts vorgesehen. Bucerius weigerte sich jedoch, dessen Zusammensetzung im voraus festzulegen – die Redaktion hatte an einen Journalisten, einen Wissenschaftler und einen Schriftsteller gedacht. Bucerius: »Ich sähe es ungern, wenn Robert Leicht von der ›Süddeutschen‹ über die Grundhaltung der ZEIT befinden sollte.«

In noch einem anderen Punkte wurde das Statut damals verändert: Die Präambel über die Grundhaltung der ZEIT – freiheitliche, demokratische und soziale Prinzipien – wurde um den Satz ergänzt: »Sie *(Verlag und Redaktion)* lassen eine Vielzahl von Meinungen zu Wort kommen.« Der Inhaber wollte damit verhindern, daß jede einzelne Meinungsäußerung schon eine Grundsatzdebatte auslöste.

Das neue Statut war im Herbst 1982 unterzeichnungsreif, doch Bucerius verzögerte den Abschluß durch immer neue kleine Änderungswünsche. Im Januar 1983 überkam ihn die Sorge, bei der Bundestagswahl am 6. März könnten SPD und Grüne eine Mehrheit erhalten. Für diesen Fall rechnete er mit einem Presserechtsrahmengesetz – dann müsse das Statut außer Kraft treten. Dieser Sorge wurde er durch das Wahlergebnis enthoben.

Das neue Statut wurde am 31. März 1983 verabschiedet. Von der geplanten Fusion mit G + J war bald nichts mehr zu hören; nach der spektakulären Fehlleistung des Hauses beim Abdruck der gefälschten Hitler-Tagebücher wäre Bucerius auch der bloße Gedanke daran absurd erschienen. Zu allem Überfluß bestätigte 1987 auch noch der Bundesgerichtshof (nach einer Rechtsbeschwerde) die ablehnende Entscheidung des Kartellamtes aus dem Jahre 1981.

Diether Stolze hatte schon 1982 das Haus verlassen – wegen Differenzen mit Bucerius über die Geschäftspolitik, konkret: über das Zusammengehen mit Gruner + Jahr, das er mit verwegenem persönlichem Engagement und Ehrgeiz verfocht. Fortan stürzte er sich in die neue Medienwelt des Privatfernsehens und diente Helmut Kohl vorübergehend als Bundespressechef. Sommers Verhältnis zu Stolze blieb fröhlich-freundschaftlich bis zu dessen Tod 1990 auf der Tessiner Autobahn, wo ein junger Sportwagenfahrer im Drogenrausch in seinen Wagen raste.

Theo Sommer war nun wieder alleiniger Chefredakteur und blieb es noch zehn Jahre lang. Haug von Kuenheim assistierte ihm zunächst als Redaktionskoordinator, von 1985 an als stellvertretender Chefredakteur. Es kehrte wieder Ruhe ein in der Redaktion. Das Verhältnis zwischen Inhaber und Redaktionschef normalisierte sich. Im Jahre 1984 schrieb Sommer – »Lieber Buc« – an den Achtundsiebzigjährigen: »Früher hätte ich nicht gedacht, daß wir zwei einmal ein so gutes Team werden. Ich bin Ihnen auch dafür dankbar: für alle Anregungen, Anstöße – und Anpfiffe. Ein Chefredakteur braucht das.«

Helmut Schmidt kommt zur ZEIT

Im März 1983 schrieb Bucerius dem Statutenausschuß, er habe demnächst noch ein anderes, größeres Problem zu besprechen. Kurz darauf begegnete der Direktor der Schlösser und Gärten in Berlin Gräfin Dönhoff und sprach ihr sein Bedauern aus, da sie jetzt ihren Posten als Herausgeberin der ZEIT verliere. Bucerius' größtes Geheimnis war keines mehr: Er hatte Bundeskanzler a. D. Helmut Schmidt zum Herausgeber berufen (natürlich an der Seite von Gräfin Dönhoff).

Der ZEIT-Inhaber hatte Schmidt nichts vorgemacht. Seine ganze Liberalität sprach aus dem Brief, den Gerd Bucerius ihm am Silvestertage 1982 nach Gran Canaria geschickt hatte. »Ihre Meinung wird nicht oft die der ZEIT sein«, schrieb er. »Das entspricht der Übung; es gilt auch (mehr noch), wenn ich schreibe. Wir sind alle Überzeugungstäter – mit Respekt vor der Meinung des anderen. Meinungsverschiedenheiten werden daher oft schmerzhaft ausdiskutiert. Persönliche Differenzen kann es dann nicht mehr geben.«

Überraschung paarte sich mit Bewunderung für diesen Coup des Inhabers, der sich einen weltweit geachteten Staatsmann in die

Führungsetage der ZEIT holte. Eben erst hatte der Exkanzler in der ZEIT und gleichzeitig in großen Zeitungen in London, Paris, Mailand und Tokio als Weltwirtschaftsexperte ein Konzept veröffentlicht, wie man die wirtschaftliche Depression verhindern könne. Freilich gab es Bedenken, die Zeitung könne mit der SPD identifiziert werden. Auch war Schmidt bei den meisten links oder grün angehauchten jüngeren Redakteuren nicht gerade beliebt. Einspruchsrechte hatte die Redaktion nicht; Bucerius profitierte von einer Lücke im Statut, die zu schließen sich die Statutenkommission nun beeilte. Künftig sollte der Redaktion auch bei der Berufung von Herausgebern ein Vetorecht zustehen. Bucerius klagte: »Nun hatte ich mir fest vorgenommen, die (mit wenigen Rechten ausgestatteten) Herausgeber nicht im Statut unterzubringen.« Abschlagen mochte er dem Ausschuß die Bitte auch nicht. »Meine Antwort also, seufzend: meinetwegen.«

Helmut Schmidt trat am 1. Mai 1983 in eine vertraute Runde ein. Marion Gräfin Dönhoff kannte er aus deren »Blankeneser Kreis«; Theo Sommer hatte ihm 1969/70, als Schmidt noch Verteidigungsminister war, den Planungsstab aufgebaut, die kritische Bestandsaufnahme der Bundeswehr organisiert und das »Weißbuch 1970« geschrieben; Politikchef Christoph Bertram hatte ebenfalls jenem Planungsstab angehört; Redaktionsberater Kurt Becker war sein ehemaliger Pressechef; und die Redakteurin Nina Grunenberg hatte ihm einmal vier Tage beim Regieren über die Schulter blicken dürfen.

Sein Zimmer im Pressehaus solle »nicht repräsentativ« sein, hatte Schmidt bestimmt. Bescheiden sitzt er seither hinter einem winzigen Vorzimmer, inmitten von Karikaturen aus seiner Kanzlerzeit, Erinnerungsstücken und Wänden voller Bücher. Herausgeber Schmidt war zwischendurch, von 1985 bis 1989, auch als Verleger und Geschäftsführer neben Hilde von Lang tätig. In seiner Verlegerzeit kümmerte er sich um die publizistische Dimension des Hauses und beriet Inhaber Gerd Bucerius, wo es um die Zukunftssicherung der ZEIT ging. Bis heute bereichert er das Blatt vor allem in den politischen Konferenzen, wo sein Urteil, seine Personenkenntnis, die sich auf die ganze Weltbühne erstreckt, und seine authentische Erfahrung geschätzt werden. Seine Artikel, die er für die ZEIT verfaßt, finden rund um den Globus Beachtung.

Theo Sommer wies zuweilen auf eine sonderbare Parallelität zwischen Otto von Bismarck und Schmidt hin. Bismarck pflegte über die »Preßbengel« zu klagen, die im Lande das Regiment führten. Hundert Jahre später wetterte Schmidt über die »Wegelagerer« von den Medien. Beide Kanzler jedoch übten nach ihrer Amtszeit tätige Reue: Bismarck wurde – anonym – zum emsigen Leitartikler der »Hamburger Nachrichten«, Schmidt zum Autor der ZEIT. Sommer: »Die Zunft der Zeitungsleute darf den Spät-Journalismus der beiden durchaus als Kompliment werten.«

Allerdings stießen da Welten aufeinander. Nicht nur, daß aus Sicherheitsgründen nun plötzlich im Pressehaus Besucherkontrollen eingeführt wurden und sich die ZEIT-Leute erst an die Dauerpräsenz von Schmidts Leibwächtern gewöhnen mußten. Der Altkanzler ärgerte sich über die abgegessenen Teller, die nach der Redaktionsschluß-Nacht vor den Türen des Feuilletons auf dem Korridor standen; in Einstellungsgesprächen unterdrückte er bei Männern selten die Frage: »Haben Sie gedient?« Seine Memoranden zur Lage des Blattes waren gelegentlich vierzig Schreibmaschinenseiten lang. Obendrein hielt er ungeniert an seinen Vorurteilen fest. (»Erst die Summe seiner Vorurteile macht den Charakter eines Menschen aus«, sagte er gern.)

Aber es stimmt einfach nicht, was Cordt Schnibben – der auch während seiner Jahre bei der ZEIT nie an Diskussionen des politischen Ressorts teilgenommen hat – verbreitete: daß Helmut Schmidt immer noch den Kanzler spielte, daß er in den Konferenzen die Diskussion an sich riß und ohne Rücksicht auf die übrigen Anwesenden den Keksteller leerte. Im Gegenteil, was viele verblüffte: Er hörte zu, ließ sich unterbrechen, genoß auch den unehrerbietigsten Schlagabtausch. Er vertrat seine Meinung, die ZEIT-Redakteure sagten die ihre. Die Vorstellung, daß Schmidt aus dem Blatt eine sozialdemokratische Postille machen werde, teilte sowieso keiner, der ihn kannte.

Dennoch brauchte es seine Zeit, bis sich der Staatsmann und die Redaktion aneinander gewöhnt hatten. Redakteure sind keine Beamten, die sich mit Weisungen dirigieren lassen. Der Chefredakteur Sommer wies den Verleger Schmidt aus gegebenem Anlaß einmal freundschaftlich darauf hin:

»Eine Redaktion ist ein pulsierender Organismus, kein hierarchisch aufgebautes Ministerium, und der Chefredakteur ist kein weisungsausführender Staatssekretär... Ich will ... nicht regen Köpfen einbleuen, was sie zu denken haben. Links und rechts die Pflöcke einschlagen, die den Korridor des bei uns Möglichen markieren – gern, aber dabei auch in Kauf nehmen, daß die Ochsen und Kälber manchmal an den Elektrodraht kommen. Soviel Duldsamkeit, soviel Leidensfähigkeit muß ein Chefredakteur aufbringen. Ich dächte, ein Verleger auch.«

Welch anderes Blatt gibt es in Deutschland, das einen Regierungssprecher für Helmut Schmidt und einen für Helmut Kohl hervorgebracht hätte? Und das sich rühmen könnte, wie es die ZEIT 1995 in der Werbung tat, daß in ihrer Redaktionskonferenz ein Alt-Bundeskanzler neben einem Alt-Sponti sitzt?

Zum Zeitungmachen braucht es mehr als Journalisten

Es sind die Verleger, Chefredakteure und Ressortchefs, zwischen denen sich die großen Dramen abspielen, und es sind die Redakteure, die mit ihren Recherchen und Reportagen, ihren Meinungen und Mahnungen die Öffentlichkeit bewegen. Sie stehen im Rampenlicht. Die dahinter sieht man nicht: die Frauen und Männer der Anzeigenabteilung, die Betreuer von Herstellung und Vertrieb, das Werbeteam und die Marktforscher, die Zahlenjongleure der Buchhaltung und die hilfreichen Geister der Innenverwaltung.

Die ZEIT macht seit 1975 Gewinne. Gerd Bucerius hat die Mitarbeiter daran teilhaben lassen. Es wurden bisher über 30 Millionen Mark ausgeschüttet. Ohne all jene, die außerhalb des Scheinwerferlichts ackern und rackern, hätten diese Millionen niemals erwirtschaftet werden können. Der Erfolg der ZEIT basiert auf der Leistung aller.

Ackern und rackern: Die Verlagsabteilungen sind in den Jahren des Aufschwungs nie im gleichen Maße personell aufgestockt worden wie die Redaktion. Lange bevor dies Mode wurde, praktizierte das Haus schon Lean Management und achtete auf schlanke Hierarchien. Die Personalabteilung – von 1966 bis 1990 in den energischen Händen von Katarina Hübner – ist klein geblieben, alle Mitarbeiter sind gewohnt, über den eigenen Tellerrand hinauszublicken.

Redaktionen haben es zunächst einmal mit der Innenverwaltung zu tun. In den Jahren des Aufstiegs, als die Redakteure ein Stockwerk ums andere im Pressehaus besetzten, waren sie darauf angewiesen, daß ein Fachmann die Umbauten und die Organisation der ewigen Umzüge in die Hand nahm. Von 1973 bis 1992 war Heinz Norrmann der Chef jener Korporalschaft von Heinzelmännchen, ohne die der Trupp der Schreibenden ein verlorener Haufen gewesen wäre. Die vielen kleineren und größeren Dienste der Fahrer, Boten, Haustechniker, Einkäufer werden oft unterschätzt. Aber was wäre ein Redakteur ohne die Mengen Zeitungen, die er jeden Morgen pünktlich auf seinem Tisch findet?

Dann haben es die Redaktionen mit Herstellern zu tun: Terminsteuerern, Ablaufwächtern, Qualitätsgaranten, kurzum: Sklaventreibern. Bei der ZEIT war dies 36 Jahre lang, von 1958 bis 1994, Rainer Sohnemann. Sechsunddreißig Jahre – das heißt: über 1800 Ausgaben mit einem Gesamtgewicht von 352 Millionen Kilogramm; reihte man die Seiten aneinander, ergäbe dies eine Strecke von 28 Millionen Kilometern. Sechsunddreißig Jahre heißt weiter: fulminante Umfangserweiterung von anfangs 12 oder 16 auf heute manchmal 120 Seiten; Einführung von Photos und Vorprodukten; Ausführung von ungezählten »Nebelplänen«, solange die Matern noch körperlich nach Frankfurt geschafft werden mußten. Und 36 Jahre heißt schließlich auch: zwei wochenlange Druckerstreiks, 1978 und 1984, mit Notausgaben. Nicht auszudenken, der Hersteller hätte da versagt!

Vor allen Dingen jedoch haben es Redaktionen mit Anzeigenabteilungen zu tun. Anzeigen sind die Existenzgrundlage eines jeden Blattes – bei der ZEIT bringen sie die Hälfte des erwirtschafteten Umsatzes. Dennoch streiten die Journalisten ständig mit den Anzeigenleuten. Jede Redaktion will mehr Platz, als sie – nun, verdient wäre doppeldeutig, sagen wir lieber: als sie bekommt. Jede Redaktion klagt, daß sie ja bloß den Raum zwischen den Inseraten mit Grauwert füllen soll – und jeder Verlag neigt dazu, dem amerikanischen Werbefachmann zuzustimmen, von dem der Ausspruch stammt: »Zeitungen werden auf die Rückseite von Anzeigen gedruckt – und Redaktionen sind im Grunde bloß ein lästiges und kostensteigerndes Element.«

In diesem Satz deutet sich die natürliche Spannung zwischen Anzeigenabteilungen und Redaktionen an. Bei der ZEIT hat Wolfgang Stamer diese Spannung 48 Jahre lang nicht nur ausgehalten, sondern Woche für Woche entschärft. Als er im Frühjahr 1995 ausschied, rief ihm der Herausgeber Sommer das spöttische Wort in Erinnerung: »Es gibt Anzeigenleiter, die parken bewußt im Halteverbot, weil sie hoffen, wenigstens auf diese Weise eine Anzeige zu bekommen.« Er konnte, ohne zu schmeicheln, hinzusetzen: »Auf Sie trifft dies gewiß nicht zu.«

Keine Redaktion ist besser als der technische, organisatorische, kaufmännische Unterbau, auf dem sie steht. Es ist die Aufgabe der Verlagsleiter, diesen Unterbau zu schaffen, zu erhalten, personell zu bestücken, den veränderten Zeitläuften anzupassen. Für die ZEIT haben dies nach Robert Streitberger, dem Mann der frühen Jahre bis 1969, eine ganze Reihe von exzellenten Fachleuten getan, darunter Oskar Bezold, 1965 bis 1972. Doch war keiner von ihnen länger im ZEIT-Geschirr als Walter Röpert, der von 1954 bis 1988 die vielen kleinen Räder der verschiedenen Abteilungen in Schwung hielt, ohne die eine Zeitung nicht rund läuft.

Es ist Ewigkeiten her, daß das Hamburger Pressehaus am Speersort sacht erbebte, wenn am Mittwochmittag im Erdgeschoß die Rotation ansprang; der frische Duft von Druckerschwärze zog dann in Schwaden durch die Paternosterschächte bis in den siebten Stock.

Die gemütlichen, zuverlässigen Paternoster sind längst abgebaut, ersetzt durch neuzeitliche Fahrstühle, die dauernd stehenbleiben. Auf der alten Rotation wird mittlerweile irgendwo in Nigeria oder Gambia eine afrikanische Zeitung gedruckt. Seit 1969 werden zwei Drittel der ZEIT-Auflage im Druck- und Verlagshaus Neu-Isenburg hergestellt, ein Drittel seit 1975 bei Springer im schleswig-holsteinischen Ahrensburg.

Der technische Fortschritt zog 1982 bei der ZEIT mit der Umstellung vom Bleisatz auf Lichtsatz ein. Fünf Jahre später wurde dann das rechnergestützte Redaktionssystem Alfa installiert, im ZEITmagazin 1994 das moderne Desktop-Publishing-System Quark-X-Press. Der Zeitverlag ist eines der ersten Häuser in Deutschland, das 1984 Anzeigenverwaltung und Buchhaltung auf eine elektronische Datenverarbeitungsanlage umstellte, die ständig auf den neuesten Stand der Technik gebracht wird. Es waren die Geschäftsführer Hilde von Lang und – seit 1993 – Friedrich Wehrle, die diesen Aufbruch in das neue Zeitungs-Zeitalter bewerkstelligten. Mittlerweile hat das Blatt auch die ersten Schritte in die Multimedia-Ära getan.

Seit dem 1. September 1995 sind die Artikel jeder Ausgabe aktuell auf der GENIOS-Datenbank on line verfügbar. Ausgewählte Texte und Graphiken werden via Internet in das weltumspannende Datennetz eingespeist und so 30 Millionen Benutzern zugänglich gemacht. Auch die Redaktion kann inzwischen mit Internet arbeiten. Die Vorbereitungen dafür, die ZEIT auf CD-ROM anzubieten oder – mit ausgewählten Texten und Sonderdiensten – in den neu entstehenden kommerziellen Datennetzen zu präsentieren, standen im fünfzigsten Jahr des Bestehens der ZEIT kurz vor dem Abschluß.

»Zeitung kann man nur mit Halbverrückten machen«, hat Gerd Bucerius einmal formuliert. Aber selbst die verrücktesten Halbverrückten würden einräumen: Ohne die ganz normalen Verlagskollegen, die Hersteller, Buchhalter und Anzeigenleute, die Marktforscher, Werbetexter und Personalsachbearbeiter, die Innenverwalter und die Außendienstler wäre all ihre Anstrengung für die Katz.

24. Kapitel

Ein modernes Feuilleton: »Links und frei«

Zeitungsredaktionen sind Organismen von höchster kollektiver Erregbarkeit. Sie streiten sich ständig um Richtungsfragen, doch spielen auch Prestigefragen durchaus ihre Rolle. Es geht nicht nur darum, *was* einer schreibt, sondern ebensooft darum, *wo* er (oder sie) es schreibt. Seite eins? Aufschlagseite? Weit vorn herausgestellt oder weit hinten versteckt? Dreispaltige Überschrift oder zweispaltige? Auch die Reihenfolge der Ressortteile ist ein ewiger Zankapfel.

Von der ersten Ausgabe im Jahre 1946 an folgte das ZEIT-Feuilleton in der Ordnung der Ressorts unmittelbar auf die Politik, danach erst kam die Wirtschaft. In den späten siebziger Jahren wurde dies geändert, das Feuilleton an die dritte Stelle gerückt. Der Grund? Die Wirtschaft, deren Redaktionsschluß 24 Stunden vor dem des Feuilletons lag, machte dem Eigentümer, dem Verlagsleiter und der Chefredaktion glaubhaft, daß sie der Aktualität wegen den späteren Produktionstermin brauche.

Dieter E. Zimmer trat 1973 die Nachfolge Rudolf Walter Leonhardts an. Bucerius gab ihm knapp und verschmitzt die Bestätigung: »Lieber Dieter, Ted sagte mir, Sie müßten Ressortchef werden. Das freut mich sehr – für Sie. Mich kostet es DM Tausend mehr pro Monat.« Doch alles Wohlwollen des Verlegers nützte ihm nichts: Zimmer stand mit seinem Votum allein im Kreis der Ressortleiter, als die Umstellung der Ressortreihenfolge beschlossen wurde. Inzwischen wird das Feuilleton auf den fünften Platz verwiesen – nach Politik, Dossier, Wirtschaft und Wissen.

Zimmer hatte es schwer, gegen den »Leo«-Mythos anzukommen. Als er antrat, hatte das Ressort gerade zwei angesehene Mitarbeiter verloren. Hellmuth Karasek, der Theaterredakteur, ging zum »Spiegel«, Marcel Reich-Ranicki zur »Frankfurter Allgemeinen«. Heute, da Reich-Ranicki der ganzen Fernsehnation ein Begriff geworden ist, meinen einige, die ZEIT hätte ihn nicht ziehen lassen dürfen. Doch damals hatten die Feuilletonredakteure größte Bedenken, ob sie einen so machtbewußten, rabulistischen Mann aushalten würden.

Eine gute Hand hatte Zimmer bei der Besetzung der offenen Planstellen. Von der »Frankfurter Allgemeinen« holte er sich Rolf Michaelis, einen Theaterkritiker und Büchernarren, dem der Literaturteil anvertraut wurde. Er hat ihn dreizehn Jahre mit Glanz erfüllt. Für Karasek kam von der »Süddeutschen Zeitung« Benjamin Henrichs, Sohn eines Theaterdirektors, von Kindesbeinen an mit allem vertraut, was auf und hinter der Bühne passiert. Er schreibt nicht nur große Theaterrezensionen, sondern mit scharfer Feder und viel Witz auch manche Glosse, manches »Zeitmosaik« und »Finis«.

Von Leonhardt übernahm Zimmer bewährte Mitarbeiter: Petra Kipphoff, Heinz Josef Herbort, Manfred Sack. Petra Kipphoff verlegte sich mehr und mehr auf die bildenden Künste. Sie knüpfte auch den Faden zu dem Verpackungskünstler Christo. Zusammen mit ihr begeisterten Christo und Frau Jeanne-Claude den ZEIT-Inhaber Gerd Bucerius für die Gründung des »Kuratoriums für Christos Projekt Reichstag«. Im Büro des Verlegers hing seither eine Collage, die den verpackten Reichstag im Entwurf zeigte. Es dauerte dann noch siebzehn Jahre, bis Christos Traum, für dessen Erfüllung Bucerius engagiert gestritten hat, schließlich Wirklichkeit wurde.

Eine spektakuläre Kunst-Aktion veranstaltete die ZEIT 1981 mit dem kalifornischen Happening-Künstler Allan Kaprow. Er ließ drei Photos je viermal auf den Seiten der Ressorts wiederkehren. Obwohl sie zu keinem Artikel paßten, mußten die Redakteure sie mit ressortgerechten Unterschriften versehen. Die Wirkung der geplanten Verwirrung war gewaltig: Berge von Leserpost, ungezählte ratlose Anrufe, aber auch hohnvolle derer, die den aufklärerischen Spaß nicht durchschaut hatten. Das Ziel wurde erreicht: die Menschen an die tägliche optische Manipulation zu erinnern. Noch heute wird jene ZEIT-Nummer in Seminaren als Musterbeispiel benutzt.

Einen neuen Zugang zur Musik ebnete den Lesern der Redakteur Heinz Josef Herbort, den einst Müller-Marein als Antipoden gegen den konservativen Musikkritiker Walter Abendroth aufgebaut hatte. Als erstes zeichnete Herbort ein gerechteres Bild der Neuinszenierungen in Bayreuth. Darüber wurde der Kritiker zum Wagner-Fan. Als Experte für den Linkskatholizismus durfte er sogar Leitartikel schreiben. Für die Autoseite testete er neue Wagen (so wie später die Redakteure Josef Joffe und Ulrich Greiner neue Motorräder); als Skifahrer schrieb er Reportagen für die Reise; er betreute Leserbriefe und Kinderbücher.

Vom Modernen Leben wechselte Manfred Sack ins Feuilleton. Er setzte sich mit seiner Idee durch, über Architektur nicht mehr beteiligte Fachleute, sondern ihn als kenntnisreichen Außenseiter schreiben zu lassen. Seitdem hat er sich in der Fachwelt einen guten Ruf erworben. Außerdem schrieb Sack ZEIT-gerechte kritische Reportagen über die Stars der Unterhaltungsmusik.

Dieter E. Zimmer erwehrte sich mannhaft der vielen Sticheleien, das Feuilleton verkomme zum Rezensionsressort, es sei zu esoterisch, zuwenig leserfreundlich. Doch allmählich wurde ihm bewußt, daß er den Bürden der Ressortleitung gesundheitlich nicht gewachsen war. Nach drei Jahren mußte er Theo Sommer bitten, ihn von seinen Pflichten zu entbinden. Als Kulturkorrespondent suchte er sich ein neues Arbeitsfeld und wurde, was beim »New Yorker« *Intellectual Reporter* heißt, ein Autor, der wissenschaftlichen und denkerischen Trends nachspürt.

Lange dauerte die Suche nach einem neuen Feuilletonchef. Petra Kipphoff und Haug von Kuenheim brachten schließlich den ehemaligen Rowohlt-Cheflektor als Kandidaten ins Spiel: Fritz J. Raddatz, Sohn eines Ufa-Direktors, 1958 aus der DDR in den Westen gegangen. Der neue Ressortleiter sollte nach dem Willen der Chefredaktion frischen Wind in das Feuilleton und dieses wieder ins Gespräch bringen. Diesem Anspruch ist Raddatz voll gerecht geworden. Von allen sieben Feuilletonchefs der ZEIT war er der anregendste, neugierigste, temperamentvollste und eloquenteste; so mitreißend wie aufreißend, einer, der sich noch aufregen konnte. Allein durch die Art seiner Ansage in der Großen Konferenz hob er schon das Ansehen seines Ressorts. Selbst aus eher schwachen Themen schlug er noch intellektuelles Feuer. Er gab unentwegt Impulse und versammelte die wichtigsten Autoren der Gegenwartsliteratur im Blatt. Eine seiner ersten großartigen Ideen war die »ZEIT-Bibliothek der hundert Bücher«, in der jede Woche ein Autor eines der großen Werke der Weltliteratur vorstellte. Raddatz vergaß jedoch über allen Höhenflügen nicht die angenehme Seite des Lebens: Nach jeder gelungenen Ausgabe versammelte er seine »Eminenzen« um sich und spendierte eine Flasche Champagner.

Neun Jahre lang hat Fritz J. Raddatz ein politisch engagiertes Feuilleton geleitet, das sich »links und frei« fühlte. Streitbar, sarkastisch, gnadenlos hat er, der den Literaturbetrieb in der DDR aus eigener Anschauung kannte, die Ostberliner Kulturpolitik als intellektfeindlich und menschenverachtend angeprangert. Wenn einer in der ZEIT gesamtdeutsch gedacht und gefühlt hat, so war es Raddatz mit seinem Festhalten an der *einen* deutschen Literatur, wobei ihn Literaturchef Rolf Michaelis mit viel Umsicht unterstützt hat. Bereits im August 1977 schreibt Raddatz einen Leitartikel über die »zweite deutsche Exil-Literatur« (»Drüben wird der Geist ausgetreten«). Es sind die Zeiten, da mindestens ein Künstler pro Woche der DDR den Rücken kehrt. Sie alle, die in den Westen emigrierten – die Dichter und Schriftsteller Wolf Biermann und Thomas Brasch, Reiner Kunze und Sarah Kirsch, der Komponist Tilo Medek und der Filmstar Manfred Krug –, wollten, ähnlich wie in der früheren Zeit Ernst Bloch und Uwe Johnson, Theodor Plievier, Alfred Kantorowicz und Hans Mayer, nicht länger von Parteibürokraten gegängelt werden. Raddatz sieht ein Volk entmündigter Bürger: »Jemand entscheidet für sie, was sie lesen, sehen, hören dürfen.«

Als 1979 auch Günter Kunert, einer der bedeutendsten Autoren der DDR, sich im Westen niederläßt, konstatiert Raddatz: »[Die DDR] sperrt Traum und Phantasie, Unruhe und Ungebärdigkeit ein oder aus.« Ein Jahr später gelingt es ihm, Kunert und Biermann zu einem Streitgespräch über ihren literarischen Entwurf und ihr Weltbild in der ZEIT zusammenzubringen, eine der spannendsten und ehrlichsten Diskussionen, die je im Feuilleton standen. Alle drei waren sich über die verzweifelte Lage und Zukunft der Menschheit im klaren. Kunert mag an keine Utopie mehr glauben, Biermann aber will die Hoffnung auf »menschlichere Menschen« nicht aufgeben. »Wenn ich so dächte wie Kunert, möchte ich lieber tot sein.«

Auch die anderen Exilanten aus der DDR zieht Raddatz ins Gespräch mit der ZEIT. Reiner Kunze überläßt ihm Leserbriefe aus der DDR, in denen zwölf Jahre vor der Wende bereits detailliert die Machenschaften der Stasi enthüllt werden. Während Thomas Brasch bei den Menschen im Westen ähnliche Verhaltensweisen wie in der DDR entdeckt (Drang zur Perfektion, Mangel an Humor, Abwehr gegen Anomales), ergeht es Klaus Schlesinger in Westberlin wie nach 1989 vielen DDR-Landsleuten im wiedervereinigten Deutschland: Er vermißt das vertraute Netz sozialer Beziehungen und die Geborgenheit.

Im Juli 1977 veröffentlicht das Feuilleton den ersten Text, den der ostdeutsche Dissident Robert Havemann verfaßt hat, seit er, überwacht von Polizei und Stasi, unter Hausarrest leben muß; es ist eine radikale Absage an den DDR-Sozialismus. Zum siebzigsten Geburtstag schreibt Gräfin Dönhoff im Feuilleton – anders als Raddatz, der sich in der DDR nicht blicken lassen darf, hat sie Havemann 1980 besucht (und ist dabei auf dem Rückweg nach West-Berlin nur knapp der verfolgenden Volkspolizei entkommen). Sie bewundert den Professor, der weder vor den Nazis, die ihn zum Tode verurteilten, noch vor SED und Stasi gezittert hat (»Ideen sind stärker als Polizeimacht«). Den Nachruf im April 1982 schreibt Raddatz selber: »Havemanns Häresie besteht darin, daß er das Recht auf Irrtum gleichsetzt dem Recht, diese Irrtümer öffentlich einzugestehen.« Der Feuilletonchef schreibt auch eine Reportage über die Trauerfeier in der Dahlemer Martin-Niemöller-Kirche, wo Havemann als Vaterfigur der Friedensbewegung geehrt wird, während Marlies Menge von der fast heiter-beschaulichen Beerdigung in Grünheide berichtet. Als Vermächtnis des Dissidenten vermeint Raddatz einen »neuen Glauben ohne Dogma« auszumachen.

Als in der Tschechoslowakei ehemalige Politiker und Schriftsteller des Prager Frühlings von 1968 eine Bürgerrechts-»Charta 77« veröffentlichen, nimmt sich das Feuilleton ihrer sofort an. Heinrich Böll ermutigt und verteidigt die Unterzeichner der Charta, der ehemalige Parteisekretär Zdenek Mlynar setzt sein Vertrauen auf die Menschenrechtsklauseln der Helsinki-Konferenz, und mit einem Kommentar von Rudi Dutschke publiziert die ZEIT einen ermunternden Brief, den der ehemalige Spanienkämpfer Günter Berkhahn an seinen Kameraden, den Prager Arzt und Dissidenten Frantisek Kriegel, geschrieben hat. Und die ZEIT erbittet Spenden für jene Dissidenten, die ihren Beruf verloren haben. Im Februar 1983 unterstützt die ZEIT eine internationale Petition für den Schriftsteller Václav Havel, der im Gefängnis an schweren Entzündungen der Lunge und der Nieren erkrankt ist. Hans Peter Riese schreibt ein großes Porträt über den Mitbegründer der Charta 77 (»Die Macht der Ohnmächtigen«) und preist den unbeugsamen Widerstand der Frauen in dieser Oppositionsbewegung (»Es lohnt sich zu leiden«).

Was Fritz J. Raddatz nie losließ, war seine Auseinandersetzung mit dem Marxismus, in den er als Schüler und Student in der DDR eingeführt worden war. Zum hundertsten Geburtstag des weltbewegenden deutschen Denkers schreibt er im Leitartikel (»Das Paradies als Lager«) seine ganz persönliche Meinung: »Das Menschenbild des Karl Marx ist gefährlich« – eine Heilslehre und Glücksverheißung, dahinter der Terror lauert. In diesem Konzept gibt es »kein Schicksal des Individuums« – der einzelne Mensch darf für den Fortschritt durchaus geopfert werden. Am Ende deutet Raddatz an, ob »Lernen von Marx« heute nicht heiße, »sich mit dem Bestehenden nicht begnügen, diskutieren, fragen«. Also macht er sich daran, in Europa und Übersee jene Denker und Autoren aufzusuchen, die mit dem Kommunismus gebrochen haben.

Seine großen Interviews – mit dem polnischen Literaturnobelpreisträger Czeslaw Milosz, dem Soziologen Karl August Wittfogel, dem Schweizer Verleger und Antiquar Theo Pinkus, dem Literaturwissenschaftler Hans Mayer, dem polnischen Philosophen und Friedenspreisträger Leszek Kolakowski, dem jugoslawischen Schriftsteller Mihajlo Mihajlow, dem russischen Literaturprofessor Efim Etkind, einem Freund Solschenizyns – machen das ZEIT-Feuilleton zum Schauplatz einer internationalen Gewissenserforschung und einer historischen Revisionismusdebatte. Bei Hans Mayer scheint Raddatz noch am ehesten Gemeinsamkeiten in der Anschauung gefunden zu haben; er nennt ihn einen skeptischen Aufklärer, der allen Formen von Sozialismus nach maoistisch-leninistischem Muster mißtraut, sich selber aber immer noch als roten Kämpfer ausgibt (der nicht an Wachstum und Marktwirtschaft glaubt, da sie nur von Krise zu Krise führten). Natürlich mußte es einen Raddatz reizen, auch den ehemaligen revolutionären Sozialisten Bruno Kreisky, den österreichischen Bundeskanzler, zu interviewen. Seinem Befrager gleich findet Kreisky die Art einleuchtend, »wie Marx und Engels sich die Welt und die Geschichte erklärt haben«.

Die unstillbare Neugierde des Interviewers Raddatz wandte sich bald jenen Denkern zu, die sich weder rechts noch links einordnen ließen: dem argentinischen Erzähler und Lyriker Jorge Luis Borges, in Frankreich dem Philosophen und Ethnologen Claude Lévi-Strauss und dem Historiker und Soziologen Raymond Aron. Diese Interviews sind trotz ihrer Länge die kurzweiligsten und witzigsten geworden. Borges, der in die Denkkategorien Raddatz' nicht hineinpassen wollte, überrascht ihn mit den Aussagen, er sei ein Linker, der gegen Diktatur, Terrorismus, Militarismus, Mord, Kidnapping, Folter schreibt, ein Pazifist und ein Anarchist, erfindet aber Raddatz zuliebe das »Prinzip Außerdem«. Alle drei mögen Sartre nicht: Raymond Aron tut ungewollt Parallelen zwischen dem französischen Philosophen (Raddatz nennt ihn einen »Radikalen im öffentlichen Dienst«) und dem Interviewer auf: Sartre versteige sich vom Standpunkt des Moralisten aus oft zu einer extravaganten Position.

Und so widerfährt es Raddatz immer wieder: Geradezu freudig wirft er sich, wo andere Journalisten eher ängstlich abwarten, ins Getümmel, als im Sommer 1977 der deutsche PEN-Club wegen der

Aufnahme des belgischen Wirtschaftswissenschaftlers und Trotzkisten Ernest Mandel, eines von den Nazis verfolgten Frankfurter Juden, auseinanderzubrechen drohte. Bonn hat ein Einreiseverbot über Mandel verhängt, weil sein Eintreten für eine Räterepublik den demokratischen Rechtsstaat gefährde. Für Raddatz ist das eine Frage nach der Liberalität in unserem Staat. Er räumt dem Fall zwei ZEIT-Seiten ein, läßt Mandel selber ausführlich zu Worte kommen und befragt PEN-Mitglieder. Seine eigene Haltung ist unzweideutig: »Ich möchte in dem Staat nicht leben, den er entwirft. Vielmehr in einem, der seinen Entwurf zur Kenntnis nimmt – nicht weil der liberal wäre, sondern weil *wir* liberal sind.« Ein Jahr danach bedankt er sich auf Seite eins artig bei Bundesinnenminister Gerhard Baum, als der das Einreiseverbot für Mandel aufhob.

Anfang 1977 hatte Raddatz bereits von sich reden gemacht, als er seine Leser zum Nachdenken über Peter-Paul Zahl einlud, »den einzigen Schriftsteller der Bundesrepublik, der im Zuchthaus sitzt«. Zahl, ein Linksextremist, der abgetaucht war, hatte 1972 in Essen, um seiner drohenden Festnahme zu entgehen, einen Polizisten schwer angeschossen und war dafür erst zu vier, dann zu fünfzehn Jahren Haft verurteilt worden. Raddatz, in seiner historisch geschärften Empfindsamkeit, formulierte seinen Eindruck, »daß hier über die – recte – Verurteilung einer Tat hinaus auch eine Gesinnung bestraft wird«. Sepp Binder, ein früherer ZEIT-Redakteur, der mittlerweile dem Bundesjustizminister Hans-Joachim Vogel als Pressesprecher diente, setzte sich heftig zur Wehr: Er monierte »das Werben um Sympathie und Mitleid und Verständnis für Gewalttäter«. Übersehen hatte er jedoch, daß sich Raddatz sehr wohl von dem Gewaltdelikt Zahls distanziert hatte: »Ein Freibrief für sich freischießende Anarchisten wird hier nicht gefordert« und, noch deutlicher: »Wer Waffen hat und scharfe Munition, ist zumindest imstande zu schießen; hat gedanklich schon einmal geschossen.« Als nun wieder Raddatz heftig gegen Sepp Binder polemisierte, blies der Chefredakteur öffentlich zum Rückzug. Allerdings setzte er hinzu, es sei kein Staatsverbrechen, die Justiz zu befragen: »Unser Land braucht das eine wie das andere: Obrigkeit, die gesetztes Recht wahrt, wie Intellektuelle, die beharrlich fragen, ob bei alledem Gerechtigkeit geschieht. Es wäre besser, daß die Fragenden gelegentlich unrecht behielten, als daß niemand mehr fragte.«

Damit schien der Fall ausgestanden. Aber ein Jahr später veröffentlichte Raddatz Auszüge aus dem Gefängnistagebuch von Peter-

Paul Zahl. Darin stand auch die Passage: »Sonntags in der Frühe: das immer gleiche hartgekochte, nicht abgeschreckte Ei.« Nicht nur Gerd Bucerius höhnte über solche Auffassung eines Strafgefangenen von »Staatsterror« und »Folter«.

Unbekümmert packte Fritz J. Raddatz im April 1978 ein anderes heißes Eisen an: auf sieben langen Spalten den Fall des hannoverschen Psychologieprofessors Peter Brückner, der vom Dienst suspendiert worden war, weil er der flüchtigen Ulrike Meinhof Unterschlupf gewährt haben sollte, aber auch wegen mißverständlicher Aufsätze zur Gewalt der Rote-Armee-Fraktion. »Wirrkopf, Terroristen-Freund oder Verfassungsfeind?« fragte Raddatz. »Heißt Staatstreue Untertanengeist oder Mut zur Kritik?« Ihn störte es, daß ein Minister in einem politischen Meinungsstreit entscheiden solle, wer recht habe. Sein Vorschlag: Man solle dem garantierten Lebensrecht der Minderheit auch das »Recht auf – störerisches – Denken« zuzählen.

Im Oktober 1978 gab der Feuilletonchef sein Glanzstück im Tabubruch: Er wagte es, an Gemeinsamkeiten zwischen den Terroristen und den anderen Deutschen zu erinnern. »Bruder Baader?« war seine Kolumne überschrieben, ganz im Sinne des berühmten Aufsatzes von Thomas Mann: »Bruder Hitler«. »Seltsam doch: Erst wenn einer der schießenden Desperados in Haft war, erfuhr man von einer Mutter, einem Bruder, einer Geliebten, einem Freund.« Ebensowenig wie im Fall Zahl scheute er den Vorwurf des Sympathisantentums: »*Sympathie* heißt nämlich nicht in erster Linie ›innerlich billigen‹, heißt in seiner Grundbedeutung erst einmal ›mitfühlen‹.«

Seine entscheidende Frage: »Ist die Gesellschaft schuld?« Der Terrorist, der den Bankier Ponto erschossen habe, sei so gut Produkt dieser Gesellschaft wie der Bankier – so eine Formulierung, die manche Leser empören mußte. Und dann benannte Raddatz mit Zahlen das Versagen dieser Gesellschaft: 80.000 Jugendliche drogenabhängig, 82.000 arbeitslos, 300.000 zwischen 14 und 29 Jahren alkoholgefährdet; die höchste Rate an Kinderselbstmorden (500 jährlich) in Westeuropa und an stellungslosen Akademikern in Europa (etwa 40.000); 40 Prozent der Studenten in psychiatrischer Behandlung; die niedrigste Rate an studierenden Arbeiterkindern in Europa (13 Prozent). Seine Besorgnis – und sie war nach dem »deutschen Herbst 1977« nicht unberechtigt – : daß sich die junge Generation dem Staate verweigere und sich aus Angst und Lethargie gänzlich abkapsele (schon bald spricht man von der No-future-Generation).

Hans Paeschke, Herausgeber des »Merkur«, nannte »Bruder Baader« das »mutigste deutsche Wort seit Jahrzehnten«. Auch Professor Jürgen Habermas reagierte spontan: »Mit dem Artikel und übrigens dem des Berliner Kollegen (*Manfred Flügge über die Gendarmen-Republik*) verleihen Sie dem Feuilleton (trotz Ihres streitbaren Eintretens für Brückner und Zahl) eine neue politische Qualität.«

Das ist derselbe Raddatz, der in Paris die »junge Dame« Susan Sontag besucht und mit ihr über den moralischen Sprengsatz der Photographie diskutiert (Überschrift: »Sagt eine Photographie der Krupp-Werke etwas über die Krupp-Werke?«). Als auf deutschen Bildschirmen die amerikanische Filmserie »Roots« läuft (eine Moritat von jahrhundertelangem Unrecht an den amerikanischen Schwarzen), gelingt es Raddatz, in Paris den Bestsellerautor James Baldwin zu interviewen, kurz vor dessen Rückkehr in die Staaten nach 25 Jahren Europa. Wie immer hat Kunstliebhaber Raddatz auch diesmal die Illustration sorgsam ausgesucht: ein 1972 bei der documenta 5 gezeigtes Lynch-Environment von Edward Kienholz. Und nicht zu vergessen: Als dem Bundeskanzler Helmut Schmidt 1980 das Regieren immer schwerer gemacht wird, lädt ihn Raddatz zu einem drei Seiten füllenden kulturpolitischen, sehr offenen Gespräch mit Siegfried Lenz, Günter Grass und ihm selber ein (»Der Kanzler ist kein Volkserzieher«).

Schließlich, im Sommer 1981, nach der Wahl des Sozialisten François Mitterrand zum Präsidenten, läßt sich Fritz J. Raddatz von dem tagelangen Freudentaumel auf den Straßen von Paris anstecken. Ihm fällt auf, daß politische Kommentatoren plötzlich Vokabeln wie Eis, Unbarmherzigkeit, Güte, Nachsicht und Leid benutzen, die man bislang nur den Feuilletonisten zugestand. Er sieht eine ähnliche Situation in Deutschland, wo Willy Brandt in der Friedensbewegung ein enormes Comeback erlebt. Raddatz folgert im Überschwang seiner Gefühle: »Politik ohne Entwurf, Politik ohne Utopie, Politik nur als Wirtschaftspolitik hat abgewirtschaftet.«

Da lag der erste größere Skandal, den der Anreger Raddatz ausgelöst hatte, schon zwei Jahre zurück. Es verstand sich von selbst, daß der Feuilletonchef der ZEIT nicht nur viel bewundert, sondern auch beneidet wurde. Und da er in seinen Polemiken und Rezensionen gern eine scharfe Klinge focht, gab es genug Kollegen im Lande, die nur darauf warteten, daß er sich Blößen gab. Dies tat er im Oktober 1979, als er zum Beleg, daß es in der deutschen Nachkriegsliteratur keine Stunde Null gegeben habe, ein vier Seiten langes Dossier veröffentlichte: »Wir werden weiterdichten, wenn alles in Scherben fällt ...« Er prangerte darin eine Reihe bekannter Schriftsteller an, die während der Nazizeit weder emigrierten noch sich in Schweigen hüllten, sondern weiter publiziert hatten. Raddatz sah darin Verstrickung, »schuldlose Schuld«. Wie immer, war er unerbittlich in seiner Abrechnung mit der älteren Generation, die das Hitler-Reich mitgetragen und dafür in den Krieg gezogen war. Gewiß erklärt sich diese Haltung auch aus den grauenhaften Kriegserlebnissen des dreizehnjährigen Knaben: das Sterben des schwerverwundeten Vaters, die Phosphorbombennächte in Berlin, die Ausschreitungen der Rotarmisten im Mai 1945. Aber wie so oft, verleitete ihn seine Lust an der Zuspitzung, die Fakten allzu selektiv anzuführen und überzuinterpretieren.

In der Presse und unter den Lesern brach in jenen Herbsttagen 1979 ein Sturm der Entrüstung los. An der Spitze der Kritiker standen zwei ehemalige Mitarbeiter des ZEIT-Feuilletons: Marcel Reich-Ranicki in der »Frankfurter Allgemeinen« (»Verleumdung statt Aufklärung«), Hellmuth Karasek im »Spiegel« (»Jahrmarkt der Flüchtigkeiten«). Der PEN-Club-Präsident Walter Jens publizierte auf zwei ZEIT-Seiten eine schonungslose Abrechnung und Belehrung nach dem Motto: »Schüler Raddatz, setzen, Fünf!« Raddatz hatte, so sein Freund Grass, wieder einmal einen »Seiltanz ohne Netz« demonstriert.

Bucerius behielt fortan seinen Feuilletonchef scharf im Visier und fand immer wieder etwas an ihm auszusetzen. Zum Beispiel, als Raddatz in einem großen kritischen Aufsatz über den Goethepreisträger Ernst Jünger behauptet hatte, der Dichter habe »emphatisch die japanischen Kamikaze-Piloten gefeiert als letztmögliche Symbiose aus Phallus und Tod: als höchste Vollendung des Einzelkämpfers«. Mit einer umfänglichen Zitatensammlung aus Jüngers Œuvre, die er seinem Chefredakteur schickte, versuchte Bucerius diese Deutung zu widerlegen. Sein Resümee: »Nein, Ted, ich kann diesen Mann (Raddatz) nicht mehr ertragen. Und habe gute Gründe, die ich auch vor der Redaktion und der Öffentlichkeit vertreten kann. Hier im Hause wird jeder geachtet, entsprechend seiner Verantwortung. Ich bin in diesem Hause dann doch nicht irgendwer.« Doch Sommer weigerte sich, Raddatz wegen dieses Artikels zu entlassen, da er dessen Lesart für möglich halte. »Ich achte Ihre Meinung«, antwortete er Bucerius, »und bitte Sie um Respekt für die meine. Auch ich trage Verantwortung vor der Redaktion und der Öffentlichkeit... Ich weiß auch: Sie sind in diesem Hause nicht irgendwer. Sie können sich einen Chefredakteur suchen, der Ihre Aufforderung vollzieht. Ich müßte mich mit Fassung dareinschicken.«

Im Herbst 1985 passierte Raddatz ein tragikomisches Mißgeschick. Die Politik hatte ihn kurzfristig um einen kleinen Leitartikel zur Frankfurter Buchmesse gebeten. Raddatz fand in der Sonderbeilage der »Neuen Zürcher Zeitung« ein passendes Goethe-Zitat, das aus dem Schluß von »Dichtung und Wahrheit« stammen sollte. Man habe, so hieß es dort, seinerzeit hinter dem Frankfurter Bahnhof die alten Schreberhäuslein niedergelegt, um Platz für die Verleger zu machen. Raddatz (»Ich habe mich verlesen«) merkte in der Eile nicht, daß er einer Parodie aufgesessen war.

Dem Chefredakteur fiel beim Überlesen des Manuskripts in der Redaktionsschluß-Nacht an dem angeblichen Goethe-Zitat nur der Begriff »Neue Unübersichtlichkeit« auf: »Ach, daher hat der Habermas das?« Raddatz entgegnete, er sei stolz, diese Stelle gefunden zu haben. Daß etwas faul war, merkten erst am anderen Morgen die Redakteure bei der Endkontrolle. Der Schlußredakteur Udo Liebscher wußte, daß im Todesjahr Goethes noch keine Eisenbahn in Deutschland fuhr; der Layouter erinnerte sich, daß der Arzt Daniel Schreber viel später die Freizeitgärten erfunden hatte; der Schichtleiter mochte nichts ändern, ohne den Autor gesprochen zu haben, der aber war in Frankfurt unerreichbar. Das Unglück nahm seinen Lauf.

In den Räumen des Feuilletons der »Frankfurter Allgemeinen« war der Ruf zu hören: »Jetzt haben wir ihn!« Entsprechend fiel der Kommentar der Zeitung aus. Raddatz wurde als »Oberscharlatan des deutschen Feuilletons« tituliert; der ZEIT bedeutete der »FAZ«-Kollege, wenn sie endlich die Geduld verlöre, sei es ein Substanzgewinn. Diese Glosse nahm Gräfin Dönhoff zum Anlaß, gegen den Rat des stellvertretenden Chefredakteurs Leonhardt – Sommer war in Japan –, eine Rüge ins Blatt zu setzen, weil Raddatz die ZEIT blamiert habe. Er durfte die Notiz vorher lesen, änderte aber nichts.

Man hätte auch gelassener, heiterer reagieren können. Immerhin hat Bucerius einmal einen anderen Redakteur, der die falsche Person schwer kritisiert hatte, mit den Worten getröstet: »Nur wer nicht schreibt, irrt nicht.« Und Altmeister Paul Sethe pflegte in solchen Fällen zu sagen: »Auch Homer schläft zuweilen.«

Raddatz mußte das Ressort abgeben und wurde Kulturkorrespondent der ZEIT; Ulrich Greiner übernahm das Feuilleton. Der Redaktion war's recht, als Raddatz eines Tages wieder in der Konferenz dabeisaß – seine Interventionen waren belebend, bis er 2001 ausschied.

Zu seinem 60. Geburtstag schrieb Frank Schirrmacher, der Mitherausgeber der »Frankfurter Allgemeinen«, fünf Jahre nach dem literarischen Unfall in Goethes Schrebergarten, eine Würdigung, worin er Raddatz als Betreiber und Opfer des Kulturbetriebes beschrieb. Aber er fügte hinzu: Raddatz habe, wie nur wenige andere, »Leben und Aufregung« in das Feuilleton gebracht. Und ZEIT-Chefredakteur Theo Sommer sagte in seiner Rede: »Fritz Raddatz hat Schwächen, wie jeder Mensch; aber nicht jeder hat auch die dazugehörigen Stärken. Bei Fritz Raddatz ist dies anders: Er *hat* die Stärken, die seinen Schwächen zugeordnet sind – und die ZEIT hat davon enorm profitiert.«

Die Auflockerung der Wirtschaft

Während Diether Stolze in den sechziger Jahren den Wirtschaftsteil aufgelockert hatte, wurde dieses Ressort unter seinem Nachfolger Michael Jungblut stärker auf Professionalität zugeschnitten. Der Erfolg blieb nicht aus. Jungblut setzte ein anderes Verständnis von Ressortdemokratie als vor ihm Stolze. Alle konnten mitreden. Der Ressortleiter hörte auf seine Leute. Er achtete ihre Meinungen, die sich auch im Blatt niederschlugen. Der Themenbereich wurde ausgeweitet. Anders als in der Politik, war in der neuen Wirtschaft Information wichtiger als Meinung.

Jungbluts Vertreter Richard Gaul galt neben Peter Christ als einer der Linksliberalen im Ressort; später ging er als Pressesprecher zu BMW. Erika Martens, zuvor »dpa«-Redakteurin, verschaffte den Gewerkschaften eine ganz neue Aufmerksamkeit im Blatt, Heinz Michaels, der langjährige Vorsitzende des Betriebsrates, schrieb häufig über die Mitbestimmung. In der Wirtschaft ist erstmals in der ZEIT die Gleichberechtigung der Geschlechter verwirklicht worden: Zeitweilig arbeiteten dort fünf Redakteure und fünf Redakteurinnen zusammen.

Michael Jungblut hat in vieler Hinsicht gedankliche Pionierarbeit geleistet. Manche Ideen, die heute schon Allgemeingut sind, hat er vorgedacht: flexible Arbeitszeit (»Ohne starre Arbeitszeit gäbe es genug Beschäftigungschancen«, schrieb er 1983); geteilte Arbeitsplätze; Gewinnbeteiligung und Investivlöhne; Mitbestimmung am Arbeitsplatz in den Betrieben. Negativ fiel seine ökonomische Bilanz der sozialliberalen Koalition aus: »Der Sozialstaat verdarb seine Kinder«. Sehr kritisch hat danach der junge Peter Christ auch die Alternativformen der »Gegenwirtschaft« untersucht. Im Jahre 1974 kam von der »Stuttgarter Zeitung« der Volkswirt Rainer Frenkel, ein Journalist mit festen liberalen Grundsätzen. Als ihm Stolze Anfang der achtziger Jahre mitteilte, ein sehr kritischer Artikel über das Geschäftsgebaren einer großen Autofirma dürfe nicht auf der Autoseite erscheinen, weil diese vor allem von Anzeigen ebendieser Firma lebte, erklärte Frenkel: »Das Stück erscheint entweder auf der Autoseite oder gar nicht.« Das Stück kam auf die Autoseite, nur war sie diesmal anzeigenfrei. Eine von Frenkels Spezialitäten waren große Berichte über die Parteispenden-Prozesse. Ende der Siebziger wechselte er (für zwölf Jahre) ins Amt des Chefs vom Dienst.

Modernes Leben: Das Experimentierlabor der ZEIT

Das Moderne Leben wurde in den siebziger Jahren zeitweise ein Überressort. Haug von Kuenheim, der es dreizehn Jahre lang betreute, hatte etliche selbständige Miniressorts um sich geschart: die Bildungsseite (die zuerst von dem noch jungen Michael Schwelien, dem Sohn des früheren ZEIT-Korrespondenten in Washington, eingerichtet wurde); die Wissenschaftsseite, die 1976 von Thomas von Randow auf Günter Haaf (heute Chefredakteur bei »Natur«) überging; sodann den Länderspiegel, den Kuenheim bei jedem seiner Wechsel im Hause wie einen Talisman mit sich nahm. Seit 1982 gab es in dem kleinen Ressort stets mindestens zwei Redakteurinnen. Den Anfang machten Margrit Gerste und Anna von Münchhausen. Susanne Mayer stieß von der »Stuttgarter Zeitung« hinzu. Sie formulierten oft die Gegenposition zur protestantisch-agnostischen, männlich beherrschten Politik. So holten sie die Frauenfrage wieder ins Blatt zurück.

Das Credo der Frauenbewegung – »Das Private ist politisch« – könnte man auch auf das Moderne Leben übertragen. Sein Themenfeld ist nur scheinbar unpolitisch. Immer wieder ist es geschehen, daß Themen zuerst im Hinterstübchen dieses Ressorts aufgegriffen wurden, später landeten sie dann in der Politik und sogar auf Seite eins. Das gilt zum Beispiel für die Querelen der vielen grünen Bewegungen bis hin zum Gründungskongreß der Partei. Lange bevor es die Zeitläufte gab, wurde im Modernen Leben die braune Vergangenheit aufgearbeitet. Da waren es vor allem die Beiträge von Ernst Klee (Euthanasie, Mitschuld der Kirchen), die Neues zutage brachten. Mehr und mehr nahm er sich auch der Behinderten an.

Nach 1987 steuerte Aloys Behler das Ressort bis 1999 mit ruhiger Hand durch eine sich rasch verändernde Welt. Nirgendwo sonst wurden so viele neue journalistische Formen ausprobiert wie im Modernen Leben. Gerade weil es nicht zu den klassischen Ressorts zählt, hatte es einen großen Freiraum.

Mit der Reise in die Zukunft

Das einzige größere Ressort, das kaum von sich reden macht, ist der Reiseteil. Längst ist die Zeit der nur schönen Reisefeuilletons vorbei, wie sie noch Gräfin Merveldt und der Schriftsteller Horst Krüger für die ZEIT-Reise verfaßt haben. Das moderne Reiseressort der ZEIT wurde zwischen 1969 und 1977 von Ferdinand Ranft und seinem Team aufgebaut. Ranft, vorher Landesbüroleiter des ZDF in Düsseldorf, wollte keineswegs nur Leserservice bieten, sondern einen politisch-gesellschaftlichen Reiseteil aufziehen. Er suchte den Deutschen klarzumachen, welche Verantwortung und Disziplin von ihnen bei der Begegnung mit den Menschen der Dritten Welt erwartet wurde. Auf der Internationalen Tourismusbörse richtete Ranft ein ZEIT-Forum ein.

Der nächste Reisechef war Klaus Viedebantt, dem 1987 Rosemarie Noack folgte. Sie hat Stil und Form der großen Reisereportagen geändert. Seither wird die Realität eines Landes, einer Region, eines Ortes geschildert, mitsamt historischem Hintergrund, politischen Verhältnissen und, mehr und mehr, den ökologischen Bedingungen.

Eisbrecher Gorbatschow

Unter dem Reformer Michail Gorbatschow (von Murschetz als Eisbrecher gesehen) brach das Sowjetimperium zusammen, das sich auf eine greisenhafte Nomenklatura gestützt hatte. Niemand – auch nicht die ZEIT – hat es vorausgesehen.

Die Nomenklatura im Mai

Oben:
Gerd Bucerius holte im Frühjahr 1983 den ehemaligen Bundeskanzler Helmut Schmidt als Herausgeber in die ZEIT und übertrug ihm von 1985 bis 1989 auch die publizistische Verlegerverantwortung.

Unten:
Der neue Bundeskanzler Helmut Kohl besuchte Ende 1982 die ZEIT-Redaktion; hier mit (v.l.) Haug von Kuenheim, Michael Jungblut, Diether Stolze als Bundespressechef und Gerd Bucerius, ganz rechts Theo Sommer.

Oben:
Marion Gräfin Dönhoff, Herausgeberin der ZEIT seit 1973, im Gespräch mit Inhaber Gerd Bucerius. Zitat Dönhoff: »Alle Menschen sind einzigartig, aber Bucerius war von allen Verlegern der einzigartigste.«

Unten:
An jedem Freitag ist Große Konferenz. In dem Sitzungssaal, in dem in den sechziger Jahren noch der »Spiegel« tagte, finden heute die rund 120 Redakteure kaum noch Platz. Bei dieser Aufnahme von Anfang 1995 sieht man am Tisch (v.l.) Herausgeber Theo Sommer, Amerika-Korrespondent Ulrich Schiller, die stellvertretende Chefredakteurin Nina Grunenberg, Chefredakteur Robert Leicht, den stellvertretenden Chefredakteur Haug von Kuenheim.

Murschetz-Karikaturen zur Wiedervereinigung.

25. Kapitel

Deutsche Einheit: Mehr Wider als Für

Bis 1969 war die ZEIT der publizistische Vorreiter der neuen Ostpolitik, danach ist sie ihr verläßlicher Begleiter, Förderer und Verteidiger. Konsequent unterstützt sie auf diesem Felde die sozialliberalen Regierungen Brandt/Scheel und Schmidt/Genscher und ebenso selbstverständlich die Koalition aus CDU/CSU und FDP unter Helmut Kohl, als diese ihre Ostverträge mit Moskau und Warschau, Ost-Berlin und Prag abschließt.

Die ZEIT-Redaktion übernahm Willy Brandts Formel von den »zwei Staaten einer Nation«; sie erstrebte deren »geregeltes Nebeneinander«; und sie wünscht sich »menschliche Erleichterungen« für die Deutschen in der DDR – wie sie dies getan hat, seit sie in den frühen Sechzigern Kredite an Ulbricht (»Verlorener Baukostenzuschuß für die Wiedervereinigung«) forderte. Die Ausgangsbasis all ihrer politischen Kommentare bleibt durch die Jahrzehnte bis zum unerwarteten Fall der Berliner Mauer am 9. November 1989 immer gleich: Eine Wiedervereinigung in Frieden und Freiheit sei auf absehbare Zeit unmöglich.

Die Diktion der Leitartikel zur deutschen Frage in den zwanzig Jahren ist durchweg kühl und sachlich; vaterländische Emotionen überläßt die Politik dem Feuilleton, dem Modernen Leben und – dem Verleger und Eigentümer Gerd Bucerius. Im kleinen Kreise jedoch läßt auch Herausgeberin Gräfin Dönhoff untergründig Hoffnungen aufblitzen, die sie schon aus Gründen diplomatischer Klugheit nie öffentlich geäußert hätte: Vielleicht würden Willy Brandt und Egon Bahr – er zählt zum Freundeskreis der ZEIT-Autoren – ja doch über ihre Politik des Wandels durch Annäherung die Wiedervereinigung erreichen. In den Leitartikeln und Reportagen der politischen Redaktion findet man von dieser Hoffnung kaum eine Spur.

Im Gegenteil: Theo Sommer, Chefredakteur seit 1973, hält sich an die Zielrichtung, die er 1966 zum erstenmal auf eine Formel gebracht hat: »Die Wiedervereinigung wird auch im besten Falle eine Sache von Jahrzehnten sein, nicht von Jahren. Und auch da darf man sich nichts vormachen oder vormachen lassen: So schön sie wäre, so natürlich wir sie empfinden mögen, im letzten Grunde ist sie doch verzichtbar, ist sie abdingbar.« Nach der Ratifizierung des Grundvertrages mit der DDR wird er am 11. Mai 1973 diese Formel noch präzisieren: »Wo die Teilung schon nicht *überwindbar* war, mußte sie wenigstens *verwindbar* werden.« Er befürwortete eine »interimistische Politik der Nichtwiedervereinigung, ... die das Wohl der Menschen über die Einheit des Staates stellt«. Dieses »Deutschland zu zweit« (»Doppelt, aber getrennt«) wird er ohne Unterlaß verfechten: Freiheit für alle vor Einheit.

Seine Thesen hat er durch historische Erfahrung abgesichert: Das Bismarck-Reich, der deutsche Zentralstaat, »ist nicht das einzige Gefäß, in dem sich deutsches Schicksal erträglich vollziehen kann. Unsere Geschichte stellte eine Fülle anderer Modelle bereit.« Immer wieder einmal wird der Leser in der ZEIT gezielte Artikel finden, in denen an solche Möglichkeiten erinnert wird: vom Augsburger Religionsfrieden über den Westfälischen Frieden und den Rheinbund bis zum Deutschen Bund.

Schon nach wenigen Jahren wird die Bonner Ostpolitik Teil europäischer Friedenssicherung. Auch der Friedfertigste kann die gewaltige sowjetische Rüstung zu Lande, zu Wasser und in der Luft nicht mehr übersehen, ebensowenig die sowjetische Expansion in Afrika. Der Einmarsch der Russen in Afghanistan und die gleichzeitige Krise am Persischen Golf nach der Machtergreifung Chomeinis im Iran gefährden die Entspannung und erhöhen die Kriegsgefahr. Noch andere Krisenthemen drängen sich auf die erste Seite der ZEIT: die Bedrohung der Bundesrepublik durch die sowjetischen SS-20-Raketen, der Nato-Doppelbeschluß, die Demonstrationen der Friedensbewegung, der russische Nervenkrieg gegen Polen.

In solch angespannter Lage fährt Bundeskanzler Helmut Schmidt im Dezember 1981 zu Gesprächen mit dem Staatsratsvorsitzenden Erich Honecker an den Werbellinsee, elf Jahre nach Brandts Reise in die DDR. Beide bekräftigen ihre gemeinsame Überzeugung, die künftig auch in der ZEIT oft zu lesen ist, daß von deutschem Boden niemals wieder Krieg ausgehen dürfe. Theo Sommer begrüßt diesen Neuanfang in den deutsch-deutschen Beziehungen: »Solange die Teilung andauert, ist es unsere Pflicht und Schuldigkeit, ihre Folgen zu mindern.« Der Bonner Korrespondent Carl-Christian Kaiser, ein gebürtiger Berliner und Sozialwissenschaftler, der über die »Stuttgarter Zeitung« zur ZEIT gekommen ist, hat den Kanzler begleitet und entdeckt zaghafte Ansätze einer gemeinsamen »Sicherheitspartnerschaft« der beiden deutschen Staaten.

Kaiser ebenso wie die Ostberliner ZEIT-Korrespondentin Marlies Menge werden Augenzeugen von beschämenden Begleitumständen dieser Winterreise. Die mecklenburgische Stadt Güstrow, eines der Reiseziele des Barlach-Bewunderers Helmut Schmidt, wird von Volkspolizei und Staatssicherheitsdienst regelrecht besetzt, um das Volk von dem Besucher aus dem Westen fernzuhalten. Man sieht »eine Stadt ohne Frauen und Kinder«. Das SED-Regime hat sein wahres Gesicht gezeigt.

Am 17. August 1984 präsentiert Theo Sommer als Leitartikel einen »vernünftigen, realistischen Dekalog des deutschen Patriotismus«. Der Anlaß war eine vielbeachtete Äußerung des SPD-Politikers Hans Apel, wonach die deutsche Frage nicht mehr offen sei. Immerhin kommt Sommer jenen Lesern entgegen, welche Apels Worte anstößig finden: Träumen von Wiedervereinigung sei erlaubt, und die Deutschen dürften sich offenhalten »für jede Chance der Einheit, die uns die Geschichte vielleicht noch einmal zuspielen mag«, wobei er – und das darf man ihm nachträglich nicht vorwerfen – jene Chance gewiß nicht binnen fünf Jahren erwartet.

Zum erstenmal in der ZEIT liest man Gebote zur Entspannungspolitik, die im nachhinein erstaunlich anmuten: »Wir müssen uns davor hüten, die Entspannung dynamisch und konsequent zur Unterminierung der osteuropäischen Regime einzusetzen.« Diese Unterhöhlung ist, als unvermeidliche Folge der Entspannungspolitik, in Polen bereits im Gange und fängt, unmerklich, auch schon in der DDR an. Sommer warnt auch vor der Versuchung, auf den Zerfall des russischen Imperiums zu setzen oder ihn gar verursachen zu helfen, denn darin läge »die größte heute denkbare Kriegsdrohung« (das zielt auf Präsident Reagans Propaganda gegen das »Reich des Bösen« im Osten). Indirekt legt der Chefredakteur sogar Hand an die Präambel des Grundgesetzes, worin das deutsche Volk aufgefordert wird, »in freier Selbstbestimmung die Einheit und Freiheit Deutschlands zu vollenden«. Sommer empfiehlt eine realpolitische Lesart: Da beides nicht gleichzeitig zu haben sei, gelte es, »Zustände herbeizuführen, in denen die Einheit verzichtbar wird«.

Der Leitartikel endet mit einer Zukunftsmusik: »Deutschland zu zweit, tolerant nach innen, verträglich nach außen – das wäre eine Konstruktion, mit der unsere Umwelt leichter leben könnte als mit einem deutschen Einheitsstaat.« Denn es würde »den Nachbarn nicht mit neuem Nationalismus Furcht einflößen, sondern könnte mit seinem geläuterten Patriotismus Achtung und Respekt gewinnen«. Er hielt dies für weniger unrealistisch und weniger gefahrenträchtig als das »einige Deutschland der Sonntagsreden, von dem viele träumen mögen, an das aber keiner glaubt«.

Selten hat Chefredakteur Sommer gedanklich so präzise und sprachlich so vollendet sein Rezept für die Deutschlandpolitik vorgelegt. Und das ist wohl auch der Grund, warum nun Gerd Bucerius, der sich bislang zur deutschen Frage kaum geäußert hat, nicht länger schweigen kann. Seine Ansicht unterscheidet sich im Kern von den Sommerschen Thesen: »Die Wiedervereinigung mit den Deutschen in der DDR halte ich für unaufhaltsam, wenn auch fern. Sie setzt voraus, daß die Bürger dort sich in freier Abstimmung für die Wiedervereinigung entscheiden. Da werden wir vielleicht Konzessionen hinsichtlich unserer Gesellschaft machen müssen – die Wiedervereinigung selbst sollte es wert sein. Die Freiheit muß unantastbar bleiben, über die Wirtschaftsform muß man reden können. Das kann weh tun.« Und anders als Sommer, der eben noch die Regierung Kohl und die CDU/CSU wegen »ihrer Sonntagsreden« zur Wiedervereinigung getadelt hat, verlangt Bucerius, die Bundesregierung müsse bei allen Konzessionen das Endziel Wiedervereinigung »klar, aber ohne Aggressionen deklarieren«. Das erfordere eine redliche Verhandlungsführung und wahre die Interessen der Deutschen in der DDR.

Bucerius, damals 78 Jahre alt, räumt zwar ein, seine Denkweise könnte antiquiert sein, aber er kann sich nicht von der »Geschichte meines Vaterlandes« trennen. Man dürfe die Deutschen in der DDR nicht im Stich lassen, zumal die Gefahr groß sei, daß sie sich dann verbittert voll dem Osten zuwendeten. »Zweimal Deutschland, das mag bequem sein«, hält er seinem Chefredakteur entgegen. Dessen prononcierte Rücksichtnahme auf die Angst der Nachbarn und Bündnispartner überzeugt ihn nicht, er hält sie eher für ein Zeichen eigener Bequemlichkeit. Für zögernde Alliierte kennt er nur eine Antwort: »Wir vertrauen auf Euer uns gegebenes Wort, uns zur Wiedervereinigung zu verhelfen« (woran sich dann 1990 Kohl und Genscher halten werden).

Es finden auch andere Ansichten zur deutschen Frage ihren Platz in der ZEIT, wenn auch nicht auf der ersten Seite. Im Dossier wird im April 1985 die Forderung der Grünen und der Friedensbewegung abgehandelt, die – angesichts der steten Kriegsgefahr auf deutschem Boden – »einen dauerhaften Friedensvertrag (mit beiden deutschen Staaten), Blockunabhängigkeit, unangefochtene Grenzen, Abbau aller Offensivwaffen auf unseren Territorien« vorschlagen (so Antje Vollmer von den Grünen in einem ZEIT-Interview). Aus britischen Akten konnte das Dossier zitieren, daß Winston Churchill 1953 bereit gewesen wäre, sich auf ein vereinigtes, unabhängiges Deutschland einzulassen, das ohnehin für die nächsten zwanzig Jahre seine moralischen Bindungen mit dem freien Europa und mit Amerika nicht aufgeben würde. ZEIT-Kommentar: »Das ist nun alles Geschichte, zeigt aber doch, wie rasch sich heute noch weltpolitische Änderungen ergeben könnten, mit denen niemand mehr gerechnet hat.«

Im März 1986 greift Marion Dönhoff ebenfalls in die Geschichte: Sie hat neuveröffentlichten amerikanischen und britischen Geheimakten entnommen, daß Konrad Adenauer in den fünfziger Jahren ungeprüft Verhandlungen mit Moskau über eine mögliche Wiedervereinigung abgelehnt hat. Getrieben wird sie von der Sorge, der Westen könne abermals, im Vertrauen auf seine militärische Stärke, die Gunst der Stunde verpassen, nachdem der neue Kremlherr, Michail Gorbatschow, weitgehende Kompromisse in der Rüstungskontrolle angeboten hat. Übrigens ist dies eines der wenigen Male, daß sich Marion Dönhoff und Gerd Bucerius in der ZEIT hart auseinandersetzen. Der ehemalige CDU-Bundestagsabgeordnete verteidigt Adenauers Politik, stimmt jedoch der Herausgeberin in dem Punkt zu, daß die Bundesrepublik allen Anlaß habe, durch Wort und Tat die neue Chance aus dem Osten zu nutzen.

Im Januar 1986 erhielten Theo Sommer und Marlies Menge endlich die lange angestrebte Gelegenheit zu einem Interview mit dem Staatsratsvorsitzenden Erich Honecker, der im selben Jahre nach Bonn kommen wollte. Natürlich sprachen sie ihn auch auf die deutsche Frage an. Honecker nannte es »geradezu ein Glück für die Menschheit, daß es zwei deutsche Staaten gibt«. Man hat später, als nach der Wiedervereinigung die SED-Akten zugänglich wurden, dem Chefredakteur der ZEIT angelastet, daß er sich in einem Brief an das Außenministerium der DDR für das Interview bei Honecker mit einem dicken Kompliment bedankt habe: »Ihr Staatsratsvorsitzender braucht, was die gekonnte Verhandlung mit westlichen Journalisten angeht, nicht hinter Herrn Gorbatschow zurückzustehen.« Es war ein wohlbedachtes Lob, denn Honecker hatte der ZEIT zugesagt, sie dürfe jene »Reise in ein fernes Land« von 1964 wiederholen. Tatsächlich notierte er an den Rand des Briefes, man solle die Reise gut organisieren. Sommers Satz zielte jedoch auch darauf, daß der Staatsratsvorsitzende nicht bloß – wie üblich – schriftliche Antworten auf schriftlich eingereichte Fragen veröffentlichen ließ, sondern die Einarbeitung des tatsächlichen Wortwechsels gestattet hatte.

Im Mai/Juni 1986 machten sich sechs Mitglieder der ZEIT-Redaktion gen Osten auf: Neben den drei von 1964 (Dönhoff, Leonhardt, Sommer) waren diesmal noch die Reporterin Nina Grunenberg, der politische Redakteur Gerhard Spörl und der Chef der Wirtschaft, Peter Christ, mit von der Partie; in Berlin gesellte sich Marlies Menge dazu. Sie reisten, auf Kosten des Verlages, in zehn Tagen einmal quer durch »die Republik«. Das Programm war randvoll, so daß kaum Gelegenheit blieb, mit einfachen Leuten zu reden. Sommer räumte offen ein: »Was die ZEIT-Reisenden zu sehen bekamen, war im wesentlichen – nun: DDR von oben.« Neun Wochen lang wurde der ZEIT-Report »Reise ins andere Deutschland« seitenfüllend veröffentlicht. Die auch als Buch gedruckten Reportagen und Porträts sind ein immer noch lesbares Dokument, weil man heute auf Anhieb erkennt, wo die Journalisten den Schein für die Wirklichkeit genommen und wo sie sich nichts haben vormachen lassen.

Wirtschaftschef Peter Christ zeichnete das ungeschönte Bild einer maroden Planwirtschaft (auch wenn er noch nicht wissen konnte, *wie* bankrott der Staat damals bereits war). Die DDR liege, so Christ, vier bis sieben Jahre hinter der Entwicklung der führenden westlichen Industriestaaten zurück, und wie sie je den Anschluß erreichen sollte, bleibe rätselhaft. Denn die Maschinen waren veraltet, die öffentlichen Einrichtungen – Straßennetz, Reichsbahn, Telephonsystem – genügten nicht mehr modernen Ansprüchen. Es gab keinen echten Wettbewerb; Risiken wurden nicht belohnt. Christ folgerte: »Die Ursache für den ökonomischen und technischen Rückstand ist nicht die Qualität der Köpfe. Die Ursache liegt im System ... In der DDR blättern nicht nur die Fassaden, es blättert auch die Hoffnung.« Christ charakterisiert die DDR als »Valuta-Republik« und mißbilligt das Verhalten mancher Touristen aus dem Westen (die man damals noch nicht Wessis nannte), weil sie die Bürger »in die Rolle des armen Verwandten« drängten. Im Erfolgsbericht des Botschafters Wolfgang Meyer vom Außenministerium der DDR – er hat die Reise der Gruppe organisiert – wird denn auch Christ getadelt, weil er sich von ausreisewilligen Verwandten habe beeinflussen lassen.

Sommer und Leonhardt maßen, anders als die jüngeren Redakteure, ihre Wahrnehmungen an ihren Erfahrungen zweiundzwanzig Jahre zuvor: Es ging mit der DDR voran, es wurde sichtbar besser. Typisch für den Gast aus dem Lande fast uneingeschränkten Wohlstandes war Leonhardts Feststellung: »An Lebensmitteln herrscht für jemanden, der so gut wie ich auf Bananen verzichten kann, kein Mangel, solange der Verteilungsapparat funktioniert. Manchmal klemmt er, wie die Fahrstühle in den älteren Hotels.« Das ist, obwohl nicht leicht erkennbar, die Beschreibung eines miserablen Alltags, und man begreift, warum die Banane drei Jahre später zum Symbol der Wiedervereinigung werden konnte. Ohne Umschweife berichtete Leonhardt, welch riesigen Nachholbedarf es im Wohnungsbau gibt, wie es an Toiletten und Badezimmern fehlt, wie so viele Menschen in grauen Betonsilos zusammengepfercht leben müssen.

Auch Sommer schildert, was sich jedem Westbesucher sofort aufdrängte: armselige Schaufensterdekorationen und Billigkonsumgüter, fleckiges Obst, unansehnliches Gemüse in den Auslagen. Aber er kompensiert solche Beobachtungen mit anderen, wo der Fortschritt mit Händen greifbar sei: dem Angebot an Fernsehern, Waschmaschinen, Kühlschränken, dem enorm gestiegenen Autoverkehr, »fast wie bei uns«, wobei er freilich anfügen muß, daß die Wartezeiten für Autos über zehn Jahre betragen.

Zuweilen läßt sich der Chefredakteur, etwas abseits der Realität, von dem ihm eigenen Pathos mitreißen: »Es gibt noch graue Dörfer, trostlose Stadtviertel, aber Straßenzug um Straßenzug wird hergerichtet, Baulücke um Baulücke gefüllt, Stadtkern um Stadtkern erneuert.«

In seinem Resümee leugnet Sommer nicht den diktatorischen Charakter des Regimes: »die zugeteilte Freiheit, die lebenslange Gängelung, der nervtötende Umgang von Partei und Ämtern mit den Bürgern. ... der Zwang zur Anpassung, dem jeder einzelne unterliegt – das alles schreckt ab, vieles widert an. Dazu die tausend Ärgerlichkeiten des Alltags.« Das stimmt alles, nur ist es doch verblüffend, daß in den Berichten der ZEIT-Delegation das alltäglich Bedrohende völlig fehlt: die Stasi.

»Es ist sinnlos«, schrieb Marion Dönhoff im November 1972, »auf Wiedervereinigung in einem Nationalstaat zu warten und zwischendurch nicht das zu tun, was möglich ist: eine europäische Friedensordnung vorzubereiten, die die Trennung erträglicher macht.«

In diesem Sinne ist die ZEIT verfahren. Die Ostpolitik blieb nie auf das andere Deutschland beschränkt, sondern wurde auf ganz Ostmitteleuropa mitsamt der Sowjetunion ausgedehnt. Ein Land jedoch wurde all die Jahrzehnte bevorzugt: der Nachbar Polen. Bei ihren vielen Besuchen in Warschau konnte Gräfin Dönhoff zurückgreifen auf die Informationen befreundeter Reformkommunisten, Journalisten, parteiloser Politiker, Professoren, Schriftsteller. Daneben standen der ZEIT ausgezeichnete Kenner des Landes zu Diensten, so ihr Korrespondent Hansjakob Stehle, der einen guten Draht zur katholischen Kirche hatte, so die Ostkorrespondenten Andreas Kohlschütter und Christian Schmidt-Häuer und über viele Jahre hinweg der freie Mitarbeiter Peter Bender.

Im Jahre 1980 kann Marion Dönhoff ein polnisches Wunder beschreiben: Die Gewerkschaft Solidarność hat »die größte Umwälzung seit der Oktoberrevolution« vollbracht. Arbeiter, Intelligenz und Reformkommunisten ziehen an einem Strang. Zwar sind rundum die russischen Panzer an den Grenzen aufgefahren, doch die Polen lassen sich, ganz gegen ihre Natur, nicht aus der Ruhe bringen.

Christian Schmidt-Häuer ist »ins Zentrum des Orkans« gereist, nach Danzig. Den Schlüssel für die Stärke und Disziplin der polnischen Massen sieht er weniger im Streik auf der Lenin-Werft als vielmehr in dem Besuch von Papst Johannes Paul II. ein Jahr zuvor. Der Heilige Vater hatte seinen Landsleuten das Machtgefühl gegeben und den Auftrag, Polen geistig zu erneuern. Was sich da in Polen anbahnte, muß Schmidt-Häuers russische Assistentin schon 1978 geahnt haben, als sie ihm die Nachricht von der römischen Wahl des Krakauer Bischofs Wojtyła überbrachte: »Christian, Katastrophe! Ein Pole ist Papst!« In Danzig konnte der ZEIT-Reporter jetzt beobachten, wie katholische Priester dem Gewerkschaftsführer Lech Walesa die Redemanuskripte zusteckten. Theo Sommer beschwor in dieser Zeit die Bundesregierung, trotz der sowjetischen Drohungen gegen Polen und ungeachtet des amerikanischen Umschwenkens auf neue Rüstungsprojekte, die Entspannungspolitik in die achtziger Jahre hinüberzuretten.

Im Dezember 1981 steht Polen nahe vor dem Bürgerkrieg. Peter Bender, wie immer hervorragend informiert, berichtet am 11. Dezember 1981 in der ZEIT, was sonst noch nirgendwo zu lesen stand: Die polnische Armee unter dem General und Parteichef Jaruzelski sei die einzige Chance, eine nationale Katastrophe zu verhindern. Zwei Tage später ist es geschehen: Der General verhängt das Kriegsrecht. »Tränen um Polen« überschreibt Gräfin Dönhoff ihren Kommentar, doch ermutigt sie die Bundesregierung, trotz der schweren Menschenrechtsverletzungen ihre Wirtschaftshilfe für Polen fortzusetzen. Es folgt jener Winter, da die Deutschen, aufgerufen auch von der ZEIT, täglich Tausende von Paketen in das hungernde und frierende Polen schicken.

Marion Dönhoff aber gerät in einen Streit mit liberalen Freunden wie Ralf Dahrendorf und Fritz Stern. Diesmal steht sie nicht auf der Seite der Idealisten, deren moralische Empörung nach Sanktionen verlangt, sondern sie hält es, ebenso wie Bundeskanzler Schmidt, mit den Pragmatikern. Die Lage in Polen sei so gefährlich, daß Behutsamkeit vonnöten, lautstarke Aufgeregtheit von Übel sei. Stehle meldet aus dem Vatikan, der Papst sehe die Lage »düster, aber nicht hoffnungslos«.

Schon im März 1982 fährt Gräfin Dönhoff wieder nach Polen, um herauszufinden, wie die Dinge wirklich stehen. Sie wird sogar von General Wojciech Jaruzelski zu einem Privatgespräch empfangen – und sie weiß, daß nicht alle der noch verhafteten Solidarność-Leute dafür Verständnis haben werden. Sie hingegen ist verwundert, daß sich der Zorn der Bürger gegen das Militärregime nicht persönlich gegen den General richtet. Die Verhältnisse sind so chaotisch, daß Marion Dönhoff Polen mit einem Mobile vergleicht: »Es schwebt und stürzt nicht, weil so viele Kräfte gegeneinander wirken.« Dank ihrer Vermittlung kann Jan Szczepanski, einer der großen alten Männer Polens, im April 1983 den ZEIT-Lesern eine lange Analyse über »Polen ohne Solidarność« vorlegen.

Im August desselben Jahres findet die Herausgeberin in Warschau die Menschen noch trauriger vor, aber auch realistischer. Sie ist immer noch voller Bewunderung für eine Nation, in der die Kirche ebensoviel zu sagen hat wie die Partei, den Bauern privates Eigentum an Grund und Boden garantiert wird und ein General Parteichef ist. Um so mehr empört es sie, als Bonner Politiker revisionistische Reden halten und Kanzler Kohl beim Schlesiertag spricht. Denn sie spürt, wie entgeistert und sorgenvoll die Polen darauf reagieren.

In einem Leitartikel verrät die Gräfin 1984 ihr Geheimnis sinnvoller Entspannungspolitik für Osteuropa: »Nicht zu verkünden, daß man die Vorherrschaft Moskaus abschaffen möchte – was ohnehin nicht möglich ist –, sondern daß man helfen will, sie erträglicher zu gestalten.« Und sie atmet zum erstenmal auf, als 1988, dank der neuen Politik Gorbatschows, in Polen Regierung und Opposition auf Reformen setzen. »Bonn sollte Warschau bei den Schulden entgegenkommen«, schreibt sie. »Polen – unser Nachbar seit tausend Jahren – hat es nicht nur nötig, wir schulden es ihm auch.«

Über Polen hat die ZEIT keineswegs die Bürgerrechtsbewegung in der Sowjetunion vernachlässigt. Sie gehörte in der Regel zur Domäne des Feuilletons, ebenso wie das Schicksal der Dissidenten in der Tschechoslowakei, die mit ihrer Charta 77 Reformen einforderten.

Im September 1984 hatte das Feuilleton die großartige Idee, Heinrich Böll mit einer Rezension von Václav Havels Gefängnisbriefen zu beauftragen. Aber auch Journalisten können nicht allzeit auf dem Quivive sein. Wenige Jahre vor dem Umsturz in Prag, den Havel und seine Freunde Ende 1989 inszenierten, hatte Havel der ZEIT einen Aufsatz geschickt. Der Text wurde, weil er strengen formalen Kriterien nicht genügte, auf die lange Bank geschoben. Schließlich baten die Kollegen die Herausgeberin um den peinlichen Dienst, das Manuskript wegen Mangels an Substanz an Havel zurückzuschicken. Er hat die Absage lange nicht verwunden, mit Recht, denn er hätte es damals schon genauso wie Havemann, Sacharow, Kopelew, Michnik verdient, von der ZEIT ernst genommen zu werden.

Tausche Einheit gegen Freiheit

Zwei Jahre vor der Wende von 1989 veränderten Marion Dönhoff und Theo Sommer ihre Haltung zur deutschen Frage. Als erste forderte die Gräfin anläßlich des 750jährigen Berliner Stadtjubiläums einen Verzicht auf die Wiedervereinigung. Dafür sollte der Osten die Freiheit Berlins garantieren und die Mauer systematisch durchlässiger machen bis zur schließlichen Beseitigung. Sie will dieses Angebot als Pendant zum »Neuen Denken« Gorbatschows verstanden wissen. Den Bürgern der DDR würde es »wesentlich mehr Freiheit bringen als weitere Jahrzehnte vergeblichen Wartens auf die Wiedervereinigung«.

Zwei Monate später, in einem Rückblick auf den nationalen Feiertag des 17. Juni, greift Theo Sommer den Vorschlag der Herausgeberin wieder auf (»Die Einheit gegen Freiheit tauschen«). Man müsse wählen zwischen dem Traum von der deutschen Einheit und der Realität der zusammenwachsenden Europäischen Gemeinschaft. Er verlangt, ungeachtet der Präambel des Grundgesetzes, »Zustände zu schaffen, in denen es auf die Wiedervereinigung nicht mehr ankommt«. Sommer verspottet das Wiedervereinigungspathos, das unter Buchsbäumen blühe. Sein Verzichts-Leitartikel trägt den Untertitel: »Wir müssen uns ehrlich machen«.

Das muß ZEIT-Inhaber Gerd Bucerius herausfordern. Er möchte in dieser Sache weder unehrlich noch Nationalist gewesen sein. »Ich bestreite, daß ein Westdeutscher das Recht hat, die endgültige Trennung der beiden Teile Deutschlands zu betreiben. Das verletzt unsere Pflichten gegenüber den Mitbürgern in der DDR.« Und dann spricht er aus, was zwanzig Jahre zuvor schon Paul Sethe hat anklingen lassen: »Nation – das hat nicht nur mit Denkgesetzen zu tun. Gefühle – durch Jahrhunderte überlieferte – spielen da fast eine größere Rolle.« Und er fragt seinen Chefredakteur: »Was sagt sein Herz, wenn er den deutschen Bürgern drüben kühl den Kündigungsbrief schickt?«

Eine ganze Seite voll Leserbriefen zeigte hernach, wie Sommer und Bucerius die Seelen aufgewühlt hatten. Einige Leser deckten den wunden Punkt in der Argumentation Sommers auf: Kommunistisches Staatsverständnis und Freiheit seien ein Widerspruch in sich. Andere sprachen hingegen von ihrer »Pflicht«, die Teilung Deutschlands gutzuheißen. Umfragen aus jener Zeit ergaben, daß nur zehn Prozent der Bundesbürger eine baldige Wiedervereinigung für möglich hielten. Unter ihnen darf man jene Leser vermuten, die Gerd Bucerius dankten, also gleich ihm nicht treulos werden, nicht die Geduld verlieren wollten.

Im September 1987 kam dann endlich Erich Honecker an den Rhein. Sein einstiger Gesprächspartner Helmut Schmidt, seit 1983 Herausgeber, seit 1985 auch Verleger der ZEIT, entbot ihm einen sehr noblen, sehr fairen, sehr deutschen Willkommensgruß (»Einer unserer Brüder«). Er würdigte den Staatsratsvorsitzenden als Widerstandskämpfer gegen die Nazis und als Deutschen, der seine Pflicht erfüllen wolle, »so wie er diese als ihm auferlegt empfindet«.

Auch Schmidt sah keine Möglichkeit für eine Wiedervereinigung, aber anders als Theo Sommer wollte er nicht auf sie verzichten, er verlegte sie nur ins 21. Jahrhundert. Carl-Christian Kaiser ermunterte an gleicher Stelle die Bundesregierung, sich auf den Patrioten Honecker ernstlich einzulassen, zum Beispiel auf gemeinsame Initiativen in der Sicherheitspolitik (»eine sowjetische Brigade in Heidelberg, ein amerikanisches Kontingent in Magdeburg?«), eine Revision der Feindbilder in den Schulbüchern, eine Wiederbegründung so mancher deutsch-deutschen Gesellschaft. Selbst der Karikaturist Murschetz berief sich auf das Prinzip Hoffnung: Er zeigte die Mauer, in der sich ein Quaderstein zu lösen beginnt.

Im April 1988 schrieb Gräfin Dönhoff einen emphatischen Leitartikel: »Ein Dach für ganz Europa«. Sie ermunterte die liberalen Kräfte in der CDU um Heiner Geißler, in deren neuen Thesen zur Deutschlandpolitik das Wort »Wiedervereinigung« fehlte. Und sie wiederholte ihr Ceterum censeo: »Unser Ziel: Nicht ›Wiedervereinigung‹, sondern Annäherung zwischen Ost und West.« Gorbatschow sei sicherlich bereit, den Osteuropäern mehr Freiheit zu gewähren, wenn sie nicht verführt würden, zum Westen überzugehen. Im Januar 1989 weitete sie ihre Gedanken zu einem Programm aus: Die osteuropäischen Staaten und die DDR sollen zu einem Wirtschaftsklub zusammenrücken, innerhalb des Ostblockbündnisses, und ein dichtes Netz von wirtschaftlichen und kulturellen Kontakten zum Westen knüpfen. Auf diese Weise, hoffte sie, werde den Bürgern in der DDR endlich ein normales Leben ermöglicht.

Am 23. Juni 1989, nach dem umjubelten Besuch Gorbatschows in der Bundesrepublik, versuchte Theo Sommer in einem großen Aufsatz eine Standortbestimmung der Bundesrepublik (»Quo vadis Germania?«). Es ist dies die Zeit, da in Leipzig gerade die ersten, noch kleinen Montagsdemonstrationen anfangen und Willy Brandt im Gespräch mit dem Bonner ZEIT-Korrespondenten Gunter Hofmann darüber nachdenkt, wie die Bundesrepublik reagieren solle, wenn in Leipzig Zehntausende auf die Straße gingen und die Wiedervereinigung verlangten. Und die Ungarn schneiden ein Loch in den Grenzzaun, durch das die ersten DDR-Touristen in den Westen schlüpfen (ZEIT-Reporter werden dabeisein). In dieser Situation skizziert der Chefredakteur noch einmal seine Idee von der »Entstaatlichung der deutschen Frage«. Gorbatschows Perestroika setze den Status quo in der Alten Welt voraus. »Die Grenzen bleiben, ihre Öffnung ist das höchste, das in absehbarer Zeit zu erreichen ist, nicht ihre Abschaffung.« Die Berliner Mauer könne erst fallen, wenn drüben das Wohlstands- und Freiheitsgefälle gegenüber dem Westen ausgeglichen sei. In der gegenwärtigen europäischen Ordnung wird ihm die Berliner

Mauer – »sie sollte poröser werden« – sogar zur »tragenden Wand«. Und er formuliert den Satz, der ihm lange nachhängen wird: »Wer heute das Gerippe der deutschen Einheit aus dem Schrank holt, kann alle anderen nur in Angst und Schrecken versetzen.«

Wiederum ist es Gerd Bucerius, der ihm leidenschaftlich widerspricht: »Ich fürchte, die Bürger der DDR werden uns verfluchen, die Geschichte wird uns verfluchen.« Nie dürfe eine Hälfte der Nation die andere verstoßen. Er macht sich bereits Gedanken, welche Beschränkungen Deutschland für die Wiedervereinigung auf sich nehmen könnte, etwa eine fünfzigjährige sowjetische Besatzung im Ostteil des Landes, der dann nicht zur Nato gehöre. (Es dauerte dann nur viereinhalb Jahre, bis der letzte russische Soldat abgezogen war.) Auch der ostdeutsche Regisseur und Bürgerrechtler Konrad Weiß verwirft Sommers These: »Ich will, daß meine Enkelkinder einmal in einem Deutschland ohne Mauer leben.« In beiden Deutschländern müsse die Einheit neu als Wert entdeckt werden.

Sie ahnen die Wiedervereinigung voraus, aber niemand, kein Politiker, kein Journalist, kein Sowjetexperte, kein Dichter sieht, wie nahe sie ist. Sie kommt mit der sanften Revolution, und plötzlich ist die Mauer offen, in einer Novembernacht, und niemand weiß hinterher, wie es eigentlich passiert ist. Überrascht, überrumpelt wurde die ZEIT von der Wiedervereinigung wie alle anderen Blätter auch. Die Frage bleibt, warum gerade Deutschlands größte Wochenzeitung solche Scheu zeigte, sich im Herbst 1989 dafür zu schlagen. Die Antwort lautete damals wie heute: Weil ein Tiananmen-Massaker, wie es in Peking stattfand, in Ostdeutschland nicht provoziert werden sollte; weil es noch immer unvorstellbar erschien, daß Gorbatschow die DDR einfach preisgeben könnte: weil aber, solange der Kremlherrscher dazu nicht bereit war, die Existenz der Atomwaffen es verbot, am territorialen Status quo zu rütteln. Wie Sommer es formulierte: »Das Ziel muß bleiben: Wandel ohne Explosion.« Andere Gründe traten hinzu. In der CDU regten sich damals Kräfte, die dafür plädierten, um der Wiedervereinigung willen der Europäischen Gemeinschaft den Rücken zu kehren. Das wollten die politischen Leitartikler keineswegs. Auch argumentierten sie, die Chance, für ganz Osteuropa die Freiheit zu gewinnen, dürfe nicht an einer um jeden Preis isoliert vorangetriebenen deutschen Wiedervereinigung zuschanden werden.

Falsche Einschätzung? Mangelnde Voraussicht? Es ist nur ein schwacher Trost, daß die Springer-Presse, die unermüdliche Vorkämpferin für die deutsche Einheit, ausgerechnet wenige Monate vor der Wende in ihrer Schreibweise des Terminus »DDR« auf die Gänsefüßchen verzichtete. Doch stand, zum Glück, auch zu dieser Frage nicht nur eine Meinung im Blatt. In der ZEIT spiegelte sich wider, was in jenen aufgeregten, aufregenden Monaten die Nation an widersprüchlichen Gefühlen bewegte.

Das innere Feuer des Inhabers Gerd Bucerius und die ungebrochene Zuversicht Helmut Schmidts standen gegen die warnende Skepsis. Und nicht bloß diese beiden Hierarchen hielten ja die Fahne der Einheit hoch. Da war auch, dank eines ingeniösen Einfalls des Feuilletonchefs Ulrich Greiner, ein Jahr vor der Wende ein langer schöner Aufsatz von Martin Walser zu lesen: »Über Deutschland reden«. Der Schriftsteller wollte nicht länger dazu schweigen, daß Linke wie Rechte die deutsche Teilung hinnahmen. Und er mißbilligte, daß gerade die hellsten, die gescheitesten Wortführer sich »mit dem Strafprodukt Teilung« abgefunden hätten. »Wir müssen die Wunde namens Deutschland offenhalten.« Im September 1989 springt ihm Fritz J. Raddatz mit einem Plädoyer für die deutsche Einheit zur Seite (»Deutschland, bleiche Mutter«): »Es ist Sache der Intellektuellen, Sehnsüchte zu formulieren.«

Das politische Ressort hat's damals nicht gern gehört. Die anderen behielten recht.

Es wird noch vieler wissenschaftlicher Untersuchungen und auch mancher Seelenerforschung bedürfen, um die Ursachen für das Wahrnehmungsdefizit westdeutscher Medien in der deutschen Frage zu finden. Hätte keiner erkennen können, auf welch morschem Untergrund das Sowjetimperium gebaut war? Warum hat niemand die Anzeichen für den Bankrott der DDR so bewertet, wie sie es verdient hätten? War es einzig die Furcht vor dem Atomkrieg, der die Leitartikler dazu brachte, ja nicht am Status quo in Mitteleuropa zu rühren? Hatten sie sich in ihrem Verliebtsein in die eigenen Theorien von einer harmonischen Entspannungs- und Verantwortungsgemeinschaft in Europa das Denken verboten? Oder beleidigten sie die Geschichte ganz einfach durch einen Mangel an Phantasie?

Umgekehrt gilt freilich auch: Auf paradoxe Weise hat gerade die von der ZEIT geförderte Ostpolitik die Wiedervereinigung vorbereitet. Sie hat Einwirkungsmöglichkeiten geschaffen, hat die Kontaktflächen verbreitert, hat das DDR-Regime in die Defensive gezwungen, bis es zuletzt hilflos zusehen mußte, wie sich Hunderttausende nach Freiheit und Wohlstand auf den Weg machten.

26. Kapitel

Schwierigkeiten mit der Nation

Am 9. November 1989, dem Tag, an dem die Mauer fiel, lag die neueste ZEIT schon an den Kiosken aus. So blieben der Redaktion fünf Tage, um das historische Ereignis angemessen zu würdigen.

Aus dem Abstand der Jahre ist heute klarer erkennbar als damals: Dieses »Seid umschlungen, Millionen«, dieser endlose Korso von Trabifahrern, dieses dreitägige glückselige Verbrüderungsfest der Deutschen in Berlin und entlang der Zonengrenze – das ist die vorweggenommene Wiedervereinigung. Die meisten Leitartikler der ZEIT hatten die Hoffnung auf Überwindung der deutschen Teilung längst aufgegeben. Die Redakteure betrachteten zu einem großen Teil alles »Nationale« mit großem Mißtrauen. »Wir sind wiedervereinigt« – diese Worte fand man lediglich in der ironischen Leitglosse des Feuilletons, wo der junge Benedikt Erenz vom Pech einer einheitsbegeisterten Frau erzählte, der man im Freudentrubel ihr Auto gestohlen hatte. Daran knüpfte er die Mahnung, doch bei allem Feiern wachsam zu bleiben, zum Beispiel nicht zu überhören, daß der bayerische Ministerpräsident soeben eine Änderung des Asylrechts gefordert hatte.

Das Titelbild vom offenen Brandenburger Tor zeigte einen Mann, der die Mauer zerhämmert. Chefredakteur Theo Sommer holte sich seine Schlagzeile aus dem »Fidelio«: »Oh Freiheit! kehrest Du zurück?« Damit traf er die Stimmung der Menschen in der DDR, aber er zeigte auch an, daß für ihn die Freiheit, die den Menschen jenseits der Elbe zum erstenmal seit 1933 wiedergegeben wurde, den Vorrang vor allem anderen habe, auch vor der Einheit. Nicht ahnend, was Klio schon in wenigen Wochen und Monaten mit den Deutschen vorhatte, befand er: »Selbst jene, die sich mit einem Deutschland zu zweit nicht abfinden mögen, sind sich darüber im klaren, daß die Einheit bestenfalls am Ende einer langen Entwicklung kommen wird ...; daß sie nicht unter Bedingungen zustande kommen darf, die uns von jenen Ankerketten in der Atlantischen und der

Europäischen Gemeinschaft losreißen ...; daß sie sich wohl in viel loseren Formen verwirklichen wird, als es das an die Vorstellung des Deutschen Reiches von 1871 bis 1945 geheftete Denken nahelegt; und daß überhaupt die deutsche Frage nicht den Deutschen allein gehört.« Sommer berief sich auf den amerikanischen Diplomaten, Historiker und ZEIT-Freund George Kennan, der gerade eben verkündet hatte, erst müßten die Umrisse der kommenden europäischen Ordnung sichtbar werden, bevor man in der deutschen Frage weitersehen könne – eine Ansicht, die in den Hauptstädten der westlichen Siegermächte geteilt werde: Wiedervereinigung nicht gleich und auf keinen Fall ohne Auflagen.

Das Angebot der ZEIT zum historischen 9. November durfte sich sehen lassen. Gräfin Dönhoff und Helmut Schmidt nutzten die Gelegenheit, der Europäischen Gemeinschaft ein großzügiges wirtschaftliches Hilfsprogramm für die neuen Demokratien in Osteuropa zu empfehlen, also für Polen, Ungarn, gegebenenfalls für die Tschechoslowakei und »hoffentlich auch die DDR«. Der neue Ministerpräsident der DDR, Hans Modrow, hatte bereits in einem improvisierten Interview mit der ZEIT wirtschaftliche Beratungen zwischen den beiden deutschen Staaten vorgeschlagen. Willy Brandt erläuterte, wie er sein Wort, daß jetzt zusammenwachse, was zusammengehöre, verstanden wissen wollte: Die Deutschen sollten sich bei der Ausgestaltung ihrer nationalen Einheit nicht verheddern, doch überzeugte es ihn nicht, die Zweistaatlichkeit zum Dogma zu erheben. Die Jungredakteure des Dossiers verabschiedeten die Mauer und faßten noch einmal zusammen, was sie alles gewesen war: »Schutzwall, Todesstreifen, deutsche Wertarbeit, Kunstwerk, Denkmal«. Bald werden sie in die DDR ausschwärmen und dort staunend ein Deutschland entdecken, von dem sie bis dahin nichts ahnten.

Das Wirtschaftsressort hatte einen der bekanntesten Wirtschaftswissenschaftler der DDR, Harry Maier, verpflichtet, den die Partei wenige Jahre zuvor aus dem Lande gejagt hatte. Er legte den Bonner Politikern dringend nahe, das Wohlstandsgefälle zwischen Ost und West durch eine Konföderation abzubauen. Im Jahre 2000 sollten dann die Bürger hüben und drüben in einer Volksabstimmung über die künftige Staatsform entscheiden. Der schönste Beitrag stand im Feuilleton: Der Mitte der Achtziger aus der DDR gekommene Jungredakteur Martin Ahrends schrieb einen Nachruf auf das Leben im Dornröschenschloß (»Das große Warten oder: Die Freiheit des Ostens«): »Unauffällig und um so unangreifbarer anders zu denken, als es offiziell erwartet wird – das ist die Tugend des Ostens (sie hat den Herrschenden zuletzt den Boden entzogen).«

Die neue Regierung Modrow bewegt sich auf Treibsand. Das SED-Regime löst sich auf. Die Reporter der ZEIT berichten Erstaunliches: Das Volk in der DDR fängt an, mit den Spitzeln des Staatssicherheitsdienstes abzurechnen. Bürgerkomitees retten belastende Akten vor der Vernichtung. Die verschiedenen Oppositionsgruppen haben es zusehends schwerer, den Zorn der Massen zu besänftigen. In Rostock werden Hunderte von Stasi-Mitarbeitern von der Menge entwaffnet.

Bei den Demonstrationen in den großen Städten überwiegen schon bald die Wiedervereinigungsparolen. Das Motto »Wir sind das Volk« wandelt sich zum »Wir sind *ein* Volk«. Hans Modrow gibt dieser Stimmung nach. In seiner Regierungserklärung vom 17. November 1989 bietet er Bonn eine »Vertragsgemeinschaft« an. Bundeskanzler Helmut Kohl, ohne Absprache mit den Parteien und Verbündeten, ergreift den Saum vom Mantel Gottes, der durch die Geschichte weht, und legt am 28. November dem Bundestag seinen Zehnpunkteplan vor, der konföderative Strukturen zwischen beiden deutschen Staaten vorsieht, sofern die DDR zuvor eine demokratisch legitimierte Regierung bekommt. Er spricht von der Vorstufe der Einheit. Im kleinen Kreise rechnet der Kanzler noch mit einer Konföderationsphase von fünf bis zehn Jahren Dauer.

In den Parteien wächst von Tag zu Tag die Überzeugung, daß nicht die Regierungen, sondern die Millionen Menschen in der DDR das Tempo der Entwicklung bestimmen werden. Zunächst hält der Politikchef der ZEIT, Robert Leicht, noch dagegen. Er warnt vor zuviel Dynamik, da sonst die sowjetischen Marschälle unruhig werden könnten: »Die Europäische Konföderation – und daran erkennen wir, welch langer Weg noch vor uns liegt – muß der deutschen vorangehen.« Es paßt in diesen Rahmen, daß sich der Sozialdemokrat Erhard Eppler, der im August 1987 das gemeinsame »Streitpapier« von SPD und SED mit ausgearbeitet hatte, die ZEIT als Forum aussucht, um sich gegen den höhnischen Vorwurf des CDU-Generalsekretärs Volker Rühe vom »Wandel durch Anbiederung« zu verteidigen. Eppler mag sich noch nicht von der Idee eines demokratischen Sozialismus im anderen deutschen Staate trennen (»Ist die DDR zu retten?« titelt die ZEIT). Ähnlich wie Theo Sommer in den Jahren zuvor formuliert nun auch Eppler: »Kann sich die DDR als souveräner Staat halten, so wird sie ihre Beziehungen zur Bundesrepublik so ordnen müssen, daß die Teilung nicht mehr weh tut. Mißlänge das demokratisch-sozialistische Experiment, stünde immer noch nicht der nationale Einheitsstaat auf dem Programm.«

Inzwischen ist Kulturkorrespondent Fritz J. Raddatz zu einer »Reise in die Vergangenheit und in die Zukunft zugleich« nach Ost-Berlin aufgebrochen: »Nach 31 Jahren das erste Mal wieder in der DDR.« Am Abend der Ankunft bleibt er für sich allein, geht durch die Berliner Dämmerung, streichelt die Steine und heult wie ein Kind. In den nächsten Tagen sucht er alte Freunde und neue Kollegen auf und spricht mit den Schriftstellern Volker Braun, Christoph Hein und Stefan Heym. Bei allen trifft er auf eine Mischung aus Hoffnung und Angst und »eine bitter-fröhliche Beharrlichkeit«. Noch klammern sie sich an ihre Utopie eines wahren Sozialismus, noch möchten sie eine geläuterte DDR, wollen nicht, was Raddatz ja längst getan, ihre frühe Liebe verlassen.

Christa Wolf sagt ihm: »Wir hier haben etwas Eigenes, und sei es unser Versagen, das dazu gehört. Lassen Sie uns das, und lassen Sie uns das alleine aufräumen. Wir werden euch brauchen, aber wir möchten von euch nicht aufgebraucht werden.« Flehende Worte, in den Wind gesprochen, wie sie ein halbes Jahr später erfahren muß. Heiner Müller gibt Raddatz ein selbstkritisches Gedicht mit: »Auf dem Bildschirm sehe ich meine Landsleute / Mit Händen und Füßen abstimmen gegen die Wahrheit / Die vor vierzig Jahren mein Besitz war / Welches Grab schützt mich vor meiner Jugend.«

Am 19. Dezember bietet die ZEIT ihren Lesern an, für Verwandte, Freunde und Bekannte in der DDR Patenschaftsabonnements zu übernehmen. An diesem Tag trifft sich Helmut Kohl mit Hans Modrow in Dresden. Zusammen legen sie das Fundament für eine »Vertragsgemeinschaft«, was Kohl um so leichter fällt, als Modrow bereits einen Termin für freie Wahlen festgelegt hat. Abends spricht der Kanzler vor den angestrahlten Mauerresten der Frauenkirche auf einer Kundgebung: »Er muß Sorge tragen«, beobachtet ZEIT-Redakteur Gerhard Spörl, »daß die großen Gefühle der Menschenmassen vor ihm, die nach ihm und nach der Wiedervereinigung schreien, nicht außer Rand und Band geraten.« Und »wie Kohl die Einheit ausmalt und die Zuhörer als Landsleute anspricht, antwortet ihm ein tausendfaches, wildes ›Jaaa‹ aus tiefster Seele.« Es hat sich bewahrheitet, was Kohl schon bei seiner Ankunft angesichts der Massen auf dem Flughafen bemerkt hatte: »Es ist gelaufen.« Die Einheit kommt – und schneller, als irgend jemand denkt.

Als ZEIT-Redakteur Jochen Steinmayr in der letzten Adventswoche durch die DDR reist, fällt ihm auf, daß sich das Volk in zwei Lager gespalten hat: »diejenigen, die möglichst schnell durch Wiedervereinigung an die westlichen Kochtöpfe kommen wollen, und jene, denen gekränkter Stolz oder auch nur ihre Ängste eingeben, fürs erste der DDR die Stange zu halten – und sei es unter Tränen«. In derselben Weihnachtsnummer erinnert Pastor Heinrich Albertz daran, wie vor einigen Jahren die Freiheitsbewegung in der DDR entstanden ist: in den protestantischen Kirchen vieler mutiger Gemeinden mitten in einem atheistischen Staat. »Das war der Stall von Bethlehem am Rande der Gesellschaft. Wie sich nun zeigt, wichtiger als die Häuser des Staatssicherheitsdienstes.«

Indessen holt Theo Sommer in seinem Jahresrückblick noch einmal Wilhelm Liebknechts Motto aus der Frühzeit der Arbeiterbewegung hervor: »Einigung statt Vereinigung«. In seinem Neujahrsleitartikel schreibt er den Deutschen ins Stammbuch: »Einigen müssen sie sich jetzt, nicht vereinigen. Ihre Einigung ist die Voraussetzung dafür, daß Europa zusammenwachsen kann. Ihre Vereinigung wäre auf absehbare Zeit ein Störfaktor.« Ganz anders sieht Willy Brandt die deutsche Frage: »Nirgends steht auch geschrieben, daß sie, die Deutschen, auf einem Abstellgleis zu verharren haben, bis irgendwann ein gesamteuropäischer Zug den Bahnhof erreicht hat ...« Verwundert hört der Bonner ZEIT-Redakteur Gunter Hofmann, auch er voller Vorbehalte gegen eine Wiedervereinigung, in seinem Gespräch mit dem Ehrenvorsitzenden der SPD heraus, daß sich Brandt künftig an Nationalismus von niemandem überbieten lassen will. Zwar hält er alles in der Schwebe des Einerseits und Anderseits, so daß Hofmann nicht weiß, ob da der Realist oder der Taktiker oder der Träumer von der staatlichen Einheit spricht. Jedenfalls findet es Brandt sehr »westdeutsch«, zu sagen, auf das »Staatliche« komme es doch angesichts viel größerer Probleme heutzutage nicht so an. Da denke er eher norddeutsch.

In der ersten Februarhälfte gibt die Entwicklung Willy Brandt recht: Bundeskanzler Kohl und Außenminister Genscher haben sich bei einem Besuch im Kreml den »Schlüssel zur deutschen Einheit« abgeholt – entgegen seiner bisherigen Haltung hat der sowjetische Generalsekretär Gorbatschow den Deutschen die Wiedervereinigung zugestanden. Freilich war vor Kohl und Genscher schon Hans Modrow in Moskau gewesen und hatte, wie er Theo Sommer am Rande des Weltwirtschaftsforums in Davos erzählt, den Schlüssel dort als Rohling hinterlegt. Am 1. Februar präsentierte Modrow einen neuen Deutschlandplan, mit der Devise »Deutschland, einig Vaterland«, jenen Zeilen aus der DDR-Hymne von Johannes R. Becher, die jahrzehntelang nicht mehr hatten gesungen werden dürfen, nun aber die Transparente der Demonstranten zierten. Modrow bleibt keine Wahl mehr: Die DDR ist bankrott, der SED laufen zu Hunderttausenden die Genossen davon, und die Not wird täglich größer.

Chefredakteur Sommer sah es kommen. Die Wirtschaft verkam von Woche zu Woche mehr. In den ersten vier Januarwochen siedelten 40.000 DDR-Bürger in die Bundesrepublik über. Zwölf Millionen DDR-Bürger sahen sich in den zehn Wochen nach der Öffnung der Mauer die Bundesrepublik an. »Sie wollen es so haben, wie wir es haben – und sie wollen es gleich so haben«, schreibt Sommer in einem Leitartikel am 26. Januar 1990. »Ihre Geduld ist am Ende; jeder hat schließlich nur ein Leben. Und ihre Spontaneität wird alle Staatsklugheit plattwalzen, alle alliierten Vorbehalte und alle westdeutschen Mahnungen zu Augenmaß und Gelassenheit« (und, hätte er anfügen können, ebenso die Thesen der ZEIT).

In dieser Situation beschließt Peter Christ, das Wirtschaftsressort aufzugeben und statt dessen als Leiter eines neuen ZEIT-Büros nach Ost-Berlin zu gehen. Von Natur aus ist er eher ein Reportertyp denn ein Sitzredakteur. Karriere bedeutet ihm im Moment gar nichts: Er will jetzt einfach dabeisein, wenn eine bankrotte Zwangswirtschaft in die freie Marktwirtschaft überführt wird. Und noch einer schnürt in diesen aufregenden Zeiten sein Ränzel und geht nach Berlin: Wissenschaftskorrespondent Dieter E. Zimmer; er verwandelt sich für die nächsten drei Jahre in einen Kulturkorrespondenten, der den geistigen Umschwung in der alten DDR aus der Nähe beobachtet. Zur Verstärkung des ZEIT-Büros wird noch der jüngere Politikredakteur Christian Wernicke nach Ost-Berlin detachiert.

Der erste Bericht von Peter Christ trägt die lakonische Überschrift »Alles Schrott«. Die Wirtschaft der DDR steht vor dem Kollaps. Wegen Streiks, Arbeitsniederlegungen, zunehmender Auswanderung in die Bundesrepublik geht die Produktion zurück. Dieser Einbruch trifft »eine Mangelökonomie, die seit vielen Jahren unter einem lückenhaften Warenangebot, unzureichenden Dienstleistungen, einer verrotteten Infrastruktur, hoffnungslos veralteten Industrieanlagen und einer kaputten Umwelt leidet«. Gleichzeitig kaufen Bundesbürger, bei einem Schwarzmarktkurs von eins zu zehn oder gar fünfzehn, die Grenzgebiete leer, und die westdeutsche Industrie wirbt Facharbeiter ab. Mit den Reformen aber geht es nur schleppend voran. Das Dossier der ZEIT ermittelte inzwischen katastrophale Zustände in der Energiewirtschaft: Wegen Pannen im Atomkraftwerk Greifswald und altersschwacher Braunkohlenkraftwerke muß die Ostberliner Notregierung auf Notstrom schalten.

Als Regierungschef Modrow Mitte Februar nach Bonn kam, hatten ihm die ehemaligen Blockparteien und die Bürgerrechtler, mit denen er am Runden Tisch saß, Kreditforderungen von zehn bis fünfzehn Milliarden Mark mit auf den Weg gegeben. Die ZEIT begrüßt Modrow mit einem Leitartikel: »Teilen, wenn die Teilung endlich enden soll«. Doch Helmut Kohl läßt den DDR-Premier zappeln. Er geht aufs Ganze. Je näher die Wahlen vom 18. März 1990 rücken, desto mehr schwinden die Aussichten der SED, die sich nun reformiert und PDS nennt, und der kleinen Oppositionsparteien. Da bleibe ja nur noch der »Anschluß«, klagen sie, ein unzulässiger, weil unzutreffender Vergleich mit der Annexion Österreichs durch Hitler im Jahre 1938.

Dies ist der Moment, wo Robert Leicht eingreift und die ZEIT in Meinungsführerschaft bringt. Am 23. Februar 1990 plädiert er für den Beitritt der DDR zur Bundesrepublik nach Artikel 23 des Grundgesetzes. Darin hatten die Verfassungsmütter und -väter vorgesehen, daß die übrigen Teile Deutschlands (wie das Saarland und die Länder der Ostzone) durch Beitritt das Grundgesetz übernehmen konnten. Bei vielen Linken und Liberalen im Lande stößt Leichts Plädoyer auf Unverständnis. Sie sind derselben Meinung wie Jürgen Habermas, der im ZEIT-Feuilleton wider den »DM-Nationalismus« schreibt und es für richtig hält, »die deutsche Einheit nach Artikel 146 zu vollziehen, also einen Volksentscheid über eine neue Verfassung anzustreben«.

Doch Leicht weiß seinen Standpunkt vor der Redaktion und den Lesern überzeugend zu begründen: Das Bonner Grundgesetz sei nämlich das Optimum des bisher in Deutschland und anderswo je Erreichten. Wollten Vertreter beider deutscher Staaten eine neue Verfassung erfinden, käme dies dem Bestreben gleich, das Rad neu zu erfinden. Es sei zu befürchten, daß die neue Verfassung weniger liberal und sozial ausfiele als das Grundgesetz – schon wegen der engen Auslegung der Verfassung durch die Karlsruher Richter, aber auch wegen der ungewissen Mehrheitsverhältnisse in einer gesamtdeutschen verfassunggebenden Versammlung. Zudem werde die Wiedervereinigung dann von der Zustimmung jedes einzelnen Mitgliedes der Europäischen Gemeinschaft abhängig.

Sehr skeptisch bleibt Bundespräsident Richard von Weizsäcker, der sich von Anfang an dafür eingesetzt hat, die Empfindungen der DDR-Bürger zu schonen und ihnen nicht gleich das Ende ihres Staates durch einen Beitritt zuzumuten. Vielmehr solle man doch den Demokraten der ersten Stunde bei der Suche nach einer eigenen verfassungspolitischen Kontur helfen. Aber die rasende Entwicklung geht auch über seine Vorbehalte hinweg, so daß es seinem Bonner Gesprächspartner Gunter Hofmann scheint, »als predige Richard von Weizsäcker gelegentlich in einer leeren Kirche«.

Bei der ersten demokratischen Wahl seit 1933 in den Ländern zwischen Elbe, Werra und Oder machen dann nicht die zunächst hochfavorisierten Sozialdemokraten das Rennen, sondern die von der CDU geführte Allianz für Deutschland, der sich auch die Arbeiterschaft zugewendet hat. Alles, was auch nur irgendwie nach Sozialismus roch, war der großen Mehrheit nach vierzig Jahren totalitärer Herrschaft und Mangelwirtschaft suspekt.

Chefredakteur Theo Sommer hat schon im Februar Zweifel am Konzept der Konföderation geäußert: Die Wiedervereinigung vollziehe sich ja faktisch bereits »per Osmose«. Nach der Volkskammerwahl wirft er seine alten Positionen vollends über Bord: »Die Würfel sind zugunsten der nationalen Einheit gefallen.« Die Mehrheit habe sich fürs Tempo entschieden. Er meint sogar, gerade die Linke müsse doch für das Streben der DDR-Bürger nach ihrem Anteil am Wohlstand Verständnis haben. »Und sollten wir uns nicht glücklich schätzen, daß sich das neue deutsche Wir-Gefühl in Wohlstandspatriotismus äußert, nicht in Nationalpatriotismus?« Die neue Regierung unter Lothar de Maizière, der alsbald der ZEIT ein großes Interview gibt, setzt nun alles daran, so rasch wie möglich eine Währungs-, Wirtschafts- und Sozialunion mit der Bundesrepublik zu schaffen, damit der Exodus zur D-Mark endlich aufhört.

Und wieder einmal tut die ZEIT das Unerwartete. Kaum ist der letzte kommunistische Ministerpräsident Hans Modrow im März 1990 abgewählt worden, da druckt sie bereits seine »Bilanz nach 150 Tagen«. Manche im Lande und auch in der Redaktion ziehen die Brauen hoch: Geht diese Anbiederung an einen Repräsentanten des Unrechtsstaates nicht zu weit? Aber die ZEIT wird auf ihrer Linie bleiben: Historische Zeugen muß man sofort einvernehmen. Überdies war Modrow vor 1989 einer der Hoffnungsträger im Osten. Als der erste freigewählte Ministerpräsident der DDR, Lothar de Maizière, später in der CDU in den Hintergrund gerät und einer untunlich engen Verbindung zur Stasi geziehen wird, ist es Nina Grunenberg, der er sein Herz ausschüttet. Auch in den folgenden Jahren hält sich die ZEIT an ihre Prinzipien, zum Beispiel als der Rechtsanwalt Wolfgang Vogel verhaftet wird, der sich zu DDR-Zeiten um den Freikauf ungezählter Häftlinge, die Zusammenführung von Familien und Ausreisegenehmigungen gekümmert hatte. Spontan druckt das Blatt mehrere Folgen aus der Biographie ab, die der Amerikaner Craig Whitney über den »Advocatus Diaboli« geschrieben hat.

Zwei Tage vor der DDR-Wahl, am 18. März 1990, hatte Feuilletonchef Ulrich Greiner einen langen »vergeblichen Zwischenruf im Intellektuellen-Streit um die deutsche Einheit« veröffentlicht: »Das Phantom der Nation«. Er kann sich des Eindrucks nicht erwehren, daß gegen einige Intellektuelle wie Günter Grass und Stefan Heym, die statt der Wiedervereinigung die Zweistaatlichkeit, die Konföderation oder den dritten Weg wollten, »ein Ermittlungsverfahren wegen mangelnder Vaterlandsliebe, wegen apolitischer Träumereien« laufe. Er versteht nicht, warum man unbedingt eine Nation brauche, wo nun doch jeder wieder nach Thüringen oder in die Mark Brandenburg reisen könne. Mit Max Weber weist er den Begriff Nation der Wertsphäre zu, einen Begriff, der mit politischen oder emotionalen Absichten aufgeladen sei. Nicht zu Unrecht vermutet Greiner, daß den Einheitsrufern in der DDR weniger die Nation als die D-Mark am Herzen liege. Was er unterschlägt, ist der Umstand, daß die Landsleute in der DDR stellvertretend für die Westdeutschen jahrzehntelang in sowjetischer Geiselhaft schwerste Entbehrungen ertragen mußten.

Wenige Wochen zuvor hat das Feuilleton bereits die kurze Rede des »vaterlandslosen Gesellen« Günter Grass abgedruckt, darin seine Erkenntnis: »Wer gegenwärtig über Deutschland nachdenkt und Antworten auf die Deutsche Frage sucht, muß Auschwitz mitdenken. Der Ort des Schreckens, als Beispiel genannt für das bleibende Trauma, schließt einen zukünftigen deutschen Einheitsstaat aus. Sollte er, was zu befürchten bleibt, dennoch ertrotzt werden, wird ihm das Scheitern vorgeschrieben sein.« Wohl um diese These noch zu unterstreichen, erscheint in der ZEIT auch noch die Frankfurter Poetik-Vorlesung des Dichters (»Schreiben nach Auschwitz. Nachdenken über Deutschland«). Ressortchef Greiner hat ihm übrigens widersprochen: Auschwitz sei in diesem Streit kein Argument und dürfe auch nicht dazu gemacht werden.

Ebenfalls noch vor der Wiedervereinigungswahl in der DDR verwahrt sich Reinhard Merkel, ein ehemaliger Mitarbeiter des Feuilletons, auf der Themenseite vehement gegen das »Wahnbild Nation«. Für die Wiedervereinigung gebe es vermutlich eine Reihe handfester Argumente, nur die »Kulturphrase« von der »deutschen Nationalidee« gehöre nicht dazu. Immerhin läßt Merkel den Begriff »Nation« im Sinne von Ernest Renan gelten: als »das Symbol eines binnengesellschaftlichen ›täglichen Plebiszits‹ für die demokratische Teilhabe an der politischen Selbstorganisation«. Nach der Wahl meldet sich auch Dieter E. Zimmer in dieser Diskussion über die Deutschen und ihr Nationalgefühl zu Wort, aber nur, um einen schlichten Gedanken zu begründen, den er noch nirgends ausgesprochen gefunden hat: »Fanatischer Nationalismus und fanatischer Anti-Nationalismus ... bedingen einander«, nämlich als die beiden Seiten ein und derselben Medaille – »eines gestörten Selbstwertgefühls«. Nebenher riet er den deutschen Intellektuellen, ihren Frieden mit dem konkreten Volk zu schließen, dem ewigen Spießertum, das er in allen Klassen und Schichten ausmacht.

Die Redakteure Hofmann und Spörl haben zur gleichen Zeit Egon Bahr, einen der Architekten der Brandtschen Ostpolitik, gefragt, ob er sich sicher sei, daß »die Deutschen«, eine Formulierung Willy Brandts, die Einheit wollten. Bahrs Antwort, die sie eher erstaunt zur Kenntnis nehmen: »Die Deutschen in der DDR wollen die Einheit, und das genügt.« Denn, so ergänzt er, die Menschen in der Bundesrepublik seien nicht stark genug gewesen, sich die Einheit als praktische Aufgabe zu stellen. »Wir verdanken sie den Menschen in der DDR.«

Das Drängen Bundeskanzler Kohls auf eine Währungsunion mit der DDR war im Wirtschaftsteil bereits im Februar als risikoreich bezeichnet worden. Was für die Menschen in der DDR als Verheißung eines Wirtschaftswunders klang, würde, so die ZEIT, »die marode Wirtschaft des zweiten deutschen Staates in eine große Strukturkrise stürzen«, ganze Branchen ausradieren und einige Millionen Menschen in kurzer Zeit um ihren Arbeitsplatz bringen.

Im unklaren über die Kosten der Wiedervereinigung bleiben auch die Westdeutschen. Helmut Schmidt und der Stuttgarter Oberbürgermeister Manfred Rommel monieren in der ZEIT, daß die Bundesregierung nicht gleich zu Anfang an die Opferbereitschaft der Bürger appelliert habe: Die Einheit koste zwar Milliarden, aber sie sei es auch wert. Gerd Bucerius, der schon im Herbst 1989 einen zweiten

Lastenausgleich, diesmal zugunsten der DDR-Bürger, vorgeschlagen hatte, ließ Anfang März vom Allensbacher Institut für Demoskopie eine Umfrage veranstalten, ob die Westdeutschen bereit seien, für die staatliche Einheit die nötigen Opfer zu bringen. Die Überschrift des Berichts nimmt das Ergebnis schon vorweg: »Einheit? Ja, aber bitte billig!« Bei weiteren Umfragen im April und Mai stieg die Zahl der Opferverweigerer von 36 auf 71 Prozent. Selbst im Mai waren aber die Kosten noch nicht entfernt abzuschätzen. Zumindest, so hieß es damals, müsse die Bundesrepublik bis zu 26 Milliarden Mark für den Ausgleich des Haushaltsdefizits der DDR zahlen plus 4,5 Milliarden Zuschuß für die Rentenversicherung.

Der neue Ressortchef der Wirtschaft, der Schweizer Roger de Weck, schlägt Anfang April auf Seite eins Alarm, weil Bundesbankpräsident Karl Otto Pöhl und die Minister in Bonn für die DDR einen Umtauschkurs von zwei zu eins vorgesehen haben. Man solle doch zumindest, so wie Ludwig Erhard es 1948 getan habe, die Arbeitnehmerlöhne eins zu eins umstellen. Auch dürfe man nicht den Sparern in der DDR mehr Opfer abverlangen als den Wählern in der Bundesrepublik.

Anfang Mai wandte sich Gerd Bucerius gegen den Defätismus und die Sorglosigkeit vieler DDR-Bürger, versicherte sie aber gleichzeitig, daß der Westen die erforderlichen riesigen Beträge für den Aufbau Ost aufbringen werde: »Wir sind froh darüber, daß wir jetzt unseren Reichtum nutzen können, um unsere Mitbürger drüben aus einem Schlamassel zu befreien, an dem sie keine Schuld tragen. Dafür lohnt es sich schon, gelebt zu haben.«

Am 1. Juli 1990 wird dann der erste Schritt zur staatlichen Vereinigung getan: Die Währungsunion tritt in Kraft. Theo Sommer schreibt aus diesem Anlaß einen Leitartikel, den er bewußt mit einem Bismarck-Zitat betitelt: »Unser nunmehr fertiges Vaterland«, gedacht als eine Mahnung zu nationaler Selbstbescheidung. Marion Dönhoff rühmt den Vollzug der Union als das größte Experiment, das je in der Weltwirtschaft über die Bühne gegangen sei: die Verschmelzung von zwei Staaten mit unterschiedlichen Wirtschaftssystemen. Dergleichen, sagt sie den Kritikern auf beiden Seiten, denen alles zu schnell ging, lasse sich nur mit einem großen Sprung nach vorn bewältigen.

Für die Wirtschaft war es ein großer Tag. Fünf Redakteure hatte sie in die DDR geschickt, um zu beobachten, wie die Menschen auf den Beginn des DM-Zeitalters reagierten. Über Nacht entsprach das

Warenangebot westlichem Standard. Roger de Weck verschwieg nicht die gewaltigen Aufgaben, die jetzt auf Bonn zukamen. Aber er warnte davor, von der D-Mark sofort Wunder zu erwarten, und zitierte einen Artikel der ZEIT vom 24. Juni 1948, drei Tage nach der Währungsreform: »Die Deutsche Mark zeigt uns die Armut, die schon vorher da war.«

Im Juli 1990 bringen die Reporterin Nina Grunenberg und der Moskauer Korrespondent Christian Schmidt-Häuer frohe Kunde ins Blatt. Helmut Kohl hat bei seiner Konferenz mit Gorbatschow im Kaukasus Frieden zwischen Deutschland und der Sowjetunion geschlossen: Binnen drei bis vier Jahren sollen die sowjetischen Truppen Deutschland räumen; die Bundeswehr samt Nationaler Volksarmee wird auf 370.000 Mann reduziert; ganz Deutschland bleibt in der Nato, darf aber zwischen Elbe und Oder weder ausländische Soldaten noch Atomwaffen stationieren. Das künftige Deutschland wird – sobald die Zwei-plus-Vier-Gespräche zwischen den beiden deutschen Staaten und den Siegermächten abgeschlossen sind – fortan uneingeschränkt souverän sein.

Nina Grunenberg feiert Helmut Kohl als »Kanzler der Einheit«. Er hat es sogar geschafft, nach langen Jahren peinlicher und die Polen empörender Ausweichtaktik, der CDU doch noch die Anerkennung der Oder-Neiße-Grenze zu Polen abzutrotzen – als Preis für die Wiedervereinigung. Selbst der Haus-Satiriker Wolfgang Ebert gibt jetzt dem Kanzler, was des Kanzlers ist: Er nennt ihn »King Kohl«.

Die Monate zwischen Juli und Oktober 1990 blieben, auch für die ZEIT, noch sehr aufregend, weil die Regierung de Maizière von einer Krise in die andere taumelte, bis die Volkskammer panikartig den um ein Vierteljahr vorgezogenen Beitritt zur Bundesrepublik beschloß. Mit der Nation und ihren Symbolen tat sich die Redaktion schwer. Sie hielt bei Prominenten des In- und Auslands eine Umfrage: Welcher Name für das neue Deutschland? Welche Hymne? Welcher Nationalfeiertag? Erstaunlich oft wurde Brechts »Kinderhymne« von 1949 als neues Lied der Deutschen vorgeschlagen: »Anmut sparet nicht noch Mühe / Leidenschaft nicht noch Verstand / Daß ein gutes Deutschland blühe / wie ein andres gutes Land«. Eine Vielzahl von Vorschlägen gab es für den Feiertag – die ZEIT selber hatte in einem Leitartikel angeregt, es beim 17. Juni zu belassen. Ende August folgte eine zweite Umfrage: Welche Stadt sollte die Hauptstadt des vereinten Deutschlands werden – Bonn oder Berlin?

Begonnen hatte die Unsicherheit mit einem Leitartikel der Gräfin

Dönhoff Anfang Mai. In den vierziger und fünfziger Jahren hatte sie viel über Berlin, die »echte« Hauptstadt, geschrieben. Jetzt befürchtete sie, eine Hauptstadt Berlin könnte die Deutschen verführen, sich auf den Weg zum Nationalstaat zu begeben, anstatt das Ziel Europa im Auge zu behalten. Außerdem würde sie anderen Europäern Sorge einflößen. Darum plädierte die Gräfin für eine doppelte Hauptstadt: Man solle Bonn als Regierungssitz beibehalten, Berlin aber zum geistig-künstlerischen Kulturzentrum erheben. Die ehemalige Reichshauptstadt stellte sie sich als Brücke nach Osten vor, die Berlin ja immer schon war, Bonn hingegen als Garantie für Brüssel und den Westen. Im Einigungsvertrag, der Ende August unterzeichnet wurde, blieb dann die Frage offen. Es hieß in Artikel 2 lapidar: »Hauptstadt Deutschlands ist Berlin.« Die Bundesländer wollten aber an der letztgültigen Entscheidung mitwirken. Robert Leicht, ein Gegner der Hauptstadt Berlin, folgerte kühn, Bonn als Regierungssitz werde immer wahrscheinlicher.

Zu der schlichten Einsicht, die der Frankfurter Oberbürgermeister Volker Hauff in der ZEIT vom 31. August 1990 aussprach, mochte sich die Redaktion nicht aufschwingen: »Politiker aller Parteien haben den Berlinern versprochen: Berlin wird wieder Hauptstadt, wenn die beiden deutschen Staaten vereinigt werden. Wir dürfen heute nicht wortbrüchig werden.« In derselben Ausgabe lud der Berlin-Korrespondent Joachim Nawrocki alle ein, jetzt in die Stadt zu kommen, wo die neue Freiheit täglich spürbar sei. Er ist übrigens neben Gerd Bucerius und Helmut Schmidt der einzige, der seine Freude über die Wiedervereinigung auch den Lesern mitteilt. Der gebürtige Berliner erwandert und erradelt sich die verlorene Heimat seiner Kindheit zurück. »Das Leben gewinnt wieder Zeit, Raum und Mitte. Und so erwacht erst das Bewußtsein, wie sehr wir uns doch an die Teilung gewöhnt hatten und was sie auch uns, die wir im Westen lebten, genommen hat.«

Das Ende der DDR war überschattet von der Stasi-Vergangenheit. Joachim Gauck, der künftige Sonderbeauftragte für die Verwaltung von sechs Millionen Stasi-Dossiers, hatte darauf gehofft, daß sich die ehemaligen Mitarbeiter der Staatssicherheit unter den Abgeordneten freiwillig zu erkennen gäben. Diese Chance wurde in der letzten Sitzung der Volkskammer vertan. Von dem, was in den ersten fünf Jahren des vereinigten Deutschlands aus den Archiven der Gauck-Behörde noch alles hochkommen sollte, bekamen die Deutschen bereits einen Vorgeschmack, als nacheinander die Vorsitzenden von drei

DDR-Parteien ihre Posten aufgaben: Wolfgang Schnur (Demokratischer Aufbruch), Ibrahim Böhme (Sozialdemokratische Partei), beide wegen Auftragsarbeiten für die Stasi, und schließlich Lothar de Maizière (weil er als Kirchenanwalt Kontakte zur Stasi unterhalten hatte).

Auf einer benachbarten Ebene fand der Literaturstreit statt, der im Sommer 1990 wegen einer neuen, autobiographisch gefärbten Erzählung von Christa Wolf ausbrach. Überraschend hatte sie mitgeteilt, daß sie 1979 überwacht worden sei (nicht auszudenken, man hätte damals schon gewußt, daß sie als junge Frau zeitweise sogar Berichte für die Stasi liefern sollte). Ulrich Greiner mischte sich in den Streit ein und pochte auf die intellektuelle Moral: »Es geht um die Mitschuld der Intellektuellen der DDR, um die Mitverantwortung für die zweite deutsche Katastrophe.« Er wurde in Leserbriefen hart getadelt, weil er sich erkühnt hatte, die angesehene Schriftstellerin als »Staatsdichterin« zu titulieren. Inge Aicher-Scholl rügte ihn, weil er als Kritiker »von gesicherter Position aus andere auffordert, Helden zu sein, und ihnen, gemessen an den eigenen Ansprüchen, Verlogenheit vorwirft, wenn sie anders handeln«.

Kurz vor dem 3. Oktober 1990, dem Vereinigungstag, füllt Melancholie die Spalten der ZEIT. Junge und ältere Bürgerrechtler der DDR, die sich von der politischen Entwicklung überrollt fühlen, ziehen Bilanz. Da ist ein bitter enttäuschter 23jähriger Sachse, der in seiner revolutionären Ungeduld lange nicht hatte wahrhaben wollen, daß nach vierzig Jahren das materielle Verlangen der meisten Bewohner viel stärker war als bei den wenigen Idealisten mit ihrem Traum vom Sozialismus mit menschlichem Antlitz. Und da ist der Bürgerrechtler Jens Reich vom Bündnis 90 – er wird zeitweise ein geschätzter Kolumnist der ZEIT werden –, einer von denen, welche die sanfte Revolution in Gang setzten und dieses frühe unrühmliche Ende der DDR nicht gewollt hatten. Ohne Larmoyanz räumt er ein, daß die Opposition den Seelenzustand der Bürger verkannt habe. Aber er tröstet sich damit, daß die Ziele der Bürgerbewegungen nur vertagt worden seien. Auf der Westseite entdecken auf einmal die ergrauenden Alt-68er ihr Heimweh nach der guten, alten (einst so verteufelten und ungeliebten) »moderat-bescheidenen« Bonner Republik. In einem Leitartikel nimmt Gunter Hofmann Abschied: »Diese alte neue Bundesrepublik, die sich gegen alle Widerstände auf dem Weg zu einer Bürgerlichkeit ohne Biedermeier befunden hat und von der Geschichte überrascht worden ist, sie hat einen Tusch verdient.«

Überschwenglicher Jubel wollte auch nach dem 3. Oktober 1990, dem Tag der deutschen Einheit, in der ZEIT-Redaktion nicht aufkommen. Dafür waren die Vereinigungsfolgen, mit denen sich jetzt alle Ressorts, von der Politik bis zur Reise, auseinanderzusetzen hatten, denn doch zu belastend. Nur zu bald zeigte sich auch, daß das größere Deutschland nicht der Nabel der Welt ist. Ungeheure Umbrüche kündigten sich in Osteuropa, im Nahen und Mittleren Osten und in Südafrika an.

Kaum ist Deutschland wiedervereinigt, kommt Hiobspost: »Rußland hungert«. Mária Huber und Christian Schmidt-Häuer, das ZEIT-Korrespondentenehepaar in Moskau, schildern in einem Dossier besorgt, wie die Gegner von Gorbatschows Reformen die Versorgungskrise als Fehlschlag der Marktwirtschaft auslegen. In derselben Ausgabe richtet Gräfin Dönhoff einen Aufruf an die ZEIT-Leser: »Menschen sind in großer Not, laßt uns hilfreich sein!« Die ZEIT schloß sich, wie schon ZDF und »stern«, einer Aktion der Organisation Care an, die Kalorienpakete nach Rußland schickte. Gerd Bucerius beteiligte sich mit 100.000 Mark. Der politische Hintergrund dieser Rußlandhilfe läßt sich freilich nicht übersehen: Die Carepakete sollen Gorbatschow retten.

Noch haben viele Deutsche, die dem sowjetischen Staatsmann für die Freigabe der DDR dankbar sind, nicht erkannt, wie sehr er in seinem eigenen Land gehaßt wird. Die Frühnachrichten am 19. August 1991 reißen sie und die ZEIT aus ihren Illusionen: Putsch in Moskau, Gorbatschows Schicksal ungewiß. Die ZEIT hat nur einen Tag, sich auf das Geschehen einzustellen. Ihr Korrespondent Schmidt-Häuer ist gerade auf Urlaub im Westen und muß seinen Bericht »Der lange Weg in den Umsturz« im Hamburger Pressehaus schreiben. Er sieht sich in seinen früheren Analysen vollauf bestätigt. Theo Sommer gibt das Fazit der redaktionellen Lagebeurteilung mit der Schlagzeile wieder: »Michail Gorbatschows Ende und Erbe«. Auch das Feuilleton der ZEIT läßt sich anstecken und Wolf Biermann ausrufen: »It's Putsch-time!«

Als die Ausgabe auf den Markt kommt, haben Boris Jelzin und seine Gefolgsleute den Putsch niedergeschlagen und Gorbatschow gerettet. Einige Tageszeitungen empfanden Schadenfreude über das Pech der ZEIT. Die Redakteure der Wochenzeitung hatten eine alte journalistische Weisheit mißachtet: Wer in ein Ereignis hineinschreibt, muß sich ein Hintertürchen offenlassen. Aber es gab damals auch verständnisvolle Kritik: Jedenfalls sei die Meinung der ZEIT-Autoren ehrlich gewesen. Mit einer Phasenverzögerung von vier Monaten trat Gorbatschow schließlich doch von der Bühne ab: Boris Jelzin, der neue Stern an Rußlands Himmel, hatte ihm das Wasser abgegraben. Gorbatschows letzter Akt: Er unterzeichnete die Auflösungsurkunde der Sowjetunion. Ein dreihundert Jahre altes Reich brach auseinander.

Das Krisenjahr 1991 hatte so dramatisch begonnen, wie es endete. Im Januar eröffnete der amerikanische Präsident George Bush den Golfkrieg gegen den Irak des Saddam Hussein, der im Sommer 1990 das kleine Kuwait überfallen und annektiert hatte. Es ging um viel Öl, aber auch um die Prinzipien des Völkerrechts, das Aggressionen verbietet.

In Deutschland, das ganz mit seiner Wiedervereinigung beschäftigt war, gehen die Meinungen auseinander. Allianztreue predigen die einen, Zurückhaltung die anderen. Noch einmal lebt die Friedensbewegung in Deutschland auf und hängt weiße Laken aus dem Fenster. Aber zum erstenmal zerfällt die Linke in Pazifisten und Bellizisten. Wolf Biermann schreibt in der ZEIT: »Ich bin für diesen Krieg am Golf.« Andere fragen voller Kriegsangst: Wird Saddam wirklich Israel mit Gift- oder gar Atomraketen angreifen? Und wie wird sich sein alter Verbündeter Rußland verhalten? Die ZEIT hat all diese Strömungen getreulich widergespiegelt. Ihre Kommentatoren warnen vor dem Krieg. Der Beginn wird im Leitartikel mit den bezeichnenden Worten angezeigt: »Im Bombenhagel geht am Golf die Politik verschütt.« Aber auch die Halbheiten der Kriegführung wie die des Waffenstillstandsabkommens werden vermerkt.

Deutsche Truppen sind diesmal noch nicht dabei, Bonn muß jedoch den Krieg mitfinanzieren. Anderthalb Jahre später, als die Vereinten Nationen Interventionstruppen in das aufständische Somalia entsenden, schickt auch die Bundeswehr ein Kontingent. Junge ZEIT-Reporter wie Michael Schwelien und Dirk Kurbjuweit fahren ins somalische Feldlager, wie einst ihre älteren Kollegen nach Vietnam; und Theo Sommer besucht die Bundeswehr in Belet Huen. Die neue Rolle Deutschlands in der Weltpolitik und die Entscheidung, deutsche Soldaten zum erstenmal seit 1945 wieder in einen Konflikt jenseits der Grenzen zu schicken, lösten in der ZEIT-Redaktion ebenso heftige Debatten aus wie im Bundestag.

Im Sommer 1991 aber wird auch in Europa das Undenkbare konkret: Krieg auf dem Balkan. Für die Völker des ehemaligen Jugoslawiens beginnt eine schreckliche Zeit mit Massenaustreibungen, Massenvergewaltigungen, Massakern. In Aufsätzen von Flüchtlingen und Überlebenden teilt sich das Leid auch den ZEIT-Lesern mit. Anfangs warnt Marion Dönhoff noch: Europa sollte sich militärisch aus dem Bürgerkrieg heraushalten. »Wenn sie denn ihren serbokroatischen Haß unbedingt ausleben wollen, dann sollte man sie eben lassen.« Christoph Bertram plädiert indessen früh für begrenzten Waffeneinsatz: Nur so lasse sich Tod und Zerstörung Einhalt gebieten. Robert Leicht, damals noch Politikchef, war strikt gegen jede bewaffnete Einmischung von außen. Auch vier Jahre später vertritt er die Ansicht, dieser Sezessionskrieg lasse sich von außen weder verhindern noch gewinnen. Ungeachtet dessen heißt er 1995 den Einsatz deutscher Sanitäter, Logistiker und »Tornados« in einem Leitartikel aus Gründen der Staatsräson gut (»Müssen nicht auch die Deutschen ihren Beitrag dazu leisten, daß entweder die *mission impossible,* der unmögliche Auftrag der Blauhelme in Bosnien, ein wenig möglicher wird oder aber die UN-Truppen wenigstens auf halbwegs sichere Weise zurückgenommen oder gar ganz abgezogen werden?«). Gleichzeitig erklärt der Grüne Joschka Fischer in einem ZEIT-Interview, er sei kein Pazifist. Die Berichterstattung aus den Kriegsgebieten, für die der junge politische Redakteur und Slawist Michael Thumann zuständig ist, hebt sich von der in anderen Zeitungen ab. Er häuft nicht einseitig alle Schuld auf die Serben.

Zu den positiveren Weltereignissen in diesem Jahrfünft gehören der Händedruck zwischen zwei alten Feinden, dem Palästinenser Jassir Arafat und dem Israeli Jitzhak Rabin, auf dem Rasen des Weißen Hauses und der Triumph des Volkshelden Nelson Mandela bei den ersten freien Wahlen in Südafrika. Gräfin Dönhoff, die die Lage am Kap jahrzehntelang mit großem inneren Engagement verfolgt hatte, fühlte sich besonders beglückt, weil Mandela Schwarze und Weiße zur Versöhnung aufrief.

Nicht nur in der weiten Welt, auch in der ZEIT gibt es einen Neubeginn. Anfang der neunziger Jahre sieht sich der Politikchef und stellvertretende Chefredakteur Robert Leicht vor die Entscheidung gestellt, in die Geschäftsführung des Familienunternehmens einzutreten oder als Journalist weiterzuarbeiten. Im Spätsommer 1991 besucht Theo Sommer den ZEIT-Inhaber Bucerius auf der Bühlerhöhe, der sich dort nach einer schweren Operation erholt. Sommer, damals 61, schlägt seinen Wechsel in die Herausgeberleiste vor –

neben Marion Dönhoff und Helmut Schmidt –, um dem um vierzehn Jahre jüngeren Robert Leicht Platz zu machen. Der Wechsel wird am 1. Oktober 1992 vollzogen. Leicht war 1986 aus München zur ZEIT gekommen. Damals hatte Bucerius eines Tages im kleinen Kreise die Redaktionsspitze gefragt: »Was geschieht eigentlich, wenn Ted morgen gegen einen Baum fährt?« – Antwort Sommers: »Dann würde Haug von Kuenheim am nächsten Tag nach München zur ›Süddeutschen Zeitung‹ fahren und Robert Leicht herbitten.« – Bucerius: »Warum holen wir ihn dann nicht gleich?«

Leicht – württembergischer Protestant, Salem-Schüler, kaufmännische Lehre, Jurastudium, 68er-Sozialliberaler – hatte sich als Ressortchef Politik und vor allem als scharfsinniger Leitartikler für den Posten qualifiziert. Nach alter Tradition bei der ZEIT wurde gerade das Leitartikeln von einem Chefredakteur erwartet. »Autorität kommt von Autor«, pflegte Sommer zu sagen.

27. Kapitel

Im liberalen Geist – Richtung Zukunft

Der Wechsel in der Chefredaktion fiel in eine Phase neuer politischer und gesellschaftlicher Herausforderungen: Rezession, Massenarbeitslosigkeit, Schnitte ins soziale Netz wegen der gewaltigen Aufbauhilfe Ost, erste Anzeichen einer neuen Völkerwanderung in Europa, zunehmender Fremdenhaß, Mordanschläge auf türkische Familien, Brandsätze gegen Synagogen, allgemeine Politikverdrossenheit, Veränderungen in der Parteienlandschaft.

All dies stellt eine liberale Wochenzeitung vor große Herausforderungen. »Was heißt heute liberal?« war denn auch der Titel eines Symposiums, das die ZEIT 1994 zum 85. Geburtstag von Marion Gräfin Dönhoff veranstaltete. In diesem Symposium hat der neue Chefredakteur Robert Leicht sein liberales Credo umrissen. Er sieht den Menschen nicht als »irgendein Säugetier, das rafft und frißt«, sondern als einen »vernünftigen Vertragspartner, der mit allen anderen einen Vertrag eingeht auf der Basis gleicher Rechte«. Die Gleichheit interessiert ihn als Voraussetzung der Freiheit: »Also muß der Liberale etwas dagegen tun, daß es zu massive Differenzen gibt. Er kann aber nicht daran interessiert sein, die Gleichheit als solche zu erzeugen, weil das nur unter Voraussetzungen möglich ist, die die individuelle Freiheit einschränken.«

Marion Gräfin Dönhoff hat die Aufgabe einer liberalen Zeitung einmal so formuliert: »Wir müssen die Emotionen rationalisieren. Wir müssen gegenhalten, wenn sich die Leute zuviel aufregen, und wir müssen anfeuern, wenn sie stumpfsinnig dasitzen und immer noch nicht begriffen haben, daß etwas Unerhörtes vorgeht.« Ein andermal schrieb sie: »Der legitime Platz des Liberalen ist zwischen allen Stühlen. Es darf ihn nicht kümmern, wenn er von allen Seiten beschimpft wird ... Wer stark genug ist, den gelegentlichen Vorwurf der Linken – ›Ihr Reaktionäre‹ – zu ertragen und vor den Rechten nicht in die Knie zu gehen, die uns zuweilen als Anarchisten bezeichnen, der kann auch der Zukunft getrost entgegensehen – selbst wenn der Liberalismus immer wieder totgesagt wird.« Die Gräfin hielt nichts von den Propheten der Tat, den Weltverbesserern und Menschheitsbefreiern: »Politische Romantiker, die nach den Sternen greifen, haben noch stets diese Welt unbewohnbar gemacht – eben darum sind die Liberalen als Gegengewicht auch heute unentbehrlich.« Oberstes Gebot bei allem Tun war für sie immer die Angemessenheit der Mittel. »Je mehr Liberale es gibt, die das Gewissen der Regierenden schärfen, um so besser.«

Gerade in den Jahren nach der Wende von 1989, nach dem Sieg der freiheitlichen Ideen über eine totalitäre Utopie, hatte die ZEIT viel Gelegenheit, ihre Liberalität zu beweisen. Die erste Nagelprobe kam im Streit um das Asylrecht.

Der Wegfall des Eisernen Vorhangs in Mitteleuropa hatte für die neue Bundesrepublik schwerwiegende Folgen. Zehntausende in Osteuropa und Südosteuropa machten sich auf den Weg ins Wirtschaftswunderland. Noch ehe die deutsche Einheit perfekt war, meldete Dossier-Redakteur Kuno Kruse in einem großen Report, daß die ersten Wellen der Völkerwanderung aus dem Osten deutschen Boden erreicht hatten: »Nun kommen sie. Sie pochen ans Tor ... Eine bedrohliche Masse, Roma, mit Hautausschlägen, flinken Händen und schlechten Sitten; Aussätzige aus Ceauşescus Verliesen; Hoffnungsvolle aus Mazowieckis Marktwirtschaft; Unterdrückte aus Bulgarien; Arbeitshungrige aus Jugoslawien; Betrogene aus Vietnam und Mosambik; Vertriebene, Verfolgte aus dem Iran, Kurden aus dem Irak und der Türkei, sowjetische Juden.«

Von den 193.000 Flüchtlingen, die 1990 um Asyl ersuchten, kamen mehr als die Hälfte aus Osteuropa und vom Balkan. Sie nahmen ihren Weg über die polnischen und tschechischen Grenzen. Außerdem kehrten noch rund 400.000 Deutschstämmige aus der Sowjetunion, Rumänien und Polen nach Westen in die Heimat ihrer Vorfahren zurück, was sie nach Grundgesetzartikel 116 durften. Für die Jahre 1991, 1992, 1993 lauteten die Asylbewerberzahlen 256.000, 440.000, 322.000. In diesen drei Jahren kamen außerdem noch Hunderttausende von weiteren Volksdeutschen. In manchen Jahren lag die Gesamtzahl der Zuwanderer bei einer Million.

Es konnte nicht ausbleiben, daß angesichts dieses enormen Zustroms die Fremdenfeindlichkeit zunahm; sie richtete sich nun nicht mehr allein gegen Gastarbeiter und Asylbewerber, sondern mehr und mehr auch gegen die deutschen Aussiedler, von denen viele nicht die Muttersprache beherrschten. Allein für ihren Sprachunterricht wurden Milliarden aufgewendet. Jedes Jahr gaben Bund, Länder und Gemeinden rund acht Milliarden Mark für die Asylbewerber aus; das entsprach dem Volumen der amtlichen deutschen Entwicklungshilfe.

Anfangs meinte der ZEIT-Rechtsexperte Hans Schueler noch, man brauche den einzigartigen Asylrechtsartikel 16 des Grundgesetzes nicht anzutasten. Es genüge, die Asylverfahren zu beschleunigen (bislang dauerte eine Prüfung zwei Jahre und länger) und zu diesem Zweck das Personal der Ausländerbehörden zu vermehren. Die nicht anerkannten Asylbewerber (in der Regel 90 Prozent der Flüchtlinge) solle man im Rahmen des Möglichen abschieben. »Wir sind dann durchaus in der Lage, wirklich politisch verfolgte Menschen, die zu uns kommen wollen, ... auch bei uns aufzunehmen.«

Als im August 1991 die Fernsehbilder von der Massenflucht der Albaner nach Italien und ihrer brutalen Rücktreibung die Angst der Deutschen vor neuen Flüchtlingswellen ansteigen ließen, bemühte sich Theo Sommer um eine Klärung der von Parteipolitikern und Medien reichlich durcheinandergebrachten Begriffe: Asylbewerber, Wirtschaftsflüchtlinge, Kriegsvertriebene, politisch Verfolgte, Aussiedler, Zuwanderer. Zunächst machte er allen klar, daß das deutsche Boot noch keineswegs im plumpen Wortsinn voll sei. 200.000 Menschen im Jahr wären zu ertragen, wirtschaftlich vielleicht sogar erforderlich, freilich nicht jedes Jahr eine Million wie 1990. Zur Lösung des Asylproblems schlug er vor, jene Bewerber abzulehnen, die aus Staaten mit friedlichen, rechtsstaatlichen Verhältnissen stammten. Die Zahl der deutschen Aussiedler, die ohnehin zurückging, könne man quotieren. Für Kriegsflüchtlinge, die in der Regel nur für ein paar Jahre Zuflucht suchten, müsse man die Tore ein Stück weit öffnen. Im übrigen war sein Rat an Bonn: »Wenn die Menschen in ihrer Heimat bleiben sollen, muß ihnen Europa dort helfen – sonst werden sie nach Europa kommen.« Auch plädierte er für ein Einwanderungsgesetz nach US-amerikanischem Vorbild, außerdem für die anstandslose »Einbürgerung aller Gastarbeiter«, die einen deutschen Paß wollen.

Im September 1991 spitzte sich die Lage zu: Zum erstenmal wurden in Westdeutschland Ausländer von rechtsextremistischen Jugendlichen getötet. Übers Wochenende wurden in Hoyerswerda in der ehemaligen DDR Ausländer durch die Straßen gehetzt und ihre Wohnheime in Brand gesetzt. Darauf griff Robert Leicht zur Feder: Er geißelte den Terror gegen Ausländer als einen »Anschlag auf unseren Verfassungsstaat«. Doch statt sich schützend vor die Menschen zu stellen, stritten sich die Parteien weiter über das Asylrecht, in einer Art und Weise, die von vielen als Rechtfertigung ihrer Ausländerfeindlichkeit verstanden wurde. Ehe der Staat Hand an das Asylrecht legte, müßten zumindest drei Voraussetzungen erfüllt sein: eine Änderung des Verfahrens, ein Einwanderungsgesetz und eine gemeinsame europäische Regelung. Leicht: »Wer sich solcher Vernunft verweigert, wird mitschuldig.«

Hoyerswerda machte Schule in deutschen Landen. Die Brandanschläge gegen Ausländerunterkünfte wollten nicht mehr abreißen. Am 11. Oktober 1991 forderte Sommer in einem Leitartikel (»Das Schandmal des Fremdenhasses«) vom Rechtsstaat, die Ausländerwohnheime durch Polizei und Bundesgrenzschutz zu bewachen. Das weitherzige Deutschland müsse sich gegen das engstirnige mobilisieren (das geschah aber erst nach dem Mordanschlag auf eine türkische Familie in Mölln, als Lichterketten die Republik durchzogen). Eindringlich wiederholte er sein Plädoyer, Deutschland endlich als Einwanderungsland zu verstehen. Man brauche die Ausländer: »Sie leeren längst nicht mehr bloß unsere Mülltonnen. Sie bauen unsere Autos, leisten die ›deutsche Wertarbeit‹; sie sichern unsere Renten (Zahlungen ausländischer Arbeitnehmer an die Rentenversicherung 1990: 12,8 Milliarden Mark; Bezüge: lediglich 3,7 Milliarden). In zehn Jahren werden wir angesichts sinkender Geburtenzahlen schon wieder Anwerbestellen im Ausland eröffnen müssen, um unsere Wirtschaft in Gang zu halten.« Zwar könne man nicht einfach die Einwanderungsschleusen öffnen, aber man könne sich auch nicht gegen das Elend der Welt einfach abschotten. »Wir dürfen es auch nicht. Immer sind wir die große ›Völkermühle‹, die ›Kelter Europas‹ gewesen.«

Einige Wochen später schlug Robert Leicht in dieselbe Kerbe, nachdem Bundespräsident von Weizsäcker von Politikern der CDU/CSU heftig angegriffen worden war, weil er eine europäische Einwanderungspolitik mit Quoten und Kontingenten angemahnt hatte. Leicht: »Entweder bricht aufgrund des Umkippens der Bevölkerungspyramide das Sozialsystem zusammen ... – oder man läßt eine gezielte Einwanderung zu.« Ein Jahr danach, im Herbst 1992, als sich die Regierungsparteien mit der SPD für einen Asylkompromiß zusammenrauften, bezog Robert Leicht abermals klar Position: »[Wir] müssen dem Mißbrauch des Asylrechts so entschieden wie möglich entgegentreten, aber gleichzeitig das Asylrecht selber so entschieden wie möglich verteidigen.« Eigentlich brauche man den Artikel 16 gar nicht zu verändern, da es andere praktische Maßnahmen gebe, zu denen aber die Politiker nicht fähig oder willens seien. Vielleicht müsse man aber übermorgen den Artikel wegen einer Notsituation ganz streichen.

Der Bonner Korrespondent Gunter Hofmann führte das Versagen der Politiker auf den Zerfall der liberalen Öffentlichkeit zurück. Wenn die Achse der Republik nach rechts verschoben werde – »deutsch statt europäisch, marktliberal und unsozial, autoritär obendrein« –, sei das keine Nebensache, die man getrost distanz- und kriterienlos beobachten könne.

Auch das Feuilleton stieg groß in die Asylrechtsdebatte ein. Siebzig Schriftsteller, Regisseure, Künstler und Journalisten hatten mit einem »Hamburger Manifest« gegen eine Änderung des Artikels 16 protestiert. Die ZEIT bat drei Unterzeichner (die Filmregisseurin Doris Dörrie, Professor Walter Jens und Verleger Klaus Wagenbach) und drei Autoren (Klaus Bölling, Marcel Reich-Ranicki und Peter Schneider), die nicht hatten unterschreiben wollen, ihre Gründe darzulegen. Die in Amerika lebende ungarische Philosophin Agnes Heller steuerte zehn Thesen zum Asylrecht bei: Darin wies sie dem Hausherrn die Pflicht zu, die Leiden der Asylsuchenden beim Eintritt in eine andere Kultur zu lindern und einen Ausgleich für die Schmerzen zu schaffen, vor allem durch mehr Respekt.

Anfang Dezember 1992 war die Bonner Asyllösung perfekt. Robert Leicht schrieb einen seiner schärfsten Leitartikel (»Wie ein Grundrecht hinterrücks auf Null gebracht wird: Eine Kapitulation, kein Kompromiß«). Das Ergebnis sei blanke Heuchelei und kompromittiere den politischen Anstand. Der unveränderte erste Satz des Artikels 16 (»Politisch Verfolgte genießen Asylrecht«) werde durch den nächsten Satz aufgehoben, der vorsieht, daß jeder Flüchtling, der auf dem Weg nach Deutschland ein sicheres Drittland passiere, kein Asyl in Deutschland bekommt. Leicht gab den Sinn der neuen Regel mit einer sarkastischen Formel wieder: »Kein Asylrecht genießt, wer es schafft, auf dem Landweg zu uns zu kommen.«

An Oder und Neiße zog künftig der Bundesgrenzschutz auf, damit die Flüchtlinge im armen Polen hängenblieben. Tatsächlich verringerte sich die Zahl der Asylsuchenden von 433.000 im Jahre 1992 auf 127.000 im Jahre 1994. Allein 1994 wurden 33.000 Asylbewerber von den deutschen Behörden abgeschoben. Zu welchem Preis die Ruhe im Lande wiederhergestellt worden war, das wurde der Öffentlichkeit schlagartig klar, als Bundesinnenminister Manfred Kanther am 13. September 1995 die Abschiebung von sieben Hungerstreikenden in den Sudan verfügte.

Die ZEIT nahm die Empörung im Lande voll auf. Sie druckte zwei Leitartikel zum Thema: Der Bischof von Limburg, Fritz Kamphaus, begründete, warum Menschen der Kirchen, auch auf das Risiko strafrechtlicher Verfolgung hin, mehr und mehr abgelehnten Bewerbern Asyl gewährten. Die Praxis der Abschiebehaft dürfe so nicht bleiben. Bei der Korrektur sei die Grundeinstellung entscheidend: »Geht es uns um Schutz vor den Flüchtlingen oder tatsächlich um den Schutz der Flüchtlinge?« Für Robert Leicht war die Härte des Ministers zugleich »Ausdruck eines schlechten Gewissens und Zeichen der verzweifelten Entschlossenheit, diese Skrupel bis zum letzten Rest mit aller Macht wegzudrücken«.

Parallel zur Asyldebatte hat die ZEIT kontinuierlich die Bestrebungen einiger Politiker und Bürgerinitiativen unterstützt, die Einbürgerung der seit Jahrzehnten in Deutschland lebenden Gastarbeiter und ihrer Angehörigen zu erleichtern. Anders als die Regierung in Bonn hat die ZEIT auch nichts gegen eine doppelte Staatsbürgerschaft der hier lebenden Ausländer einzuwenden. Hans Schueler kritisierte am 12. Februar 1993 noch einmal die »fortdauernde Aus- und Abgrenzung« von Millionen ausländischer Mitbürger. Sein Resümee: »Gerade ein Sozialstaat kann sich kein politisch entrechtetes Arbeitsvolk halten wollen.« Ähnlich hatte der christdemokratische Politiker Heiner Geißler schon 1988 und erneut 1991 in der ZEIT seine Vorstellungen von einer multikulturellen Gesellschaft in Deutschland beschrieben. Man könne nicht fünf bis zehn Millionen Menschen auf Dauer in einem zweit- oder drittklassigen Status belassen. »Wir müssen bereit sein, mit Menschen aus anderen Ländern und Kulturen zusammenzuleben, ihre Eigenarten zu respektieren, ohne sie zu germanisieren und assimilieren zu wollen, ihnen also, wenn sie es wollen, ihre kulturelle Identität zu lassen.«

Die Politik der ZEIT verstand sich immer auch als Hüterin der liberal geprägten politischen Kultur der Bundesrepublik. Am 2. Dezember 1983 trug schon einmal ein Leitartikel fast den gleichen Titel, den Robert Leicht während der Asyldebatte gebrauchte: »Etwas ist faul im Bonner Staat«. Hans Schueler kommentierte damals die Anklageerhebung gegen den Bundeswirtschaftsminister Otto Graf Lambsdorff, der in der Parteispendenaffäre der Bestechlichkeit beschuldigt wurde. So etwas hatte es in der Geschichte der Bundesrepublik noch nicht gegeben. Der Leitartikler hielt sich zwar streng an die jedem Angeklagten bis zum Urteil zustehende Unschuldsvermutung, doch könne sie nicht jedem, der ein öffentliches Amt bekleide, als Vorwand dienen, an seinem Posten zu kleben. Lambsdorff müsse sein Amt zur Verfügung stellen, »weil der Bürger kein Vertrauen in einen Staat haben kann, dessen Minister vor Gericht stehen«. Auch Koalitionsrücksichten dürften keine Rolle spielen, »wo es nur um eines gehen kann: in unserem Staatswesen Hygiene walten zu lassen«. Der Minister trat am 26. Juni 1984 zurück.

Manchmal ziehen sich die Versuche des Staates, Eingriffe in die persönliche Freiheit seiner Bürger per Gesetz zu ermöglichen, durch die Jahrzehnte. Um die Jahreswende 1970/71, als das Bundesverfassungsgericht das Telephonabhörgesetz für verfassungskonform befunden hatte, brachten drei Richter ein Nein zu Papier. Sie befürchteten, dieser erste Schritt könnte eines Tages dazu führen, daß man in Privatwohnungen Geheimmikrophone anbringen lasse. Fünf Jahre später beging der Verfassungsminister Maihofer den Sündenfall, daß er den Verfassungsschutz ohne gesetzliche Ermächtigung in eine Wohnung einbrechen und »Wanzen« legen ließ. Nachträglich wollte er für künftige außerordentliche Fälle das Gesetz ändern lassen, bekam aber keine Zustimmung im Bundestag. Hans Schueler begrüßte im März 1977 diese Abneigung des Gesetzgebers, denn gerade die Deutschen hätten die intimsten Erfahrungen, daß der Staat »Unrecht per Gesetz« tun kann. Er warnte: »Gewissen können durch Gewöhnung überdehnt werden wie Muskeln.« Im November 1993 sah sich derselbe Redakteur genötigt, abermals die Alarmglocke zu bedienen: »Grundrecht in Gefahr«. Bundesinnenminister Kanther wollte in einem Verbrechensbekämpfungsgesetz den Bundesnachrichtendienst auch im Inland zum Kampf gegen die »organisierte Kriminalität« oder bei anderen »schwerwiegenden Gefahren« für das Gesellschaftssystem einsetzen und bei der Drogenbekämpfung Lauschangriffe führen lassen. Hans Schueler fand es »schier unvorstellbar, daß im Jahre drei nach dem Ende der Stasi-Herrschaft im befreiten Teil Deutschlands« solche Überlegungen von einem Minister auch nur angedeutet werden können.

Dies sind einige Beispiele für die Aufgabe, die sich die ZEIT als liberales Blatt selber gestellt hat. Marion Dönhoff hat sie 1988 bei der Entgegennahme des Heine-Preises aufgezählt: erstens Herrschaft durchschaubar zu machen, um auf solche Weise Kontrolle zu ermöglichen; zweitens zu verhindern, daß der notwendige Schutz des Staates den Freiraum des Bürgers ungebührlich einengt; drittens Toleranz zur obersten Priorität zu erheben, damit die ganze Palette der Meinungen, auch die von Minderheiten, zur Geltung komme.

Immer wieder hat die Gräfin die Redaktion dazu angehalten, sich nie mit den sogenannten ewigen Wahrheiten und Utopien zufriedenzugeben, sondern sie vielmehr von Zeit zu Zeit zu überprüfen und zu hinterfragen. So verwunderte es nicht, daß sie unter den ersten war, die Anfang der siebziger Jahre die Warnungen des Club of Rome über die Grenzen des Wachstums aufgegriffen haben. Vom damaligen Verleger Diether Stolze wurde sie deswegen verlacht. Die Industrie werde niemals die Kosten aufbringen, welche die Pläne der Umwelt-Wissenschaftler erforderten. Aber bei Linken und Liberalen wuchs jetzt erst recht die Einsicht, daß die immerwährende Mehrung des materiellen Wohlstands nicht der Weisheit letzter Schluß sein konnte.

Es waren keineswegs die Grünen, die als erste für den Umweltschutz eintraten, sondern vielmehr die Freien Demokraten. Bereits in ihrem Freiburger Programm 1971 erkannten sie als erste politische Partei die Umweltpolitik als verfassungs- und gesellschaftspolitische Aufgabe. Allerdings mußte der Bonner Redakteur Gunter Hofmann im Januar 1978 feststellen, daß die Umweltpolitik der sozialliberalen Koalition nach der Ölkrise von 1973 mehr und mehr versandet war. Den Umweltschützern war es nicht gelungen, ihre Vorhaben vom Konjunkturverlauf abzukoppeln. Im Zeichen von hoher Arbeitslosigkeit, Strukturkrisen und Konjunkturflauten hatte die Ökologie vor der Ökonomie immer das Nachsehen.

Als Ende der Siebziger die Bewegung der Grünen den klassischen Parteien in Bonn Angst einjagte, warnte Marion Dönhoff davor, den Umweltschutz zum Wahlkampfthema verkommen zu lassen. Die grüne Bewegung habe eine ganz andere Dimension und sei geistig bereits seit mehr als einem Menschenalter vorbereitet worden. Sie erinnerte noch einmal daran, wohin der alte Fortschrittsglaube geführt habe: Verschwendung von Rohstoffen; Vergiftung des Bodens, der Flüsse und der Meere mit Chemikalien; Verstädterung und Entfremdung des Menschen; Drogenmißbrauch; Kriminalität.

Mit Begeisterung äußerte sie sich über die vielen Bürgerinitiativen im Lande.

Während der siebziger und achtziger Jahre hat die ZEIT ihren Lesern systematisch Umweltprobleme erklärt und nahegebracht. Alle Ressorts wurden eingespannt. Die Diskussion im Hause wurde vor allem zwischen den Wissenschaftsredakteuren und der Wirtschaft geführt, also zwischen den Exponenten von Ökologie und Ökonomie. Inzwischen hatten auch die Gipfelkonferenzen der Weltpolitiker die ökologische Herausforderung der Menschheit angenommen. Im April 1990 befand Theo Sommer, daß sich die Europäer nach dem Kalten Kriege auf einen Paradigmenwechsel einstellen müßten. »Ozonloch, Aufheizung des Klimas, Ausplünderung der Erde, Konsumierung des Kapitals Natur – dies sind die neuen Bedrohungen.« Jetzt müsse der Krieg gegen die Natur ein Ende haben, und es sei an der Zeit, auf die Bremse zu treten.

Innerhalb der ZEIT-Redaktion verkehrten sich damals die Fronten. Nun war es nicht mehr die Wirtschaft, sondern das Ressort Wissen, das vor übertriebenen Prognosen und vor überstürztem Handeln aus unbegründeter Angst vor der Chemie warnte. Der Streit zwischen den Redakteuren Fritz Vorholz (Wirtschaft) und Hans Schuh (Wissen) wurde im Blatt offen ausgetragen, so daß sich die Leser ihr eigenes Bild machen konnten. Am 10. März 1995 zum Beispiel gab es eine Klimadebatte: »Welche Erkenntnisse über den Treibhauseffekt sind gesichert, welche nicht? Und wie soll die Politik mit Ungewißheiten umgehen?« Schuh verglich die Klimaforscher mit den Hof-Astrologen früherer Jahrhunderte, von denen exakte Voraussagen verlangt wurden. Allerdings hielt er es für abwegig, die Risiken einer Hitze- oder Kälteperiode zu einem Nullsummenspiel aufzurechnen und im Nichtstun zu verharren. Durch beide Szenarien würden die guten Argumente gestärkt, sorgsamer mit den Ressourcen und Energiereserven umzugehen.

Vorholz fand es leichtfertig, mit dem Handeln so lange zu warten, bis die Klima-Aufheizung empirisch bewiesen sei. Alles spreche dafür, schon jetzt in der Energiepolitik gegenzusteuern. Fünf Jahre zuvor hatte Vorholz in einem Artikel zum Bericht der Bonner Klimaschutz-Kommission erklärt, die drohende Erwärmung der Erde durch hemmungslosen Einsatz fossiler Brennstoffe liefere keineswegs Argumente für die Kernenergie. Im April 1995 jedoch eröffnete der jüngere Wissenschaftsredakteur Gero von Randow, neun Jahre nach der Katastrophe von Tschernobyl, eine neue Debatte über die Atomkraft. Er forderte nicht den Ausstieg, sondern innovative Lösungen in der Reaktortechnik und bei der Entsorgung, also einen Neueinstieg in die Kernenergie, weil die Klimakatastrophe und das Bevölkerungswachstum keine andere Wahl ließen. Als erster antwortete ihm der Sprecher von Bündnis 90 / Die Grünen im Bundestag, Joschka Fischer: »Atomkraft – nein danke!«. Es folgten Politiker der SPD, unter ihnen der niedersächsische Ministerpräsident Gerhard Schröder, und internationale Kernenergie-Experten.

Das Wirtschaftsressort wurde auch zum Vorreiter der ökologischen Steuerreform. Im Oktober 1994 veröffentlichte es zum Einstieg einen Aufsatz von Professor Ernst Ulrich von Weizsäcker, dem Präsidenten des Wuppertal-Instituts für Klima, Umwelt, Energie. Er zeigte sich sehr optimistisch, daß sich die Parteien und auch die deutsche Industrie allmählich mit dieser Idee anfreunden. Es gehe langfristig darum, die Zivilisation den Erfordernissen des 21. Jahrhunderts anzupassen, das ein »Jahrhundert der Umwelt« sein werde.

Ein Prüfstein für die Liberalität der ZEIT, auch im eigenen Hause, war und ist die sogenannte Frauenfrage. Die neue Frauenbewegung ist, so hat Rolf Zundel schon 1988 befunden, der lebenskräftigste Abkömmling der 68er-Studentenrevolte. Unter seinen Kollegen sprach sich diese Erkenntnis nur langsam herum. Noch 1992 erschien im »Magazin« eine Serie zur Studentenbewegung mit der Überschrift: »Aufstand der Söhne gegen die Väter«. Die Töchter kamen nicht vor.

Rolf Zundel war der erste Redakteur der ZEIT, der sich intensiv in das Frauenthema einarbeitete. Für ihn als Mann war es »eine Reise in ein fremdes, ein feindliches Land«. Bei aller Empathie, die diesem empfindsamen Journalisten eigen war, wußte er doch nur zu gut, daß er lediglich »Gehörtes und Gelesenes spiegeln und nach seinem Verständnis ordnen« konnte, als er einundeinviertel Jahr vor seinem Tode eine zweiteilige Serie schrieb: »Die hält kein Beton mehr auf« und »Verlorene Hoffnung auf die Männer«. Bezeichnenderweise erschien sie nicht in der Politik, sondern im Modernen Leben. Zundels Fazit: »Nicht Gleichartigkeit, sondern Gleichwertigkeit – das verlangt den Männern mehr ab, als sie sich je träumen ließen: sich selber und ihre Welt von Grund auf zu ändern.«

Eigentlich hätte die ZEIT ja nie ein Problem mit der Gleichberechtigung der Geschlechter haben dürfen. Linie und Ansehen des Blattes sind von Anbeginn durch eine Frau maßgeblich mitbestimmt worden: Marion Gräfin Dönhoff. Aber sie ist ein Sonderfall, denn sie war schon emanzipiert, ehe sie zur ZEIT kam. »Sie verkörpern für mich«, schrieb ihr einmal die FDP-Politikerin Hildegard Hamm-Brücher, »die Hoffnung des Aufbruchs der Frauen ins öffentliche Leben.« Nicht von ungefähr wurde die Gräfin für die Journalistin Alice Schwarzer, eine Protagonistin der deutschen Frauenbewegung, zum Vorbild. Es gab einige verwunderte Gesichter in der Redaktion, als sich die Herausgeberin der ZEIT im November 1987 zu einem Interview in die »Emma«-Redaktion einladen ließ.

Neben Marion Dönhoff ist es bisher nur noch einer Redakteurin gelungen, bis in die Chefredaktion aufzusteigen: der Reporterin Nina Grunenberg. Aber erst als sich die Frauen in der Bundesrepublik politisch Gehör und Respekt verschafften, wurden sie auch in der ZEIT als politische Größe behandelt. Eine neue Generation junger Journalistinnen, die in den siebziger und achtziger Jahren in die Redaktion eintraten, fanden lernfähige Kollegen vor, die ihnen erlaubten, ihre eigenen Probleme und ihre frauliche Denkweise in das Blatt zu bringen.

Das Auf und Ab der Frauenbewegung, ihre Siege und Niederlagen in 25 Jahren sind in den ZEIT-Bänden nachzulesen. Schon 1988 war Rolf Zundel aufgefallen, daß jene Frauen, die sich für ihresgleichen engagieren, einen hohen Preis bezahlen: mit doppelten Anstrengungen, zumeist auf Kosten ihrer Familien. Zudem spürten sie den wachsenden Widerstand der Männer. »In den oberen Etagen wird die Luft dünn für die Frauen. Die Seilschaften der Männer funktionieren noch immer. An den Universitäten ist nur jeder zwanzigste Lehrstuhl von einer Frau besetzt. Frauen verdienen im Durchschnitt zwei Drittel von dem, was Männer nach Hause bringen, die Arbeitslosigkeit der Frauen dagegen … ist beträchtlich höher als die der Männer. Von einer eigenen Rentenbiographie, die auch einen erträglichen Lebensabend sichert, sind die meisten Frauen noch weit entfernt.« Die Lage hat sich seither kaum gebessert, eher noch verschlechtert, wie Susanne Mayer am 1. September 1995 in einem Leitartikel über die Gleichberechtigung belegt hat. Ihr Fazit: »Deutschland ist frauenpolitisch ein Entwicklungsland.«

Susanne Mayer kehrte die Fronten im Geschlechterkampf um: »Frauen, stellt die Männerfrage!« Die Leitartiklerin führte den institutionalisierten Egoismus des Mannes vor: »Der Mann geht zur

Arbeit, kommt zurück, dafür kriegt er Lohn. Den anderen Teil der Arbeit, der von der gesellschaftlich notwendigen Arbeit immerhin zwei Drittel ausmacht, jene täglich immer neu anfallende und unbezahlte Arbeit, überläßt er der Frau, Kinder betreuen, Waschmaschine anstellen – keine Zeit, entschuldigt er sich.« Nur 2,7 Prozent der deutschen Männer leisten Teilzeitarbeit – der geringste Anteil in Europa. Nur zu einem Prozent beteiligen sich Männer am Erziehungsurlaub. Alleinerziehenden Müttern aber wird Sozialhilfe gezahlt, weil sie ja, ohne Kindergartenplatz, kein eigenes Geld verdienen können. Susanne Mayer mokiert sich darüber, daß unsere Gesellschaft »die Gewalt in der Familie« bejammert, jedoch die Zahl von jährlich 40.000 verprügelten Frauen hinnimmt, anstatt zu fragen, »wie die Gewaltbereitschaft des Mannes zu dämpfen sei«.

Das sind, in einer Welt der Männer, heikle Themen. Von solchen Themen werden noch viele auf die Redakteure zukommen. Immer wieder werden sie daran ihr liberales Credo überprüfen müssen.

Auch die anderen großen Themen der nächsten Jahre und Jahrzehnte stehen schon fest: der Aufbau Ost und das Zusammenwachsen der beiden so lange getrennten Teile Deutschlands; der Ausbau des Brüsseler Europas wie seine Öffnung und Erweiterung nach Osten; dazu die strukturelle Arbeitslosigkeit; der mögliche Zusammenprall der verschiedenen Kulturen; das Problem der Überbevölkerung; das Streben nach einer neuen Weltordnung.

Eine Herausforderung ganz eigener Art stellen die Veränderungen in der Medienwelt mit ihrer weltweiten Vernetzung der Kommunikationssysteme dar. Immer mehr Fernsehprogramme spielt uns die Technik ins Wohnzimmer; bald werden wir auf 500 Kanälen berieselt werden. Wird das Publikum da überhaupt noch Zeitung lesen wollen? Jedenfalls haben sich die Printmedien schon der Entwicklung angepaßt: Sie sind vielfältiger und bunter geworden. Ein starker Trend geht zum Seichten, Leichten, Bequemen – zum Fast food auf bedrucktem Papier.

Als es im Dezember 1994 beim »Spiegel« kriselte, fragte Theo Sommer: »Wenn aber erst einmal der ›Spiegel‹ aus dem Kernverband der schwergewichtigen Publizistik ausscherte – wie sollten sich dann die anderen Flaggschiffe des seriösen Journalismus auf die Dauer gegen die Flotte der Lustbarken und Vergnügungsdampfer behaupten? ... Soll die gewollte Anspruchslosigkeit des ›gedruckten Fernsehens‹ ... auch die bisher noch der Seriosität verhafteten Zeitungen und Zeitschriften in seichte Gewässer zwingen? Eine Kultur-Havarie wäre die Folge – eine Havarie auch unserer politischen Kultur.« Er fuhr fort: »Demokratie ist nach der klassischen Definition: *government by discussion.* Sie lebt vom öffentlichen Räsonieren, vom intelligenten Diskurs. Beides setzt Sachinformation, Tiefenanalyse und ernsthaften Richtungsstreit voraus: Aufklärung, nicht Infotainment; publizistische Prinzipien, nicht bloß Marketingstrategien; den Willen, Meinung zu bilden, nicht nur den Drang, das Publikum zu unterhalten.« In diesem Sinne wollte die ZEIT Kurs halten.

28. Kapitel

Der Tod des Gründers

Am 29. September 1995 ging bei der ZEIT eine Ära zu Ende. Nachmittags um halb fünf starb Gerd Bucerius, der Verleger der ZEIT, in seiner Wohnung am Hamburger Leinpfad. Er ging still und friedvoll hinüber – lebenssatt, wie es in der Bibel heißt, ohne Aufbäumen, ohne Kampf, ohne Schmerzen; nach Monaten, in denen ihm sein von nervöser Unruhe getriebener Körper zunehmend den Dienst versagt hatte und auch sein einst so wacher Geist allmählich verdämmert war.

Im Mai darauf wäre Bucerius neunzig Jahre alt geworden. Fast fünfzig Jahre lang war er Verleger der ZEIT, am halben Jahrhundert fehlten nur ganze fünf Monate. Er war einer der vier Gründer des Blattes, das er 1957 ganz erwarb. Als Bausenator der Freien und Hansestadt Hamburg hatte er der Redaktion ihr Domizil im Pressehaus am Speersort zugewiesen. In den fünfziger Jahren verkaufte er seine ererbten Häuser und verpfändete gleichsam sein letztes Hemd, um die Zeitung in schwerer Zeit durchzubringen. Später brachte er es mit verlegerischem Einfallsreichtum und schierer Hartnäckigkeit dazu, dass die ZEIT sich in die stolze Auflagenhöhe von einer halben Million verkaufter Exemplare schwang. Dabei diente ihm sein ausgeprägter, oft in düstere Untergangsvisionen mündender Pessimismus – »wenn wir das Blatt in fünf Jahren wegen rückläufiger Auflage einstellen müssen …« – zugleich als Antriebsaggregat für sich selbst wie als Stachel für die Redaktion. Weil er stets das Schlimmste befürchtete, verlangte er immerfort das Außergewöhnliche – mit Erfolg.

Sechshundert Menschen fanden sich am 10. Oktober 1995 zur Trauerfeier für Gerd Bucerius in der von einer milden Herbstsonne durchfluteten Hauptkirche St. Michaelis ein, darunter viel Prominenz. Eine Hamburg-Fahne bedeckte den schlichten Eichensarg. Helmut Schmidt rühmte den Toten als einen Patrioten von hohen Graden. Ein politischer Mensch sei er gewesen, ein unabhängiger Anreger, ein mutiger Beweger. »Dieser tote Freund ist Herr gewesen über die beiden Todsünden der Politiker und der Journalisten, nämlich über Eitelkeit und Opportunismus.« Bundespräsident von Weizsäcker pries den »bedingungslosen und gewitzten Mut« des Toten, »seine stolze Courage, seine packende Kritik, seine vollkommen souveräne Unabhängigkeit«. Er setzte hinzu: »Er wusste aus eigener, tiefer Überzeugung, dass man nur entweder folgsamen oder qualifizierten Journalismus haben kann, aber nicht beides zugleich in einer Person oder in einer Redaktion.« Bürgermeister Henning Voscherau erinnerte an den glänzenden Schreiber, den streitbaren Kritiker und liberalen Geist, der in mutiger, freiheitlich-demokratischer Gesinnung die Zeitungslandschaft der Medienmetropole Hamburg und die Mediengeschichte der Bundesrepublik geprägt habe. Marion Gräfin Dönhoff schließlich, die engste Weggefährtin seit den ersten Tagen der ZEIT, rief dem Partner – und oftmals Widerpart – nach: »Gerd Bucerius war durch eine seltene Kombination heterogener Eigenschaften charakterisiert: Er hatte ein überaus sensibles Rechtsgefühl, war aber gleichzeitig von unbeirrbarer Aufsässigkeit.«

Am Tag nach der Trauerfeier wurde Bucerius vor den Toren der Hansestadt in Reinbek zu Grabe getragen. In der Kapelle des Friedhofs Klosterbergen verabschiedete sich die ZEIT-Redaktion von ihrem Verleger. Redakteurinnen und Redakteure lasen Passagen aus seinen Reden, Schriften und Artikeln. Sie galten alle einem Thema, das ihn zeitlebens bewegt hatte: dem schwierigen Vaterland Deutschland.

Viel politische und publizistische Prominenz griff zur Feder, um den Toten zu würdigen. Alle rühmten seinen freien, unabhängigen Geist. »Ich neige nicht zur Bewunderung«, schrieb Rudolf Augstein, »aber diesen skurrilen Erfolgsmenschen bewunderte ich.« Theodor Eschenburg, der Altmeister der deutschen Politikwissenschaft, befand: »Gerd Bucerius war ein unerbittlicher Hüter seiner geistigen, politischen und wirtschaftlichen Unabhängigkeit. Wo immer er wirkte, war er originell, höchst kreativ, aber unbequem.«

Der sächsische Ministerpräsident Kurt Biedenkopf: »Zeit seines Lebens war Gerd Bucerius ein unabhängiger und mutiger Mensch. Er stand stets für das, was er für richtig hielt, auch wenn er damit in Widerspruch zu den Mächtigen geriet«. Josef Joffe, damals bei der *Süddeutschen Zeitung:* »Was ist ein großer Verleger? Die einfache Antwort ist: einer, der nicht nur Geld verdienen will. Die komplizierte Antwort liefert das Leben des Gerd Bucerius.«

Claus Jacobi, einst ZEIT-Reporter, später Chefredakteur des *Spie-*

gel und der *Welt am Sonntag*, fasste die Urteile treffend zusammen: »Er war ein wahrhaft unabhängiger Mann, ein zielbewusster Unternehmer, ein prägender, wenn auch zuweilen etwas sprunghafter Geist. Wenn andere zum Dinner luden, bat er zum Butterbrot. Er ging in Polo-Hemden und Kaschmir-Pullis ins Büro. Doch als Mäzen stiftete er Millionen. Und seines Wertes als Verleger war er sich immer bewusst [. . .] Gerd Bucerius war einer der Dinosaurier in der Presselandschaft der Bundesrepublik. Entsprechend ist die Fährte, die er hinterlässt: von Bewunderung einflößenden Dimensionen. Die Republik ist ärmer geworden.«

Bemerkenswerte Worte fand Dieter von Holtzbrinck, Miteigentümer und Geschäftsführer der Verlagsgruppe Holtzbrinck: »Niemand wird Gerd Bucerius ersetzen können, den hochintelligenten, analytischen Denker, den großen, talentierten Publizisten, den mutigen, kraftvoll-streitbaren Liberalen, der doch so sensibel und verletzbar war, den scharfsinnigen, harten Debattierer, der zugleich liebenswürdig und warmherzig war, den Visionär und Zweifler, diese brillante Persönlichkeit voller scheinbarer Widersprüche.«

Dieter von Holtzbrinck, so stellte sich bald heraus, war der Mann, den Bucerius ausersehen hatte, sein Nachfolger zu werden.

29. Kapitel

Übergang zu Holtzbrinck

Der ZEIT-Verleger Gerd Bucerius hatte schon früh begonnen, sich mit der Kontinuitätsfrage zu beschäftigen: Was sollte nach seinem Tode aus der ZEIT werden? Sein Biograph Ralf Dahrendorf hat in dem im Jahre 2000 erschienenen Werk »Liberal und unabhängig: Gerd Bucerius und seine Zeit« die verschlungenen Gedankenpfade skizziert, auf denen sich der ZEIT-Eigner damals bewegte. Er hatte 1971 die ZEIT-Stiftung gegründet. Sie sollte sein gesamtes Vermögen erben und im Hinblick auf die ZEIT eine besondere Rolle spielen: durch Mitwirkung bei der Bestallung und Abberufung des Chefredakteurs wie seiner Stellvertreter, durch Aufrechterhaltung der »Verkehrsgeltung«, also des Erscheinens des Blattes, und durch einen Veräußerungsvorbehalt, der die Zustimmung des Stiftungskuratoriums zur Vorbedingung eines jeden Verkaufs macht. Auch hatte Bucerius der Stiftung 1972 die Titelrechte an der ZEIT übertragen. Die Stiftung erhielt die Option, im Falle seines Todes den ZEIT-Verlag zu erwerben. Dies freilich hätte zu Schwierigkeiten geführt, da die Gemeinnützigkeit der Stiftung mit deren wirtschaftlicher Betätigung unvereinbar gewesen wäre.

Anfang der achtziger Jahre änderten sich die Zukunftsüberlegungen des ZEIT-Eigentümers. »Die Richtung, die er zunächst nahm«, schreibt Dahrendorf, »hatte einen Namen, sie hatte sogar einen Firmennamen und einen Eigennamen, nämlich Bertelsmann und Reinhard Mohn.« Bucerius wollte Gruner + Jahr (*stern*, *Brigitte*, etc.) mit einer Mehrheit am ZEIT-Verlag beteiligen; G+J jedoch gehörte zu drei Vierteln Bertelsmann. Wegen dessen marktbeherrschender Stellung versagte das Kartellamt dieser Transaktion die Genehmigung. Der Beschwerdeprozess, den Bucerius daraufhin anstrengte, zog sich sieben Jahre hin. Im September 1987 gab der Bundesgerichtshof der Gegenbeschwerde des Kartellamtes statt. Zu dieser Zeit freilich war bei Bucerius die Begeisterung für den Zusammenschluss längst erloschen. Zwar führte er mit Mohn noch jahrelang ausgiebige und detaillierte Verhandlungen. Sie gelangten jedoch zu keinem Ergebnis. Der Kaufpreis, die Frage der Testamentsvollstreckung und die Rechte des Stiftungskuratoriums blieben umstritten. Widerstände rührten sich in diesem Gremium wie bei den Herausgebern Gräfin Dönhoff und Helmut Schmidt, aber auch innerhalb der Redaktion. Entscheidend war am Ende jedoch, dass Bucerius sein Herz nicht über die Hürde zu werfen vermochte.

Stattdessen konzentrierte sich der Achtzigjährige nun ganz auf sein Testament. Am 10. April 1987 schrieb Bucerius – »Liebe Mitarbeiterinnen, liebe Mitarbeiter« – an die Verlags- und Redaktionsangehörigen: »Nach meinem Tode wird der Zeitverlag auf die ZEIT-Stiftung übergehen; das soll schon jetzt vorbereitet werden. Die Stiftung ist meine alleinige Erbin. Um die Ausführung zu erleichtern und Steuern zu sparen, hat Frau Bucerius auf Erbe und Pflichtteil verzichtet – wofür ich ihr Dank schulde.« Das Schreiben endete etwas überraschend mit der Feststellung: »Nach jahrzehntelangen Verlusten verdient die Zeitung gut. Das wissen Sie aus den jedes Jahr (Ausnahme: 1980) gewährten freiwilligen Ausschüttungen aus dem Gewinn.«

Bei Dahrendorf ist nachzulesen, was in dem Testament stand: »Alleinige Erbin ist die ZEIT-Stiftung«. Hilde von Lang, seit langem Geschäftsführerin, Vertraute und Lebensgefährtin von Bucerius, wird Testamentsvollstreckerin »für alles, was mit der ZEIT zusammenhängt.« Sie verwaltet selbstverantwortlich das Unternehmen. »Dabei darf ihr niemand hineinreden.« Zu ihrer »völlig freien Hand« gehört, dass sie »die ZEIT notfalls auch verkaufen kann«. Aber: »Vor einer Veräußerung der ZEIT ist Reinhard Mohn (Gütersloh) zu konsultieren.«

Längst blickte Gerd Bucerius jedoch in eine ganz andere Richtung als Gütersloh: nach Stuttgart zur Verlagsgruppe Holtzbrinck. Zu ihr gehörten das *Handelsblatt*, die *Wirtschaftswoche*, der Berliner *Tagesspiegel* und sechs weitere deutsche Tageszeitungen, außerdem renommierte Buchverlage wie S. Fischer, Rowohlt, Droemer und Kindler, dazu das weltweit aktive englische Verlagshaus Macmillan. Darüber hinaus hatte sich die Verlagsgruppe mit Zeitschriften wie *Scientific American* und *Nature* in der internationalen Wissenschaftspublizistik einen ausgezeichneten Namen gemacht.

Mit dem Nachkriegsgründer Georg von Holtzbrinck pflegte der ZEIT-Verleger in den siebziger Jahren enge geschäftliche Beziehungen; er verkaufte ihm die *Wirtschaftswoche* und hielt selber eine Zeitlang Anteile am *Handelsblatt*, in dessen Aufsichtsrat er dann saß. Nun reifte in ihm der Plan, Kontakt zu Dieter von Holtzbrinck aufzunehmen, der 1983 das väterliche Erbe angetreten hatte. Er kannte ihn aus der früheren Beteiligung am *Handelsblatt* und hatte seinen Werdegang nach dem Tod des Vaters aufmerksam beobachtet. Im Jahre 1989 kam es zu den ersten Kontakten. Mehrfach reisten Holtzbrinck und sein Verlagsleiter Werner Schönicke nach Hamburg. Am 8. November 1993 erteilte Bucerius schließlich Hilde von Lang einen schriftlichen Verhandlungsauftrag.

Die Geschäftsführerin hatte Bucerius im Frühherbst 1993 eine ernste Warnung zugehen lassen. So könne es mit der ZEIT nicht weitergehen. Neue Medienformen hätten einen Auflagen- und Anzeigenrückgang verursacht. Innovation sei dringend erforderlich, um die Einbußen aufzufangen; Datenbanken, CD-Rom, interaktive Medien veränderten den Markt. Für ein so kleines Haus wie den ZEIT-Verlag seien dies zu große Investitionen; auch reichten die personellen Ressourcen nicht aus. Andere Häuser hätten schon Abteilungen für Zukunftsforschung eingerichtet. Die ZEIT müsse nachziehen, um dem Substanzverzehr zu wehren.

Bucerius leuchteten diese Argumente ein. Die Verhandlungen begannen im Dezember 1993. Im Februar 1994 lag der erste Stuttgarter Vertragsvorschlag auf dem Tisch. Er sah den Verkauf der ZEIT in zwei Tranchen an Holtzbrinck vor: 50 Prozent sofort, 50 Prozent 1996 oder beim Tode von Bucerius. Die Herausgeber Dönhoff und Schmidt waren mit dieser Stufenlösung einverstanden, rieten allerdings, nicht mehr als 49 Prozent zu verkaufen. Am Ende verhakelten sich die Anwälte in Details. Bucerius stand nicht ganz hinter der fertig ausgehandelten Lösung, hatte aber nicht länger die Kraft, den komplizierten Vertragsentwurf intensiv zu bearbeiten. Zum Abschluss kam es vor seinem Tode Ende September 1995 nicht mehr.

Als Verlegerin und Testamentsvollstreckerin nahm Hilde von Lang den Gesprächsfaden zu Dieter von Holtzbrinck im Dezember wieder auf. Ihre Analyse der Lage des Blattes war inzwischen noch düsterer geworden: Die Auflage sank, und das ZEITmagazin wurde zunehmend unwirtschaftlicher. Die Verhandlungen gingen zügig voran und wurden im Frühjahr 1996 abgeschlossen. Allerdings galt es danach noch zwei Hürden zu nehmen: Die ZEIT-Redaktion musste auf das Vorkaufsrecht verzichten, das ihr der Artikel I,4 des Redaktionsstatuts einräumte; vor allen Dingen aber musste das Kuratorium der ZEIT-Stiftung dem Verkauf zustimmen und auch die Titelrechte an die Verlagsgruppe Holtzbrinck übertragen.

Das Kuratorium trat am 25. April 1996 in Hamburgs traditionsreichem Hotel Vierjahreszeiten zusammen. Wie üblich, trug Hilde von Lang über die Lage der ZEIT vor. Das Betriebsergebnis war um 2,5 Millionen Mark schlechter als im Vorjahr; die verkaufte Auflage lag um 4.500 niedriger als im Vergleichsquartal 1995; das Anzeigenvolumen war um 10,2 Prozent zurückgegangen. Das Internet stelle den Verlag vor große Herausforderungen. »Sie sind mit unseren personellen Ressourcen und ohne größere Investitionen nicht zu lösen. Und das führt unweigerlich zu der Feststellung, dass ein Verlag wie der ZEIT-Verlag mit nur einem Titel auf die Dauer nicht überlebensfähig sein kann.«

Dann ließ sie die Bombe platzen: »Der mit Dieter von Holtzbrinck ausgehandelte Vertrag liegt jetzt unterschriftsreif vor. Dem Vorstand der ZEIT-Stiftung wurde er am letzten Wochenende zugeleitet; auftretende Fragen sind vorgestern von den Anwälten und mir beantwortet worden ... Ich denke, ich habe im Sinne unseres verstorbenen Verlegers und Stifters gehandelt, indem ich versuche, die ZEIT langfristig abzusichern ... Über eine breite Zustimmung aus Ihrem Kreise zur Übertragung des ZEIT-Verlages auf die Verlagsgruppe Holtzbrinck würde ich mich freuen.«

Die Überraschung der Nicht-Eingeweihten war vollkommen. Wie versteinert saß Reinhard Mohn da; in Gütersloh hatte man wohl geglaubt, die ZEIT werde Bertelsmann wie eine reife Pflaume in den Schoß fallen. Es entspann sich ein denkwürdiger Dialog. Mohn: »Gehe ich fehl in der Annahme, dass ich zu befragen bin?« Lang: »Natürlich gehst Du darin nicht fehl.« Mohn: »Wann wäre dies geschehen?« – Lang: »Es geschieht hiermit.«

Der Gütersloher Patriarch bewahrte Haltung. Indessen fragte er, ob man sich die konsolidierte Bilanz habe zeigen lassen. Könne Holtzbrinck überhaupt bezahlen? Ein Emissär wurde zu dem Stuttgarter Verleger geschickt, der ein paar Stockwerke höher wartend in seinem Hotelzimmer saß. Telefonisch wurde eine Bankauskunft eingeholt. Der Emissär kam mit der Botschaft zurück, Holtzbrinck sei »solvent und solide«. Mohn daraufhin: »Wenn alles geprüft ist, kann ich nichts mehr tun«. Er verzichtete darauf, den Kaufpreis zu überbieten. Er wahrte die Form und stimmte dem Kauf- und Abtretungsvertrag zu, was er, wie die anderen Kuratoren, durch seine Unterschrift dokumentierte. In der Pressemitteilung, die am 26. April herausgegeben wurde, konnte es daher heißen: »Die Entscheidung des Kuratoriums der ZEIT-Stiftung fiel einstimmig«. Wenig später trat Mohn aus dem Kuratorium der ZEIT-Stiftung aus.

Der Vertrag wurde am nächsten Tag in Basel, wo die Notariatsgebühren niedriger sind als in Deutschland, unterschrieben und notariell beurkundet. Darin sicherte Dieter von Holtzbrinck zu, die ZEIT entsprechend ihrer traditionellen Linie fortzuführen und mit hoher Priorität weiterzuentwickeln. Der Standort Hamburg wurde langfristig garantiert. Ein Weiterverkauf durfte frühestens nach zehn Jahren erfolgen. Der Kaufpreis betrug 140 Millionen D-Mark, zahlbar innerhalb von zwei Wochen. Als spätester Übergabetermin war der 1. Juli 1996 vorgesehen. Beide Parteien, so hieß es weiter, können von dem Vertrag zurücktreten, wenn das Bundeskartellamt den Zusammenschluss rechtskräftig untersagen oder die Redaktion ihr Vorkaufsrecht geltend machen sollte.

Die Redaktion konnte ihr Vorkaufsrecht innerhalb von sechs Wochen nach Vorlage des Kaufvertrages an den Redaktionsausschuss ausüben. Am 30. April wurde der Vertrag diesem Gremium mit der Erläuterung vorgelegt: »Wird ein Vorkaufsrecht ausgeübt, tritt die gesamte Redaktion als Käuferin anstelle der Verlagsgruppe Georg von Holtzbrinck in den beigefügten Vertrag. Sämtliche Redaktionsmitglieder wären dann aus diesem Vertrag berechtigt und verpflichtet«.

Nichts ist für eine Redaktion einschneidender als ein Eigentümerwechsel. So war es nur zu verständlich, dass der Redaktionsausschuss Dieter von Holtzbrinck zum Gespräch ins Pressehaus lud. Es fand in entspannter Atmosphäre statt und dauerte etwa zwei Stunden. »Aus seinen Worten sprach Respekt vor der Redaktion und vor dem Ansehen der ZEIT«, heißt es in dem Protokoll der Begegnung. »Grundsätzlich schien es, dass der mögliche neue Eigentümer von der Redaktion der ZEIT beeindruckt ist und er viele ihrer Mitglieder qua Lesen kennt.« Er pries die Meinungsvielfalt im Blatt. Allerdings hörte der Ausschuss aus seinen Darlegungen auch »leichte Kritik bzw. Verbesserungsvorschläge für das verlagstechnische Management des Blattes heraus«. So sah Holtzbrinck Möglichkeiten, bei Papier, Druck und Vertrieb bessere Verträge auszuhandeln; auch sei die ZEIT öffentlich zu wenig präsent – offenbar wegen einer Aversion im Hause gegen Werbung. Im übrigen »ließ er erkennen, dass von ihm ... jähe Personalveränderungen kaum zu erwarten oder zu befürchten seien«. Auch halte er nichts davon, »zu oft am Layout herumzudoktern«.

Der Protokollant schloss seine Aufzeichnung mit dem lapidaren Satz: »Bei der Begegnung gewannen die Ausschussmitglieder den Eindruck, dass es sich bei Dieter von Holtzbrinck um einen tüchtigen und wahrscheinlich auch sehr energischen Verleger handelt«.

Am 2. Mai trat der Ausschuss erneut zusammen. In einer fünfstündigen Sitzung besprach er ausführlich die Frage des Vorkaufsrechtes. Zunächst beschied er indes eine Anfrage abschlägig, die Stefan Aust, Chefredakteur des *Spiegel*, und der *Spiegel*-Geschäftsführer Werner Klatten informell übermittelt hatten: ob eine Beteiligung Dritter – in diesem Falle des Hamburger Nachrichtenmagazins – erwogen werden könne, falls die ZEIT-Redaktion von ihrem Vorkaufsrecht Gebrauch machen sollte. Den *Spiegel*-Leuten schwebte ein Modell nach dem Beispiel ihres eigenen Hauses vor: die Hälfte der ZEIT-Anteile solle die Redaktion übernehmen, ein Viertel der *Spiegel*, weitere 25 Prozent Gruner + Jahr. Der *Spiegel*, ließen sie übermitteln, habe an einer solchen Lösung sowohl ein »journalistisches wie ein geschäftliches Interesse.« Der Ausschuss beschloss jedoch, auf »Angebote dieser Art und Form« nicht einzugehen; da müsse schon »jemand, der tatsächlich über Geld verfügen kann (soll heißen: Rudolf Augstein) ein schriftliches Gesprächsangebot an den Ausschussvorsitzenden senden,« und dies vor der für den folgenden Mittwoch anberaumten Redaktionsversammlung.

Danach wurde in der Ausschusssitzung die Vorkaufsoption unter vielen Aspekten beleuchtet. Käme eine »mäzenatische Lösung« in Frage, wobei ein Sponsor der ZEIT das nötige Geld schenke und für die nächsten zehn Jahre keinerlei Ansprüche daraus erhebe? Die Idee wurde verworfen, weil dann Schenkungssteuer anfiele und »eine Summe deutlich über dem Verkaufspreis von 140 Millionen nötig wäre«, um einen gewissen Investitionsspielraum zu gewährleisten. Am Ende wurde sich der Ausschuss »weitgehend einig, dass sich in der Redaktion bislang kaum Stimmen erhoben haben, die für einen Kauf der ZEIT durch eben diese Redaktion sprechen – und auch darüber, dass dieses für den Fortbestand des Blattes keine sinnvolle Lösung wäre.« Auch eine anwaltliche Beratung des Ausschusses – der dabei von Holtzbrincks Abneigung gegen das Vorkaufsrecht (er wolle »nicht den Steigbügelhalter für einen anderen Käufer spielen«) erfuhr – änderte nichts an dieser Einstellung.

In zwei Redaktionsversammlungen, am 8. und am 9. Mai, beschäftigte sich das Plenum der Redakteurinnen und Redakteure mit dem gesamten Komplex. In der ersten Sitzung ging es vor allem um Übertragung der Titelrechte, von der die Redaktion nicht rechtzeitig unterrichtet worden sei. Viele sahen darin mehr als eine Verletzung der guten Form: eine Verletzung der Rechte, ja der Würde der Redaktion. Der Chefredakteur Robert Leicht hingegen riet zu Realismus: Es gebe keinen Erwerber, der die Zeitung ohne den Titel gekauft hätte. Zwar räume das Statut ein frühzeitiges Informationsrecht ein, aber was sei überhaupt unter Frühzeitigkeit zu verstehen? Die Fortdauer des jetzigen Zustandes wäre gefährlich angesichts der geringen Reserven. Notwendige Investitionen mitgerechnet, müsse man eher von 200 Millionen als von 140 Millionen reden. »Da kommt die Diskussion auf dem offenen Markt einer Zerstörung des Unternehmens gleich. Wer verantwortlich die Übertragung in einer unternehmerisch gesicherte Zukunft wollte, konnte das nicht öffentlich machen.« Der Tadel sei berechtigt, aber ein anderes Verhalten habe er sich nicht vorstellen können.

Alle drei Herausgeber – Gräfin Dönhoff, Helmut Schmidt, Theo Sommer – hatten in der Kuratoriumssitzung der ZEIT-Stiftung für den Verkauf an Holtzbrinck gestimmt. Sommer erklärte der Versammlung sein Votum: »Ich habe mit Ja gestimmt, trotz der kurzen Informationszeit, weil das Unternehmen ohne Verkauf nicht überlebensfähig ist. Holtzbrinck ist mir als Käufer der liebste. Die Formverletzung nehme ich in Kauf, damit dieser Deal nicht kaputt geredet wird und morgen jemand anders als Käufer dasteht, der mir weniger lieb ist.«

Thomas Kleine-Brockhoff, Mitglied des Redaktionsausschusses, resümierte am Schluss der Sitzung: »Ich würde es für unverantwortlich halten, das Vorkaufsrecht auszuüben. Lieber soll man sich überlegen, wie man mit Holtzbrinck reden will.«

Tags darauf stellte sich Dieter von Holtzbrinck einer weiteren Redaktionsversammlung. Für den Redaktionsausschuss begrüßte Dieter Buhl den Gast. Er erinnerte daran, dass die ZEIT auf eines immer stolz gewesen sei: ihre Unabhängigkeit. Er hoffe, sagte er nicht ohne mahnenden Unterton, dass es auch in Zukunft Gelegenheit gebe, solchen Stolz zu empfinden.

Der künftige Verleger schilderte seinen Werdegang. Er nannte seine Motive. Die ZEIT habe er erwerben wollen, da sie gut zum Profil der Verlagsgruppe passe. Sie habe »qualitativ ein Top-Niveau«. Er setzte hinzu: »Nicht nur das Prestige hat uns verleitet. Wir wissen auch: Das wird kein Spaziergang. Aber wir möchten, dass diese Stimme langfristig stark bleibt.« Laut Protokoll beschrieb er die Philosophie des Stuttgarter Unternehmens so: klare Konzentration auf die »Verlegerei« – nicht bloß Druck und Papier; nur Spitzen-Zielgruppen ansteuern; »das Beste, was geht« aus den Produkten machen; keine Gewinnmaximierung auf Kosten der Qualität (»Wir wollen uns mit den Produkten identifizieren können«); Traditionen und traditionelle Werte achten.

Im übrigen: »Wir greifen nicht in das Tagesgeschäft ein.« Er werde, um zu lernen, sich im kommenden Jahr schwerpunktmäßig um die ZEIT kümmern und durchaus »zwei bis drei Tage« wöchentlich in Hamburg sein, aber »nicht als oberster Kontrollchef«. Veränderungen sehe er nicht vorrangig als Layout-Reform; die sei schön und gut, doch müsse man vor allem wissen, was man inhaltlich wolle. Die Weiterentwicklung der Inhalte müsse »aus der Redaktion heraus« angestoßen werden. Über größere Veränderungen müsse man gemeinsam sprechen.

Eine überfällige Veränderung sprach Holtzbrinck offen an: die Erneuerung des dahinsiechenden ZEITmagazins. Das Genre der Supplements gehe seinem Ende entgegen. Man müsse massiv investieren, um etwas Neues zu machen; möglichst bis zum Herbst. Das Hauptblatt aber? Es werde ihm in der Öffentlichkeit zu schlecht gemacht. Das Gerede von der »alten Tante« sei weit übertrieben. Er finde die ZEIT gar nicht so unmodern. Ihm gefalle die Meinungsvielfalt, das Pro und Contra. Dieses breite Meinungsspektrum müsse erhalten bleiben. Fragen stelle er sich in punkto »intelligente Leserführung«. Er sei überzeugt, das sich das Leserpotential der ZEIT vergrößern lasse, die Auflage wieder über 500.000 gesteigert werden könne; allerdings nur mit mehr Werbung und Öffentlichkeitsarbeit: »Sie müssen heute ständig schellen und klopfen!«

Zum Redaktionsstatut äußerte sich Holtzbrinck zurückhaltend. Derlei Statute seien für jeden Erwerber ein Handicap. Sie begründeten Mitsprache ohne Mitverantwortung. Ohnehin könne man nichts wirklich Wichtiges gegen den Willen der Reaktion durchsetzen. »Wir können ja eh nur den Chefredakteur austauschen. Andere Eingriffe gehören nicht zu unserer Kultur«. Holtzbrincks Fazit: »Ich möchte am Statut nicht rütteln, möchte es aber auch nicht auf Dauer festschreiben.«

Die Versammlung verabschiedete den neuen Verleger mit freundlichen Höflichkeiten. Ein paar Tage lang wurde im Redaktionsausschuss noch über eine juristische Prüfung des Kaufvertrages gesprochen; ein Berliner Anwalt erhielt den Auftrag, darüber ein Gutachten auszuarbeiten. Es lag am 29. Mai vor. Auf acht Seiten wurde darin umständlich argumentiert, die Redaktion sei mit der Vorlage des Kaufvertrages vor vollendete Tatsachen gestellt und dadurch in ihren statutorischen Rechten verletzt worden. Daher müsse sie sich nicht darauf beschränken, im Nachhinein »böse Briefe zu schreiben«. Über die damit zusammenhängenden Fragen »und die sich draus ergebende Handlungsstrategie« könne man sich noch im Einzelnen unterhalten.

Dazu hatte die Redaktion aber keine Lust mehr. Die Hitzköpfe drangen nicht durch; die kühleren Gemüter behielten die Oberhand. Kurze Zeit wurde noch – nach einem Vorschlag des Chefredakteurs Leicht – über eine Minderheitsbeteiligung der Redaktion von drei bis fünf Prozent am Verlag geredet; in einem Konsortialvertrag wäre festzuschreiben, welche Entscheidungen nur mit Zustimmung der Redaktion fallen dürften. Theo Sommer und Matthias Naß plädierten gegen solch eine Vermengung von journalistischen Interessen und Geschäftsinteressen, daraus erwachse nur Unbeweglichkeit. Nach mehreren ablehnenden Voten zu Einzelfragen einer »juristischen Aufrüstung« des Statuts wurde über die von Robert Leicht formulierte Frage abgestimmt: »Gibt es ein Interesse, den Verkauf der ZEIT an Holtzbrinck zu verzögern oder zu verhindern?« Die übergroße Mehrheit der Redaktion verneinte die Frage. Fünf Mitglieder enthielten sich der Stimme. Gegenstimmen gab es nicht.

Am 12. Juni teilte der Redaktionsausschuss Dieter von Holtzbrinck dieses Ergebnis mit. Das Resümee des Ausschusses:

»Damit steht der Übernahme der ZEIT durch die Holtzbrinck-Gruppe nichts mehr entgegen. Wir freuen uns darauf, von nun an mit Ihnen die ZEIT entsprechend ihrer Tradition weiter voranzubringen. Wie Sie schon bei Ihrem ersten Besuch in der Redaktion im Mai feststellen konnten, liegt uns sehr an unserer journalistischen Unabhängigkeit und an verbrieften Mitwirkungsrechten. Dieses Thema hat die Redaktionsversammlung am 4. Juni noch einmal intensiv beschäftigt. Lassen sie uns deshalb darüber weiter im Gespräch bleiben. Herzlich willkommen!«

»Böse Briefe« erhielten der guten Ordnung halber noch der Vorstand der ZEIT-Stiftung und die Testamentsvollstreckerin Hilde von Lang. »Sie haben nicht nur das Gebot der Information missachtet, sondern das Vorkaufsrecht der Redaktion im Kern geschmälert.« Aber dies waren letzte Rückzugsgefechte. Hilde von Lang antwortete am 26. Juni sachlich-nüchtern, der Verkauf solle sicherstellen, dass die ZEIT sich auch künftig in dem sich schnell verändernden Medienmarkt behaupten könne; sie werde auch im Verbund der Holtzbrinck-Gruppe ihr unverwechselbares Profil behalten, dafür stünden in erster Linie die Herausgeber und der Chefredakteur ein; die steuerlich gebotene Einbringung der Titelrechte in den Zeitverlag sei keine Veräußerung im Sinne des Redaktionsstatuts gewesen; und »im Interesse des Verkaufs und damit der Sicherung der Zukunft des Unternehmens« habe sie das Informationsrecht restriktiv handhaben müssen. Genauso beurteile auch der Stiftungsvorstand die Vorgänge der letzen Wochen.

Die Noch-Verlegerin schloss versöhnlich: »Mir scheint es nun vor allem geboten, dass wir alle uns auf die weitere Arbeit für die ZEIT konzentrieren – in hoffentlich gleich gutem Einvernehmen wie bisher«.

Damit war die zermürbende Phase des Übergangs beendet. Am 1. Juli 1996 begann im Pressehaus am Speersort eine neue Epoche: die Ära Holtzbrinck.

Oben:
Bei der Beerdigung von Gerd Bucerius am 11. Oktober 1995: Rudolf Augstein führt die Witwe Ebelin Bucerius aus der Reinbeker Friedhofskapelle, Theo Sommer, die Lebensgefährtin Hilde von Lang, Haug von Kuenheim (hinten rechts auf der Treppe), die Halbschwester des Verstorbenen. Dahinter Marion Dönhoff.

Unten:
Im Foyer des Hamburger Pressehauses: Gedenken an Marion Gräfin Dönhoff, die am 11. März 2002 starb.

J. Nawrocki: Die Lücken in den Stasi-Akten über Manfred Stolpe (Seite 4)

DIE ZEIT

Nr. 18 24. April 1992, 47. Jahrgang Preis 4,00 DM

WOCHENZEITUNG FÜR POLITIK · WIRTSCHAFT · HANDEL UND KULTUR C 7451 C

Kommanditgesellschaft Zeitverlag Gerd Bucerius GmbH & Co. Postfach 10 68 20, 2000 Hamburg 1

Stählernes Gehabe, eiskalter Haß

Die RAF und der Staat: Ende einer blutigen Verirrung? / Von Hanno Kühnert

Die RAF-Kommandeure wollen der Gewalt absagen: Dies markiert das Ende einer Epoche. Oder doch nicht? Das zwischen Nachdenklichkeit und Drohungen schwankende Schreiben der Roten Armee Fraktion hat eine wilde Diskussion ausgelöst. Der Wust an Übertriebenheiten, der die besonnene Reaktion des Bundesjustizministers Klaus Kinkel quittierte, zeigt aufs neue, daß die meisten Politiker noch immer wenig Gelassenheit aufbringen, wenn es um Terrorismus geht. Dabei wäre der merkwürdige, auch denkwürdige anonyme RAF-Brief dazu angetan, einmal mit dem Geschrei innezuhalten und die Lage ruhig zu prüfen. Bezeichnend: Auf die Morde reagierten die Härte-Prediger ganz ähnlich wie jetzt auf Friedensangebot und Gewaltabsage.

All die zwanzig Jahre, in denen wir uns nun mit dem absurden RAF-Terrorismus und seinem eiskalten Haß herumschlagen, haben die Hardliner den Ton angegeben. Sie haben Gesetze bis zum Exzeß verschärft und die Institutionen des Landes in Festungen verwandelt. Bundesanwaltschaft und viele Gerichte haben das keineswegs unelastische Recht hart und gnadenlos angewandt. Kontaktsperre, Kronzeuge, Anwaltsausschluß – viele solcher Vokabeln der Schädigung von Bürgerrechten kommen einem auf die Zunge, denkt man an den bundesrepublikanischen Terrorismus und die Antworten des Staates auf ihn.

Das stählerne Gehabe war aber fast völlig erfolglos. Jahr um Jahr mordeten die Terroristen die besten Leute. Inzwischen ist die Liste der Opfer von beängstigender Länge: von Jürgen Ponto über Gerold von Braunmühl bis zu Detlev Karsten Rohwedder. Über einen langen Zeitraum – Ende der achtziger Jahre – fingen Polizei und Bundeskriminalamt keinen einzigen der Mörder, obwohl die Fahndung Mal um Mal verstärkt wurde und immer neue Einschränkungen, sogar von Grundrechten, installiert worden sind. Nach jedem Mord und jedem Entsetzen ertönte wieder der Ruf nach Härte und Verschärfung – und alles ohne habhaftes Resultat.

An unsere Leserinnen und Leser

Wegen des Feiertages 1. Mai wird die nächste Ausgabe der ZEIT früher ausgeliefert. Sie erhalten sie bereits am Mittwoch, dem 29. April, bei Ihrem Händler.

Die drei Kantone

Gibt es Streik?

Der soziale Frieden ist gefährdet / Von Erika Martens

Viel steht auf dem Spiel. Die Beschäftigten im öffentlichen Dienst, bei Post und Bahn entscheiden in dieser Woche über einen Arbeitskampf. Sie werden, darüber gibt es keinen Zweifel, für Streik stimmen. Zum „letzten Termin" treffen sich auch die Unterhändler des Baugewerbes. In der Metallindustrie läuft Ende des Monats die Friedenspflicht aus, dann kann die Gewerkschaft mit Warnstreiks Druck machen. Zugleich beginnt die heiße Phase im Einzelhandel und in der Druckindustrie.

Nirgends sind Kompromisse in Sicht, die Fronten sind allerorten so verhärtet wie seit Jahren nicht. Die Arbeitgeber, öffentliche und private gleichermaßen, wollen die Gunst der Stunde für eine „Wende in der Tarifpolitik" nutzen. Und die Regierung in Bonn, allen voran Bundesfinanzminister Theo Waigel, spricht von „sozialem Umbau", ohne die Vermutung auszuräumen, daß damit sozialer Abbau gemeint ist. Der Vorschlag, wieder sogenannte Karenztage einzuführen, also in den ersten ein bis drei Krankheitstagen keine ...

... der Bundesausgaben bis 1995" und einer „knallharten Finanzpolitik", doch solchen Worten müßten nun endlich Taten folgen. Starke Sprüche haben die Bundesbürger genug gehört.

Und der Kanzler, der die Kontakte zu den Gewerkschaften nach der Einheit sorgsam pflegte, weil er die Arbeitnehmervertretungen für den Aufbau im Osten brauchte, hat in diesem Jahr eine Kehrtwende vollzogen. An den Beschäftigten im öffentlichen Dienst will er jetzt ein Exempel statuieren. Erinnerungen an 1974 werden wach, als Willy Brandt im Kampf mit den öffentlich Beschäftigten unterlag. Damals wie heute hat die Spitze des Staates es nicht verstanden, die Arbeitnehmer von der Notwendigkeit des Verzichts zu überzeugen.

Verzicht auf realen Lohnzuwachs ist angesichts der Kosten der Einheit in der Tat angebracht. Doch um die Bereitschaft dazu zu wecken, braucht man ein glaubwürdiges Sparkonzept, zu dem neben den Besserverdienenden auch die Spitzen von Staat und Wirtschaft ihren Beitrag leisten. Der Kanzler aber will Opferbereitschaft der Massen durch Härte erzwingen. Dabei kann er nicht einmal garantieren, daß mit einem Lohnverzicht wirklich den Menschen in Ostdeutschland geholfen wird und nicht bloß sinnlose Vorhaben wie der Jäger 90 oder die Olympischen Spiele in Berlin finanziert werden.

Auch die Pflegeversicherung läßt sich ohne Karenztage bezahlen. Umbau des Sozialstaats muß ja nicht Abbau von sozialen Leistungen bedeuten. ...

... Kompetenz und Mut. Sie setzt lieber dort an, wo sie die schwächste Stelle vermutet – bei den Arbeitnehmern. Kein Wunder, daß die Gewerkschaften nichts von Kompromissen hören wollen. So gerät der soziale Frieden in Gefahr – eine Errungenschaft, der wir Wohlstand im Inland und Ansehen im Ausland verdanken. Das Auseinanderbrechen der Sozialpartnerschaft darf aber nicht der Preis für die deutsche Einheit sein. So teuer muß sie nun wirklich nicht werden.

DIESE WOCHE

Bei den Komsomolzen des Propheten

In den Basaren Zentralasiens agitieren Berufsrevolutionäre Allahs. Sendboten des Ajatollah Chomeini ringen mit Anhängern des Pantürkismus um Einfluß. Wer wird die Republiken des zerfallenen Sowjetreiches beherrschen: Fundamentalisten oder Nationalisten? Ein Reisebericht von Ahmad Taheri im

DOSSIER Seiten 13–16

Gemeinsam sind wir stark

Im Niemandsland zwischen Rock und Schnulze ist Peter Maffay der Größte. Und mag ihn die Intelligenz noch so sehr mit Verachtung strafen – für seine unzähligen Fans ist er glaubwürdig, weil er meint, was er singt.

Ausführliches Inhaltsverzeichnis Seite 12

Geschichte mit Ballast

Es ist eigentlich ein ganz normaler Vorgang: Israel bittet die Bundesrepublik um finanzielle Unterstützung für die Eingliederung der vielen jüdischen Einwanderer, Bonn prüft das Begehren, hält allenfalls sehr viel niedrigere Beträge als die erbetenen zehn Milliarden Mark für realistisch und schiebt im übrigen die Entscheidung auf die lange Bank, möglichst auf die Zeit nach den israelischen Wahlen im Juni.

Aber zwischen Deutschland und Israel gibt es keine normalen Vorgänge. In Israel sieht mancher in der zögernden Haltung Bonns die opportunistische Rücksichtnahme auf neue braune Parteien. In Bonn werden israelische Zeitungsmeldungen über die Verhandlungen als gezielte Indiskretion der Regierung Schamir gewertet, um die Deutschen in Verlegenheit und unter Druck zu bringen. In Israel klingt etwas durch von der moralischen Verpflichtung der Deutschen zu besonderem Entgegenkommen, in Deutschland vom Ressentiment gegen die vermeintliche Instrumentalisierung deutscher Schuld zu finanziellem Vorteil.

Die Entscheidung der Bundesregierung ist richtig. Die Regierung Schamir hatte amerikanische Kreditzusagen abgelehnt, weil sie an die Bedingung gebunden waren, daß keine neuen jüdischen Siedlungen auf besetztem Gebiet errichtet würden. ...

... sonst kein anderer Staat der Welt Anrecht hat. Wenn der Friedensprozeß im Nahen Osten tatsächlich mit israelischem Zutun in Gang kommen sollte, dann wird die Bundesrepublik tatkräftige Hilfe bereitstellen müssen, um ihm zum Durchbruch zu verhelfen. Das Argument, die Kosten der deutschen Einheit seien zu groß, wird dann nicht mehr reichen. Die Kosten der deutschen Geschichte sind größer. *cb*

Stolpes Taten

Eine Kollektivhysterie scheint ausgebrochen. Mit Recht stellte Ministerpräsident Rau verwundert fest: „Wir haben doch auch nach 1945 keinen danach beurteilt, was die Gestapo über ihn gesagt hat, sondern danach, was wir mit ihm erlebt haben." In der Tat, zur Zeit der kommunistischen Herrschaft hat die Stasi kaum so viel Einfluß gehabt wie heute, wo jeder Papierfetzen, der Stolpe betrifft, als Offenbarung betrachtet wird.

Für den, der in einem Rechtsstaat lebt, ist es eben fast unmöglich, sich das Verhalten vorzustellen, mit dem allein man in einem totalitären Apparat etwas erreichen konnte: auf keinen Fall als Gegner auffallen, im Gegenteil, durchblicken lassen, daß man Verständnis für gewisse Gegebenheiten hat. „Der Erfolg heiligt die Mittel." Dieser Grundsatz kommt im Rechtsstaat einer Sünde gleich – in einer Diktatur dagegen ist jedes Mittel recht, um Unrecht zu verhindern.

Welch anderem Zweck als dem, die Kirche zu schützen und Menschen in Not zu helfen, könnte denn die Tätigkeit des Konsistorialpräsidenten gedient haben? Glauben seine Widersacher etwa, er habe zu seinem Vergnügen Gespräche mit der Stasi geführt? Und ferner: Die Kirche ist während jener Schreckensherrschaft doch erstaunlich glimpflich davongekommen. Kann sich jemand vorstellen, dies sei von allein geschehen? *Dff*

Kostenspiele

Olympische Spiele und Weltausstellungen mögen ja manches für sich haben. Wenn der Sport-Lärm verklungen ist, bleibt vieles zurück: Stadien, Schwimmhallen, Untergrundbahnen und Hochstraßen. Und alle Expos hinterlassen ihre charakteristischen Sehenswürdigkeiten: den Londoner Kristallpalast, den Pariser Eiffelturm, das Brüsseler Atomium. Außerdem aber lassen die meisten Olympischen Spiele und Weltausstellungen einen Berg von Schulden zurück.

Für das Jahr 2000 hat sich Berlin um Olympia beworben, Hannover ist scharf auf die Expo. Gegen beides wäre auch nichts einzuwenden – solange die Berliner und die Hannoveraner nicht darauf spekulieren, dem Bund zur Finanzierung ihres Ehrgeizes tief in die Tasche zu greifen. Eben dies freilich wollen sie. Der Bundesfinanzminister soll mit hohen Milliardenbeträgen dabeisein. Da aber hört der Spaß auf.

G. Hofmann über Genscher: Der „Mister Mitte" der Republik (Seite 3)

DOSSIER
Eine neue Wahrheit über Lockerbie (Seite 13)

DIE ZEIT

magazin
Südafrikas Gesichter: jenseits von schwarz-weiß

Nr. 19 1. Mai 1992, 47. Jahrgang

WOCHENZEITUNG FÜR POLITIK · WIRTSCHAFT · HANDEL UND KULTUR C 7451 C

Preis 4,00 DM

Genschers Rücktritt markiert das Ende einer Epoche

Der Lotse geht von Bord

Von Theo Sommer

Achtzehn Jahre lang wird Hans-Dietrich Genscher Außenminister der Bundesrepublik gewesen sein, wenn er am 17. Mai das Auswärtige Amt abgibt. Ein Jahr länger, und er hätte den deutschen Amtszeit-Rekord gebrochen, den Otto von Bismarck aufgestellt hat. Anders als der Fürst jedoch, der dem Unmut seines Souveräns weichen mußte, kündigte Genscher seinen Rücktritt aus freien Stücken an. Der Umfrage-Liebling der Deutschen wollte nicht erst abwarten, bis Unmut sich über seinem Haupt zusammenballte. Lieber zieht er sich in Respekt vor den zeitlichen Grenzen zurück, die jeglicher Amtsausübung in der Demokratie gesetzt sind.

Genscher, der Innenpolitiker, war kein geborener Außenminister, und er trat sein Amt im finsteren Schatten der Guillaume-Krise an. Aber er gewann bald an Sicherheit auf dem diplomatischen Parkett, an Statur, an politischem Gewicht. Viele, die ihn zu Beginn scheel ansahen, seine „Aalglattheit" oder „Zwielichtigkeit" anprangerten und über den „Superschlangenmenschen" herzogen, haben ihm inzwischen Abbitte getan. Er gehörte am Ende nicht nur zum fixen Mobiliar der internationalen Politik; er war auch ein verläßliches Element der Kontinuität.

Nicht, daß er seine Pfiffigkeit verloren hätte, sein mimikryhaftes Anpassungsvermögen, seine Vorliebe für wattige Begriffe, weiche Kompromisse, slalomhaftes Vorgehen. Aber er ist zugleich wendig und beständig, geschmeidig und entschieden, fußflink und trittfest — ein diplomatischer Profi, der längst zum Staatsmann reifte. Hinter aller Taktik versteckt sich ein Stratege. Genscher denkt immer in Optionen, doch kennt er seine Ziele. Er zelebriert die Zweckmäßigkeit, doch verliert er seine Prinzipien nie aus dem Sinn.

In der Rückschau auf Genschers achtzehn Jahre in der Adenauerallee sticht denn auch die Konstanz seiner Ansichten hervor, nicht das Gewackel und Gefackel, das so oft Gegenstand hämischer Betrachtung gewesen ist — und nicht immer zu Unrecht.

Genscher war stets ein Patriot, nie ein Nationalist. Der Wiedervereinigung galt sein „sehnlichster politischer Wunsch". Indessen gab der Hallenser sich nie für Versuche her, die Verankerung der Bundesrepublik im Westen zu lockern oder zu lösen, um die deutsche Einheit zu erlangen. Nun, da sie Wirklichkeit geworden ist, warnt er erst recht vor nationalen Alleingängen. Der deutschen Einigung will er die europäische Einigung folgen lassen. Seinen Landsleuten rief er immer wieder zu: „Lassen Sie uns gute Deutsche sein, indem wir gute Europäer sind."

In den Anfängen seiner Amtszeit mochte Genscher mit der Ostpolitik seine Schwierigkeiten gehabt haben. Aber bald mauserte er sich zu einem Vorkämpfer der Entspannung: auf dem Felde der KSZE; im Abrüstungsbereich, wo er ohne Unterlaß eine „Modernisierung des Denkens anstelle der Waffensysteme" forderte; vor allen Dingen im Verhältnis zu Michail Gorbatschow, demgegenüber er schon Anfang 1987 in Davos Zusammenarbeit predigte: „Nehmen wir Gorbatschow ernst, nehmen wir ihn beim Wort!" Damals schäumten in Bonn und München die „Stahlhelmer" gegen den Bundesaußenminister, in Washington die Hardliner. „Genscherist" war ein übles Schimpfwort. Heute gibt es von Vancouver bis Wladiwostok nur noch Genscheristen.

Hans-Dietrich Genscher war ein großer Außenminister unseres Landes. In einem freilich mag er sich täuschen: in der Annahme, es bleibe nichts mehr zu tun. „Ich verlasse mein Amt in einem Zeitpunkt", sagt der scheidende Minister in seiner Abschiedserklärung, „in dem die Grundlinien der deutschen Außenpolitik eindeutig vorgegeben sind." Aber sind sie es wirklich? Auf einmal ist die Europäische Union auch hierzulande umstritten. Das deutsch-französische Verhältnis bedarf der entschlossenen Gestaltung. Das Verhältnis zu den Vereinigten Staaten wandelt sich von geostrategischer Traulichkeit zu geoökonomischer Rivalität. Die Zukunft Osteuropas ist umwölkt. Deutschlands Rolle auf der Weltbühne bleibt innenpolitisch umstritten.

Der Lotse geht von Bord. Die Geschichte jedoch hört mit Genschers Rücktritt nicht auf. Die Republik muß sich wünschen, daß die Nachfolgerin in ihrem neuen Amt Talent und Durchsetzungsvermögen entfaltet. Aber wundern darf man sich schon, wie heutzutage Ministerposten als Pfründen behandelt und einfach im parteiinternen Schacher vergeben werden.

Alle Räder stehen still: Streik im Öffentlichen Dienst

Streit und Streik: Die Deutschen hätten Gescheiteres zu tun

Keiner kann gewinnen

Von Roger de Weck

Der Weg zur Arbeit ist beschwerlich geworden: Kommt die Bahn? Findet der Stau auf der Einfallstraße kein Ende? Der Briefkasten am Hauseingang bleibt leer. Der Müll wird nicht abgeholt. Es tobt ein Arbeitskampf, der alle trifft.

Jeder weiß, daß sich Deutschland diesen Streik nicht leisten kann. Nach der Vereinigung, in der konjunkturellen Flaute und vor einem Berg ungelöster Probleme gibt es Gescheiteres zu tun, als zu streiten und zu streiken. Ohnehin steht ein verhältnismäßig geringer Einsatz auf dem Spiel: rund 2,5 Milliarden Mark mehr oder weniger für den gesamten öffentlichen Dienst in Bund, Ländern und Gemeinden. Kein vernünftiger Mensch käme auf den Gedanken, diese Differenz zwischen dem Angebot der Arbeitgeber (4,8 Prozent) und dem von den Gewerkschaften zunächst akzeptierten Schlichterspruch (5,4 Prozent) rechtfertige all das, was die Deutschen in diesen Tagen erleben.

Aber es geht jetzt nicht mehr um die Vernunft, sondern ums Prinzip. Das Ergebnis der Urabstimmungen muß uns alle so nachdenklich stimmen wie jüngst der Ausgang der Landtagswahlen in Baden-Württemberg und Schleswig-Holstein. In dem massiven Votum für einen Streik entlud sich der Unmut von Bürgern, die von den Regierenden systematisch irregeführt worden sind. Trotz des weitverbreiteten Anspruchsdenkens kann man von den Menschen viel verlangen, wenn sie darauf vorbereitet und die Opfer gerecht verteilt werden. Beides ist unterlassen worden.

Schlimmer noch, seit 1989 hat der Bundeskanzler den Westdeutschen weisgemacht, sie müßten kaum Verzicht üben. Unvermittelt kam dann, was kommen mußte: eine Erhöhung der Steuern und Gebühren. Da verwundert es nicht, daß die Stimmung beim „Mann auf der Straße" gereizt ist, zumal die Teuerung von 4,8 Prozent an der Kaufkraft zehrt.

Die Sozialdemokraten tragen eine Mitverantwortung für die ungute Stimmung im Lande. Sie suggerieren, die Finanzierung des Wiederaufbaus im Osten sei vor allem eine Sache der Wohlhabenden. Das stimmt nicht. Natürlich müssen die Bessergestellten mehr bezahlen, aber das Geld wird nur dann reichen, wenn auch die Leute mit unteren Einkommen Abstriche hinnehmen.

In einer solchen Lage bot sich denn auch der Bundesregierung eine einzige, keineswegs originelle Lösung an: ein runder Tisch oder eine konzertierte Aktion, um den Willen zum umfassenden Kompromiß zu bestärken. Seit Beginn der deutschen Vereinigung war vorauszusehen, daß die Verteilungskämpfe härter würden. Der Kuchen ist vorerst nicht viel größer geworden, muß

Es geht nicht mehr um die Vernunft, sondern ums Prinzip. Am Ende gibt es nur Verlierer.

jetzt aber unter 80 anstatt 62 Millionen Menschen aufgeteilt werden. Die Tradition der Bundesrepublik ebenso wie der gesunde Menschenverstand hätten nun dafür gesprochen, daß sich Regierung, Parteien, Wirtschaft und Gewerkschaften besser abstimmten und weniger abkanzelten.

Der Kanzler allerdings fühlt sich offensichtlich stark genug, die deutsche Einheit gleichsam im Alleingang zu vollenden. Er brüskiert, anstatt zu führen. Weil Helmut Kohl niemanden mehr in seine Politik einbindet, bleibt allen Kontrahenten nur eins: die Härte. Logische Folge: Streik.

Der Ausstand ist ein Ausdruck des Unvermögens, endlich umzudenken. Die Verhaltensmuster aller Tarifpartner muten anachronistisch an: Bei der Bewältigung der Vereinigung tut jeder so, als hätte sie nicht stattgefunden. Jetzt herrscht das Chaos nicht nur auf den Straßen, sondern auch in den Köpfen. Wir sind Zeugen eines Festivals der Ungereimtheiten.

So verlangt der Staat von seinen Bediensteten gerade das, wozu er selbst nicht fähig ist: sich einzuschränken. Die Wirtschaft will weniger Steuern zahlen, krallt sich aber an jede Subvention. Die Gewerkschaft ÖTV stößt sich an der ungerechten Verteilung der Opfer für die Einheit und forderte gleichzeitig eine lineare Lohn- und Gehaltserhöhung, von der die Gutverdienenden am meisten profitieren. Der IG-Metall-Chef Franz Steinkühler wettert gegen das „völlig realitätsferne" Angebot von 3,3 Prozent der Metall-Arbeitgeber — als ob die Forderung seiner Gewerkschaft nach 9,5 Prozent mehr Lohn nicht gleichermaßen weltfremd sei.

Weiter so, Deutschland? Wenn wir so weitermachen wie bisher, kann es nicht gutgehen. Am Ende des Streiks wird es bloß Verlierer geben.

Der Bundeskanzler: Helmut Kohl hat sich auf eine Machtprobe eingelassen, die er nicht gewinnen kann; die Gewerkschaften haben den längeren Atem und — achtzehn Jahre nach dem letzten großen Ausstand — eine pralle Streikkasse. Kohl hat nun die Wahl, entweder klein beizugeben oder aber sich auf einen langen Streik einzustellen. Er muß fürchten, daß ihn die Arbeitgeber aus Ländern und Kommunen im Stich lassen. Zudem kann er nicht ernsthaft damit rechnen, daß die Gewerkschaften jemals einen Abschluß unter fünf Prozent billigen werden. Kohl hat viel Prestige zu verlieren und wenig Geld zu gewinnen.

Die Gewerkschaften: Nach geschlagener Schlacht werden die Beschäftigten des öffentlichen Dienstes nur minimale Vorteile errungen haben; das krasse Mißverhältnis zwischen Aufwand und Ertrag wird den Gewerkschaften noch arg zu schaffen machen. Und: Der Kanzler wird die Arbeitnehmerorganisationen zu Sündenböcken für den Konjunktureinbruch stempeln.

Die Wirtschaft: Wenn schon die „Wende in der Tarifpolitik" eingeläutet werden sollte, dann wäre es taktisch wohl klüger gewesen, die Konfrontation zunächst mit der IG-Metall zu suchen; denn die Arbeitgeber der Metallbranche können angesichts der rückläufigen Bestellungen und unausgelasteten Kapazitäten einen langen Streik besser durchstehen als der Staat. In der vergifteten Atmosphäre werden jetzt aber die Tarifrunden bei Metall, Baugewerbe, Einzelhandel und Druckindustrie noch schwieriger.

Die SPD: Wieder einmal bietet sie ein Bild der Führungs- und Ratlosigkeit. Wie gewohnt, sind die sozialdemokratischen Politiker zerstritten, hin und her gerissen zwischen ihrer Rolle als Arbeitgeber in neun Bundesländern und ihrer Pflicht gegenüber der eigenen Klientel.

Der Schock des Streiks wird zunächst allenthalben die Fronten verhärten. Oder ist es doch ein heilsamer Schock? Es wird sich weisen, ob der Kanzler mit derselben Härte, die jetzt nur seine Staatsdiener trifft, endlich ein vernünftiges Sparprogramm durchsetzt: gegen den Widerstand der Bauern mit ihren Milliardensubventionen, gegen die Interessen von Militärs und Rüstungslobby mit ihrem Jäger 90, gegen die kostspieligen Forderungen der Wirtschaft.

Bisher hat Kohl nur die Staatsdiener in die Schranken zu weisen versucht. Glaubwürdig wird er erst, wenn er alle ans Portepee faßt.

Schwarz-Rot

Schwarz-Grün kommt nicht. Klappt Schwarz-Rot? Wer in Baden-Württemberg den Anlauf zu einer neuen Farbkombination der Politik erwartete, hat die Risikobereitschaft der Christdemokraten überschätzt. Auch pragmatische Grüne sind ihnen nicht geheuer.

Ob CDU und SPD einander in Sachfragen tatsächlich näher sind, wie Ministerpräsident Teufel behauptet, muß sich erst noch erweisen. Auf dem Weg zu einer gemeinsamen Regierung stehen hohe Hürden. Nicht nur müssen die möglichen Partner ihre Differenzen in der Finanz- und Wirtschaftspolitik überwinden. Auf sie warten auch so brisante Themen wie das Abtreibungsrecht und das Asylproblem. Der Wahlschock vom 5. April mag Schwarze wie Rote nachdenklich gestimmt haben. Eine Garantie für die Selbstüberwindung der Parteien bietet er nicht.

Auf jeden Fall wäre es verfrüht, in der südwestlichen Annäherung bereits das Vorspiel für eine große Koalition im Bund zu sehen. In Stuttgart bestimmt die Mathematik des Wahlergebnisses die Regierungsbildung, nicht politische Zuneigung. Da bleibt wenig Spielraum für Modellwirkung. *D.B.*

Tragödie

In Kabul verspielen fanatische Mudschaheddin-Rivalen ihren schwer erkämpften Sieg über das kommunistische Regime. Die Rivalität zweier machtbesessener Männer läßt der Friedenssehnsucht von fünfzehn Millionen Menschen keine Chance. Ahmed Schah Massud und Gulbuddin Hekmatyar sind gegeneinander angetreten. Morgen werden auch die anderen „Kommandanten" des Widerstands ihren Anteil an der Beute haben wollen. Was gelten da schon Waffenstillstandsvereinbarungen?

Schon immer haben die Afghanen untereinander nur Frieden gegeben, wenn sie sich im Krieg gegen Außenstehende vereinen konnten. Nun, da der Druck von außen gewichen ist, löst sich die Hoffnung auf eine Befriedung im Inneren in nichts auf. Es ist auch kein Retter in Sicht, der die zutiefst verfeindeten Gruppen in Afghanistan einen könnte.

Bleibt dem Land nur der Marsch zurück in die blutige Vergangenheit? Eines ist auf jeden Fall gewiß: Wer immer in Kabul siegt, er wird ein fundamentalistisches Regime errichten. Für die Region bedeutet das eine Bedrohung, für Afghanistan aber ist es eine Tragödie. *Vy.*

DIESE WOCHE

Kommanditgesellschaft
Zeitverlag Gerd Bucerius GmbH & Co.
Postfach 106820, 2000 Hamburg 1. Telephon 040/3280-0
Abonnement: Telephon 040/3708-3268

Oben:
Die Chefredakteure 1968-2000 (v. l.): Roger de Weck, Marion Gräfin Dönhoff, Theo Sommer, Robert Leicht.

Mitte links:
Matthias Nass, stellvertretender Chefredakteur.

Mitte rechts:
In der Vollversammlung (v. r.): Dieter von Holtzbrinck, Michael Naumann, Josef Joffe.

ZEIT-Karikaturisten: Paul Flora (l.) und Luis Murschetz.

Oben:
Dieter von Holtzbrinck.

Mitte (v. l.):Roger de Weck, Dieter von Holtzbrinck, Michael Grabner.

Unten:
Rainer Esser, Sprecher der Geschäftsführung des Zeitverlages.

Redakteurin Margrit Gerste mit Layouter Wolfgang Wiese.

Art Director Dirk Merbach mit Stellvertreterin Haika Hinze.

Das Dokumentationsteam (v. l.): Miriam Zimmer, Uta Wagner, Claus Eggers, Udo Liebscher.

Ralf Dahrendorf: An der Schwelle zum autoritären Jahrhundert (S. 14)

ART COLOGNE Internationaler Kunstmarkt

DIE ZEIT

ART COLOGNE Internationaler Kunstmarkt

Nr. 47 14. November 1997, 52. Jahrgang
WOCHENZEITUNG FÜR POLITIK · WIRTSCHAFT · HANDEL UND KULTUR
C 7451 C
Preis 4,50 DM

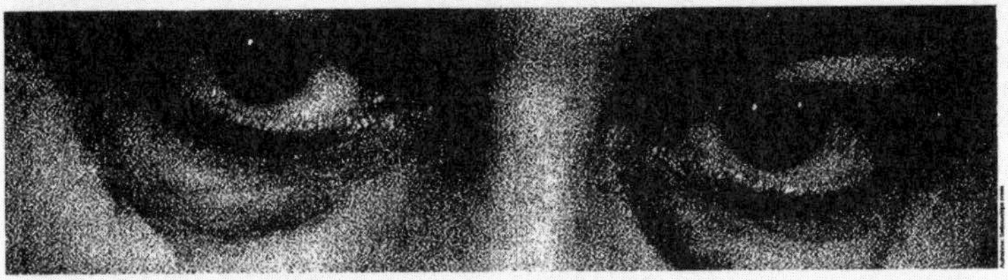

Im Banne Saddams

Amerika muß notfalls Gewalt anwenden – aber nur eine neue Irakpolitik kann die nächste Krise verhindern / *Von Christoph Bertram*

Fehler der Vergangenheit rächen sich oft erst in der Krise. Heute haben die Vereinten Nationen, wollen sie ihre Autorität bewahren, keine andere Wahl, als volle Bewegungs- und Kontrollfreiheit für ihr Inspektionsteam im Irak durchzusetzen, notfalls mit militärischer Gewalt.

Aber ebenso gilt: Um diese Autorität über die jetzige Krise hinaus zu behalten, muß der UN-Sicherheitsrat eindeutig zu seiner Zusage stehen, das Wirtschaftsembargo gegen den Irak aufzuheben, sobald Saddam Husseins Regime nicht mehr in der Lage ist, die Golfregion und den Nahen Osten insgesamt mit Massenvernichtungswaffen zu bedrohen.

Darauf müssen sich auch die Vereinigten Staaten verpflichten, die wie kein anderes Mitglied des Sicherheitsrates die Gefährdung durch den Irak ernst nehmen.

Mit der Zurückweisung der amerikanischen Inspektoren haben Saddam Hussein und seine Berater die Überwachung der irakischen Abrüstungsverpflichtung ausgehebelt. Zu Recht drängte Amerika auf eine eindeutige, einstimmige Verurteilung. Ein Sicherheitsrat, der sich dazu nicht durchränge, würde Bagdad nur zu weiteren Störaktionen ermuntern.

Dann käme es allein auf die Bereitschaft Washingtons an, den Diktator von Bagdad zum Einlenken zu bewegen. Wann immer Saddam Hussein seine 1991 nach dem Ende des Golfkrieges übernommenen Verpflichtungen unterlaufen wollte, waren es die Vereinigten Staaten, die ihn, zumeist gewaltsam, in die Schranken zurückwiesen.

Manche Europäer verzerren den Konflikt am Golf zum Zweikampf zwischen einem verrückten Irak und einem verbohrten Amerika. Sie sollten sich lieber fragen, wer denn außer den Vereinigten Staaten für die Einhaltung verbindlicher Irakresolutionen streitet – und was die Folge wäre, am Golf und anderswo, wenn diese Beschlüsse mangels Durchsetzungswillen zu Makulatur würden. Präsident Clinton wird die Entscheidung zu einem Militärschlag nicht leichtfallen; die Wirkung auf den Irak ist weniger garantiert als die Empörung in der arabischen Welt und die Kritik vieler Partner Amerikas. Aber der Schaden – nicht nur für die Vereinigten Staaten – wäre ungleich größer, wenn die Uno wieder einmal als bloßer Debattierklub vorgeführt würde.

Allerdings: Nicht nur beim Strafen, auch bei der Strategie ist Amerika gefragt. Das Beharren auf Sanktionen, das Pochen auf unbehinderte Inspektionen ist noch keine Strategie – und mehr hat Washington seit dem Golfkrieg selten geboten. Der Irak ist ja kein besetztes Land: Die Unterstützung der dortigen Behörden ist erforderlich, sollen die Kontrolleure die irakische Fähigkeit zur Massenvernichtung aufdecken, den Abbau der Waffenbestände und -fabriken überwachen. Zu dieser Unterstützung kann das Tyrannen-Regime nicht durch Bomben oder Embargos gezwungen werden. Es muß vielmehr selbst darin einen Vorteil sehen.

So hält denn auch die maßgebliche UN-Resolution Nummer 687 vom April 1991 fest: Sobald der Sicherheitsrat übereingekommen ist, daß der Irak alle Abrüstungsauflagen erfüllt hat, darf das Land wieder unbegrenzt sein Öl exportieren. Die von der Uno kontrollierte Selbstentwaffnung ist dafür der Preis.

Das hat in der Vergangenheit insgesamt funktioniert. Der Irak erkannte die Grenze zum überfallenen Nachbarn Kuwait in aller Form an; die Inspektoren konnten das Raketenarsenal Saddam Husseins fast völlig offenlegen; die Anlagen zur Herstellung atomarer Waffen sind zerstört; selbst bei der Ortung chemischer Waffen sind die Inspektoren nach eigenem Bekunden gut vorangekommen. Noch im September erklärte der Leiter des Inspektionsteams, Richard Butler, demnächst könne er dem Sicherheitsrat mitteilen, daß die „volle, abschließende und umfassende Aufklärung" in Reichweite sei.

Was jetzt noch zur Erkundung und Beseitigung ansteht, sind vor allem die hochgiftigen biologischen Waffen und die für ihren Einsatz erforderlichen Sprengköpfe und Trägerwaffen. Gerade als die Kontrolleure der Vereinten Nationen sich diesem wohl nie gänzlich aufzuklärenden Rüstungsbereich zuwandten, sperrten die Iraker die Amerikaner aus.

Natürlich ist es möglich, daß Saddam Hussein dadurch die Uno hindern wollte, ihm auf der Suche nach diesen unheimlichen Waffen auf die Schliche zu kommen. Wahrscheinlich ist das nicht; dazu haben die Inspektoren schon zuviel aufgedeckt. Viel mehr spricht dafür, daß der Diktator, wie seine Abgesandten in New York bestätigten, Klarheit über das Enddatum der Sanktionen erzwingen will. Und angesichts der bisherigen amerikanischen Haltung ist dieses Begehren verständlich.

Denn anders als die Resolution 687 besteht die Regierung Clinton darauf, daß die Sanktionen so lange in Kraft bleiben, bis der Irak nicht nur alle Massenvernichtungsmittel abgeschafft, sondern auch seine friedlichen Absichten unter Beweis gestellt hat – im Klartext: bis der Diktator gestürzt oder gestorben ist. „Die Beweise", so Außenministerin Albright, „daß Saddam Husseins Absichten nie friedlich sein werden, sind überwältigend." Erst ein Wechsel in der irakischen Führung könne zur Änderung der amerikanischen Position führen.

Damit aber nimmt Washington dem Diktator jeden Ansporn, sich von den Inspektoren weiterhin entwaffnen zu lassen. Es mag zutreffen, daß der Mann friedlicher Absichten unfähig ist. Das beste Mittel, ihm die Verwirklichung unfriedlicher Absichten zu erschweren, ist seine Entwaffnung. Die aber kann nur gelingen, wenn es sich für ihn lohnt, sie hinzunehmen. Solange ihm Amerika die Belohnung versagt, darf es sich nicht wundern, wenn er sich den Auflagen immer wieder zu entziehen sucht.

Washington hat sich und die Uno in eine Sackgasse manövriert, aus der beide auch dann nicht herausfinden, wenn Saddam Hussein einlenken sollte: Die nächste Krise kommt gewiß. Zu Beginn seiner Amtszeit hatte Bill Clinton noch beteuert, er sei nicht „besessen" von Saddam, er könne sich durchaus ein normales Verhältnis vorstellen, wenn der Irak sich nur an internationale Normen halte.

Zu dieser Einstellung muß der Präsident heute zurückfinden, wenn er nicht zusehen will, wie Amerikas Einfluß im Sicherheitsrat schwindet, die Autorität der Uno leidet und das Embargo allmählich verfällt. Er muß wieder deutlich machen, was die öffentliche Empörung zu Hause verwischt hat: Die Sanktionen sind nicht weniger, aber auch nicht mehr als ein Mittel zur Abrüstung des Irak. Sie dürfen nicht die Fortsetzung des Kriegs mit anderen Mitteln sein. Die Inspektoren könnten, falls Bagdad sie nicht wieder behindert, in absehbarer Zeit ihre Arbeit beenden. Der Anreiz zum Wohlverhalten des Irak wäre wiederhergestellt.

Ob er am Ende ausreicht? Wenn nicht, dann bleibt eben das Embargo bestehen – aber auch der Zusammenhalt und die Autorität der Uno. Wer sie allein mit militärischen Aktionen schützen wollte, setzte sie erst recht aufs Spiel.

DIESE WOCHE

magazin

Eine Frau, die töten läßt
Auf ihren frühen Photos war sie selbst der Star. Dann nahm Cindy Sherman Bilder auf, die aussehen, als zeigten sie Sex und Folter. Jetzt stiftet die Künstlerin zum Morden an: Sie hat einen Horrorfilm gedreht

Zeitverlag Gerd Bucerius GmbH
20079 Hamburg, Telephon 040/ 32 80 - 0
Abonnenten-Service: Telephon 040/ 37 03 - 40 41
Fax 040/ 37 03 - 58 57
E-Mail: DieZeit@zeit.de
ZEIT im Internet: http://www.zeit.de
ZEIT-Stellenmarkt: http://www.jobs.zeit.de

Die japanische Gefahr

Ein Bankenkrach in Tokio würde die Weltwirtschaft erschüttern / *Von Theo Sommer*

Der Börsenkrach in den südostasiatischen Tigerstaaten, die drastische Abwertung ihrer Währungen – war alles nur ein Vorbeben? Und steht uns die wirklich welterschütternde Vulkan-Eruption erst bevor: in Japan?

Seit Beginn der Krise im Juli haben die Tiger-Währungen ein bis zwei Fünftel ihres Werts verloren; die Börsenkurse fielen ebenso dramatisch; überall mußten die Wachstumserwartungen rüde zurückgestutzt werden. Auch Singapur und Hongkong blieben nicht verschont, was sich wiederum dämpfend auf Chinas Wirtschaft auszuwirken droht. Und jetzt kräuselt sich eine Rauchsäule über dem Fudschijama.

Die zweitgrößte Volkswirtschaft der Erde siecht kraftlos dahin, seit Ende der achtziger Jahre jene Seifenblasen-Konjunktur zusammenbrach, die auf einer beispiellosen Scheinblüte des Immobilienmarktes und einer spekulativen Börsen-Hausse beruhte.

Binnen fünf Jahren hatten sich damals die Grundstückspreise und die Aktienkurse verdreifacht. Das umwallte Grundstück des Kaiserpalastes in Tokio wurde höher bewertet als ganz Kalifornien. Der Nikkei-Index stieg bis an die Marke von 40 000 Punkten.

Aber dann war es auf einen Schlag mit der Herrlichkeit vorbei. Die jährlichen Wachstumsraten schrumpften auf ein Prozent; der Nikkei sank 1992 und 1995 auf 14 000 Punkte; die Grundstückspreise in den Geschäftsvierteln fielen auf ein Drittel der Höchstpreise. Viele Schuldner konnten ihre Kredite nicht mehr bedienen. Angesehene Versicherungsunternehmen, Baufirmen, selbst Großbanken gerieten dadurch in die Nähe des Bankrotts.

Seitdem steht das japanische Finanzsystem auf brüchigem Boden. Die Wirtschaft dümpelt vor sich hin – trotz vieler kostspieliger staatlicher Ankurbelungsprogramme. Sie verpufften alle genauso wirkungslos wie eine Vielzahl von Kommissionsberichten, die den 125 Millionen Japanern den

> Die Tiger-Krise hat den Japanern jetzt zusätzlich einen harten Schlag versetzt

Weg aus der Misere weisen sollten. Das Resultat: Japan könnte heute mit seiner Staatsverschuldung von 85 Prozent des Bruttoinlandsproduktes und einer jährlichen Neuverschuldung von 5 Prozent die Maastricht-Kriterien nicht erfüllen.

Die Tiger-Krise hat den Japanern jetzt zusätzlich einen harten Schlag versetzt. Über 40 Prozent ihrer Ausfuhren gehen in den südostasiatischen Raum; die japanischen Banken sind dort mit 200 Milliarden Dollar engagiert. Was, wenn die Exporte der Japaner in die Tigerstaaten zurückgehen? Wenn ihre Investitionskredite nicht mehr bedient werden können? Wenn auch in Hongkong, wo sie 87 Milliarden Dollar ausstehen haben, viele davon in wackligen Immobilien- und China-Geschäften, ihre Kredite mitleidend werden?

Viele Banken haben nicht einmal mehr eine Handbreit Wasser unter dem Kiel. Ihre außenstehenden Kredite – viele davon faul – entsprechen ungefähr ihrem Anlagevermögen, etwa 500 Milliarden Dollar. Die Gefahr liegt darin, daß sie, um wieder flottzuwerden, ihre im Ausland placierten Gelder zurückrufen: insgesamt 900 Milliarden Dollar. Zu einem wesentlichen Teil sind sie in US-Schatzanweisungen angelegt. Sollten die japanischen Finanzinstitute sich gezwungen sehen, diese Anlagen zu liquidieren und ihre Gelder zu repatriieren, so hätte dies unmittelbare Auswirkungen auf die amerikanischen Zinssätze und Wachstumsraten. Und von der Wall Street bis nach Frankfurt würden die Börsen unter Druck geraten. Ein Zusammenbruch der japanischen Banken – das wäre Mexiko, hoch zehn.

Der Nikkei-Index ist jetzt zum ersten Mal seit 1995 – dem Jahr des Erdbebens in Kobe und der Nervengas-Attacken in Tokios U-Bahn – unter die 16 000-Marke gesunken. Bei diesem Kurs schmilzt das Eigenkapital der Banken wie Schnee in der Sonne. Am Berge Fudschi bebt die Erde. Käme es zum gefürchteten Ausbruch, würde sich rings um den Erdball der Wirtschaftshimmel verdüstern.

Wandlungen der ersten Seite.

Werte Genossen! Unbekannte Briefe von Bertolt Brecht (Seite 45)

DIE ZEIT

Nr. 6
29. Januar 1998
53. Jahrgang

WOCHENZEITUNG FÜR POLITIK • WIRTSCHAFT • WISSEN UND KULTUR

Wie lange noch?

Die Weltmacht Amerika leistet sich einen halben Präsidenten

VON CHRISTOPH BERTRAM

PRÄSIDENT IM ZWIELICHT – WEITERE ARTIKEL:

Im Stil der ZEIT

Inhaltsverzeichnis auf Seite 14

Magazin

TALENTSCHUPPEN
Das New Yorker „Hotel 17" ist ein Käfig voller Narren. Die Gäste aus aller Welt wollen nur das eine: reich und berühmt werden

C 7451 C

Liebe als Spuk: Sigrid Löffler über den Erfolgsautor Javier Marías (S. 41)

DIE ZEIT

Nr. 5 22. Januar 1998, 53. Jahrgang

WOCHENZEITUNG FÜR POLITIK · WIRTSCHAFT · HANDEL UND KULTUR

C 7451 C Preis 4,50 DM

Die Qualwahl

Alles Jacke wie Hose in der deutschen Politik? Vier wollen Kanzler werden, aber was wollen sie? / *Von Roger de Weck*

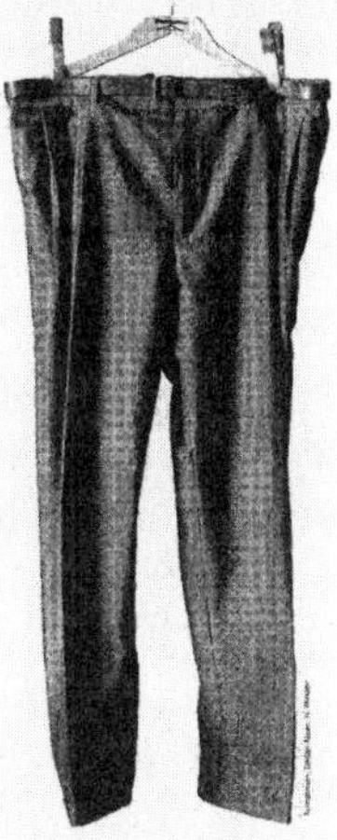

Unheiliger Geist

Die deutschen Bischöfe müssen sich gegen Rom wehren / *Von Margrit Gerste*

Glück der Bindung

Das Buch braucht seinen festen Preis / *Von Thomas Assheuer*

30. Kapitel

Neue Besen kehren anders

Dieter von Holtzbrinck, der Zufalls-Schwabe aus Westfalen, hatte in den monatelangen Gesprächen mit der Redaktion deren Vertrauen gewonnen. Vor der ZEIT hatte er hohen Respekt; sie seiner Zeitungsflotte als Flaggschiff einzureihen war schon zu Zeiten sein Traum gewesen, da er sie noch für eine unerreichbare Ikone hielt. Ende der siebziger, Anfang der achtziger Jahre nahm er sie immer stärker als Wunschziel ins Visier.

Der 1941 geborene Wirtschaftswissenschaftler hatte das Blatt bereits als Student gelesen; ebenso, als er in Düsseldorf das marode *Handelsblatt* sanierte. Viele der ZEIT-Autoren waren ihm nicht nur dem Namen nach bekannt, sondern aus regelmäßiger Lektüre. Den offenen Diskurs, die kontroversen Debatten, wie die ZEIT sie pflegte, fand er eindrucksvoll. Oft, so erzählte er, habe er seine eigene Meinung anhand solcher ZEIT-Artikel korrigiert.

Als Bucerius starb, war Dieter von Holtzbrinck felsenfest davon überzeugt, dass dies das Ende seiner Bestrebungen bedeute, die ZEIT zu übernehmen. Doch Hilde von Lang nahm den abgerissenen Faden wieder auf. Alle anderen Interessenten – Bertelsmann, Elseviers, Ringier, die WAZ-Gruppe – ignorierte sie. Und nun waren alle Hürden genommen.

»Im Gegensatz zu Bucerius bin ich ein optimistischer Mensch«, sagt Holtzbrinck von sich. »Auch in fünfzig oder hundert Jahren wird sich die Welt weiter drehen, und den Menschen wird es nicht schlechter gehen. Ich bin überzeugt davon, dass die ZEIT *das* wichtige Forum für die großen Debatten bleibt. Vielen Leuten werden E-Mail, Blogs und SMS nicht genügen. Sie werden auch die ernsthafte Auseinandersetzung mit den Dingen wollen, die unsere Welt wirklich bewegen müssten. Deswegen hat die ZEIT Zukunft. Gerade als Wochenzeitung hat sie Zukunft, weil manchen die tägliche Zeitungslektüre zu mühsam erscheinen wird.«

Den Optimismus hatte der neue ZEIT-Verleger dringend nötig.

Dem Blatt ging es nicht gut. Die verkaufte Auflage war seit Anfang 1993 von 501.400 auf 477.600 abgerutscht. In der einsetzenden Wirtschaftskrise gingen die Anzeigenerlöse Jahr für Jahr um rund zehn Prozent zurück. Und der Horizont hellte sich keineswegs auf. Dabei wurde ein Problem immer akuter: das Magazin. In den letzten Jahren, in denen die Kräfte des greisen Bucerius allmählich erloschen, war manches Überfällige nicht mehr angepackt worden. Der Niedergang des ZEIT-Magazins stand jetzt an der Spitze der Sorgen-Liste. Holtzbrinck hatte der Redaktion schon angedeutet, dass er das Magazin-Problem sehr bald anpacken wolle. Ein »echtes« Magazin wolle er, nicht bloß ein Supplement, einen »Auftritt« brauche es; und man müsse es »massiv investiv begleiten«. Im Herbst müsse das neue Produkt am Markt sein. Die Dinge zogen sich dann aber hin. Erst am 1. Februar 1999 wurde das Magazin tatsächlich eingestellt.

Bis es dahin kam, drängte sich eine Reihe anderer Probleme in den Vordergrund. In der Redaktion wie im Verlag wurde bald eine größere Anzahl von Baustellen eingerichtet.

Anfangs nahm sich der neue Verleger relativ viel Zeit für die ZEIT. »Mit unglaublichem Ernst stürzte er sich in die Aufgabe«, erinnert sich der stellvertretende Chefredakteur Matthias Naß. Und Holtzbrinck nahm sich nicht nur Zeit – er ließ sich auch Zeit. Er ließ seine Entscheidungen reifen. Er veranstaltete Leserbefragungen, was eine Neuerung war in einer Redaktion, die bis dato der Ansicht gewesen war, wenn sich ihre Mitglieder die Welt gegenseitig interessant und verständlich erklärten, so würden auch die Leser das Blatt verständlich und interessant finden, kaufenswert und lesenswert. Aber Holtzbrinck fackelte dann auch nicht mehr lange, wenn er die Dinge erst einmal für spruchreif hielt.

Wohl weist er die Unterstellung von sich, dass er und Michael Grabner, sein Stellvertreter, nach jeder Zeitungsübernahme »aus Prinzip« den Chefredakteur und den Geschäftsführer auswechselten – »um Durchgriff zu kriegen«. In der ZEIT herrschte aber zeitweilig durchaus der Eindruck vor, dass den neuen Eigentümern das Schumpetersche Prinzip der »schöpferischen Zerstörung« nicht völlig fremd war: Man riss Unzulängliches ein, um etwas ganz Neues aufzubauen, auch wenn dieses Neue weit überzogen oder nur halb ausgegoren war – man konnte es hinterher ja immer noch korrigieren und auf ein vernünftiges Maß zurückführen.

31. Kapitel

Das Chefredakteurs-Karussell

In den ersten 25 Jahren nach Übernahme der ZEIT durch Gerd Bucerius hatte die Zeitung drei Chefredakteure gehabt: Josef Müller-Marein (1957-1968), Marion Gräfin Dönhoff (1968-1973) und Theo Sommer (1. Januar 1973 bis 31. September 1992). Robert Leicht, zuvor Politik-Chef und stellvertretender Chefredakteur, hatte das Ruder im Herbst 1992 übernommen. Er war, von der *Süddeutschen Zeitung* kommend, seit Anfang 1986 bei der ZEIT. Andere Möglichkeiten lagen vor ihm. Das Haus wollte ihn jedoch nicht verlieren. Der 62jährige Sommer – der dann in die Herausgeber-Leiste aufrückte – schlug den 49jährigen Leicht als Nachfolger vor; Helmut Schmidt trat diesem Vorschlag ausdrücklich bei; desgleichen befürwortete ihn Marion Dönhoff. Da Sommer den Aufbau eines ZEIT-Fernsehens begleiten sollte (das nach einigen Jahren wieder eingestellt worden ist), wurde der ursprünglich für den 1. Januar 1993 anberaumte Wechsel um ein Vierteljahr vorgezogen. Der scheidende Chefredakteur begrüßte den Nachfolger: »Ich bin mir sicher, dass auch unter dem Chefredakteur Robert Leicht das bleiben wird, was die ZEIT ausmacht: Überzeugungsstärke und liberale Offenheit, Neugier und Meinungsfreude, Engagement für das Wohl des Gemeinwesens wie für die Nöte seiner Bürger.«

So kam es auch. Aber Leicht hatte es von vornherein schwerer als der Vorgänger. Das Zusammenfallen von Wirtschaftsrezession, Eigentümerwechsel und dem Wandel des gesamten zeitgenössischen Problem-Umfeldes nach dem Ende des Kalten Krieges stellte ihn von vornherein vor ein Bündel großer Herausforderungen. Hinzu kam im Februar 1993 noch Manfred Bissingers »Woche«. Zwar war die Mannschaft am Speersort überzeugt, dass die *Woche* es nie schaffen werde, die ZEIT aus den Angeln zu heben, doch war sie sich zugleich bewusst, dass die neue Konkurrenz das eigene Blatt durchaus ins Zittern, wenn nicht gar ins Wanken bringen könne – indem sie künftige Leserneuzugänge beschneide oder der ZEIT gar Altleser abspenstig mache. Auch bot die »Woche« eines, was die ZEIT technisch damals noch nicht zu bieten vermochte, was aber das Publikum immer stärker erwartete: Farbe.

Zu Beginn lief es gut zwischen Holtzbrinck und Leicht. Beide waren Stuttgarter, Verlegersohn der eine, Bierbrauerenkel der andere; die landsmannschaftliche Verbindung half, den Übergang zu glätten. Erste Irritationen entstanden, als »Focus« am 8. August 1996 berichtete, »Nachfolger des nicht mehr mit voller Autorität amtierenden Robert Leicht soll nach dem Willen des Verlegers Dieter von Holtzbrinck offenbar dessen Vertrauter Michael Naumann werden.« Naumann stand seit 1985 in Holtzbrincks Diensten, erst als Chef des Rowohlt-Verlags, nun als Präsident der Konzernverlage Henry Holt und Metropolitan Books in New York. Eine gezielt verbreitete Indiskretion aus Stuttgart? Der Verlag bestritt es, Naumann dementierte. Doch bald geriet der Chefredakteur mit dem Verleger über Kreuz. Auch bei den Herausgebern und in der Redaktion schwand der Zuspruch zu seiner Führung.

Robert Leicht war ein glänzender Schreiber, bewandert auf vielen Gebieten, ungemein belesen, ein analytischer Kopf. Zum politischen Establishment hatte er gute Kontakte. Er konnte trefflich darüber räsonieren, was der ZEIT nottue: »Prioritäten, Projekte, Prominenz und Professionalität.« Zum Programm wurden seine Ausarbeitungen über »Grundsätze und Verfahren« nie wirklich verdichtet. Auch stieß Leichts Personalpolitik in der Redaktion zuweilen auf Unverständnis. Dies war zumal im Januar 1995 der Fall, als er, nachdem eine ihnen angebotene Verlängerung nicht zustande kam, die beiden stellvertretenden Chefredakteure Nina Grunenberg und Haug von Kuenheim ablöste. Sie wurden durch Werner A. Perger und Joachim Fritz-Vannahme ersetzt. Die Personen der Nachfolger fanden zwar rundum Billigung, doch die Art des Verfahrens löste eine veritable Redaktionskrise aus. Auch fühlte sich manch ein Kollege in seiner freien Meinungsäußerung durch die Entschiedenheit gehemmt, mit der Leicht oft schon zu Beginn einer Diskussion anderen Ansichten als den seinen argumentativ entgegentrat. Die Redaktion fühlte sich mehr dominiert als animiert.

Auf viele Leser wirkte die ZEIT weniger aktuell, monochrom, verzettelt im thematischen Vielerlei. Die Auflage sank unaufhörlich – Anfang 1993: 501.000, 1994: 490.000, 1995: 482.000, 1996: 478.000. Besonders dramatisch war der Verfall des Einzelverkaufs – 1993: 158.000, 1995: 149.000, 1997: 136.000. In den Korridoren wurde geraunt, sobald die Gesamtauflage unter 470.000 sinke, würden Köpfe rollen. Anfang 1997 war es so weit: 460.000!

Wenn die Auflage stetig sinkt, wird jeder Verleger nervös – und jeder Chefredakteur muss dann das Schlimmste gewärtigen. Es konnte nicht verwundern, dass »Stuttgart«, wie die Verantwortlichen der Verlagsgruppe Holtzbrinck von den ZEIT-Leuten pauschalisierend genannt werden, unruhig wurde. In der Gänsheidestraße war im Februar 1996 schon Leichts Leitartikel zum fünfzigsten Jahrestag der ZEIT-Gründung – »Wie es uns gefällt« überschrieben – nicht besonders goutiert worden. »Der verschärfte Wettbewerb um Einschaltquoten und Wahrnehmung prämiiert den gedanklich oberflächlichen, den emotional verfänglichen Reiz zu Lasten der prüfenden Nachdenklichkeit«, hatte es da geheißen. »Auch die gedruckte Presse ist längst in der Versuchung, sich diesem Muster anzupassen: immer schriller, immer schneller, immer kürzer, immer belangloser.« War dies der Aufschrei einer gepeinigten Chefredakteursseele? Plakativ setzte Leicht dem sein eigenes Programm entgegen: »Den großen Vorbildern zu folgen, die stets die Zeitung machen wollten, die ihnen gefällt, ist uns eine professionelle Lust.«

Wenn aber das Blatt nicht ankam bei den Lesern? Wenn zugleich die Stimmung in der Redaktion sich verschlechterte?

Anfang Mai 1997 wurde Robert Leicht nach Stuttgart bestellt. Dort wurde ihm seine Ablösung eröffnet. Zum Erstaunen des Verlegers sagte Leicht, nachdem eine Einigung über seine künftige Mitarbeit in der ZEIT erzielt worden war: »Lassen Sie uns darauf ein Glas Champagner trinken!« Um die Jahreswende hatte er selber schon überlegt, ob er sein Amt niederlegen sollte – auch Sorgen um das Familien-Unternehmen trieben ihn damals um.

Die Redaktion verabschiedete Leicht herzlich, wiewohl mit gemischten Gefühlen. Der ZEIT blieb er als Politischer Korrespondent erhalten: als Schreiber, als scharfäugiger und scharfsinniger Beobachter der öffentlichen Angelegenheiten, als kundiger juristischer und innenpolitischer Kommentator, als Lordsiegelbewahrer von Normen und Formen. Auch schreibt er für den *Tagesspiegel*. Seine Erfüllung fand er daneben als Professor der Universität Erfurt, wo er seit dem Wintersemester 1999 Öffentliche Kommunikation und Aktuelle Politik lehrt; vor allen Dingen jedoch in hervorgehobenen Ämtern der Evangelischen Kirche Deutschlands. Ihr dient der frühere Salem-Schüler seit 1997 als Synodaler im Sprengel Nordelbien und von 1997 bis 2003 als Ratsmitglied der EKD. Seit 1999 ist er Präsident der

Evangelischen Akademie zu Berlin. Als Hausherr im Französischen Dom begrüßt er dort nun öfters seine ZEIT-Kollegen zu aktuellen Diskussionsveranstaltungen.

Für die Nachfolge Leichts kam nach Ansicht der Verlagsspitze und der drei Herausgeber nur einer in Frage: Roger de Weck. Der Schweizer Bankierssohn, der in St. Gallen Wirtschaftswissenschaften studiert hatte, war 1983 von der Züricher »Weltwoche« zur ZEIT gekommen, zunächst ins politische und ins Wirtschaftsressort. Von 1984 bis 1988 berichtete er als ZEIT-Korrespondent aus Paris. Eine Zeitlang spielte Bucerius mit dem Gedanken, ihn in seiner eigenen Nachfolge zum Verleger der ZEIT zu machen. Ein Jahr lang absolvierte de Weck ein Trainee-Programm, um sich einzuarbeiten; aber am Ende deckten sich seine Vorstellungen nicht mit denen von Bucerius. Der Verleger ließ dem Neuling wenig Freiraum. Im Juli 1989 ging eine Trennungsmitteilung an die Branchendienste: »Am Ende seines Trainee-Jahres im Verlag hat sich Roger de Weck dafür entschieden, in die ZEIT-Redaktion zurückzukehren.« Bald übernahm er die Leitung des WIRTSCHAFT-Ressorts der ZEIT.

Im Jahre 1992 wählte der Verwaltungsrat der Züricher Tamedia AG de Weck zum Chefredakteur des »Tages-Anzeigers«. Im Sommer trat er seinen Posten bei der zweitgrößten Zeitung der Schweiz an. Er vollzog in diesem von den 68ern geprägten Blatt einen Kulturwandel, indem er statt der Basisdemokratie eine klassische Organisation durchsetzte und den Standort zur linken Mitte rückte. Er scheute sich nicht, im Zürich-Teil einzelne Boulevard-Elemente einzuführen, gleichzeitig jedoch auf den Kultur-Seiten einen elitären Ton anzuschlagen. Die Redaktion baute er um 40 auf 220 Leute aus. Er hievte die Auflage auf 282.000, aber die »magische Grenze« von 300.000 blieb unerreicht. Auch verfolgte er Ausdehnungspläne über das Züricher Verbreitungsgebiet hinaus – bis nach einem Konjunktur- und Anzeigeneinbruch der Rotstift zum Zepter wurde und er binnen eines Jahres den Redaktionsetat um zwölf Prozent kürzte. Als ihm zusätzliche drastische Sparprogramme des Verlages zu weit gingen, legte de Weck die Chefredaktion im April 1997 überraschend nieder. Unter seiner Leitung habe der Tages-Anzeiger »Welt« gehabt, bescheinigte ihm Adolf Muschg, und auch im Sturm an festen Werten festgehalten. Von den »Tagi«-Lesern verabschiedete sich de Weck mit den Worten: »Die Zeiten sind härter geworden. Auch der *Tages-Anzeiger* spart, das ist nötig und sinnvoll. Die Grenze sehe ich dort, wo das Blatt meinem Anspruch nicht länger gerecht werden könnte.

Darüber kam es zu Unstimmigkeiten, die sich nicht in meinem Sinne klärten.«

Den Verantwortlichen der ZEIT erschien der Schweizer in Anbetracht seiner Vorgeschichte als der richtige Mann. Sie trauten ihm zu, der Zeitung neue inhaltliche und gestalterische Impulse zu geben. Seine Aufgabe war klar: »die ZEIT ökonomisch und journalistisch zu sanieren und das Objekt wieder rentabel zu machen«, wie der *Spiegel* schrieb. Ähnlich sah es die *Süddeutsche Zeitung*: de Weck müsse das Blatt aus dem »Mehltau der letzten Jahre in einer neue publizistische Zukunft führen.« Er selber nahm sich vor, die ZEIT zu erneuern, zu verjüngen und stärker für Leserinnen zu öffnen.

Der Modernisierer aus Zürich trat sein Amt am 1. September 1997 an. Gut drei Jahre später schon legte er die Chefredaktion nieder – wegen Auffassungsunterschieden zwischen ihm und dem Verlag. Es waren drei Jahre, in denen einiges Überfällige ins Werk gesetzt wurde, aber auch manches Überkandidelte.

Der neue Chefredakteur machte sich mit Elan an die Arbeit. Als erstes frischte er das Layout auf. Dabei stützte er sich auf die Dienste von Mario Garcia, eines nach Florida emigrierten Kubaners, der sich in Amerika als Zeitungsdesigner einen Namen gemacht (*Wall Street Journal, San Francisco Examiner*) und in Deutschland schon den graphischen »Relaunch« mehrer Holtzbrinck-Blätter verantwortet hatte. Allererste Entwürfe Garcias waren bereits in der Ära Leicht vorgelegt worden. Sie machten auf weite Teile der Redaktion einen schlechten Eindruck. Roger de Weck, der andere Prioritäten als das Layout hatte, wollte trotzdem das Vorhaben zu einem guten Ende führen und den Schwung des Augenblicks nutzen, statt mit einem »Stop!« anzufangen. Unter Beibehaltung des Grundcharakters der ZEIT erarbeiteten Garcia, de Weck und ein kleines Team neue Entwürfe. Sie trugen ein Element der Frische, Klarheit und Modernität in das Layout, das dem Zeitgefühl entsprach, ohne aus dem historischen Auftritt des Blattes herauszufallen. Binnen vier Monaten war der Relaunch vollzogen.

Nachhaltige Wirkung erzielte der graphische Gewaltakt nicht. Die erste Neugier auf die veränderte Anmutung verflog rasch. In der Praxis verloren auch manche von Garcias international preisgekrönten Neuerungen bald ihren Charme oder verwilderten: die breiten Weißräume zwischen den Spalten, von vielen als »Styropor-Leisten« verspottet; die »bombastische« Größe der Überschriften, die nach Meinung etlicher Redakteure nur grobschlächtige Zuspitzung zuließ, nicht jedoch klügliche Differenzierung; oder der Verzicht auf Vorspänne, die den Leser in einen Text hineinziehen, zugunsten langer Unterzeilen.

Das nächste Problem, das angepackt werden musste, war die Misere des ZEITmagazins. Bucerius hatte es 1970 gegen den Willen der Redaktion durchgesetzt, um eine Plattform für Farbanzeigen und Farbphotos zu schaffen. Die Redaktion sah bald ein, dass er die richtige Nase gehabt hatte. Das Magazin wurde für fast zwei Jahrzehnte zur sprudelnden Einnahmequelle. Aber dann ließ seine Strahlkraft mit einem Mal nach; aus dem einstigen Zugpferd wurde ein lahmender Gaul. Die Anzeigen blieben weg. Genauer gesagt: Sie wanderten ab – ins private Farbfernsehen, das in den späten Achtzigern die Wohnstuben eroberte, aber auch in Dutzende neuer Hochglanztitel und *Special-interest*-Zeitschriften, die nun die Kioske überschwemmten. Das Magazin wurde immer dünner – erst dem Umfang nach, dann auch dem Inhalt nach. Am Ende verursachte es Verluste bis zu zehn Millionen Mark jährlich. Mit Heften, die auf 32 Seiten und höchstens drei Geschichten abgemagert waren, ließ sich kein Blumentopf mehr gewinnen.

Holtzbrinck hatte das Magazin eigentlich gleich nach der Übernahme der ZEIT anpacken wollen, wobei er sich zunächst noch vorstellte, die dahinkümmernde Farbbeilage nur inhaltlich aufzupeppen, nicht jedoch sie ganz abzuschaffen. Der Vollzug der Reform erwies sich indessen als kompliziert.

In Stuttgart war die treibende Kraft Michael Grabner, der sich ein Magazin vorstellte, das locker, befreit vom Ballast schwieriger und schwerer Themen, ein konsumfreundliches Umfeld schaffen sollte, das den Anzeigen-Kunden gefiele. Es sollte die Gegenwelt zu jener Welt abbilden, in der Katastrophen, Elend und Armut vorherrschen. Einer Wundertüte sollte das Magazin gleichen, der Schlachtruf sollte sein: »Lust am Leben!«. Grabners Favorit für eine Erneuerung des Magazins war ein Vertrauter aus *Kurier*-Tagen, der Wiener Journalist Michael Horowitz, Macher der wöchentlichen Beilage »Freizeit« in dem Wiener Blatt. Sein Auftrag lautete, für die ZEIT ein Heft nach diesem Muster zu entwickeln. Neben ihm ins Rennen geschickt wurden noch ein Schweizer Journalist und eine Hamburger Werbeagentur.

In die engere Wahl kamen im Sommer 1996 schließlich der Wiener und der Schweizer, deren Entwürfe als sogenannte Nullnummern gedruckt wurden. Der Titel des Wieners zeigte ein Gemälde von

Edward Hopper, der des Schweizers zwölfmal Joschka Fischer als Kellermeister mit einem Glas Rotwein in der Hand. Peter Beike, ein Hamburger Marketingfachmann, nahm die Hefte unter die Lupe, ließ sie von einem ausgewählten Publikum testen und kam zu dem Schluss, dass Horowitzens Heft Chancen bei den Lesern der ZEIT haben könnte. Es enthielt in der Mitte des Blattes einen sechzehnseitigen Kulturkalender, der aufführte, was Bühne, Film und Musik in Deutschland boten, mit Highlights aus den europäischen Metropolen von Lissabon bis Istanbul. Im Sinne seines Erfinders kam das Heft leicht und locker daher, freundlich begegnend den Produkten aus der Konsumwelt. Auch wenn dieser Entwurf Michael Grabner gefallen haben mag, die Geschäftführerin des Verlages, Hilde von Lang, und der Chefredakteur Robert Leicht winkten ab: zu anspruchslos.

Schließlich konnten auch Marketing- und Anzeigenabteilung nicht garantieren, dass mit einem solchen Magazin neue Anzeigen-Kunden zu gewinnen seien. Zudem stellte sich heraus, dass die Herstellung des Heftes sehr teuer geworden wäre. Stuttgart beschloss daraufhin eine Art Moratorium, die Lösung des Magazin-Problems wurde vorerst vertagt. Dennoch hielten sich die Gerüchte, das Magazin werde eingestellt, und waberten weiterhin durch die Korridore des Pressehauses.

Solcher Flurfunk machte Christof Siemes, dem im Mai 1996 gekürten Chef des Magazins, das Leben nicht leichter. Siemes, Absolvent der Henri-Nannen-Journalistenschule, war als Jungredakteur ins FEUILLETON der ZEIT gekommen, ein begabter Schreiber mit einer breiten Themenpalette. Es gelang ihm, Ruhe in die Magazin-Truppe zu bringen, für gute Stimmung zu sorgen und bis zum bitteren Ende im Mai 1999 beachtliche Ausgaben vorzulegen, obwohl es immer schwerer wurde, bei vierzig oder noch weniger Seiten ein gutes Heft zu gestalten. (In seiner Blütezeit war das Magazin bis zu 180 Seiten stark.) Geschickt steuerte Siemes zwischen monothematischen Heften und der alten Wundertüte. Er gab dem amerikanischen Graphikdesigner David Carson eine Ausgabe an die Hand, die dieser durch den Fleischwolf seiner Kunst drehte und damit die Leser teils verwirrte, teils provozierte, teils erfreute. »Beweis, dass die Hamburger Tante noch lange nicht sofa-ächzend einen Blick auf neue Perspektiven ablehnt«, schrieb ein Leser; ein anderer bat um Rückerstattung des Kaufpreises oder ein lesbares Exemplar. Im Frühjahr 1997 wurde dem belgischen Designer Walter van Beirendonck, einem Mann mit

Irokesenfrisur und Rauschebart, die Gestaltung eines Modeheftes übertragen. Redakteure und Mitarbeiter wiederholten Jules Vernes Reise »In 80 Tagen um die Welt«.

Die letzte Ausgabe des ZEITmagazins, die 1531ste, erschien am 6. Mai 1999. Darin zeigte die Redaktion noch einmal die schönsten Titelseiten aus den fast 30 Jahren seit den Erscheinen der ersten Farbbeilage am 2. Oktober 1970. An allen 1531 Heften hatte die Graphikerin Karin Gerlach mitgearbeitet; von der ersten bis zur letzten Stunde war sie dabei. Unter anderem zeigte die letzte Nummer den Titel, der just am Tag des Mauerfalls erschienen war – »Das Auto des Jahres: Der Trabi«. Auch wurde der selbsternannte Trendforscher Matthias Horx, der von 1988 bis 1990 Magazin-Redakteur gewesen war, befragt, ob er nun weine. Seine Antwort: »Nein, alles hat seine Zeit. Die große Ära des Magazins war Ende der achtziger Jahre. Die Mauer stand noch, die Deutschen hatten den Hedonismus entdeckt, und wir Redakteure machten ein Journal des Luxus und der Moden. Damals herrschte noch kein so verbissener Wettbewerb auf dem Anzeigenmarkt, es war viel Geld da. Wir hatten unglaubliche Freiräume.« Seine Prophezeiung: »Im nächsten Jahrhundert wird Spaß eine ernste Angelegenheit und Arbeit der wahre Luxus. Für ein schöngeistiges Magazin ist kein Platz mehr.«

Chefredakteur de Weck schrieb im Editorial der letzten Ausgabe des Magazins: »Der Zeitungsteil LEBEN, den Sie nächste Woche entdecken, wird durchweg farbig sein. So wie 1970 das Magazin eine Innovation war, so ist 1999 auch das LEBEN innovativ: ein Konzept und eine Form, wie es sie in der deutschen Presse bisher nicht gibt – mit demselben Anspruch, den die ganze ZEIT hat, Qualität und Kompetenz.«

Und als ob da jemand geahnt hat, was eines Tages der ZEIT beschert werden würde: Auf der zweiten Seite des letzten ZEITmagazins stand eine ganzseitige Anzeige mit Reichstag und Quadriga im Hintergrund. Davor ein lächelnder Giovanni di Lorenzo, Chefredakteur des *Tagesspiegel*: »Die Regierung kann kommen«. Die Bundesregierung kam damals vom Rhein an die Spree. Sechs Jahre später kam Giovanni di Lorenzo von der Spree an die Elbe: zur ZEIT.

»Mein altes Journalistenherz«, so schrieb der Herausgeber Theo Sommer an Christof Siemes, »hat sich zusammengekrampft, als ich mit ansehen musste, wie eine glänzende journalistische Hervorbringung von einem sich nicht unbedingt zum Höheren entwickelnden Markt in die Ecke der Unbezahlbarkeit gedrängt wurde. Dass sich das Magazin auf die Dauer nicht würde durchhalten lassen, ohne das ganze Blatt in seinem Bestand zu gefährden, ist mir schon zu Ende meiner Chefredakteurszeit klar geworden. Ich habe mich lange gegen die Einsicht gewehrt, dass wir das Projekt nicht würden durchhalten können. Am Ende musste die Guillotine sausen; es half nichts mehr.«

Schon um die Leser bei der Stange zu halten, lag der Gedanke nahe, das MODERNE LEBEN die Farbbeilage in irgendeiner Weise auffangen zu lassen. Es war der thematisch am weitesten gefächerte Teil der Zeitung; hier konnte man anstücken. Theo Sommer und Haug von Kuenheim klebten nächtens ein 24 Seiten starkes MODERNES LEBEN. Chefredakteur Robert Leicht beäugte den Entwurf wohlgefällig, doch erst sein Nachfolger Roger de Weck griff das Problem beherzt an, und auch Stuttgart setzte es nun auf die Dringlichkeitsliste. De Weck stieß auf Andreas Lebert, einen vielseitig begabten und erprobten Zeitungsmacher, der eine Zeitlang dem Magazin der *Süddeutschen Zeitung* vorgestanden und außerdem beim *stern* und im privaten Fernsehen gearbeitet hatte. Später wurde er Chefredakteur der Gruner+Jahr-Zeitschrift *Brigitte*. Im Sommer 1998 erhielt Lebert den Auftrag, in diskreter Mission einen Teil zu konzipieren, der in adäquater Weise das MODERNES LEBEN und das Magazin ersetzen, aber auch Werbekunden ansprechen konnte. Nach den Vorstellungen des Verlages sollte es ein zweiter, ein separater Hauptteil werden, laut Chefredakteur ein »leichteres Element« als Abschluss des Blattes.

Aber – da ließen weder Roger de Weck noch Michael Grabner mit sich handeln – in Hamburg durfte er keinesfalls entwickelt und angesiedelt werden, wenn nicht die alte Redaktion es schon im Ansatz so zerreden und glätten sollte, dass seine Erfinder es nicht würden wiedererkennen können. Also wurde das Projekt »outgesourced«, wie man heute sagt. Lebert ging mit einem kleinen und jungen Entwicklungsteam in einer ehemaligen Bundeswehrkaserne in München ans Werk. Das Team ließ sich rasch vom eigenen Schwung hinreißen; innovativ sollte alles sein und subjektiv, mit einem Wort: lebendig. Leberts Vorstellungen findet sich wieder in seinen Worten: »Die ZEIT informiert ihre Leser über alles, was die Welt bewegt. Im neuen Modernen Leben richtet sich der Blick auf den Leser: Was bewegt ihn?« Starke Verben kennzeichneten die Rubriken: Reden, Aussehen, Fliehen, Entscheiden, Erinnern, Glauben. Die Panorama-Seite in der Mitte dieses Teils wurde als Poster gestaltet. Selbst Verona Feldbusch fand im Fächer der Themen ihren Platz.

In der Endphase der Entwicklung, als erste Entwürfe im Pressehaus zur Diskussion gestellt wurden, schlugen die Wellen hoch in der Redaktion. Das Konzept wirkte auf die Mehrheit ungewöhnlich, fremd und wenig ZEIT-like. Viele beschlich die Furcht, dass die beiden ZEIT-Teile, der neue und der alte, total auseinanderfallen würden. Die von de Weck betriebene Auslagerung des Ressorts nach Berlin stieß in der Redaktion ebenfalls auf Unverständnis, die Gefahr eines Auseinanderdriftens der Ressorts erschien dadurch erst recht bedrohlich. Doch der Chefredakteur hielt an Berlin fest. Vielleicht hätte er eines fernen Tages am liebsten die ganze Redaktion dorthin verlegt, aber dem hätten Dieter von Holtzbrinck und sein Finanzchef Arno Mahlert wohl einen Riegel vorgeschoben – aus Kostengründen sicherlich, doch zugleich in der weisen Erkenntnis, dass man einen so empfindsamen, nervösen, anspruchsvollen Organismus wie den ZEIT-Verlag nicht einfach verpflanzen könne wie eine Topfblume.

Die Marktforschung der ZEIT legte im März 1999 die erste Dummy-Ausgabe des »LEBEN«-Teils mehreren Fokus-Gruppen zur Beurteilung vor. Das Ergebnis war teils ermutigend, teils ernüchternd: In der einen Untersuchung fanden die Hälfte der Abonnenten und ein Drittel der Kaufleser das Konzept, die Rubriken, die Größe, Farbigkeit und Auswahl der Photos schlecht. Nur 16,2 Prozent fanden alles gut. Der neue Teil wurde weiter entwickelt und am 12. Mai 1999 eingeführt.

Kann es verwundern, dass das Urteil der Redaktion noch krasser ausfiel als das der Fokus-Gruppen? Die erste Ausgabe des LEBENs fand in den Augen der Hamburger Redakteure keine Gnade, sie wurde nach allen Regeln der Kunst verrissen. Allenfalls die letzte Seite mit Hannelore Hogers »Traum« wurde akzeptiert – eine von Lebert erfundene Rubrik, in der Prominente von ihren Sehnsüchten erzählen; inzwischen ist sie zu einem Markenzeichen der ZEIT geworden. Und natürlich gefielen die gewohnten und beliebten Formate: Siebeck, Tratschke, die Logelei, das Kreuzwort-Rätsel. Der auf Neuerungen oft skeptisch reagierenden Redaktion missfiel der Rest – und auch vielen Lesern.

Es trat ein, was Hilde von Lang vorausgesagt hatte: Die Einstellung des ZEITmagazins führte zu einem Auflagenverlust von 30.000 bis 35.000 Exemplaren. Das LEBEN, auf Zeitungspapier, konnte diesen Verlust nicht ausgleichen. Darüber hinaus war manchen Lesern der neue Teil zu jung, zu artifiziell, zu grell – und letztlich nicht journalistisch genug: geleckte, gelackte Design-Künstlichkeit. Viele vermissten das Magazin und das alte MODERNE LEBEN. Die Auflage rutschte noch stärker ab als schon 1998. Mitte 1999 lag sie unter dem Tiefpunkt der Ära Leicht und bewegte sich in Richtung 440.000, wobei der Kiosk-Verkauf auf 120.000 zurückging. (Leicht spottete gelegentlich schon, *dafür* hätte man den Chefredakteur nicht zu wechseln brauchen.) Würde die Gesamtauflage auch noch unter die 400.000-Grenze fallen?

Der Aufmacher der letzten Ausgabe des MODERNEN LEBENs trug die doppelsinnige Überschrift »Zu alt fürs Leben«; es ging darin um bewährte Fernsehkommissare, die im TV-Dienst erschossen wurden. Aus Hamburg wechselten Anna von Münchhausen, Rainer Schmidt, Jörg Burger, Sabine Magerl, Anna Jardine, Dirk Kurbjuweit und Hanns Bruno Kammertöns nach Berlin. Die redaktionelle Verantwortung lag im ersten Jahr beim stellvertretenden Chefredakteur Matthias Naß, der zwischen Berlin und Hamburg pendelte.

Die LEBEN-Mannschaft hatte es schwer. Obwohl unter einem Dach, hielt die Redaktion des Berliner Hauptstadtbüros Abstand zu ihr. Lebert, dessen Tätigkeit für die ZEIT von Anfang an bis Ende 1999 befristet war, übergab das Heft an Hanns Bruno Kammertöns und Christian Ankowitsch. Beide führten das Ressort vom Januar 2000 bis März 2001. Die Nachfolger des Chefredakteurs de Weck trennten sich von Ankowitsch und holten Kammertöns zurück nach Hamburg, wo er wenig später mit viel Erfolg die Leitung des DOSSIERs übernahm. An ihre Stelle trat Moritz Müller-Wirth vom *Tagesspiegel*. Er verstand es, die Wogen zu glätten und das LEBEN weiterzuentwickeln. Rasch schaffte er die Rubrizierung ab, die sich nicht bewährt hatte. Auch gewann er Harald Martenstein als Kolumnisten.

Rückblickend mag mancher sagen, dass wohl erst die geradezu revolutionäre Neugestaltung des letzten Buches der ZEIT und die darin liegende professionelle und geschmackliche Herausforderung es möglich gemacht haben, schließlich eine moderne, ansprechende und der ZEIT gemäße Form des LEBENs zu finden, die sich allmählich dem übrigen Blatt einpasste und am Ende zu einem Teil der ZEIT wurde, der heute das gleiche Ansehen genießt wie das MODERNE LEBEN zu seinen besten Zeiten.

Nach der Entscheidung über das neue Layout, die Einstellung des Magazins und die Einführung des Ressorts LEBEN ging es dem Chefredakteur Roger de Weck vordringlich darum, die Diskussion über Inhalte, die Richtungsdebatte und die Verständigung über ZEIT-gemäße journalistische Formen und Formate voranzutreiben. Dies führte zu vielerlei Auseinandersetzungen in der Redaktion. Ein neues Layout mag man verordnen, aber eine inhaltliche Neubestimmung kann nur aus Debatten erwachsen, zu denen de Weck anstiftete.

Die Einrichtung eines eigenen »Buches«, also eines separaten Teils, für die LITERATUR fand die freudige Billigung der Kollegen, ebenso die Zuweisung eines festen Platzes für die ZEITLÄUFTE. Unspektakulär, doch wichtig und daher beifällig aufgenommen war die Zusammenlegung der Stellenanzeigen und ihre Einbettung in den neuen Teil CHANCEN.

Hingegen gingen die Meinungen über die Seite 1 weit auseinander, und nicht nur über die spürbare Verkürzung der Texte. Manche begrüßten die »Öffnung« der Titelseite für neue Themen und jüngere Autoren. Andere fanden die Thematik der Leitartikel sprunghaft, zu sehr auf die Steckenpferde der einzelnen Schreiber abgestellt statt auf die zentralen Themen, welche die Öffentlichkeit interessierten oder hätten interessieren müssen. Die »Kolumne« indes oszillierte auf verwirrende Weise zwischen Satire und Hausmitteilung. Subjektivität, der neue Leitstern der jüngeren Generation, artete da leicht zu Beliebigkeit aus. Zu viele Schreiber tauchten als Verfasser des großen Leitartikels auf, Experten, die nach Meinung der Herausgeber und mancher Redakteure es nicht verstanden, über ihr Fachpublikum hinaus eine breitere Öffentlichkeit anzusprechen; eine Vielfalt von Autoren, deren Namen sich der Leser nicht einprägen konnte, anstelle einer kleinen Riege generalistischer, doch sachkundiger Kommentatoren.

Ein gemischtes Echo löste die »Reformwerkstatt« aus, die Uwe Jean Heuser und Gero von Randow anvertraut wurde. Sie sollten Themen aufgreifen, die sonst zwischen den Ressorts in die Ritzen gefallen wären: etwa direkte Demokratie; Sozialunternehmer; Gentechnik als Segen. So zogen sie durch die deutschen und europäischen Lande, auf der Jagd nach Reformen und Reformideen. »Die Reformwerkstatt der ZEIT-Redaktion sucht nach Ideen, Experimenten und Neuerungen«, lautete der Claim. »Neu« war ein Leitstern des Journalisten de Weck.

Die Reformwerkstatt grub manches aus, was nicht nur neu, sondern auch notwendig war. Sie spürte Möglichkeiten der Kommunalreform nach. Sie schrieb 1998 auf, was Gerhard Schröder in seiner ersten Regierungserklärung sagen müsste – es klang wie die vorweggenommene Agenda der Großen Koalition von 2005. Sie proklamierte: »So kommt Neues in die Welt. Deutschland muss wieder lernen zu lernen.« Und sie lobte die ostdeutschen Neuerer: »Was die Ossis besser machen«. Vieles fing sie früh ein, was heute über Zivilgesellschaft, Netzwerke und Selbstverantwortung diskutiert wird. Ihre Workshops waren berüchtigt, bunt zusammengewürfelte Runden aus allen Ressorts, die mit Metaplan-Methoden Kreativität zu produzieren suchten. Vieles war anregend. Dennoch lief sich die Reformwerkstatt binnen zwei Jahren tot. Randow und Heuser waren überzeugender, wenn sie sich auf ihrem eigenen Rasen tummelten. Nicht alles war neu, was ihnen neu war.

Zu der Gier nach »Neuem« (die etwas anderes sein kann als Neugier) trat mehr und mehr ein redaktionelles Sich-Anbiedern an die Jugend, das ältere Leser verschreckte. Einer der Herausgeber schrieb 1995 an den Chefredakteur: »Wir brauchen auch junge Leser (wie wir auch junge Redakteure brauchen), aber wir dürfen nicht ausschließlich auf sie abstellen. Heute beträgt der Anteil der über Sechzigjährigen ein Fünftel, in zwanzig Jahren wird er bei einem Drittel liegen. Diese statistische Kohorte dürfen wir um Gottes Willen nicht verlieren. Die Kunst liegt darin, in der Leserschaft (wie in der Redaktion) den Spagat zu vollbringen, die Jungen zu kriegen, ohne die Alten zu vertreiben.« Andere Kollegen stritten sich mit de Weck über seine Ansicht, dass die Zeit der herkömmlichen Bildungsbürger auslaufe und die ZEIT auch jene Zielgruppen anvisieren müsse, die sowohl die Weimarer Klassik als auch den HipHop schätzten.

Einwände fruchteten wenig. Der Chefredakteur legte lange Diskussionspapiere vor, abgefasst in der Sprache von Werbeagenturen, wie Verlagsmanager sie lieben. »Die ZEIT ist der Treffpunkt derer, die gern lesen und klar schreiben« – »Die ZEIT ist ehrgeizig: Sie versucht, was andere Blätter nicht schaffen« – »Die Redaktion ist einem unbequemen Journalismus verpflichtet«. Darin standen dann auch Sätze wie diese: »Dem Blatt bekommt das Elegante und Subtile – öfter auch das Grelle«. Oder: »Wo Leben und Lebenslust sind, ist auch die ZEIT – Kulturpessimismus, Nostalgie und Defensive beleben weder das Blatt noch seine Redaktion«. Und: »Vorrang hat das Ungewöhnliche, Unerwartete«. Schließlich: »Die ZEIT lebt nicht nur vom Bedeutsamen, sondern auch vom Heiteren, Anarchischen, Respektlosen, Schrägen, Versponnenen«. So richtig dieses Rezept ist, wenn die Mischung stimmt – hier ließ die Spaßgesellschaft grüßen, und dies kurz nachdem die neue Feuilleton-Chefin Sigrid Löffler ihr die Grabinschrift gemeißelt hatte – »Ende der Spaßgesellschaft« war ihr Einstandsartikel überschrieben. Die Entwürfe, die zur gleichen Zeit für das neue LEBEN erarbeitet wurden, erweckten bei manchen

ZEIT-Leuten den Eindruck, hier solle das Zentralorgan der flotten, flüchtigen, flittchenhaften Spaßgesellschaft entstehen. Die Furcht ging um, dass dann in der nächsten Phase das Hauptblatt dem Schema des leichtgeschürzten LEBENs angepasst werden müsse: Schaumgebäck anstelle von vollem Korn. Der gebürtige Französischschweizer de Weck aber wollte – durchaus in der Tradition seines Vorbilds »Le Monde« – beides: Substanz und dazu ein paar Baisers.

Im Herbst 1998 ächzte die Redaktion. De Weck stiftete sie zu einer großen Selbstbefragungsaktion »Kritik und Selbstkritik« an. In allen Ressorts wurden Arbeitspapiere geschrieben. Der Redaktionsausschuss sichtete und verdichtete sie zu einer Diskussionsgrundlage. Das wenigste dessen freilich, was der Chefredakteur da zu hören bekam, war schmeichelhaft für ihn, dafür beurteilte manches Ressort die eigene Arbeit selbstgerecht oder gar nicht. »Ohne Zweifel hat die ZEIT in ihrem Auftritt an Modernität gewonnen«, schrieb das MODERNE LEBEN. »Leider geht das zu sehr auf Kosten des Wesentlichen: Es wird mehr versprochen als gehalten. Man kauft diese Zeitung nicht wegen ihrer Optik und der großen Überschriften, sondern wegen der Substanz ihrer Texte«. »Viele alte Stärken existieren nicht mehr, zum Beispiel der Mut zu komplexen Themen und Texten, neue Stärken sind aber nicht erkennbar«, monierte die Reformwerkstatt. »Provokation wirkt oft gewollt und übertrieben«. Das POLITIK-Ressort schrieb: »Die ZEIT sollte sich nicht nur als liberal verstehen, sondern auch als sozial. Liberal meint auch: frei zu sein im Denken.« Und: »Eine steile These macht noch keinen guten Text.« »Unberechenbar und wetterwendisch« seien die Urteile auf Seite 1 geworden, bemängelte nicht nur das Dossier: Der Versuch, die Zeitung zu durchlüften, habe die Urteilskraft geschwächt, ja: ins Schwanken gebracht. Das neue Layout wirke nach neun Monaten schon langweilig und undynamisch. Das *anything goes* schlage auf die Qualitätsmaßstäbe durch. Generell herrschten Planungsunsicherheit und Fehlplanung vor, empfanden etliche Redakteure in dieser Umbruchsphase: Die Ressorts fänden zu wenig Gehör. Der Mut zum Streit in der Sache und die Unbefangenheit im Gespräch sei einer seltsamen Beklommenheit gewichen, »die manchmal wie Angst wirkt«.

Roger de Weck stand nicht allein, aber selbst einigen Freunden wurde er zunehmend fremd. Gewiss gab es Druck aus »Stuttgart«. Indes setzte der Chefredakteur so viel Nachdruck und Begeisterung hinter seine Vorhaben, dass ihn zumindest anfänglich stets der Stachanow-Geruch der Sollüberfüllung umgab. Als die Dinge dann aus der Sicht eines Teils der Redaktion schiefgingen, im Layout und im LEBEN zumal, fiel es leicht, ihm die Schuld zuzuweisen; selbst die hehrsten Verleger waschen in solchen Fällen ihre Hände gern in Unschuld. Wer da beratungsresistent wird, kommt leicht unter die Räder. Chefredakteure können nur überleben, wenn sie entweder die Redaktion oder den Verleger hinter sich haben. Gehen sie gegen beide auf einmal an, müssen sie in der Regel bald ihre Schreibtische räumen.

Im Herbst 2000 trennte sich der Verlag höchst abrupt von de Weck. Der unmittelbare Anlass war eine Meldung in der »Welt am Sonntag«: Darin las der Schweizer von der Absicht des Verlegers, ihn zu verabschieden. Differenzen hatte es über die Umgestaltung des Wirtschaftsteils gegeben. Nach den Stuttgarter Wünschen sollte er service-orientierter werden und stärker auf die damalige New Economy setzen. Doch dieser Blase misstraute der einstige Wirtschaftsredakteur de Weck – anders als ein Teil der Konkurrenz blieb das Wirtschaftsressort nüchtern und darum glaubwürdig. Überdies verteidigte der Chefredakteur entschieden die Unabhängigkeit der Redaktion und zumal seine eigenen Befugnisse. In der redaktionellen Umsetzung missriet die Reform. Hinter der Trennung von de Weck stand jedoch mehr: die allgemeine Enttäuschung des Verlegers, dass der Schweizer – »ein einsamer Kämpfer« – es nicht gepackt hatte, auch wenn sich nach Jahren des ununterbrochenen Rückgangs die Auflage zu stabilisieren begann.

Ende 2000 verließ Roger de Weck das Pressehaus. Nach einem Sabbatical richtete er sich, in Berlin und Zürich lebend, als freier Publizist ein. Er schreibt für deutsche, französische und Schweizer Zeitungen. Im Schweizer Fernsehen und auf 3Sat moderiert er die Sendung »Sternstunden«, ein Gespräch von einer Stunde mit einem Gast. Auch ist er Präsident des traditionsreichen, 1927 gegründeten Genfer Hochschulinstituts für internationale Studien (HEI), wo der große Ökonom Wilhelm Röpke lehrte und einst der UN-Generalsekretär Kofi Annan studierte. Überdies ist de Weck Gastprofessor am College of Europe in Brügge und Warschau.

Viele ZEIT-Kollegen sahen ihn mit Wehmut scheiden; selbst viele jener, die seine strategischen Ziele ebenso kritisiert hatten wie sein Herangehen an die Lösung drängender Probleme. Er war ein fröhlicher Typ, umgänglich, weltläufig und charmant. Und er hat – bei allem, was nachher wieder zurückgenommen werden musste – vieles in der ZEIT in Bewegung gebracht. Die Verjüngung der Redaktion trieb er mit Macht voran: Zwölf von 13 Ressorts bekamen neue Chefs; 35 junge Kolleginnen und Kollegen stellte er in seinen drei Jahren als Chefredakteur ein – was zum Teil dadurch möglich wurde, dass die Redakteure, die in den Sechzigern zur ZEIT gestoßen waren, nun nach und nach in den Ruhestand traten: Aloys Behler, Horst Bieber, Dieter Buhl, Nina Grunenberg, Heinz-Josef Herbort, Wolfgang Hoffmann, Karl-Heinz Janßen, Carl-Christian Kaiser, Haug von Kuenheim, Petra Kipphoff, Rolf Michaelis, Gerhard Prause, Fritz J. Raddatz, Manfred Sack, Dietrich Strothmann verließen während oder nach der Amtszeit de Wecks das Blatt. Und Christoph Bertram wechselte nach Berlin, um als Direktor die Stiftung Wissenschaft und Politik zu übernehmen.

Auch als Leitartikler hat Roger de Weck seine Spuren hinterlassen. Er war ein überzeugter Europäer und lange Zeit der einzige Wirtschaftsjournalist, der in der Bundesrepublik fervent für den Euro eintrat. Dem Blatt gab er wichtige Impulse. So stärkte er den investigativen Journalismus – in der CDU-Spendenaffäre informierte die ZEIT besser als die meisten anderen Blätter; der Chefredakteur selber schrieb dazu in drei aufeinanderfolgenden Ausgaben kompromisslose Leitartikel. Früh schon übte er heftige Kritik am »Wahn der Manager« (so einer seiner Leitartikel) und an den Exzessen einer nur am Shareholder Value orientierten Denkweise.

De Weck hinterließ seinen beiden Nachfolgern ein aufgewühltes Gelände. Einer von ihnen, Josef Joffe, hat dies so ausgedrückt: »Er hatte vor uns die Bunker gesprengt. Wir mussten nur noch den Schutt wegräumen«.

32. Kapitel

Chefredaktion im Doppelpack

Im Frühjahr 1999 packten Dieter von Holtzbrinck und Theo Sommer ein Thema an, das allmählich akut wurde: die Verjüngung des Herausgeber-Kollegiums.

Sommer ging auf die siebzig zu. Gräfin Dönhoff war 21 Jahre älter als er, Helmut Schmidt zwölf Jahre. Das Durchschnittsalter der drei Herausgeber lag damit bei knapp 81 Jahren. Hier musste etwas geschehen. Dabei war klar, dass an der Herausgeberschaft der Gräfin und des Altbundeskanzlers nicht gerührt werden durfte. Ebenso klar war jedoch, dass die Herausgeberleiste verjüngt werden musste – und dabei zahlenmäßig nicht aufgebläht werden konnte. Aus dieser Erwägung heraus schlug Sommer dem Verleger sein Ausscheiden aus dem Kollegium der Herausgeber vor (wobei beide die Tatsache herzlich belachten, dass die Verjüngung dieses Gremiums ausgerechnet mit der Ablösung des jüngsten Herausgebers beginnen sollte).

Ferner schlug Sommer die Berufung zweier jüngerer Nachfolger vor. »Einer ist«, schrieb er an Holtzbrinck, »da sind wir uns wohl einig, zu wenig; er könnte zu leicht in die Rolle des Konterkapitäns geraten. Drei sind unnötig. *Two is company – and balance.* Ich bin sehr für NN (und denke auch; dass ich Marion ihre Abneigung gegen ihn ausreden könnte). Neben ihm kann ich mir im Moment nur [einen] vorstellen. Vorzugsweise wäre dies unser Freund, der Staatsminister, der seines Amtes überdrüssig ist und nach meinem Eindruck solider Verführung nicht widerstehen würde: ein brillanter, ideenreicher, kombattiver Typ«.

NN, das war Josef Joffe, damals Leiter des Ressorts Außenpolitik bei der *Süddeutschen Zeitung* – der Großmeister des außenpolitischen Journalismus des Landes. Der »Staatsminister« aber war Michael Naumann, seit Herbst 1998 im ersten Kabinett Schröder für Kultur und Medien zuständig.

Beide hatten früher schon der ZEIT-Redaktion angehört. »Mike« Naumann hatte, von »Twen« kommend, 1970 das Magazin mit aus der Taufe gehoben, setzte dann aber seine Studien in Oxford fort, von wo ihn Theo Sommer zurückholte. »Joe« Joffe war ihm Mitte der siebziger Jahre an der Harvard-University begegnet, wo er an seiner Doktorarbeit saß über »Society and Foreign Policy in the Federal Republic: The Adenauer Era, 1949–1962«. Als ausgewiesener außenpolitischer und strategischer Experte kam er 1976 ins Haus. Zusammen leiteten Joffe und Naumann mehrere Jahre lang das 1978 gegründete Dossier. Sie bildeten ein gutes Team, trotz oder gerade wegen ihrer unterschiedlichen, oft gegensätzlichen Positionen – konservativ Joffe, in der Außenpolitik ein Anhänger der realpolitischen Richtung, wiewohl in der Innenpolitik ein Liberaler; eher linksliberal dagegen Naumann, ein beweglicher und bewegender Geist, der sich mit einer Arbeit über den »Strukturwandel des Heroismus vom sakralen zum revolutionären Heldentum« habilitiert hatte – ein Intellektueller mit leicht anarchischen Zügen, dabei (wie er als Rowohlt-Chef gezeigt hatte) entschieden durchsetzungsfähig. Beide waren sie glänzende Schreiber – und harte Arbeiter, die bei Redaktionsschluss oft bis in die frohen Morgenstunden an der Schreibmaschine saßen. Wer sie in jener DOSSIER-Zeit erlebt hatte, mochte von vornherein nur wenig auf die vielen voreiligen Prophezeiungen geben, dass sie nie fruchtbar zusammenarbeiten könnten, sondern sich sehr rasch entzweien, ja: zerfleischen würden.

Josef Joffe trat am 1. Januar 2000 als Herausgeber bei der ZEIT an. Die Verhandlungen mit Naumann wurden im Herbst desselben Jahres abgeschlossen; am 15. Januar 2001 zog auch er wieder ins Pressehaus ein.

Inzwischen hatte freilich die neuerliche Chefredakteurs-Krise die Gegebenheiten verändert. Als Roger de Weck das Haus verließ, stellte sich die Frage nach seiner Nachfolge. Damals fiel zum ersten Mal der Name Giovanni di Lorenzo, doch Holtzbrinck wollte den erfolgreichen Chefredakteur des Berliner *Tagesspiegel* in einer wichtigen Übergangsphase dieses Blattes nicht freigeben. Also entschied er, Joffe und Naumann, die ja ursprünglich nur als Herausgeber berufen worden waren, zugleich mit der Chefredaktion zu betrauen. Beide machten deutlich, dass sie diese Funktion befristet wahrnehmen wollten, bis ein neuer Chefredakteur gefunden wäre. Dies war jedoch erst fast vier Jahre später der Fall.

Bei Antritt des Duos Joffe/Naumann befand sich die Redaktion nach Jahren fortwährender Reformen und personeller Veränderungen in einem Zustand, den man in Amerika »*frazzled*« nennt und der mit »hochgradig nervös« nur unzureichend beschrieben ist. Die beiden neuen Chefs sahen sich einer dreifachen Krise gegenüber. Da war zunächst die Auflagenkrise: Die Gesamtauflage war seit 1992 von 501.400 auf 436.400 gefallen, die Grosso-Auflage von 150.000 auf 100.000. Hinzu kam die Finanzkrise: Seit Mitte der neunziger Jahre schrieb die ZEIT rote Zahlen. Im Jahre 1999 belief sich das Minus auf neun Millionen Mark. Beides hatte zu einer tiefen Vertrauenskrise geführt: Die Redaktion schien ihren Glauben an sich zu verlieren.

Joffe und Naumann machten sich entschieden, aber feinfühlig ans Werk – ganz im Sinne des einstigen Bonner Chefkorrespondenten Rolf Zundel, der stets die Ansicht vertreten hatte, Redaktionen müsse man nach dem Ratschlag des Konfuzius fürs Regieren von Staaten führen – »wie man kleine Fische brät: auf kleiner Flamme und nur mit mäßigem Schütteln der Pfanne, sonst brennt das Gericht an oder das Fleisch fällt von den Gräten.«

Schrittweise und zart führte das Doppelkopf-Team das Layout vom Magazin-Hip der Neunziger wieder zu einem zeitungsgerechteren Design zurück. Am renovierungsbedürftigsten erschien den Chefs dabei das LEBEN, das sich in Gestaltung und Inhalt entschieden von der Stilrichtung des Hauptblatts entfernt hatte. Unter der neuen Leitung von Moritz Müller-Wirth wurde zuerst dieser Teil graphisch und inhaltlich seiner Überspitzungen entkleidet. Der neue Art Director Dirk Merbach, der von der *Welt* zur ZEIT stieß, entwarf dann mit den Kollegen vom Layout-Ressort auch für den Rest des Blattes ein neues Design. Nach und nach, ohne alle PR-Fanfaren, wie sie sonst jeden sogenannten Relaunch begleiten, wurde es von 2002 an in einem Ressort nach dem anderen eingeführt. Es hatte eine klassischere Anmutung, verzichtete auf »Styropor-Streifen« und große Weißflächen, die das Blatt licht hatten machen sollen, es aber nur löchrig wirken ließen, und führte »neue« Stilelemente ein – »neu« in Anführungsstrichen, weil dabei auch alte Elemente wiederkehrten, so die Garamond als Brotschrift anstelle der Times Roman. Auch der exzessive Durchschuss verschwand wieder, ebenso die »neue Bildästhetik«, in der Photos nicht mehr eine Geschichte erklärten oder erzählten, sondern mit rätselhaften Motiven zum Nachdenken anregen sollten. Den Lesern sollten keine Rätsel mehr aufgegeben werden. Da im übrigen die Kosten für Vierfarbdruck sich mittlerweile weitgehend den Kosten des Schwarzweißdrucks angepasst hatten, hielt nun Farbe auch ins Hauptblatt Einzug.

Ende 2001 hatte sich eine neue Aufmachung der Seite 1 durchgesetzt: Die sogenannte Titelgeschichte wurde mit einem großflächigen Bild – bald ein Photo, bald eine Zeichnung oder ein Cartoon – über den beiden Leitartikeln angekündigt. Die Absicht war unverkennbar: Das Blatt musste an den Kiosken gegen die grell-bunte Konkurrenz antreten. Das Titelbild hatte auch redaktionspsychologische und redaktionspädagogische Auswirkungen: Die verschiedenen Ressorts konkurrierten nun um den herausgehobenen Auftritt auf Seite 1.

Für das Ressort POLITIK waren die vergangenen zehn Jahre nicht nur eine Zeit tiefgreifender politischer Umwälzungen, die es zu beschreiben galt. Es waren auch Jahre steter Veränderungen im Ressort selbst, das zeitweilig nur aus vier Redakteuren bestand, die jeden Dienstag um das Erscheinen des Blattes kämpften.

Von Dieter Buhl übernahm im April 1995 Werner Perger die Ressortleitung und führte die POLITIK durch die späte Ära Kohl. Damals stieß die ZEIT die Kontroverse um Daniel Goldhagens Buch »Hitlers willige Vollstrecker« an, das von den meisten deutschen Historikern scharf kritisiert wurde. Der Leiter der Abteilung POLITISCHES BUCH, Volker Ullrich, setzte einen Akzent in der Debatte, indem er einige bissige Fragen Goldhagens verteidigte: »Trotz aller Einwände handelt es sich um ein sehr wichtiges, diskussionswürdiges Buch.«

Werner Perger gab Anfang 1997 die Leitung des Ressorts ab und begleitete als Reporter in Bonn den Spitzenkandidaten der SPD, Gerhard Schröder, im Wahlkampf. Er und der langjährige Bonner Büroleiter Gunter Hofmann beschrieben in Reportagen und großen Analysen die Machtübernahme von Rot-Grün 1998. In dieser Zeit führte Joachim Fritz-Vannahme, wie Perger ein ehemaliger Bonner Korrespondent der ZEIT, das POLITIK-Ressort. Als Historiker sorgte er dafür, dass manches politische Thema im Blatt durch Artikel bereichert wurde, welche die geschichtliche Dimension berücksichtigten.

Im Frühjahr 1999 wurde Martin Klingst mit der Leitung des Ressorts betraut. Der Jurist Klingst setzte mit seinen liberalen Analysen der Rechts- und Innenpolitik die Tradition von Hans Schueler fort. Als Ergänzung zu den klassischen Stärken der ZEIT, der Analyse, der Meinung und der großen Reportagen, verlangte Klingst von seinen Kollegen und den Korrespondenten die akribische Recherche. Er selbst hat in Zusammenarbeit mit dem Ressortleiter des DOSSIERS Thomas Kleine-Brockhoff an der Aufdeckung des CDU-Spendenskandals der späten neunziger Jahre mitgearbeitet. Auch hat er das

Politik-Ressort nach vielen Abgängen permanent neu aufgebaut; die heutige Mannschaft ist die seine.

Deutschland geriet 1999 außenpolitisch in unruhiges Fahrwasser, als die Allianz beschloss, den serbischen Attacken auf die Albaner im Kosovo ein Ende zu machen. Die Luftangriffe der NATO gegen die Bundesrepublik Jugoslawien unter Slobodan Milosevic' Führung wurden zum ersten Kampfeinsatz der Bundeswehr seit ihrer Gründung 1955. Für die ZEIT berichtete in bester Tradition von Marion Dönhoff eine Frau über Außen- und Sicherheitspolitik: Constanze Stelzenmüller beschrieb die Revolution in der deutschen Außenpolitik. In Osteuropa lag auch die zweite große Herausforderung für die neue Berliner Regierung: Russland. Außenminister Joschka Fischer fand nie einen Draht zu dem Riesenland, auch Bundeskanzler Gerhard Schröder war anfangs äußerst skeptisch. Die ZEIT führte bereits 1999 das erste Interview für eine westliche Zeitung mit dem neuen starken Mann in Moskau, Wladimir Putin. Den damaligen russischen Premierminister befragten Thomas Brackvogel, zu jener Zeit stellvertretender Chefredakteur, der Diplomatische Korrespondent Christian Schmidt-Häuer und der Moskauer Korrespondent Michael Thumann vor allem zum blutigen Krieg in Tschetschenien. Thumann begleitete in der Folgezeit mit Reportagen aus dem kaukasischen Kriegsgebiet und kritischen Analysen aus Moskau den Aufstieg Putins zum Präsidenten und das Abgleiten Russlands in eine »autoritäre Fassadendemokratie«.

Die größte Herausforderung war der 11. September 2001. Nach den Anschlägen der al-Qaida auf New York und Washington erschien die ZEIT – zum ersten und bisher letzten Mal – zweimal in einer Woche. Das ganze politische Ressort arbeitete wochenlang rund um die Uhr, um diesen Epochenbruch zu beschreiben und historisch einzuordnen.

Als Washingtoner Korrespondent zeichnete Thomas Kleine-Brockhoff die Strategie der Regierung George W. Bush nach und sagte frühzeitig den Angriff auf den Irak voraus. Der junge ZEIT-Redakteur Jochen Bittner analysierte die sich stetig neu formierenden Terrorgruppen unter dem Dach von al-Qaida. Der Reporter Ulrich Ladurner flog in die Kriegsgebiete in Afghanistan und im Jahre 2003 in den Irak, um die Menschen unter den Bombenteppichen zu beschreiben und zu verstehen. »Wer einen Krieg führt, der tut gut daran, sich auf den Charakter des Feindes einzulassen«, schrieb er 2001 aus dem Grenzgebiet zwischen Afghanistan und Pakistan. Die

Chefredakteure Josef Joffe und Michael Naumann stritten in Leitartikeln gänzlich konträrer Ansichten um Europas kritische Solidarität mit Amerika im Kampf gegen den Terror.

Europas Auseinandersetzung und Berührung mit dem Islam hat die Debatte im POLITIK-Ressort der ZEIT stark geprägt. Dabei ging es häufig auch um die Frage eines Beitritts der Türkei zur Europäischen Union, was sich zwei Mal in Pro und Contra-Artikeln auf der Seite 1 niederschlug. Als die Türkei 1999 Kandidatenstatus erhielt, setzte sich der Herausgeber Theo Sommer mit Nachdruck für die Türkei als Teil des historischen europäischen Mächtekonzerts ein, während der Ressortleiter Joachim Fritz-Vannahme ihren EU-Beitritt als eine zu große Belastung für Europa ablehnte. Vor dem EU-Gipfel 2002, der über die Europa-Tauglichkeit Ankaras befand, erklärte Herausgeber Helmut Schmidt, warum die Türkei aus kulturellen Gründen nicht zu Europa gehöre. Der für die Außenpolitik verantwortliche stellvertretende Ressortleiter Michael Thumann argumentierte dagegen, dass die Europäer aus eigenem Interesse mit ergebnisoffenen Verhandlungen den Sprung der Türkei zu einem modernen europäischen Land fördern sollten.

Für die Beschreibung der späten Ära Rot-Grün erhielt das politische Ressort umfassende Verstärkung. Matthias Krupa beschrieb die langsame Erosion der Koalition in den großen westdeutschen Bundesländern und den Aufstieg einer neuen Generation in den Unionsparteien. Frank Drieschner illustrierte vorausschauende politische Experimente wie die Große Koalition in Bremen; später wurde er verantwortlicher Redakteur des wiederbelebten LÄNDERSPIEGELS. Martin Klingst und das aufgestockte Berliner Büro sorgten dafür, dass die ZEIT ein wichtiges Gesprächsforum für die Politiker des Landes blieb.

Das DOSSIER, in den siebziger und achtziger Jahren von Naumann und Joffe geführt, fand unter der Leitung von Thomas Kleine-Brockhoff und später unter Bruno Kammertöns als Chef zurück zu seinem investigativen Ursprung. Dossiers über die »Bundeslöschtage« im Kanzleramt nach dem Regierungswechsel 1998 und die vorausgegangene Korruptionsfälle rings um den Verkauf der Firma Leuna an den französischen Konzern Elf Aquitaine erregten allgemeine Aufmerksamkeit. Zu den großen Themen zählten die Tsunami-Katastrophe Ende 2004, mehrere Berichte über die Frauenwelt im Islam (Jemen, Pakistan und Libyen), eine Reihe ausführlicher Gespräche mit der Schriftstellerin Christa Wolf, dem Porsche-Chef Wendelin Wiedeking und dem Regisseur Bernd Eichinger. Am Beispiel des Braun-Rasierapparates »Activator« wurde in dem Bericht »Operation Lohndrücken« die dunkle Seite der Globalisierung dargestellt.

DOSSIER-Autoren gerieten regelmäßig auf die Shortlist des Kisch-Preises oder nahmen ihn dankbar entgegen. Im Jahre 1997 ging der erste an Kuno Kruse für eine bewegende Reportage aus Srebrenica. Viele weitere Auszeichnungen folgten. Unter anderem gab es 2001 den Kisch-Preis für Ullrich Fichtner und sein Feature »Die Strafkolonie von Moabit«, im Jahre 2002 für Sabine Rückert und ihr Porträt »Die Mörderin«. DOSSIER-Autor Stefan Willeke erhielt zweimal den Kisch-Preis, 2003 für sein Stück »Der Herr der Pleiten« und 2004 für die Offshoring-Reportage »Herr Mo holt die Fabrik«.

Dem Ressort WIRTSCHAFT kam in einer Zeit besondere Bedeutung zu, da die viel gepriesene »New Economy« zusammenbrach, die deutsche Ökonomie stagnierte und Outsourcing, Offshoring und Rationalisierung immer mehr Arbeitsplätze kosteten. Hat die ZEIT die Hype um die New Economy mitgemacht? Verfiel sie dem krassen Neoliberalismus, der um die Jahrtausendwende ins Kraut schoss? Hielt sie fest an dem Attribut »sozial«, das unsere Marktwirtschaft charakterisiert?

Der Wirtschaftsteil der ZEIT stand als Warner vor der New Economy Ende der neunziger Jahre etwas im Abseits. Doch dann brachte er ein kleines Kunststück fertig. Ohne seine Tradition zu verraten, die neben der Marktwirtschaft auch ökologische und soziale Ziele hochhält, erschloss er sich neue Lesergruppen. Auch viele neue Kollegen kamen dazu, darunter Elisabeth Niejahr, die vom *Spiegel* ins Hauptstadtbüro der ZEIT wechselte und von dort aus die sozialpolitischen Reformen im Land beschrieb; Wolfgang Uchatius, dessen Sozialreportagen die Globalisierung erfassbar machten; Robert von Heusinger, der von der *Börsen-Zeitung* ins Frankfurter Korrespondentenbüro kam und dem es immer wieder gelang, das Kurskarussell am Kapitalmarkt in einen gesamtwirtschaftlichen Kontext zu stellen.

Nach und nach griffen die Entscheidungsträger der Wirtschaft wieder zu diesem Teil der Zeitung, der die unabhängige Recherche pflegt und es Ideologen aller Couleur in der Wirtschaftspolitik und im Management nicht leicht macht.

»Das Sozialwesen ächzt unter dem stetig steigenden Druck, aber die Einkommensverteilung am unteren Ende hält«, schrieb 2002 der Ressortleiter Uwe Jean Heuser, der sich ansonsten klar zum Umbau des Arbeits- und Sozialstaats bekannte. »Dieser Kraftakt zeugt von der immensen Leistungsfähigkeit unserer Wirtschaft – und von enormer Vergeudung. Denn der Preis für den Systemerhalt erschöpft sich nicht in überhöhten Abgaben. Er erschöpft sich auch nicht in sechs Millionen Menschen, die Arbeit gar nicht oder nur auf dem Schwarzmarkt finden. Wenn die Bundesrepublik einer Errungenschaft sicher war, dann dieser: Jeder konnte aufsteigen in unserer klassenlosen Gesellschaft – ob Reich oder Arm, von Adel oder aus dem Arbeitervorort. Doch inzwischen haben sich die Verhältnisse geändert. Neue Wirtschaftsdaten zeigen, dass Deutschland zurück zur Klassengesellschaft mutiert.«

Später löste sich die Einkommensverteilung am unteren Ende tatsächlich auf, die Armen wurden nun doch ärmer, zur mangelnden Dynamik der Wirtschaft kam die wachsende Ungleichheit. Die ZEIT ging den Begleiterscheinungen der deutschen Krise nach. Sie beschrieb in Reportagen und Analysen die Webfehler von Hartz IV und zeigte später auch, wo die größte rot-grüne Reform tatsächlich etwas bewirkte.

Das Ressort WIRTSCHAFT versuchte zugleich, den spezifisch deutschen Streit zwischen Angebots- und Nachfragepolitik auf eine sachlichere Ebene zu ziehen und schließlich aufzulösen. »In den angeblich so marktgläubigen USA ist diese pragmatische Art der Wirtschaftspolitik völlig normal«, schrieb der stellvertretende Ressortleiter Marc Brost im Herbst 2004, »Deutschland dagegen will als einzige Industrienation das Sozialsystem reformieren und gleichzeitig den Staatshaushalt sanieren. Nirgendwo sonst fürchten sich die Politiker so sehr davor, die Konjunktur zu stützen. Auch diese Angst lähmt das Land.«

Die Debatte über sozialpolitische Reformen und der Streit um die großen Linien der Wirtschaftspolitik waren wohl das wichtigste Thema zu Beginn des neuen Jahrzehnts. Die Kontroversen verliefen mitten durch die Redaktion.

So schrieb Josef Joffe auf Seite 1 der ZEIT: »In der guten alten Vor-Euro-Zeit konnten Kanzler und Bundesbank noch ein wahlgerechtes Konjunktur(stroh)feuer mit nationalen Mitteln anfachen. Mit Staatsausgaben und Schuldenmacherei, mit Billigzinsen und Geldaufblähung. Nur: Dagegen steht eine Europäische Zentralbank, die sich nicht zuvörderst um deutsche Interessen kümmert, zudem ein von den Deutschen erfundener Stabilitätspakt, der harsche Fiskaldisziplin verordnet. Goodbye, Mr. Keynes.« Joffe plädierte vehement für Reformen: »Lohnspreizung, Kombilöhne (Niedriglöhne, die durch den

Staat aufgebessert werden), länger laufende Zeitverträge, befristete Jobs für Ältere – all das läuft den Besitzständen der *beati possidentes* zuwider, würde aber den Arbeitssuchenden mehr Jobs verschaffen, als es Sanktionen bei Ablehnung zumutbarer Arbeit je könnten.«

Hingegen argumentierte der wirtschaftspolitische Korrespondent Wilfried Herz, der Staat dürfe in der ökonomischen Stagnation zu Beginn des neuen Jahrzehnts nicht allein ans Sparen und Kürzen denken: »Es geht jetzt nicht darum, durch zusätzliche öffentliche Ausgaben und höhere Staatsdefizite die Konjunktur anzukurbeln. Aber in der gegenwärtigen Situation wäre es verfehlt, wenn der Bundesfinanzminister die Ausgaben im Bundeshaushalt zusammenstreicht, um die geringeren Steuereinnahmen auszugleichen. Ein solches Vorgehen würde die Binnennachfrage entscheidend schwächen und den dringend notwendigen Wirtschaftsaufschwung auf den Sankt-Nimmerleins-Tag verschieben.«

Die Redakteure griffen die Wirtschaftsthemen dort auf, wo sich einschneidende Veränderungen abzeichneten. Dietmar Lamparter beschrieb die Umwälzungen in den Fabriken der Automobilindustrie; Marcus Rohwetter und Fritz Vorholz trieben angesichts zahlreicher Lebensmittelskandale die Debatte um eine neue Form des Verbraucherschutzes voran; Gunhild Lütge und Götz Hamann analysierten das Zusammenwachsen alter und neuer Medien; Jutta Hoffritz forschte in den Labors der jungen Biotechfirmen. Die zunehmende Furcht vor der Globalisierung, die Angst vor Jobverlagerung und die Reformen am Arbeitsmarkt: Was die Menschen umtrieb, trieb die ZEIT zur intensiven Recherche. Kolja Rudzio und Christian Tenbrock reisten durchs Land und berichteten über die sich verändernde Republik, Auslandskorrespondenten wie Thomas Fischermann in New York oder Petra Pinzler in Brüssel lieferten die globale und europäische Perspektive. Auf der wöchentlichen Seite »Global Markets« kümmerten sich Marie-Luise Hauch-Fleck und Arne Storn darum, die neuen Finanziers der Unternehmen wie Hedge Fonds oder Private-Equity-Firmen zu beleuchten.

Deutschland zählt zu den Gewinnern der Globalisierung – das war die Botschaft einer Serie über Mittelständler, die hinausziehen in die Welt. Wie könnte der deutsche Staat wieder stark und durchsetzungskräftig werden, ohne immer mehr Geld aufzuwenden? Auch darauf gab der Wirtschaftsteil der ZEIT überzeugende Antworten. Früh prangerte er die angemaßte Macht der Analysten über die Unternehmenslenker an. Ebenso früh zeigte er, dass die deutschen

Konzerne das Investieren vergaßen und sich zu sehr auf das Senken der Kosten konzentrierten.

Gleichzeitig veränderte der Wirtschaftsteil sein Gesicht. So startete Ende 2004 die neue Portraitseite. Die Frage »Was bewegt …?« war dabei mehr als nur der Name einer Rubrik. Sie verdeutlicht auch das journalistische Konzept: Topmanager und Wirtschaftspolitiker, die in der globalen Ökonomie etwas bewegen, werden so persönlich beschrieben wie nirgendwo sonst. Ebenfalls neu: Die wöchentliche Glosse »30 Sekunden für …«, immer rechts unten auf der Aufschlagseite und immer in einer halben Minute zu lesen. Wer wissen wollte, warum es eine europäische Norm zum Brandschutz von Nachtwäsche geben muss, warum Hummeln eigentlich nicht und Flugzeugmanager manchmal doch fliegen können, und warum kiffende Bohrarbeiter an der Erdöl-Krise zumindest mitschuldig sind, der fand hier eine Antwort.

Die Wirtschaftsjournalisten der ZEIT gehörten zu den ersten, die Anfang 2005 die Wende der bundesrepublikanischen Volkswirtschaft zum Besseren ausriefen. Ungeachtet der zähen politischen Debatte in Berlin hatten die Deutschen den Wandel selbst beschleunigt, in den Betrieben ebenso wie in sozialen Initiativen, als Sparer und Konsumenten. »Die Deutschen stecken mitten in der Veränderung, täglich, in sämtlichen Bereichen ihres Lebens«, heißt es in einer Titelgeschichte zur Mitte des Jahrzehnts. Wieder ließ sich die WIRTSCHAFT nicht von einer allgemeinen Stimmung beirren, sondern vertraute ihren eigenen Beobachtungen und Deutungen. Bei Lesern aus den unterschiedlichsten Bereichen der Gesellschaft findet dieser Zugang zur Welt der Wirtschaft heute viel Resonanz.

Der Herausgeber Helmut Schmidt vertrat seine eigene, in der Öffentlichkeit weithin beachtete Linie. Mal um Mal plädierte der Altbundeskanzler für Reformen. »Auch wenn der Abschwung überwunden sein wird«, mahnte er 2003, »bleibt Deutschland ein Schlusslicht in Europa. Es sei denn, wir stellen die Weichen um!« Das Unkraut im deutschen Wirtschaftssystem müsse man jäten: »Der Flächentarif muss fallen; die Vorschläge der Hartz-Kommission für den Arbeitsmarkt sind unzulänglich; ein Bundesgesetz sollte die ostdeutschen Länder ermächtigen, vom Bundesrecht zeitweilig abzuweichen. Und der Osten wie der Westen müssen durch ein Paragraphenbeseitigungsprogramm in Schwung gebracht werden« (2002).

Doch nahm Helmut Schmidt auch die deutsche Managerklasse unter scharfen Beschuss. So schrieb er ihr 2003 ins Stammbuch: »Wer nur noch Global Player sein will, der kann die patriotische Solidarität seiner eigenen Landsleute verspielen.« Manche Topmanager vergessen allen Anstand, klagte er. »Der Raubtierkapitalismus bedroht die offene Gesellschaft.« Und, ganz konkret: »Es ist Unfug zu behaupten, die exorbitanten Vergütungen einiger deutscher Spitzenmanager seien aus Gründen des Wettbewerbs mit den USA notwendig; denn tatsächlich ist bisher noch kein deutscher Spitzenmann von einem amerikanischen Konzern mittels höherer Vergütung abgeworben worden.«

Und immer wieder äußerte sich Schmidt enttäuscht über die ökonomische Lage Ostdeutschlands. »Aber sie ist von Menschen gemacht; sie könnte von Menschen geändert werden [...] Und wenn ich, ›Menschen‹ sage, meine ich nicht in erster Linie die 15 Millionen Menschen, die im Osten Deutschlands leben, sondern die politische Klasse« (2004). »Vor allem muss man sich zu der Erkenntnis durchringen, dass man der Wirtschaftstätigkeit in Ostdeutschland künstlich einen Wettbewerbsvorteil einräumen muss gegenüber der westdeutschen Wirtschaft.«

Für das FEUILLETON begann eine unruhige Zeit, nachdem Ulrich Greiner im März 1995 die Leitung des Ressorts nach fast zehn Jahren niederlegt hatte und Kulturreporter wurde. Sein Nachfolger, der frühere *taz*-Chefredakteur Arno Widmann, bemühte sich energisch um eine Internationalisierung der Berichterstattung und die Aufnahme streitlustiger Debatten, kam aber nicht weit damit. Die österreichische Literatur- und Theaterkritikerin Sigrid Löffler, aus Marcel Reich-Ranickis »Literarischem Quartett« im Fernsehen weithin bekannt, löste Widmann im Herbst 1996 ab. Sie arbeitete mit vermehrtem Druck an der Entwicklung des Debattenfeuilletons. Auf einen Schlag konnte sie das Ressort um einige Jahrzehnte verjüngen. Hans-Josef Herbort (Musik) und Manfred Sack (Architektur) ersetzte sie durch Claus Spahn und Hanno Rauterberg, dazu etablierte sie einen eigenen Debattenredakteur, den studierten Philosophen Thomas Assheuer von der *Frankfurter Rundschau*, und einen Berliner Kulturkorrespondenten, den von der *taz* stammenden Jörg Lau. Assheuer und Lau betrieben vor allem die Auseinandersetzung mit dem *anything-goes* der postmodernen »Spaßgesellschaft«, die Sigrid Löffler mit programmatischen Eifer verfolgte. Die publizistische Wirkung war groß, die innerredaktionelle Akzeptanz gering. Den genialischen, aber vehement auf einem reinen Rezensionsfeuilleton bestehenden Theaterkritiker Benjamin Henrichs musste Sigrid Löffler durch Gerhard Jörder (zuvor *Badische Zeitung*) ersetzen. Der promovierte Literaturwissenschaftler Christof Siemes, der zuletzt das ZEIT-Magazin geleitet hatte, kam als Kulturreporter hinzu.

Aber so energisch Sigrid Löffler auch an der Modernisierung des FEUILLETONS arbeitete, dem Chefredakteur de Weck ging es nicht schnell genug. Von ihrer Personalpolitik konnte letztlich erst ihr Nachfolger Jens Jessen profitieren, der Anfang 2000 von der *Berliner Zeitung* kam, aber zuvor neun Jahre lang im Feuilleton der *Frankfurter Allgemeinen Zeitung* gearbeitet hatte. Jessen stieß auf ein Ressort, das ein lähmendes Einstimmigkeitsprinzip in allen ideologisch heiklen Fragen entwickelt hatte. Es musste ihm zunächst darum gehen, eine kämpferische Freude an abweichenden Meinungen zu entwickeln.

Mit Assheuer zusammen zettelte er eine umstrittene Artikelserie um Glanz und Elend des Christentums an. Auf die rabiat antichristliche Eröffnung durch den Philosophen Herbert Schnädelbach antwortete die erste Garde deutscher Philosophen und Theologen, beginnend mit dem Münchener Robert Spaemann. In anderen Serien ging es um die moralische Bewertung der Gentechnik. Der Streit wurde abermals mit einer Provokation eröffnet, und zwar durch den Rechtsphilosophen und Strafrechtler Reinhard Merkel, der sich für weitgehende Liberalisierung aussprach. Dagegen argumentierten von Spaemann über Hans Jonas bis Jürgen Habermas fast alle befragten Theologen und Philosophen.

Diese Auseinandersetzung nahm schon den aktuellen Streit darüber vorweg, wieviel moralische Enthemmung eine liberalisierte Gesellschaft verträgt und welche humanen Standards man der globalisierten Konkurrenz opfern darf. Die nämliche Frage prägte auch die große Debatte um »Die Zukunft des Kapitalismus«, die im Sommer 2005 mit Beiträgen des indischen Schriftstellers Amitav Ghosh, des amerikanischen Philosophen Charles Tailor und vielen anderen Globalisierungskritikern und Kapitalismustheoretikern geführt wurde. Jessen beschloss die Artikelserie mit einer polemischen Betrachtung über die von liberaler Seite geschätzten »Fegefeuer des Marktes«.

Solche Serien wurden nicht nur von Thomas Assheuer federführend entwickelt und kommentierend begleitet, sondern immer öfter auch mit szenischen Reportagen aus der Feder Peter Kümmels ergänzt. Zu den Debattenautoren der Redaktion muss auch Thomas E. Schmidt gerechnet werden, der im März 2005 als Feuilletonkorrespondent nach Berlin umsiedelte und von dem Christoph Siemes die Stellvertretung übernahm. Schließlich stieß 2003 die junge Hallenser Autorin Evelyn Finger zur Redaktion, die neben ihrer Expertenschaft auf den Gebieten Tanz und Literatur ein besonderes ostdeutsches Interesse an den Sonderbarkeiten des Vereinigungsprozesses in die Diskussion brachte.

Die vielleicht entscheidende Großdebatte unserer Zeit wurde mit den Anschlägen vom 11. September 2001 eröffnet. Schon in der Sondernummer danach durchleuchtete das Feuilleton die Vorgeschichte des politisch-ideologischen Terrorismus und stieß auf den bedeutenden geistesgeschichtlichen Vorlauf, der von den Anarchisten des 19. Jahrhunderts bis zu den autoritären Gewaltfantasien der künstlerischen Avantgarde im 20. Jahrhunderts führte.

Ähnlich wie die Gentechnik und die Globalisierungsfolgen hatte auch der Irakkrieg eine stark polarisierende Wirkung. Die inneramerikanische Auseinandersetzung um die Regierung Bush spiegelte das FEUILLETON in reicher Folge mit Beiträgen von Michael Walzer, Richard Rorty, Ronald Dworkin, Sheila Benhabib, Francine Prose, Richard Ford, Irene Dische und Mike Davis.

Über aller Debattierlust ist aber das Rezensionsfeuilleton nicht erloschen. Dem Film wurde eine eigene Seite reserviert. Der mit Sigrid Löffler ausgeschiedene Filmkritiker Andreas Kilb wurde erst durch Merten Worthmann, dann durch Katja Nicodemus ersetzt, die besonderen Ehrgeiz entfaltete, um die großen Filmkünstler unserer Zeit von Woody Allen bis Lars von Trier in großen Interviews vorzustellen. Anfang 2005 kam eine Seite hinzu, die sich den digitalen Trägermedien von Film, Musik und Literatur (in Gestalt des Hörbuchs) widmet. Für weitere CD-Rezensionen richtete Claus Spahn Musikbeilagen in unregelmäßiger Folge ein. Als Popmusikspezialisten hatte Jessen bei seinem Amtsantritt Thomas Groß von der *taz* abgeworben; als regelmäßiger Autor trat später der Poptheoretiker Diedrich Diederichsen hinzu.

Christoph Siemes stellte neben die Debatten große Reportageserien; so wurden beispielsweise 2004 die zwölf neuen Beitrittsländer der EU anhand ausgewählter Künstler oder Kulturinstitutionen vorgestellt. Darüberhinaus experimentierte das FEUILLETON, nachdem Harry Rowohlt für Poohs Corner nicht wiedergewonnen werden konnte, mit einer Reihe von Autorenkolumnen. Die einzige altvertraute Kolumne, das anonyme FINIS mit seinen ins Absurde verdrehten Miniatursatiren, wurde in den letzten fünf Jahren fast ausschließlich von Thomas Assheuer, Ulrich Greiner und Jens Jessen geschrieben.

In der Endphase der Ära Löffler hatte der Chefredakteur Roger de Weck die LITERATUR aus dem Feuilleton herausgelöst und als selbständiges Ressort unter Leitung Ulrich Greiners etabliert. Neben ihm wurden dort Iris Radisch für Belletristik, Volker Ulrich für das POLITISCHE BUCH, Susanne Meyer und Elisabeth von Thadden für das Sachbuch tätig. Die ausgegründete Literatur erschien als selbständiges Buch von beträchtlichem Umfang, bis es drucktechnisch wieder an das Feuilleton angegliedert wurde. Dafür wurde allerdings auf Initiative Michael Naumanns die Zahl der Literaturbeilagen, nunmehr als handliche Hefte im halben ZEIT-Format (dem sogenannten Tabloid-Format), beträchtlich erhöht: auf zwei im Frühjahr und mindestens drei im Herbst. Sie erlauben eindrucksvolle thematische Bündelungen, zu den Länderschwerpunkten der Buchmesse ebenso wie zu gesellschaftlichen oder ästhetischen Trends. Für die Schlussseite entwickelte Greiner eine kleine Gesellschaftsreportage unter dem laufenden Titel »Literarisches Leben« und eine wechselnde Literaturkolumne, die sich Kriminalromanen, Taschenbüchern, philosophischen und politischen Neuerscheinungen im Überblick widmet.

Seit März 1998 gestaltet Benedikt Erenz die Seite ZEITLÄUFTE. Der temperamentvolle Feuilletonist pflegt das Konzept der »erzählten Geschichte« und behält neben dem Informationsgehalt der Artikel stets auch das Lesevergnügen im Auge. Er hat zahlreiche profilierte Wissenschaftler zur Mitarbeit hinzugewonnen, vor allem aber viele jüngere Historikerinnen und Historiker. Dazu kommen geschichtlich versierte Publizisten und Schriftsteller: Karl Schlögel, Mathias Greffrath, Emanuel Eckardt, Sten Nadolny und viele mehr. Außer der klassischen historischen Reportage und dem Portrait liebt Erenz auch ungewöhnlichere Formen. Unvergessen ist die Serie des Jahres 1999 »Ich erinnere mich«, in der ZEIT-Autoren wie Carola Stern, Jens Reich oder Barbara Sichtermann ihre sehr persönliche Sicht auf das 20. Jahrhundert schilderten. Viele Leser bewegt hat auch 2004/05 die Serie »Inferno und Befreiung« zum 60. Jahrestag des Kriegsendes in Deutschland. Die ZEITLÄUFTE sind heute eines der beliebtesten Ressorts der ZEIT, was sich auch daran zeigt, dass andere Blätter sie inzwischen still und leise kopiert haben.

Das WISSEN entwickelte sich unter Andreas Sentker zu dem nach der Politik meistgelesenen Teil der ZEIT. Im Januar 1998 hatte der damals Vierunddreißigjährige die Leitung des Ressorts von Joachim

Fritz-Vannahme übernommen; erst zwei Jahre zuvor war er aus Tübingen zur ZEIT-Mannschaft gestoßen. Das WISSEN-Ressort profitierte von der wachsenden Bedeutung seiner Themen. Sie standen plötzlich nicht mehr in abgelegenen Fachzeitschriften, sondern auf der Tagesordnung des Bundestags: Rinderwahn, Gentechnik, Stammzellen, Klimaschutz, Embryonenschutz, Pisa-Debatte. Das WISSEN nutzte seine Chance. Es wurde zur Pflichtlektüre.

Redaktion und Verlag der ZEIT reagierten auf den neuen Wissensdurst. Im September 2001 wurde die Berichterstattung kräftig ausgebaut; den Monat darauf fand am Berliner Gendarmenmarkt das erste ZEIT-Forum der Wissenschaft statt – ein Treffpunkt für Wissenschaft, Wirtschaft und Politik und ein breites interessiertes Publikum. Wolfgang Schäuble fragte hier vor der entscheidenden Bundestagsdebatte die anwesenden Experten über embryonale Stammzellen aus. Bundesbildungsministerin Edelgard Bulmahn ließ sich über die Vorteile des finnischen Schulsystems informieren, Bundesinnenminister Otto Schily über das Bioterror-Potential von Pockenviren. Renate Künast diskutierte über grüne Gentechnik, Jürgen Trittin über die Zukunft der Kernenergie.

Im Ressort war solche Debattenkultur längst etabliert. Philosophen wie Peter Sloterdijk und Jürgen Habermas, Manfred Frank und Ernst Tugendhat schrieben einander 1999 Offene Briefe, in denen sie leidenschaftlich über die Möglichkeiten und Folgen des gentechnischen Zeitalters diskutieren. Auch Jens Reich, als Politiker und Essayist ebenso prominent wie als Forscher begabt, griff zur Feder. Was eigentlich ist vernünftig? Diese Frage zog sich fortan durch die Texte des Wissenschaftsteils. Dämme bauen oder Atomkraftwerke? Ganztagsschulen einrichten oder Elitekindergärten? Was ist vernünftige Klimapolitik? Was vernünftige Bildungspolitik?

Die Redakteure des WISSENs profilierten sich in der Auseinandersetzung um die großen Themen. Der Physiker Ulrich Schnabel präsentierte und moderierte die Debatte deutscher Hirnforscher, Philosophen und Rechtswissenschaftler um den freien Willen des Menschen. Der Chemiker Hans Schuh schrieb weiterhin als ebenso kenntnisreicher wie meinungsstarker Beobachter der Umwelt- und Naturschützer. Der Biologe Ulrich Bahnsen und der Mediziner Harro Albrecht verfolgten die rasante Entwicklung der Molekularmedizin – und diskutierten deren ethische Konsequenzen.

Wo wird in Deutschland am erfolgreichsten geforscht? Martin Spiewak führte die entscheidenden Partner zusammen, die Deutschlands erstes großes Forschungsranking wagten: Die Deutsche Forschungsgemeinschaft und den Stifterverband für die Deutsche Wissenschaft. Am 3. Juli 2003 wurden die Daten veröffentlicht. Sie zeigten, dass die besseren Forscher eher im Süden der Republik zu finden sind. Auch die Frage nach den besten Hochschulen beschäftigte das Ressort. Auf diese Frage antwortete die ZEIT erstmals ausführlich am 19. Mai 2005. An diesem Tag erschien in Kooperation mit dem Centrum für Hochschulentwicklung der erste ZEIT-Studienführer.

Für die Textqualität im WISSEN sorgt Urs Willmann. Andreas Sentker hatte den jungen Journalisten vom Schweizer Nachrichtenmagazin *Facts* zur ZEIT geholt, einen wissenschaftsjournalistischen Quereinsteiger mit kritischem Blick und eleganter Schreibe. Willmann bringt auch ein Thema ins Blatt, das neben Medizin oder Kosmologie zu den klassischen Quotenbringern im Wissenschaftsjournalismus gehört: die Archäologie. Denn bei aller Politisierung sucht die Wissenschaft noch immer nach Antworten auf die Grundfragen menschlicher Existenz – Fragen, die Paul Gauguin einst auf einem seiner Tahiti-Gemälde verewigte: *D'où venons nous? Que sommes nous? Où allons nous?* – Wo kommen wir her? Wer sind wir? Wo gehen wir hin?

Auch die REISE spiegelt die Zeit. Sie hat die Aufgabe, die schönen Seiten des Lebens zu zeigen und Reiselust zu wecken, ein Schönwetter-Ressort ist sie jedoch nicht. So widmet der Reiseteil den Anschlägen auf Bali genauso ein »Special« wie den neuen Errungenschaften auf dem Wellness-Markt. Reporter reisen in die Luxushotels auf Mauritius, aber auch zu den Flutopfern auf den Malediven.

Nach dem Fall der Mauer und der Öffnung Osteuropas war es dem Ressort unter Leitung von Rosemarie Noack wichtig, besonders den jüngeren Lesern jene östlichen Städte und Landschaften näher zu bringen, von denen sie kaum die Namen kannten: Czernowitz, Brno, die Halbinsel Fischland-Darß-Zingst. Gleich nach dem Beitritt der zehn neuen EU-Mitglieder im Mai 2004 schickte das Ressort Reporter nach Polen, Ungarn, Slowenien und Malta.

Die REISE hat sich in den vergangenen Jahren daran gewöhnen müssen, dass der Terror als Thema ständig wiederkehrt. Gleiches gilt für die Reiseveranstalter, die mittlerweile nicht mehr nur Umweltmanager beschäftigen, sondern auch Sicherheitsmanager. Zugleich hat die schnellere Drehgeschwindigkeit alle erfasst. Für acht Euro nach London fliegen, online buchen und alles möglichst individuell – die Neuerungen beschäftigen Veranstalter wie Redaktion. In einer Serie stellte das Ressort die neuen Billigflugziele als touristische Destinationen vor. Regelmäßig berichtet die REISE über das Thema Flugsicherheit, das angesichts des Preisdrucks in der Fremdenverkehrsbranche immer wichtiger geworden ist.

Um dem Leser mehr »Überblick zu verschaffen im Meer der touristischen Möglichkeiten«, gab es im Milleniumsjahr einen Relaunch, den Bernd Loppow mit vorbereitet hatte. Das Ressort bekam unter der Leitung von Anna v. Münchhausen Farbe und ähnlich wie damals das LEBEN Seitentitel, die »Erholung« (der klassische Familienurlaub), »Erkenntnis« (Studien-und Kulturreisen), »Ereignis« (Kurz- und Städtereisen), »Erlebnis« (Abenteuer und Wellness), »Basar« und »Business Class« hießen. Neu im Blatt waren auch die Serie »Zwei Gesichter einer Stadt«, die beliebte Rubrik »Nie wieder/Immer wieder« und ein frischer Umgang mit dem Reise-Alltag. Dorothée Stöbener führt das Ressort seit Herbst 2001, anfangs gemeinsam mit Moritz Müller-Wirth, seit August 2004 in alleiniger Verantwortung. Das Layout der REISE wurde wieder dem übrigen Blatt angepasst.

Zweimal im Jahr erscheinen REISE-Tabloids im Umfang von 40 bis 52 Seiten. In dem einen machen sich Schriftsteller wie Ingo Schulze zu »Reisen ins Glück« auf oder – Schlagertexte geben die Ziele vor – fährt Juli Zeh mit Theo nach Lodz und Burkhard Straßmann mit einem Taxi nach Paris. Im zweiten Tabloid, das von Tomas Niederberghaus betreut wird, geht es um Hotels. Als feste Größe ist schon über 25 Jahre Monika Putschögl dabei, seit kurzem auch Michael Allmaier und Thomas Gebhardt.

Und sie scheinen anzukommen, wenn sie losreisen. Seit 2002 vergibt der Verband Deutscher Reisejournalisten den Preis für den Besten Reiseteil Deutschlands: Der Reiseteil der ZEIT steht jedes Jahr mit auf dem Siegertreppchen.

Als Giovanni di Lorenzo im August 2004 Chefredakteur wurde, brachte er Christoph Amend (Jahrgang 1974) mit, der die Leitung des Ressorts LEBEN übernahm. Sein Auftrag lautete, das LEBEN relevanter, aktueller und jünger zu gestalten – und damit ruhig in Konkurrenz zu anderen Ressorts zu treten. Amend baute um, machte Schluss mit der verfestigten alten Struktur und ihren vielen, oft gleich langen Geschichten; auch führte er eine neue Seite 2 ein, die »Wochenschau«, die mit kurzen Stücken auf aktuelle Ereignisse reagiert.

Grosse Porträts und Interviews zu den Fragen der Zeit, etwa mit dem Regisseur Claus Peymann über das Ende von Rot-Grün, dem

Entertainer Harald Schmidt über seine Rückkehr ins Fernsehen oder dem Schriftsteller Nick Hornby über die Infantilisierung der Gesellschaft, rückten in den Mittelpunkt. Neue Serien wurden enwickelt wie »Meine Straße«, in der ZEIT-Autoren noch einmal die Straße ihrer Kindheit besuchten. Das Leben entdeckte die »Generation Praktikum«, eine Titelgeschichte, die sich bis nach Frankreich herumsprach und dort schliesslich Praktikanten-Streiks auslöste.

Reportagen aus dem LEBEN sind in den vergangenen Jahren immer wieder ausgezeichnet worden, unter anderem mehrfach mit dem Theodor-Wolff-Preis und dem renommierten Axel-Springer-Preis für Nachwuchsjournalisten. Das LEBEN gewann auch vielfach internationale Preise für die spektakuläre Gestaltung der Seiten. Die aufwändig fotografierte Serie »Ich habe einen Traum« wurde als Buch, Kunstkalender und in mehreren Ausstellungen präsentiert. Die Reihe machte auch Schlagzeilen, als der Radfahrer Jan Ullrich über sein Scheitern bei der Tour de France sprach, die Schauspielerin Natalia Wörner erzählte, wie sie den Tsunami überlebte, oder der skandalumwitterte ehemalige VW-Chef und Reformer Peter Hartz über seine Rückkehr ins öffentliche Leben träumte. Und am Erscheinungstag des »Traums« von Steffi Graf, die zart von einem neuen Lebensgefährten sprach, hätten die LEBEN-Redakteure 30 Interviews am Stück geben können. ZEIT-Herausgeber Helmut Schmidt hingegen war sich nicht zu schade, sich in einem »Volksbefragung« betitelten Special den oft recht persönlichen Fragen der ZEIT-Leser zu stellen, zum Beispiel: »Wann ist es Zeit für ein Haustier?« Er antwortete der dreieinhalbjährigen Emily Riedel: »Für mich bitte möglichst überhaupt nicht.«

Immer wieder greift das LEBEN Themen auf, die in der Gesellschaft debattiert werden: die heutige Rolle von Vätern und Müttern; die Integration von jungen Türken; Kinderlosigkeit in Deutschland; die Ängste einer Singlefrau, allein zu bleiben; die Frage, woran wir glauben; und das Verhältnis von Rauchern und Nichtrauchern – oder das Ressort setzt Schwerpunkte mit einer Reihe über Jugendkulturen.

Eine junge, vielfach ausgezeichnete Mannschaft prägt dabei das LEBEN genauso wie der Alt-Gourmet Wolfram Siebeck, Jörg Lau und Christoph Dieckmann aus dem Hauptstadtbüro, oder die Kisch-Preisträger Sabine Rückert, Stephan Lebert, Wolfgang Büscher. Der langjährige Leiter des »MODERNEN LEBENS«, Haug von Kuenheim, ein wacher Siebziger, beschreibt in seiner Kolumne »Ein Rentner sieht rot« auf amüsante Weise (»Hunde, wollt ihr ewig leben?«) seinen Alltag als alternder Privatier – und verhilft dem Ressort so zu einer Horizonterweiterung in Richtung Methusalem.

Ihre eigene Erfolgsgeschichte haben die CHANCEN geschrieben, die Anfang 1998 neu geschaffen wurden. Dessen Chef Thomas Kerstan knüpfte dabei an die Tradition der vor Jahrzehnten aufgegebenen Seite »Bildung und Ausbildung« an, entwickelte jedoch weit über die alte Vorlage hinaus ein redaktionelles Angebot, das in Zeiten wachsender Differenzierung der Arbeitswelt gerade für junge Leser von hohem Interesse ist. Parallel zur Zusammenlegung der Stellenanzeigen in einem Buch sollten Berichte und Informationen über Bildung und Beruf eine redaktionelle Heimat finden. Der neue Teil wuchs rasch von anfänglich einer halben Seite auf wöchentlich eineinhalb Seiten. Mehrmals im Jahr werden die Chancen bis zu acht Seiten erweitert, um Themen wie die Berufsaussichten für Mediziner oder Ingenieure genauer auszuleuchten. Seit 2002 produziert das Team zusätzlich Sonderhefte für Abiturienten, Studenten und Berufseinsteiger.

Thomas Kerstan, gelernter Industriekaufmann und Diplominformatiker, stieß als Hospitant im Ressort WISSEN zur ZEIT. Er achtete darauf, dass die CHANCEN handfesten Service bei der Schul-, Studien- und Berufswahl bieten, aber gleichzeitig Orientierung geben. So forderte er früh die Einführung von Bachelor- und Masterstudiengängen, um das Hochschulstudium flexibler, kürzer und praxisnäher zu gestalten. Auch Unterhaltung gehört zum Programm, etwa die Serie »Meine Lehrjahre«, in der mehr oder minder prominente Zeitgenossen ihre Bildungserlebnisse beschrieben. Oder auch das nicht ganz ernst gemeinte Hochschul-T-Shirt-Ranking, das – Jette Joop war in der Jury – die Humboldt-Universität gewann.

Abwechselnd im WISSEN und LEBEN lief fast ein ganzes Jahr lang die Erfolgsserie »Leben in Deutschland« – eine uralte Idee von Theo Sommer, die Moritz Müller-Wirth und Andreas Sentker aufgriffen und in einem redaktionellen Kraftakt ins Blatt hoben. Bei dieser Entdeckungsreise ins eigene Land boten 29 Autoren 29 Momentaufnahmen deutschen Lebens von der Wiege bis zur Bahre – eine Bildfolge mit historischer Tiefenschärfe, soziologischer Unterfütterung und solider Verankerung in der Aktualität. Als Buch erschien die Serie 2004 bei Kiepenheuer & Witsch.

An alledem hat die Abteilung Dokumentation einen großen Anteil. Auch im Google-Zeitalter ist das Archiv noch immer das Geheimnis guten Zeitungsmachens. Seit vielen Jahren sorgt die fixe und findige

Uta Wagner dafür, dass die Redaktion sich auf eine verlässliche Faktenbasis stützen kann. Neben ihr stöbern und wühlen Claus Eggers, Miriam Zimmer und Kerstin Wilhelms, die nach seinem Ausscheiden Udo Liebscher ersetzte.

Unter Roger de Weck hatte sich die Redaktion stark verjüngt. Nun dreht sich das Personalkarussell weiter. Als Chef des Hauptstadtbüros und stellvertretender Chefredakteur stieß Bernd Ulrich zur ZEIT-Mannschaft. Er kam vom *Tagesspiegel*, wo er sich als Leitartikler bereits einen Namen erschrieben hatte – ein oft querdenkerischer Autor, der sich vom linken Sponti-Rand des politischen Spektrums in die Mitte der Vernunft durchgemausert hatte und jetzt mit wachen Sinnen den Veränderungen im Parteienbetrieb und im gesellschaftlichen Klima nachspürt. Er holte Tina Hildebrandt ins Berliner Büro, aus dem Ende 2005 der alte Kämpe Klaus Hartung als Redakteur ausschied. In Elisabeth Niejahr verfügt das Berliner Team über eine informierte und engagierte Sozialpolitikerin, in Matthias Geis und Jan Ross über qualifizierte Kenner der Berliner Szene. Jahrzehntelange journalistische Erfahrung bringen darüber hinaus Klaus-Peter Schmid, Wilfried Herz und Fritz Vorholz in die aktuelle Arbeit ein. Gunter Hofmann, seit 1977 bei der ZEIT, genießt – gleichsam als Doyen des Berliner Pressekorps – ungeteilte Hochachtung in allen Lagern.

Zugleich stieg die Zahl der Reporter. Zu ihrer Riege stießen Rainer Frenkel, Susanne Gaschke, Wolfgang Gehrmann, Christiane Grefe, Werner A. Perger, Michael Schwelien, Ulrich Stock, Stefan Willeke.

Auch das Korrespondentennetz der ZEIT hat sich in jüngster Zeit verändert. Thomas Kleine-Brockhoff wechselte Ende 2001 von der Spitze des DOSSIERS nach Washington, Michael Mönninger (zuvor *Die Welt*) übernahm 2001 den Pariser Posten. Johannes Voswinkel (vorher *stern*) ging nach Moskau. Aus Brüssel schreiben weiterhin Petra Pinzler und Joachim Fritz-Vannahme; aus London berichtet Jürgen Krönig; aus New York Thomas Fischermann; aus Peking Georg Blume; aus Israel Gisela Dachs; aus Kapstadt Bartholomäus Grill. Doch schwärmen auch die Hamburger ZEIT-Redakteure immer wieder aus in die Welt.

Eine Säule des Blatts war in den Jahren des Umbruchs und der Unruhe Matthias Naß. Die Redaktion sah in ihm, der erst Redaktionsdirektor war und Anfang 1998 stellvertretender Chefredakteur wurde, den ruhenden Pol. Sein ausgleichendes Wesen, sein unaufgeregtes Urteil, seine Fairness und sein Sinn für Maßstäbe hielten vieles im Lot, was sonst in den Wirbeln des Wandels hätte untergehen können. Als politischen Autor trieb es ihn immer wieder zu internationalen Konferenzen und zu den Vereinten Nationen, aber auch nach Asien, wo die neuen Großmächte China und Indien neben Japan ihren weltpolitischen Anspruch anmeldeten. Doch war auch sein handwerkliches Können für die Redaktion von großer Wichtigkeit. In der unmittelbaren Umgebung unterstützte ihn dabei die langjährige ZEIT-Redakteurin Margrit Gerste. Über ihren Schreibtisch geht vor der Drucklegung jede einzelne ZEIT-Seite. Unnachsichtig kontrolliert sie Überschriften, Unterzeilen und Bildunterschriften auf ihre korrekte Formulierung, indes schreckt sie auch nicht davor zurück, die bereits von den Ressorts für gut befundenen Texte ein weiteres Mal kritisch zur Diskussion zu stellen. Als Chefin vom Dienst sorgt Iris Mainka für geordnete und pünktliche Abläufe im Redaktionsbetrieb.

Theo Sommer schied im Jahre 2000 aus der Herausgeberleiste aus. Da er für seine englischen Visitenkarten einen einleuchtenden Titel brauchte, bat er um Genehmigung, sich dort als Editor-at-Large bezeichnen zu dürfen – eine Bezeichnung, die sich für ehemalige Chefredakteure oder Herausgeber international eingebürgert hat. Irgendwie fand sie den Weg ins Impressum, was zu häufigen Anfragen führte. Auf seiner Homepage erklärt er: »At large« heißt laut Wörterbuch »auf freiem Fuß«. Ein Ambassador-at-Large ist ein Botschafter, der keine Botschaft leitet, sondern diplomatische Aufträge ausführt; ein »criminal at large« ist ein entsprungener Häftling; ein Editor-at-Large ist eine Mischung aus beidem. Er ist nicht mehr fürs Tagesgeschäft verantwortlich, aber kann für das Blatt schreiben, reisen, Tagungen besuchen. Er nimmt an Redaktionskonferenzen teil, beteiligt sich an der redaktionellen Planung, berät die Kollegen und betreut verschiedene Verlagsprojekte. Daneben bleibt Zeit fürs Bücherschreiben und Vorträgehalten.

Die Mühen der Veränderung, Erneuerung und Verjüngung haben sich gelohnt. Seit 2001 geht es mit der ZEIT aufwärts. Sie wird nicht nur wahrgenommen, sondern wieder gelesen. Die Phase, da sie sich von der »Mutter aller Grauwerte« zum effekthascherischen Magazin umzumodeln trachtete, ist vorüber. Die Redaktion erfand sich neu. Demoralisierung verwandelte sich in Motivation, Ideen und Initiativen begannen zu sprießen.

Die beiden alten Fahrensleute Joffe und Naumann hatten bei alledem auch Glück. Dies räumen sie unumwunden ein.

Zum einen hatten sie Glück mit Dirk Merbach, dem neuen Art Director. Zusammen mit Haika Hinze stutzte er die graphischen Auswüchse zurück – die übermäßig großen Überschriften und die Leerräume, die Platz kosteten, aber nur störten. Auch verpasste er der Farbe, die nun im ganzen Blatt zu finden war, eine ZEITgemäße Palette. Zum sechsten Mal gehörte die ZEIT 2005 zu den fünf Siegern des Wettbewerbs »World's Best Designed Newspaper Award«. Die Jury lobte besonders »die elegante und gleichzeitig gut nutzbare Verbindung von Kunst und Text«. Die neue Optik machte es dem Betrachter sehr viel leichter, sich auf die großformatige ZEIT einzulassen. Die Leser nahmen die Zeitung wieder gern zur Hand.

Hinzu kam, was die »Wiederkehr des Politischen« genannt worden ist. Der Terroranschlag vom 11. September 2001, der Krieg in Afghanistan, dann der Irak-Krieg und die Auseinandersetzungen, die sich um ihn rankten, schließlich die wirtschaftliche Stagnation, die dramatisch wachsende Arbeitslosigkeit in Deutschland und die spannenden Bundestagswahlen von 2002 und 2005 – das alles begünstigte die Rückbesinnung des Publikums auf die »harten« Themen. Für die Medien sind schlimme Zeiten immer gute Zeiten.

Ein weiteres Glücksmoment soll nicht unterschlagen werden: das Schwächeln der Konkurrenz. Die Einstellung der *Woche* schanzte der ZEIT zwar 1000, vielleicht 1500 Leser zu. Wichtiger jedoch war, dass die beiden ernsten Konkurrenten, die *Frankfurter Allgemeine Zeitung* und die *Süddeutsche Zeitung*, in der Wirtschaftskrise ärmer, dünner und schwächer wurden. Sie hatten sich im Überschwang der New Economy auf kostspielige Sonderprojekte eingelassen, hatten für ihre Online-Redaktionen Dutzende von Leuten eingestellt und sich teure »Beiboote« zugelegt. Die ZEIT hatte in jener Phase nicht das Geld, um die gleichen Torheiten zu begehen; es mag auch sein, dass sie einfach verschlafen hat, was andere für großartige Zukunftsmöglichkeiten hielten – glücklicherweise. Mit einem Male waren FAZ und SZ jedenfalls wieder bloße Tageszeitungen, nicht länger täglich erscheinende Wochenzeitungen. Dies gab der ZEIT Luft.

Auch der in die Doppelkopf-Herrschaft von Naumann und Joffe eingebaute ideologische Spannungsbogen machte das Blatt interessant. Die beiden wechselten sich im vierzehntägigen Turnus in der Führung ab. Das mag einige Schreiber verlockt haben, ihre Artikel erst anzubieten, wenn der ideologisch »richtige« Chefredakteur Dienst tat. Doch die Leser, so sehr sie sich auch über manchen Artikel Joffes oder Naumanns ärgern mochten, schienen die Konfrontation gegensätzlicher Meinungen zu goutieren. Jedenfalls zog die Auflage nach kurzer Zeit wieder an: von 423.600 Anfang 2002 auf 456.000 zwölf Monate später und auf 460.000 Exemplare im ersten Quartal 2004.

So erfolgreich das Duo nach außen wirkte, ein Herz und eine Seele waren Joffe und Naumann beileibe nicht. Allzusehr unterschieden sich ihre politischen Koordinaten, zu verschieden war ihre Haltung in Fragen der Personalführung. Sie entzweiten und zerfleischten sich zwar nicht öffentlich, aber die Unterschiedlichkeit ihrer Ansätze, Ansichten und Absichten hatte eine zermürbende Wirkung. Der Redaktion blieb dies nicht verborgen. Auch Stuttgart wusste von den internen Spannungen und legte deshalb Naumanns Sondierungen, ob Giovanni di Lorenzo bereit wäre zu einem Sprung an die Elbe, keine Steine in den Weg. Der Chefredakteur des *Tagesspiegel* hatte das passende Alter. Die beiden Herausgeber-Chefredakteure waren über 60 – zwanzig Jahre älter als der Durchschnitt der ZEIT-Leser. Di Lorenzo war auch bereit, die Chefredaktion in alleiniger Zuständigkeit zu übernehmen. Allerdings bestand er darauf, die Bestimmungshoheit über die Seite 1 nicht den Herausgebern zu überlassen.

Festzuhalten bleibt: Josef Joffe und Michael Naumann schafften die Wende. Bei all ihrer Gegensätzlichkeit half ihnen dabei der ZEIT-Stallgeruch, der aus den Siebzigern und Achtzigern an ihnen haften geblieben war. Das Stück Tradition und Kontinuität, das sie einbringen konnten, war das Kapital, das zu Beginn des neuen Jahrtausends das Gelingen der von ihnen betriebenen Veränderungen verbürgte.

So gilt wieder: Die ZEIT geht mit der Zeit, ohne ihre Seriosität aufzugeben. Sie analysiert, ohne anzuöden. Sie polemisiert, ohne zu pöbeln. Und sie macht Auflage wie in ihren besten Zeiten: ohne sich devot zu verbeugen oder rückgratlos zu verbiegen. Aufs Neue ist sie ein großes Forum der Nation.

Oben:
Die »große« Konferenz am Freitagnachmittag.

Unten:
Das Politik-Ressort im kleinen Konferenzsaal (v. l.): Martin Klingst, Giovanni di Lorenzo, Helmut Schmidt, Christian Schmidt-Häuer, Matthias Krupa, Matthias Nass, Bernd Ulrich, Josef Joffe.

Von der Fassade des Pressehauses wird 1998 das Magazin-Logo entfernt.

Obene:
Die letzte Mannschaft des ZEIT-Magazins mit ihrem Chef Christof Siemes (ganz rechts, stehend).

Rechts:
Giovanni di Lorenzo in einer Tagesspiegel-Anzeige, die in der letzten Ausgabe des ZEIT-Magazins erschien.

Oben:
Literaturchef Ulrich Greiner im Gespräch mit Verleger Stefan von Holtzbrinck und Geschäftsführer Rainer Esser.

Unten:
Zwei ZEIT-Herausgeber im Tête-à-tête: Helmut Schmidt und Marion Gräfin Dönhoff.

Nr. 38

OLYMPIA-SPEZIAL MIT DEM GROSSEN TV-PROGRAMM

DIE ZEIT

www.zeit.de

C 7451 C

Preis 5,00 DM

WOCHENZEITUNG FÜR POLITIK • WIRTSCHAFT • WISSEN UND KULTUR

Die Schlammschlacht

Jetzt sind die Sanktionen weg – jetzt legen Jörg Haider & Co in ihrem Kampf gegen Österreichs Künstler und Intellektuelle erst richtig los VON WERNER A. PERGER 3

Vorsicht, ZDF-Krise!

„Wir sitzen in der Seriositätsfalle", sagt Intendant Stolte. Die Zuschauer werden untreu, die Treuen werden alt. Was tun? Ein ZEIT-Report 17–22

Online sucht Inhalt

AOL/Time Warner: Verhindern Amerikas und Europas Wettbewerbshüter doch noch die Fusion? „Nein, keinesfalls", versichert AOL-Chef Steve Case im Interview 32

„Wie geht's uns heute?"

Ärzte haben den Umgang mit Patienten verlernt. Was bleibt, sind Floskeln am Krankenbett – 3. Teil der ZEIT-Serie über das Krankenhaus der Zukunft 44

IMMER TEURER an der Zapfsäule

IMMER SCHNELLER auf der Aschenbahn

Unsere zwei Leidenschaften

Auto: Die Benzinbombe / VON FRITZ VORHOLZ

Olympia: Das Dopingwunder / VON CHRISTOF SIEMES

Sie zürnen und jubeln,

die Deutschen sind im Sprit- und Sportfieber. Die CDU („Ökosteuer, K.O.-Steuer") heuchelt, der IOC-Präsident Juan Samaranch schwindelt

ÖL UND OPEC, BENZIN UND POLITIK

SYDNEY, SYDNEY, SYDNEY – EIN „LEBEN"-SPEZIAL

C 7451 C

Nr. 28 5. Juli 2001 56. Jahrgang www.zeit.de C 7451 C Preis 5.50 DM

DIE ZEIT

WOCHENZEITUNG FÜR POLITIK • WIRTSCHAFT • WISSEN UND KULTUR

Die Nestbeschmutzer
Wer sich im sächsischen Wurzen gegen die Nazis wehrt, wird bedroht, beschimpft und verprügelt/Von Toralf Staud Politik S. 15

Gefährliche Medizin
Der Streit um die Gesundheitskosten bringt die SPD in die Bredouille
Von Elisabeth Niejahr Wirtschaft S. 17

Stammzellen-Skandal
Die Ethik-Debatte hat gerade begonnen, da schaffen Forscher schon Fakten. Die Politik muss entscheiden Wissen S. 25–27

U2 spielt meinen Song
Ein Schriftsteller trifft auf eine Rockband, und ein Roman wird zur Stadionhymne
Von Salman Rushdie Leben S. 47

Ausländer rein!
Mit dem Süssmuth-Bericht beginnt eine neue Debatte
Von Werner A. Perger

Wer klagt an?
Bananenrepublik Deutschland: Die Justiz schaut weg / Von Martin Klingst

Marktlücke „Faust"
Vorhang zu für Peter Stein, Vorhang auf für Goethe
Von Michael Naumann

Der Ingrimm der Kritiker

ZEIT-DOSSIER: Aus Mangel an Courage
Seiten 9–15

Sagen Sie uns Ihre Meinung zu diesem Artikel unter www.zeit.de/2001/Leuna

Oben:
Die Herausgeber Josef Joffe und Michael Naumann bei einer ZEIT-Matinee mit CDU-Chefin Angela Merkel.

Links:
Giovanni di Lorenzo, Chefredakteur seit August 2004.

Zweimal von Randow: Vater Thomas, der erste Wissenschaftsredakteur der ZEIT, und Sohn Gero, erster Chefredakteur von ZEIT online.

33. Kapitel

Aufbruch und Aufschwung

»Zum Zeitungmachen braucht es mehr als Journalisten« – der Satz findet sich in einem der vorangegangenen Kapitel. Es braucht die vielen, die dahinter stehen: die Herstellungs- und Vertriebsleute, die Buchhalter und die Marktforscher, die Innenverwaltung und die Fahrer, die Sekretärinnen und EDV-Spezialisten, nicht zu vergessen das Archiv.

Vor allen Dingen braucht es eine anregende und anspornende Verlagsspitze.

Der Eigentümerwechsel im Jahr 1996 sorgte auch hier für frischen Wind. Noch war Hilde von Lang alleinzeichnungsberechtigte Geschäftsführerin, was sie bis Ende März 1999 blieb. Seit 1993 stand ihr Friedrich Wehrle zur Seite. Er schied Ende März 1997 aus und wurde durch Axel Gleie ersetzt. Dieser blieb knapp zwei Jahre; er verhandelte erfolgreich den ersten großen Produktionskosten-Sprung nach unten. Am 1. Februar 1999 übernahm Rainer Esser die Geschäftsführung. Er erwies sich als Glücksfall für das Blatt.

Der damals Zweiundvierzigjährige kam aus Würzburg, wo er den Verlag der *Main-Post* geleitet hatte, die seit 1992 Holtzbrinck gehörte. Der promovierte Jurist – München, Genf, University of Georgia, Regensburg – spricht mehrere Sprachen. Binnen kurzer Zeit nahm er das Ruder fest in die Hand. Wenn die ZEIT heute zu jenen Blättern zählt, die einen beachtlichen Gewinn abwerfen; wenn ihre Auflage seit fünf Jahren unaufhaltsam steigt; wenn sie ihre Geschäftsbasis enorm verbreitert hat, so ist dies weithin sein Verdienst.

Zunächst einmal senkte er die Produktionskosten. Für Druck und Vertriebslogistik handelte er neue Verträge aus. Die Produktion der Eigenanzeigen wurde ins Haus zurückverlegt, der Druckstandort München aufgegeben und ein Vorprodukt eingespart, die Buchhaltung großenteils ausgelagert zum konzern-eigenen *Handelsblatt*. All diese Maßnahmen entlasteten den Etat um fast 5 Millionen Euro. Die Kantine wurde besser – und preiswerter; ein neuer Caterer (vom

Spiegel) brachte das Kunststück fertig. Mieten wurden gesenkt, in Berlin zum Beispiel durch Verlegung des Hauptstadtbüros aus der Friedrichstraße in die Dorotheenstraße, wo die Redakteure nun von der Dachterrasse den Blick von oben auf das Regierungsgetriebe genießen.

Wohl wurde Sparen nun groß geschrieben – geflogen wird nur noch Economy, selbst auf überseeischen Langstrecken, bei Bewirtungsspesen ist Bescheidenheit Pflicht. Aber trotz der Diktatur des Rotstifts gab es – anders als bei der *Süddeutschen*, der *FAZ* und dem *Handelsblatt*, wo 20 bis 30 Prozent des Personals abgebaut wurden – keine betriebsbedingten Entlassungen, nur eine Einstellungssperre, die jedoch nicht durchweg rigoros eingehalten wurde. (Allerdings werden, wie dies mittlerweile ja überall gang und gäbe ist, vor allem in den Verlagsabteilungen mehr Praktikanten angeheuert, die bei geringer Bezahlung ganze Arbeit und vollen Einsatz leisten.)

Dann begann der Verlag, seinem großen Standbein, der ZEIT, allmählich kleinere Spielbeine zuzugesellen. Dies drückte sich vor allem aus in Nebengeschäften wie dem ZEIT-Shop und den ZEIT-Reisen, mit Hörbuch-Editionen und öffentlichen ZEIT-Veranstaltungen der verschiedensten Art, aber auch mit Siebecks Kochwettbewerben und vielen Beilagen im Tabloid-Format. Am Ende hat die Gründung neuer Publikationen zur Umwandlung des alten Ein-Titel-Verlages in eine ganze Markenfamilie geführt. Dabei war es von besonderer Bedeutung, dass die neuen Projekte fast ohne zusätzliches Personal auf die Schiene gesetzt werden konnten.

Mit großer Entschiedenheit wurde von Anbeginn der Ära Holtzbrinck die Werbung aufgerüstet, zugleich das Marketing professionalisiert und intensiviert. Gegenwärtige und künftige Leser sollten direkter angesprochen werden. Im letzten Lebensjahr von Gerd Bucerius waren bei einem Redaktionsetat von 41 Millionen Mark ganze 3,5 Millionen Mark für Werbung ausgegeben worden. Dies änderte sich rasch. Bis 1998 stieg der Werbe-Etat auf 14 Millionen Mark, bei Redaktionskosten von inzwischen 44 Millionen. Für das Jahr 2005 waren für Anzeigen- und Vertriebswerbung knapp 7,5 Millionen Euro veranschlagt. Es wurde nun kräftig Werbung betrieben, um die Auflage zu sichern. Auch die Abo-Prämien haben heute Niveau: Chefsessel, Design-Radios, Schreibtischlampen, Telefone – vorbei die Zeit, da ein früherer Verlagsleiter glaubte, mit McDonalds-Gutscheinen oder mit Aufklebern in öffentlichen Toiletten (»Platz für neue Gedanken«) den Geschmack der Leser zu treffen.

Die Folge der neuen Werbestrategie: Mit einem Male war die ZEIT nun überall präsent: auf Flughäfen und Bahnhöfen, in den Universitäten und Literaturhäusern, in Funk und Fernsehen, auch in den Print-Medien und – ganz neu – in Call Centers. Es wurde unentwegt die Trommel gerührt, und es zahlte sich aus.

Die ZEIT ging noch dichter an ihre Leser heran. Für die Kleinen lasen 2.500 Große am bundesweiten Vorlesetag vor. Das Projekt »ZEIT in der Schule« bezieht jedes Jahr 11.000 Lehrer und 250.000 Schüler ein, die das Blatt jeweils drei Wochen im Unterricht durchnehmen. An den Hochschulen hat die ZEIT durch ihre ideelle und finanzielle Unterstützung der Deutschen Debattiermeisterschaften neues Prestige gewonnen. Bei diesen ZEIT-Debatten treten Turniermannschaften von mittlerweile über 40 Universitäten gegeneinander und messen sich im rhetorischen Wettstreit. In den ersten fünf Jahren haben über 2.000 Studierende an Turnieren der ZEIT-Debattenserie teilgenommen.

Für ein breiteres Publikum sind die rund hundert Veranstaltungen gedacht, die das Blatt jährlich im ganzen Land durchführt: die ZEIT-Matinees – Gespräche von Prominenten mit führenden Redakteuren der Zeitung; ZEIT-Dinners in erlesenem Rahmen, bei denen mit einem geladenen Gast aus Politik, Wirtschaft oder Kultur über ein aktuelles Thema diskutiert wird; ZEIT-Tafelrunden, bei denen vor allem kulinarische Genüsse geboten werden; das ZEIT-Forum der Wissenschaft, das in der Berlin-Brandenburgischen Akademie vier Mal im Jahr den Saal füllt (»Neue Lehrer braucht das Land«; »Palliativmedizin«; Die vermessene Wissenschaft«; »Land der Dichter ohne Denker«; »Nanokosmos«); der ZEIT Chancen Dialog zwischen Studenten und Vertretern von Forschung und Lehre; das ZEIT-Forum »Profit und Tugend«, bei dem es zweimal im Jahr um die Ethik der Geschäftswelt geht; das ZEIT-Forum der Wirtschaft, das Entscheidungsträger aus allen Bereichen zusammenführt. Viele dieser Foren werden mit angesehenen Kooperationspartnern wie der ZEIT-Stiftung, der Stiftung Lesen, der Berlin-Brandenburgischen Akademie der Wissenschaften, mit Firmen wie BMW, E.ON, Telekom, Philips, Phoenix, VW, Hugendubel, Heymann, Thalia und dem Deutschlandfunk durchgeführt. In der Branche ist dieses hochkarätige Angebot einmalig.

Aber noch mit einem weiteren Format rückte die ZEIT näher an ihre Leser heran: mit den Tabloids, Sonderbeilagen im halben Format des Blattes. Im Jahre 2005 gab es davon 21. Ihre Themen reichten von Reisen und Literatur über Lebenskunst, Mode, Uhren und Schmuck bis zu Abitur, Studium und Karriere und der Unesco. Sie brachten einen Jahresumsatz von fast 2,5 Millionen Euro.

Im Herbst 2005 verwirklichte die ZEIT ein schon lange angestrebtes Vorhaben: Sie startete eine Österreich-Ausgabe – mit zwei Extraseiten für die Alpenrepublik, verantwortet von einem früheren ZEIT-Redakteur, dem Wiener Joachim Riedl, und dem ehemaligen *Falter*-Redakteur Florian Klenk. Die ZEIT wurde damit zum einzigen deutschen Nachrichtentitel mit Österreich-Seiten.

Wichtig war natürlich auch der ständige Ausbau des ZEIT-Online-Angebots. Als neuer Chefredakteur unternahm es Gero von Randow 2005, dessen Qualität und Reichweite mit einer verstärkten Mannschaft kräftig weiter zu steigern. Schon in den ersten vier Monaten seiner Amtszeit stieg die Zahl der Page Impressions (PIs) von 11,5 Millionen auf 21,5 Millionen. Angestrebt wurde für 2006 ein weiterer Anstieg auf 25 bis 30 Millionen (FAZ: 35 Millionen, SZ: 65 Millionen). Hier hat die ZEIT einiges aufzuholen, aber sie ist auf dem Weg. Im Jahre 2005 wuchs ihr Online-Umsatz um 14 Prozent, die Reichweite verdoppelte sich nahezu.

Für ZEIT Online zeichnet der zweite Geschäftsführer, Thomas Brackvogel, verantwortlich, der nach einem Abstecher zum *Handelsblatt* im Herbst 2004 wieder nach Hamburg zurückkehrte.

Auch die Nebengeschäfte entwickelten sich sprunghaft. Die ZEIT hatte schon vor dreieinhalb Jahrzehnten im bescheidenen Maßstab solche Geschäfte betrieben. Das Magazin verkauft damals kleine Auflagen von Künstlerzeichnungen (Salvador Dalí, Paul Flora, Tomi Ungerer); Jazz-Langspielplatten und einige Hundert zwei Handbreit hohe, bunte Nanas von Niki de Saint Phalle. Aber der Verlag hatte dabei immer ein leicht schlechtes Gewissen. Erst in der Ära Holtzbrinck – als auch alle anderen Zeitungsverlage nach neuen Einnahmequellen Ausschau hielten – wurden die Nebengeschäfte systematisch ausgebaut und professionell betrieben.

Im sechsten Jahr seines Bestehens erwirtschaftete der ZEIT-Shop einen Umsatz von rund 2,3 Millionen Euro. Er vermarktet die »ZEIT Dokumente«, Reprints erfolgreicher Artikel oder Serien; CD-Roms mit dem Inhalt ganzer ZEIT-Jahrgänge; eine Swing-Edition; von Wolfram Siebeck ein Kochbuch; Prädikatsweine und Degustier-Sets; das Metzler-Musiklexikon; aber auch Hörbücher, Uhren und Schreibgerät.

Der ebenfalls sechs Jahre alte Bereich »ZEIT Reisen« ist unter

Bernd Loppow seit seinen Anfängen kontinuierlich gewachsen; 2005 machte er einen Umsatz von 750.000 Euro. Das Programm bietet rund 80 verschiedene Leserreisen an: mit Reinhold Messner in den Himalaya oder in die Anden; mit Irenäus Eibl-Eibesfeldt auf die Galapagos-Inseln; mit Klaus Gallas in die Ägäis, nach Kreta oder Zypern; mit Jan Tyczner durch das Ostpreußen der Gräfin Dönhoff; mit dem Segler Michael Naumann auf der »Seacloud« über den Atlantik. Ob Nepal oder Neuseeland, Antarktis oder Armenien, viele Reisen werden von ZEIT-Redakteuren begleitet.

Die spektakulärsten Nebengeschäfte hat die ZEIT allerdings 2004 und 2005 mit zwei Lexikon-Projekten gemacht, die sie zusammen mit der Brockhaus-Redaktion auf die Beine stellte. Zunächst war dies das zwanzigbändige ZEIT-Lexikon. Die Reihe – sie kostet 245 Euro – kombiniert klassische lexikalische Inhalte mit ZEIT-Artikeln, ausgewählt von dem früheren Redakteur Dieter Buhl, zu einer Vielfalt von Stichwörtern; es verbesserte die Bilanz der Jahre 2004 und 2005 um 20 Millionen Euro. Jeder sechste ZEIT-Abonnent hat dies Lexikon erstanden. Es folgte dann Ende 2005 die zwanzigbändige »Welt- und Kulturgeschichte« (Preis: ebenfalls 245 Euro), die nach demselben Prinzip aufgebaut ist. Schon in den ersten acht Wochen waren 50.000 Bestellungen für die 20 Bände eingegangen. Von beiden Reihen wurde jeweils der erste Band kostenlos an die Käufer und Abonnenten der ZEIT abgegeben. Band 1 der »Welt-Kulturgeschichte« lag der Ausgabe Nr. 45 vom 3. November 2005 bei. Da der Einzelverkauf um 100 Prozent in die Höhe schoss, erreichte die ZEIT mit dieser Nummer die höchste Auflage seit ihrer Gründung: 601.600 Exemplare.

Doch ließ es der Verlag nicht dabei bewenden, das Blatt näher an seine Zielgruppen zu rücken und neue Nebengeschäftsfelder aufzutun. Vielmehr entschloss er sich, neben der ZEIT auch eine Reihe neuer Publikationen auf den Markt zu bringen: die kleinen Geschwister der ZEIT.

Als erste Neugründung trat im Dezember 2004 »ZEIT Wissen« auf den Plan. Die Herausgeber Gero von Randow und Andreas Sentker hatten es mit dem Chefredakteur Christoph Drösser in zehnmonatiger Vorbereitungszeit im Wettlauf mit der *Süddeutschen Zeitung*, die parallel ein ähnliches Projekt verfolgte, aus dem Boden gestampft. Das erste Heft verkaufte sich fast 100.000 Mal. Die Auflage hielt sich danach konstant über 70.000, so dass beschlossen wurde, das Heft in zweimonatigen Abständen erscheinen zu lassen.

Im Februar 2005 wurde der Zeitung die erste Ausgabe der »ZEIT-

Geschichte« gratis beigelegt; danach wurden die Hefte regulär verkauft. Es handelt sich dabei um ein Nachfolgeprodukt der einstigen ZEITpunkte, das die ausgeprägte Vorliebe der ZEIT-Leser für historische Themen bedienen soll, Chefredakteur ist Moritz Müller-Wirth. Die beiden ersten Ausgaben behandelten das Kriegsende 1945, die nächsten galten Einstein, der Dresdner Frauenkirche und Wolfgang Amadeus Mozart. Sie erzielten einen beachtlichen Verkaufserfolg.

Der »ZEIT Studienführer« – Chefredaktion: Thomas Kerstan und Martin Spiewak – startete im Mai 2005. Bis zum Jahresende verkauft er sich 100.000 mal. Das 180 Seiten starke Heft enthält Artikel rund um das Thema Studium und vor allen Dingen das Hochschulranking des Centrums für Hochschulentwicklung (CHE). Die Koordination der beiden Partner liegt bei Nadja Kirsten. Es wird jährlich aktualisiert und bietet Schülern, Studierenden, auch Studienberatern wichtige Orientierungshilfe. Was soll ich studieren? Worauf muss ich achten? Wie läuft das Aufnahmeverfahren? Das gleichzeitig eröffnete Internet-Portal www.zeit.de/studium.de ergänzt diese Informationen. Das ebenfalls im Mai online gegangene Karriereportal von ZEIT und dem Deutschen Hochschulverband (DHV) – »academics« – bietet dazu die einschlägigen Stellenanzeigen aus den Bereichen Forschung und Lehre.

In Zusammenarbeit mit dem S. Fischer Verlag bringt die ZEIT seit 2004 den »Fischer Weltalmanach aktuell« heraus, in dem Zahlen, Fakten und Daten aus dem Fischer Weltalmanach mit Artikeln der ZEIT zu wichtigen Fragen der Gegenwart vereinigt sind: EU-Erweiterung; USA; Pulverfass Irak; Russland und der Kaukasus; Weltmacht China. Herausgeber auf Seiten der ZEIT ist Volker Ullrich. Ebenfalls seit 2004 erscheint in Zusammenarbeit mit dem Brockhaus Verlag »Das Große Jahrbuch« – ein Jahresrückblick samt Essays von ZEIT-Redakteuren. Herausgeber ist Robert Leicht.

Neu im ZEIT-Sortiment ist auch das *Kursbuc*« – ein traditionsreicher kulturpolitischer Gradmesser und intellektueller Wegweiser. Nach einer langen Wanderung durch die Verlagslandschaft ist es nun bei der ZEIT gelandet. Die erste Ausgabe erschien Ende August 2005. Herausgeber sind Michael Naumann und Tilman Spengler.

Unter das Dach des ZEIT-Verlags kamen im März 2005 schließlich die Titel *Weltkunst*, *Antiquitätenzeitung*, *Künstler und Kunstpreisjahrbuch*, deren Geschäftsführung bei Thomas Brackvogel liegt. Im Sommer übernahm er auch *E-Balance*, eine aus Schweden stammende online-basierte Ernährungs- und Diätplattform, die den fünf

Millionen Deutschen, die unbedingt abnehmen wollen, dabei helfen soll.

Es wurden hier die Umrisse eines ganz neuen ZEIT-Verlags sichtbar. Aus der einen Wochenzeitung war binnen sechs Monaten eine neue Marke geworden: die ZEIT-Gruppe. Die Diversifizierung erwies sich als lukrativ. Das Jahr 2005 wurde zum bisher erfolgreichsten Jahr. Dabei verliert der Verlag sein Haupt- und Kernprodukt, die ZEIT, keineswegs aus den Augen. Sie steht im Zentrum aller Anstrengungen, und wird dort auch bleiben.

Sämtliche Indikatoren zeigen nach oben. Der Umsatz stieg seit dem Jahr 2000 von 78 Millionen Euro auf 105 Millionen für 2005. Das Betriebsergebnis kletterte im selben Zeitraum von minus 2,7 auf über 10 Millionen.

Die Medien-Analysten registrierten ohne Ausnahme eine Erhöhung der Reichweite. Die Allensbacher Markt- und Werbeträger Analyse (AWA), die Informationsgesellschaft zur Feststellung der Verbreitung von Werbeträgern (IVW), die Medien-Analyse (MA) und die Leser-Analyse Entscheidungsträger (LAE) wichen in den Zahlen geringfügig voneinander ab, doch den Trend beschrieben sie fast deckungsgleich. Nach einem stürmischen Wachstum um 42 Prozent seit 2003 ist die ZEIT mit 1,43 Millionen Reichweite mit Abstand die Nummer eins unter den überregionalen Zeitungen in der MA; die AWA sieht das Blatt sogar bei 1,95 Millionen Lesern (die *Süddeutsche Zeitung* als nächstplatziertes Blatt: 1,36 Millionen). Bei den letzten Erhebungen der LAE hat die ZEIT insgesamt 44 Prozent zugelegt; sie kam auf eine Reichweite von 200.000 Entscheidungsträgern.

Im Vergleich mit der *Süddeutschen Zeitung*, der *Frankfurter Allgemeinen*, der *Welt am Sonntag* und der *Welt* hatte die ZEIT den höchsten Anteil an Lesern zwischen 14 und 39 Jahren (36 Prozent); den größten Prozentsatz an Lesern mit Abitur und abgeschlossenem Studium (63 Prozent); den größten Leseranteil unter Selbständigen, Beamten und leitenden Angestellten (45 Prozent); und die meisten Leser mit einem hohen Haushalts-Nettoeinkommen.

Das Rühren der Werbetrommel, ein pfiffiges Marketing und die journalistische Qualität wirkten sich auch auf das Inseratenaufkommen aus. Der Anzeigenrückgang (2001: 15 Prozent, 2002: 15 Prozent, 2003: 5 Prozent) hörte auf. Die Empfehlungsanzeigen nahmen wieder zu (2004: plus 38 Prozent, 2005: plus 5,1 Prozent); die Rubrikanzeigen spielten 2005 eine Million Euro mehr ein als im Jahr zuvor. Die Stellenanzeigen »Lehre und Forschung« bauten ihren Marktanteil auf 40 Prozent aus; im öffentlichen Bereich stieg er auf 21 Prozent.

Und der Einzelverkauf am Kiosk – die wichtigste Messgröße für die Auflagenentwicklung – stieg wieder an, von 125.000 auf 130.000. Auch bei der »Abo«-Gewinnung wirkten sich die Investitionen in die Werbung aus. Im Herbst 2005 lag die Zahl der Abonnenten um sechs Prozent – 13.600 Exemplare – über dem Vorjahr, bei einer Abonnements-Zahl von insgesamt 300.000. Welche Kraftanstrengung dies bedeutet, lässt sich daran ermessen, dass 50.000 Neu-Abonnenten nötig sind, damit über die Zahl der jährlichen Kündiger – um 37.000 – hinaus weiterhin Zuwächse verzeichnet werden können.

Die Erfolge bei der Auflage-Steigerung der ZEIT und der neuen Magazine gehen zu einem großen Teil auf die Marketing-Leiterin Stefanie Hauer und den Vertriebsleiter Jürgen Jacobs zurück. Noch vor zehn Jahren bestand die Vertriebsarbeit im Großen und Ganzen darin, die aktuelle Ausgabe pünktlich an die über hundert Grossisten zu liefern und die Abonnenten-Kartei ordentlich zu verwalten. Dies hat sich drastisch verändert. Sechs Millionen Beilagen und Mailings pro Jahr, Stand-Werbung und Werbung zu Serien und Beigaben der ZEIT treiben die Auflage im Abonnement wie im Einzelverkauf voran. Eine ausgeklügelte Erfolgskontrolle und Adressverwertung, vor allem aber immer wieder neue Ideen und Kooperationen sind die Voraussetzungen des Erfolgs. Früher dienten Marketing und Vertrieb einem einzigen Titel, heute dienen sie vier Titeln und mehreren Sammelreihen.

Die 2001 gegründete Abteilung Presse- und Öffentlichkeitsarbeit verantwortet unter der Leitung von Iliane Weiß jährlich über hundert Veranstaltungen – von Koch-Wettbewerben und wissenschaftlichen Foren bis hin zu den alljährlichen Sommer- und Weihnachtsfeiern. Hinzu kommt der Erfolg im Ranking der meistzitierten Medien. Die vielen Aktionen der Redaktion und der Marketing-Abteilung helfen den Anzeigenleitern Henrike Fröchling und Axel Kuhlmann, ihren Kunden mehr zu bieten als bloße Inseratenflächen im Blatt. Sie bieten ihren Partnern Zugang zur gesamten Erlebniswelt der ZEIT und ihrer hochgebildeten, gutsituierten Leserschaft. Der Boom der Nebengeschäfte, der Sammelreihen und neuen Magazine verdankt sich weithin Sandra Kreft. Sie wählt mit Geschick Produkte für den ZEIT-Shop aus, die den Lesern gefallen und die Marke ZEIT stärken.

Auch der Bereich der Herstellung, den seit zwanzig Jahren Wolfgang Wagener leitet, hat sich dynamisch vergrößert. Die neuen Druckverträge und Druckaufträge haben aus der alten Herstellung eine umfassende Dienstleistungseinheit gemacht. Ähnliches gilt für die Abteilung des kaufmännischen Leiters Frank Rödel und die Abteilung Controlling und Buchhaltung unter Leitung von Ulrike Teschke. Die Einführung immer modernerer EDV-Systeme, die ständige Analyse neuer Projekte und die Erhebung von Kennzahlen sind die Voraussetzung für die richtige Weichenstellung bei allen Investitionsentscheidungen. Den Erfolg der ZEIT macht schließlich auch die richtige Personalauswahl aus. Der Personalabteilung unter Dagmar Walker hat viele junge, dynamische und verkäuferisch eingestellte Bewerber für den Verlagsbereich gewonnen. Gleichzeitig arbeitet die Personalabteilung vertrauensvoll mit dem Betriebsrat zusammen.

Im Mai 2001 übergab Dieter von Holtzbrinck die Verlagsgruppe an seinen damals 37 Jahre alten Bruder Stefan; er blieb aber als Aufsichtsratsvorsitzender des Konzerns der ZEIT weiterhin verbunden. Der neue Vorsitzende der Geschäftsführung hatte in Tübingen und München Jura und Germanistik studiert. Seit 1994 war der Dr. jur. im Familienunternehmen tätig, von 1996 an bei Macmillan in London als Leiter der angesehenen Zeitschriftengruppe *Nature,* die in der ganzen Welt Wissenschaftsjournale veröffentlicht. Er sagt von sich selber, Lesen sei nach seiner Familie seine liebste Freizeitbeschäftigung. Zu seiner Lektüre gehört seit den Studienjahren die ZEIT.

Stefan von Holtzbrinck ist überzeugt, dass die Wochenzeitung eine starke Entwicklung vor sich hat. Das Leseverhalten vieler Jüngerer sei so, dass sie morgens auf dem Weg zur Arbeit Autoradio hörten; im Büro warte das Internet oder ein Pressespiegel auf sie; oft fehle ihnen die Zeit, regelmäßig eine Tageszeitung zu lesen. Umso stärker werde ihr Bedürfnis, am Wochenende die zurückliegenden sieben Tage Revue passieren zu lassen, um nicht abgeschnitten zu sein von den großen Tendenzen und Themen der gesellschaftlichen Gegenwart. Für die ZEIT sieht er die Aufgabe, die Kraft und den Zusammenhalt des Landes zu stärken, die Zukunft mitzugestalten und die Chancen der Globalisierung zu nutzen. Dabei komme es darauf an, Leistungswillen und Enthusiasmus zu wecken, aber auch sorgsam auf Chancengleichheit zu achten.

An Stefan von Holtzbrincks Seite blieb als stellvertretender Vorsitzender der Geschäftsführung ein Mann, der seit 1991 im Stuttgarter Mutterhaus der Gruppe eine zentrale Rolle spielt: Michael Grabner. Der 1948 geborene Wiener – Magister der Wirtschaftswissenschaften, Chemie-Ingenieur, Absolvent der Harvard Business School und zeitweise ein veritabler Skilehrer – war elf Jahre beim *Kurier*, Österreichs größter Qualitätszeitung, erst Prokurist, dann Vorstand gewesen. Ohne sein vorwärtsdrängendes Temperament wäre die Verlagsgruppe Holtzbrinck nicht, was sie heute ist – und ohne ihn wäre auch die ZEIT sechzig Jahre nach ihrer Gründung nicht das, was sie mittlerweile geworden ist.

Viele ZEIT-Leute geben dies nur zähneknirschend zu. In den zehn Jahren, die das Blatt inzwischen zu Holtzbrinck gehört, empfanden sie lange Zeit, dass der Wiener Verlagsmanager für das hanseatisch unterkühlte Wesen der ZEIT und ihre Intellektualität nur Unverständnis und Spott übrig habe. Und in der Tat konnte man anfangs den Eindruck haben, dass sich zwischen Grabner und der ZEIT-Redaktion ein österreichisch-preußischer Kulturkampf abspiele. Der Racheengel für Königgrätz schien über dem Flachdach des Pressehauses zu schweben.

Michael Grabner, so schwer er und die selbstbewusste Redaktion sich aneinander gewöhnt haben mochten, hat mittlerweile gelernt, dass er sie gewähren lassen konnte – ja: gewähren lassen musste, wenn sie nicht weglaufen sollte, innerlich absterben oder abschalten. Umgekehrt hat die Redaktion gelernt, dass sie ihre journalistische Freiheit, ihr Niveau, ihren eigenen Kriterien-Kanon nur bewahren kann, wenn sie mitzieht und das Ergebnis ihrer Leistung schwarze Zahlen sind. Bei roten Zahlen sehen Verleger rot; dagegen ist kein Kraut gewachsen. Freien Auslauf haben Redaktionen nur, solange sie schwarze Zahlen schreiben. Das war übrigens selbst unter Gerd Bucerius nicht viel anders.

Grabner hat großen Anteil daran, dass es mit der ZEIT wieder aufwärts geht. Sein forderndes Drängen, sein Marketing-Geschick, seine Ungeduld, doch letztlich auch seine Duldsamkeit im Angesicht von Leistung haben dem Blatt gut getan. Da war er, so unterschiedlich die beiden in ihrer ganzen Wesensart auch sind, dem alten Bucerius sehr ähnlich.

Sechzig Jahre nach ihrer Gründung ist die ZEIT wieder da. Sie steht im Wettbewerbsumfeld an Platz 1. Die *Frankfurter Allgemeine Sonntagszeitung* versucht aufzuschließen, liegt aber mit ihrer Auflage weiterhin um 180.000 Exemplare hinter der ZEIT; ein gut gemachtes Blatt, doch letztlich keine Wochenzeitung, sondern eine Tageszeitung am Sonntag – wie die *Welt am Sonntag*, deren Auflage die 400.000-Grenze unterschritten hat.

Die ZEIT ist aus der sterilen Vornehmheit ausgebrochen, die ihr früher angehaftet haben mochte. Heute tut sie viel, um die Leser-Blatt-Bindung zu stärken. Sie tummelt sich kräftig am Markt. Und die junge Generation von ZEIT-Journalisten hat zurückgefunden zu den Wurzeln. Sie flüchtet sich nicht mehr in die Unverbindlichkeit der Postmoderne, sondern steht mit beiden Beinen in der Aktualität – je nach dem skeptisch, zustimmend, ablehnend, aber stets einer realistischen Vision des Möglichen und vor allem des Nötigen zugewandt.

Noch nie in der sechzigjährigen Geschichte der ZEIT hat es solch eine enge Verbindung zwischen Redaktion und Verlag gegeben. Die Redakteurinnen und Redakteure sehen sich nicht primär als Gegenpol zum Verleger. Sie ziehen an einem Strang – und in dieselbe Richtung. Sie wirken an den vielfältigen Veranstaltungen mit, die der Verlag organisiert. Sie moderieren Foren, leiten Workshops, bestücken Podien. Als Geschäftsführender Redakteur koordiniert Moritz Müller-Wirth seit Herbst 2004 die enge Zusammenarbeit zwischen dem Verlag und der Redaktion.

Die ZEIT ist wieder jung. Sie entfaltet Einfallskraft und Innovationskraft. Dabei hat sie entdeckt, dass ZEIT-Leser nicht aussterben. Sie kommt bei der Jugend gut an – so hat sie mehr studentische Leser als irgendeine andere deutsche Qualitätszeitung, und 50 Prozent der Leser sind zwischen 20 und 49. Aber sie bietet auch den älteren Lesern etwas, das sie nirgendwo sonst finden (9 Prozent sind über 70). Ihre Leser gehören zur Bildungselite. Gemessen an ihrem Einkommen, zählen sie größtenteils zur oberen Mittelklasse. Sie sind keine Modernitätsmuffel: Jeder zweite Leser bezeichnet sich als PC-Fortgeschrittener und hat mindestens zwei Computer im Haushalt. Und ZEIT-Leser sind aufgeklärte Wechselwähler.

Es geht denn wieder aufwärts mit der ZEIT. Giovanni di Lorenzo, der frühere Chefredakteur des *Tagesspiegel*, spürt Aufwind, seit er im August 2004 an Bord des Flaggschiffs der Holtzbrinck-Gruppe das Ruder ergriff.

Nr. 38 15. September 2005 60. Jahrgang Die aktuellsten Wahlumfragen: www.zeit.de/politik/wahlen C 7451 C Preis Deutschland 3,00 €

DIE ZEIT

WOCHENZEITUNG FÜR POLITIK, WIRTSCHAFT, WISSEN UND KULTUR

Die letzte Zuflucht

Notfalls auch gemeinsam? Ein Pro und Contra zur Großen Koalition

VON MATTHIAS KRUPA UND BERND ULRICH
POLITIK SEITE 3

VOR DER WAHL

Was braucht das Land nach dem 18. September?

Worüber im Wahlkampf ungern geredet wird: HELMUT SCHMIDT im Gespräch mit KURT BIEDENKOPF

POLITIK S. 4/5

Überall Abschied, überall Anfang

ZEIT-Reporter beobachteten deutsche Spitzenpolitiker im Wahlrausch DOSSIER S. 17–20

Hauptsache, durchregieren

Worum es Linken und Konservativen wirklich geht

THOMAS ASSHEUER UND ROBERT MENASSE FEUILLETON S. 45–47

Bewegung ankreuzen

Politiker müssen mit einigen Gewohnheiten brechen – egal, wer gewinnt VON GIOVANNI DI LORENZO

Der deutsche Weg

Verunsicherte Nationen

Die schönste UN-Reform taugt nichts, wenn die Weltmacht Amerika der Weltorganisation nicht traut VON MATTHIAS NASS

Die nächste Ausgabe der ZEIT erscheint wegen der Bundestagswahl bereits am Mittwoch, dem 21. September 2005

34. Kapitel

Ins siebte Jahrzehnt

Für die ZEIT (in Großbuchstaben) gilt, was Goethe ganz allgemein für die kleingeschriebene Zeit gesagt hat: »Die Zeit, sie mäht so Rosen als Dornen/aber das treibt immer wieder von vornen.« Am 19. August 2004 nahm der Mann, der den Lesern zum ersten Mal in einer Anzeige der Abschiedsausgabe des ZEITmagazins begegnet war, Platz auf dem Chefredakteurssessel im sechsten Stock des Hamburger Pressehauses

Giovanni di Lorenzo war vielen inzwischen kein Unbekannter mehr. Als Chefredakteur des Berliner *Tagesspiegel* (1999-2004) hatte er diesem Blatt nicht nur zu einem frischen graphischen und inhaltlichen Auftritt verholfen, sondern auch zu einer auf dem hart umkämpften Markt der Hauptstadt bemerkenswerten Auflagensteigerung. Dem Fernsehpublikum war er als Moderator der Talkshow »III nach 9« von Radio Bremen aufgefallen. Kenntnisreich zum Punkte fragend und pointensicher, liebenswürdig-verbindlich und auf nie verletzende Weise witzig – so lernte ihn nun auch die ZEIT-Redaktion kennen.

In Stockholm war Giovanni di Lorenzo 1959 zur Welt gekommen, Sohn eines italienischen Geschäftsmannes und einer deutschen Psychotherapeutin aus Königsberg. Er wuchs auf in Rimini, Rom und Hannover, wo er Abitur machte. Danach studierte er in München Politik, Geschichte und Kommunikationswissenschaften; seine Magisterarbeit »Strategie und Aufstieg des Privatfernsehens in Italien am Beispiel der Networks von Silvio Berlusconi« wurde mit »sehr gut« bewertet. Bei der *Neuen Presse* in Hannover verdiente er sich die ersten journalistischen Sporen. Sein allererster überregional verbreiteter Artikel erschien in der Münchner *Abendzeitung* unter dem Pseudonym Hans Lorenz, da der Chef vom Dienst »Giovanni di Lorenzo« für einen Künstlernamen hielt, der ihm allzu phantasievoll vorkam. Danach schrieb der junge Journalist die Lebensgeschichte eines Terroristen auf. Josef Joffe bot ihm an, daraus ein ZEIT-Dos-

SIER zu machen; später erschien der erweiterte Text als Buch bei Rowohlt: »Stefan, 22, deutscher Rechtsterrorist«. Als Experten für die rechte Jugendszene lud ihn daraufhin der Bayerische Rundfunk in die Fernsehsendung »Live aus dem Alabama« ein. Er kam so gut an, dass ihm am selben Abend noch die Ko-Moderation der Sendung angetragen wurde. Dem Fernsehen ist er seitdem vielfältig verbunden geblieben. Dem gedruckten Wort hielt er jedoch immer die Treue: »Im Fernsehen will ich nur Zaungast sein«, sagt er von sich. Von 1987 bis Ende 1994 gehörte er der Politik-Redaktion der *Süddeutschen Zeitung* an, 1994 bis 1998 leitete er, verantwortlich für die Gestaltung der in der deutschen Presse einmaligen »Seite Drei«, das Reportage-Ressort. Als Mitbegründer und Sprecher der Bürgerinitiative »München – eine Stadt sagt Nein«, die im Dezember 1992 die erste Lichterkette in Deutschland gegen Fremdenfeindlichkeit organisierte, wurde er damals einer größeren Öffentlichkeit bekannt.

Giovanni di Lorenzo verkörpert einen neuen Typ von Chefredakteur. Er denkt politisch, auch kann er klar und überzeugend schreiben. Aber seine Autorität will er nicht nur von seinem Schreiben ableiten, schon gar nicht vom Viel-Schreiben: »Ich empfinde es als genauso befriedigend, durch die eigene Arbeit andere möglichst gut zur Geltung zu bringen.« So ist er Autor, Kommunikator, Initiator, Moderator. »Ein Chefredakteur muss in jeder Hinsicht ein Ermöglicher sein, kein Verhinderer,« ist seine Devise.

Dabei hat er ein an Henri Nannen oder Stefan Aust erinnerndes »Bauchgefühl« für Titel, die sich gut verkaufen – ein erfahrungsgesättigtes Einfühlungsvermögen, mit dessen Hilfe es ihm immer wieder gelingt, am Kiosk mit Titeln Erfolge zu erzielen, denen die Mehrheit der Redaktion wenig oder nichts abzugewinnen vermochte. Die beiden meistverkauften Titel in seinem ersten ZEIT-Jahr sind ein gutes Beispiel: Entgegen der Skepsis der Kollegen setzte di Lorenzo, der erste katholische ZEIT-Chefredakteur, seit Josef Müller-Marein 1968 an Gräfin Dönhoff übergab, zweimal den Papst auf die Seite 1 und erreichte damit auch eine unerwartet große Zahl von nichtkatholischen Lesern.

»Ich schätze die Bereitschaft, es sich schwer zu machen und sich ganz in einer Sache zu verbeißen«, hatte er im Frühjahr 2000 einem ZEIT-Reporter in den Block diktiert. Nun verbiss er sich in die ZEIT (wobei er dem *Tagesspiegel* als einer der beiden Herausgeber verbunden bleibt und auch die TV-Talkshow weiterführt, die er zusammen mit Amelie Fried moderiert). Sein Ziel definierte er so: »das Blatt zu verkaufen und gleichzeitig die Prinzipien der ZEIT nicht zu verraten.« Er trat an mit dem Vorsatz, die unterschiedlichen Genres, die seine Redaktion beherrscht, stärker zu akzentuieren und die Mischung von Themen wie Formen zu forcieren (»Mit Denkstücken ist es allein nicht getan«). Gleichwohl bleibt sein Leitmotiv: »Wir verweigern uns dem Zeitgeist – aber ohne Verstocktheit«. Wobei er hinzusetzt: »Die Qualitätszeitung der Zukunft wird weniger Informationsmedium sein als vielmehr Orientierungsmedium.« Junge Leser will er gewinnen, ohne in einen anbiedernd jugendlichen Ton zu verfallen, und Frauen, ohne das Blatt mit feministischen Manifesten vollzupflastern.

Di Lorenzo bezeichnet sich als Nach-Achtundsechziger – ohne Hass auf die 68er-Generation, aber doch mit viel Abstand zu ihr. »In ihren unangenehmsten Ausläufern«, meint er, »steht sie leider für jene, die immer nur sagen, was man *nicht* darf.« Zwei Fragen treiben ihn um. Die eine: Was hält die Gesellschaft zusammen, wenn es keine direkte äußere Bedrohung mehr gibt? Die andere: Bestehen wir in Deutschland unsere Reifeprüfung – lassen sich die Menschen für die Demokratie motivieren, wenn keine Wohltaten mehr zu verteilen sind?

Der neue Chefredakteur kam, wie er ironisch lächelnd formuliert, ohne »Todeslisten« ins Haus; niemand wurde geschasst. Im Rahmen des Möglichen – soweit die natürliche Personalfluktuation dies zuließ – stellte er neue Leute ein, wobei ihm mancher überraschende Griff gelang. Aus Berlin brachte er Christoph Amend mit, der das LEBEN übernahm; außerdem Stefan Lebert, der die etwas anarchisch arbeitenden Reporter der ZEIT neu motivieren und koordinieren soll. Ferner holte er den Bestseller-Autor Wolfgang Büscher (»Berlin-Moskau« und »Deutschland, eine Reise«), die Politik-Redakteurin Andrea Böhm und die Reporterin Jana Simon; auch brachte er Patrick Schwarz (früher *taz*) ins Ressort POLITIK und verpflichtete Peter Schneider und Jakob Augstein als Autoren.

Vor einem Vierteljahrhundert behauptete der damalige Chefredakteur Sommer einmal kühn, die ZEIT sei ein »elitäres Massenblatt«. Auch Giovanni di Lorenzo geht von der Vorstellung aus, dass die ZEIT ein Massenblatt ist – bei bald einer halben Million Käufern und 1,43 Millionen Lesern keine Übertreibung mehr. In seiner ersten Woche als Chefredakteur lag die Auflage bei 459.000. Bis Oktober 2005 war sie auf rund 490.000 gestiegen. Beides hat sich auch für ihn ausgezahlt: die Kontinuität und die Erneuerung.

Lord Ralf Dahrendorf, ein Freund der ZEIT seit Jahrzehnten, hat das Blatt einst als Inbegriff einer Position beschrieben, »die in der politischen Landschaft fehlt: liberalsozial, internationalistisch, westliche Friedenspolitik mit fürsorglichem Interesse am Osten und Süden und dem immer wachen Sinn für neue Themen verbindend. Das alles geschieht nicht ausdrücklich und schon gar nicht pompös, sondern im täglichen Umgang, in den langen Freitagsdiskussionen und den kurzen Momenten der Entscheidung am Montag und Dienstag, in der Aufforderung an andere Autoren und der Korrektur ihrer Produkte, im Leitartikel und, wenn es ganz ernst wird, auch einmal auf der Seite drei.«

An dem Sinn für neue Themen wird es der ZEIT auch in ihrem siebten Jahrzehnt nicht fehlen. Aber zum Zeitungsmachen gehört noch mehr. Wie Gerd Bucerius, der Gründer des Blattes, es einmal ausgedrückt hat: »Viel Intelligenz braucht man dazu, auch viel Fleiß, aber das Wichtigste ist doch viel Glück.«

Dank

Dieses Buch ist geschrieben aus der Sicht dreier Beteiligter: Karl-Heinz Janßen, Haug von Kuenheim und Theo Sommer. Ihre Schilderung, ihr Urteil, ihre Sicht der Dinge muss nicht jeder in allen Einzelheiten teilen. Sie haben sich jedoch nach bestem Wissen und Gewissen um Objektivität bemüht.

Die Autoren schulden all jenen Dank, die in langen Informationsgesprächen, durch Bereitstellung von Unterlagen und mit kollegialer Formulierungshilfe zu der Darstellung der ZEIT-Geschichte beigetragen haben. An den Stärken dieses Buches haben viele Anteil. Etwaige Schwächen verantworten allein die Verfasser.

Personenregister